« LE MONDE » DE BEUVE-MÉRY

OU LE MÉTIER D'ALCESTE

Ouvrages de
Jean-Noël Jeanneney

AUX MÊMES ÉDITIONS

Le Riz et le Rouge
Cinq mois en Extrême-Orient
1969

François de Wendel en République
L'argent et le pouvoir (1914-1940)
1976

Leçon d'histoire pour une gauche au pouvoir
La faillite du Cartel (1924-1926)
1977.

AUX ÉDITIONS ARMAND COLIN

Le Journal politique de Jules Jeanneney
(septembre 1939 - juillet 1942)
édition critique, 1972

Ouvrages de
Jacques Julliard

AUX MÊMES ÉDITIONS

Fernand Pelloutier et les origines du syndicalisme
d'action directe
1971

La CFDT d'aujourd'hui
(en collaboration avec Edmond Maire)
1975

Contre la politique professionnelle
1977

CHEZ D'AUTRES ÉDITEURS

Clemenceau, briseur de grèves
Julliard, 1965

Naissance et mort de la IVᵉ République
Calmann-Lévy, 1968

JEAN-NOËL JEANNENEY
JACQUES JULLIARD

« LE MONDE »
DE BEUVE-MÉRY

OU LE MÉTIER D'ALCESTE

ÉDITIONS DU SEUIL
27, rue Jacob, Paris VIᵉ

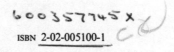

ISBN 2-02-005100-1

Introduction

Le Monde est une puissance — une puissance de tous côtés et à mille signes reconnue... Jour après jour, *le Monde* pèse et compte. Récemment, les polémiques qui l'ont touché tout à coup, rompant avec une révérence assez générale, ont témoigné à leur façon de cette place prise et lui ont rendu par là un hommage indirect et involontaire.

On peut dire plus : la réaction du journal ainsi attaqué plus ou moins adroitement, plus ou moins pertinemment, n'a pas été de parfait sang-froid. Lui qui, selon sa fonction, scrute et au besoin étrille tous les pouvoirs, lui qui proclame à juste titre qu'aucune grandeur séculière ne justifie de complaisance sacrée, a pris plus clairement figure, par son haut-le-corps devant les critiques, d'institution installée, un peu hautaine, fort jalouse en tout cas de son autorité et de son prestige et fort prompte à faire jouer sa capacité de représailles (par le silence de ses colonnes) envers les audacieux qui l'avaient mis en cause. Beaucoup plus nombreux furent, à vrai dire, même à gauche, les intellectuels qui, sachant la brûlure de ses foudres et ce que leur coûterait un ostracisme, se bornèrent aux critiques privées; mais ces prudences mêmes prouvent moins l'isolement des polémistes que la puissance du journal.

Or, à l'époque de ces querelles, il est apparu aux deux historiens qui ont résolu d'écrire ce livre (on y verra si l'on veut une déformation professionnelle...) que dans chaque camp les arguments échangés manquaient un peu de perspective, et que si l'on replaçait les choses dans la durée, depuis la naissance du journal, elles prendraient une autre couleur.

Du côté des premières attaques (celles, pour être précis, de Michel Legris), on cherchait à établir une coupure brutale en 1969, date de

7

l'arrivée de Jacques Fauvet remplaçant Hubert Beuve-Méry à la direction du journal : *le Monde* de Beuve devenait celui d'un âge d'or d'autant plus aisément mythifié que bien des lecteurs jeunes ne l'avaient pas connu de très près. Ce *Monde*-là, tel qu'on le dépeignait, était trop simple et comme abstrait, au lieu qu'il aurait fallu montrer qu'il était très visiblement le produit, non sans multiples conflits, contradictions et douleurs, d'une époque spécifique et changeante, avec un jeu des forces très daté, et pour commencer, à sa naissance, d'une conjoncture exceptionnelle...

En face, et dans le même temps, du côté de cette défense un peu crispée qui fut celle du journal, pour répliquer à cette interprétation caricaturale en noir et blanc, on tendait à faire du *Monde* une sorte de réalité intemporelle et comme immuable, et l'on ne rappelait pas davantage ce passé décisif.

C'était chose bien regrettable : car, pour qui prend du recul, les polémiques de 1976 perdent beaucoup de leur relief. Tout intéressantes qu'elles soient, et parfois révélatrices, elles demeurent secondaires par rapport à ce grand fait que *le Monde,* apparaissant à la faveur de la Libération et survivant à bien des traverses, a constitué un phénomène à peu près sans précédent dans notre histoire : un grand journal influent qui s'est montré capable d'échapper à l'emprise à la fois des autorités gouvernementales et des milieux d'affaires. Avant la guerre, assurément, plusieurs quotidiens étaient de bonne qualité et le talent s'y répandait à profusion. Mais même parmi les plus notoires, les plus guindés, les plus considérés, aucun (si l'on excepte les organes de partis, malingres et soumis d'ailleurs à d'autres subordinations) n'échappait complètement aux tentations de la vénalité. L'indépendance juridique de la presse était acquise depuis la loi de juillet 1881, extrêmement libérale — mais d'indépendance financière et morale, on n'en rencontrait point.

La Résistance avait nourri l'espoir de changer d'un coup tout cela : la plupart des journaux nouveaux de la Libération moururent ou se résignèrent aux compromissions. *Le Monde,* lui, resta libre, et cela appelle bien, par-delà les irritations momentanées, l'expression forte d'une gratitude collective.

On l'aura déjà compris : sans fuir les questions du présent, auxquelles cet essai reviendra pour finir, il a l'ambition d'être d'abord une contribution à l'histoire de la liberté de la presse. Il se propose d'éclairer la façon dont *le Monde* est parvenu à bâtir et à conserver son indépendance en face de l'argent et de l'État, à incarner un tel progrès intellectuel et moral — en attendant que l'évidence se révèle, dans un deuxième temps, que d'autres pouvoirs moins visibles pouvaient être tentés, aussi, d'abuser de leur situation : pouvoir des clans intellectuels, pouvoir des fondateurs installés dans la place au sortir de la Résistance, et pouvoirs des rédacteurs eux-mêmes, recrutés par cooptation dans des milieux longtemps limités, prompts à serrer les rangs en face des intrus possibles... Soit — mais ne l'oublions jamais : l'importance prise par ce souci nouveau prouve en lui-même, et avec éclat, que d'autres menaces, plus graves, ont été victorieusement écartées.

Le nom d'Hubert Beuve-Méry figure dans le titre de ce livre. Non pas que nous rallions la thèse simpliste d'une sorte de brutale coupure en 1969, non que nous réduisions *le Monde* du premier quart de siècle à l'action et à la personnalité de son fondateur principal — mais le tempérament et l'action de celui-ci ont compté trop fort dans l'histoire du journal pour qu'on n'aille pas en chercher d'abord les racines dans son passé personnel.

Beuve-Méry a surgi à la fin de 1944 avec le privilège splendide et la charge écrasante d'être le premier maître d'œuvre de la grande entreprise définie et décidée par de Gaulle et les siens. Ce qu'il a construit alors, pragmatique inspiré de quelques idées forces, ne se peut comprendre sans qu'on sache ce qui a modelé cet homme — l'enfance pauvre à l'ombre de l'Église, les frustrations et les douleurs de l'expérience de Prague, le choix d'Uriage, la Résistance enfin. Ainsi s'ouvre le livre. Ensuite, *le Monde* lancé, son destin s'entremêle de si près à celui de son directeur qu'il y aurait beaucoup d'artifice à les distinguer, et on les suivra donc de concert.

On aurait pu concevoir une histoire du journal qui se confondît avec le résumé de son contenu au fil des années. Cette démarche n'est pas la nôtre. On ne trouvera pas dans ces pages une histoire de notre planète telle qu'elle a pu se réfléchir, de 1944 à 1969, dans les austères colonnes du *Monde*. Nous avons voulu montrer le développement d'une entreprise intellectuelle, morale et commerciale, dans ses rapports avec les forces qui l'ont influencé, tantôt directement et tantôt négativement. Les grands débats du temps sont au fond de la scène — qui ne surgissent au premier plan que lorsque le sort du journal se joue à leur propos. Dans la ligne ainsi fixée, nous avons insisté sur les crises de croissance des dix ou douze premières années, qui ont mené parfois *le Monde* au bord de la mort et qui ont beaucoup contribué à lui donner ses traits durables. Peut-être trouvera-t-on du même coup, au fil de ces pages, quelques informations inédites sur la vie politique de la France, pendant la IVᵉ République surtout.

Pour écrire une histoire si proche, il fallait se porter à l'écoute, naturellement, des témoins. A tous ceux qui se sont prêtés patiemment à nos questions, et dont on lira une liste en annexe, nous exprimons nos remerciements.

Il fallait faire aussi la chasse aux archives. Étant donné la législation en vigueur, celles des administrations ne pouvaient nous être accessibles que pour les débuts. Il n'y a pas trop à le regretter : tous les historiens de la presse savent bien que ce type de source n'apprend pas grand-chose depuis qu'en 1881 a heureusement disparu la tutelle de l'État. D'un grand prix, en revanche, nous ont été les papiers de René Courtin qui fut, jusqu'à sa défaite en 1951, le principal adversaire de Beuve-Méry à l'intérieur du journal. Nous disons notre respectueuse gratitude à Mᵐᵉ René Courtin, qui a compris d'emblée la nature de notre enquête et l'intérêt de faire, du dedans, l'histoire du vaincu. Nous remercions aussi Mᵐᵉ Anne Béranger qui nous a communiqué plusieurs dossiers utiles provenant de son père Martial Bonis-Charancle, secrétaire général du journal dans les premières années, MM. Philippe Boegner et Henry Dhavernas qui nous ont prêté leurs papiers concernant l'affaire du *Temps de Paris,* et enfin M. et Mᵐᵉ Gérard Casano qui nous ont donné à lire des documents provenant de leur oncle, André Chênebenoit.

L'essentiel, comme bien l'on pense, était ailleurs, rue des Italiens, dans les armoires d'Hubert Beuve-Méry — notes et correspondances inédites aussi bien que documentation imprimée. Les armoires nous ont toutes été ouvertes, avec le concours inlassablement dévoué de sa collaboratrice Yolande Boitard, qui fut la secrétaire personnelle du directeur depuis 1945. Rien n'eût été possible sans cet accès complet et très libéralement offert.

Nous avons mis à contribution, des heures durant, les souvenirs et la patience d'Hubert Beuve-Méry lui-même. S'il a publié plusieurs recueils d'articles, il a choisi une fois pour toutes de ne pas publier de Mémoires. Il a personnellement souhaité que ce travail voie le jour et il a eu sa part dans la décision des auteurs de s'associer pour l'accomplir. Au bout du chemin, ce livre l'a surpris souvent et l'a heurté quelquefois. Certaines de ses remarques ont été écoutées, beaucoup de ses critiques ont été rejetées par les auteurs. Hubert Beuve-Méry savait d'origine quelle considération ceux-ci portaient à son œuvre et à sa personne. Il accepta leur totale indépendance et qu'eux seuls assument l'entière responsabilité des analyses et des interprétations proposées.

C'est là pour nous, à son égard, un motif supplémentaire de reconnaissance.

CHAPITRE I

Genèse d'Alceste

Les Beuve et les Le Beuve, les Méry-Lebeuve et les Beuve-Méry, tous sont bretons de souche. La famille d'Hubert Beuve-Méry est originaire de Quintin (Côtes-du-Nord) du côté maternel, et de Pontivy (Morbihan) du côté paternel. On trouve des deux côtés des gens qui ont assez bien réussi, un général contrôleur de l'armée et un artisan armurier célèbre pour ses fusils de chasse chez les hobereaux du voisinage : celui-là engendre six filles dont cinq sont emportées par la tuberculose ; la sixième sera la mère d'Hubert. Après la mort du père, sa veuve décide de monter à Paris pour se « placer ». Elle devient cuisinière-intendante de l'archiprêtre de Notre-Dame, le chanoine Pousset, qu'elle amuse, ainsi que les dignitaires ecclésiastiques qui défilent à sa table, par son franc-parler et son robuste bon sens. A sa retraite, elle s'installe avec sa sœur dans un modeste appartement, rue Chanoinesse, à l'ombre de Notre-Dame. Entre-temps, sa fille a épousé un horloger-bijoutier, et c'est de cette union qu'est né, le 5 janvier 1902, Hubert Beuve-Méry. Mais le couple, qui s'entend mal, se sépare peu après ; la mère et l'enfant viennent habiter, avec la tante, rue Chanoinesse.

A l'ombre des soutanes

Ce n'est pas la misère, c'est-à-dire la faim, la crasse, le dénuement — mais c'est l'extrême pauvreté. Beuve-Méry se revoit encore ramassant avec sa vieille tante les débris de pavés de bois quand on réparait les rues du quartier tandis que sa mère faisait un peu de confection : très tôt l'argent et lui ne font pas bon ménage. Après la mort de la grand-mère et la perte de la petite retraite que lui assurait l'archiprêtre, la prieure des Augustines de l'hôpital de Bon-Secours procure, en 1913, à la mère et à l'enfant, restés seuls, un petit logement de deux pièces, rue Vergniaud, dans une des premières maisons ouvrières construites dans le XIIIᵉ arrondissement. Hubert fréquente, rue du Banquier, aux Gobelins, la dernière des Écoles des frères subsistant, avant fermeture définitive, en vertu de la loi sur les congrégations. Inquiet de la mauvaise santé du jeune garçon, le gros et brave frère Firmin propose à sa mère de l'emmener avec lui à Monistrol-sur-Loire, dans une École de frères « laïcisée », où il vient d'être nommé. C'est là qu'il passe les premières années de la guerre, et qu'il conquiert de haute lutte la place de premier de canton au certificat d'agriculture, diplôme dont aujourd'hui encore il s'enorgueillit. En 1918, élève au collège du Sacré-Cœur à Yssingeaux, il est reçu à la première partie du baccalauréat.

A son retour à Paris, dans l'appartement de la rue Vergniaud, Hubert Beuve-Méry assiste à l'extraordinaire explosion de liesse populaire du 11 novembre 1918, choqué déjà par les bandes de filles dédaignant la capote bleue des poilus pour suivre de fringants Américains...

Il faut vivre. Une voisine lui trouve une place de livreur chez un réparateur de meubles anciens de la rue de la Santé. Flanqué d'un poivrot surnommé « la Vache », il pousse sa voiture à bras à travers Paris vers les clients des beaux quartiers. « La Vache et le bachelier » connaissent dans le voisinage un début de popularité. L'année suivante, 1920, on retrouve Hubert à la gare de Lyon, employé aux écritures du PLM, regardant non sans envie les couples élégants monter en wagon-lit. « Comment pourrais-je moi aussi percer la croûte sociale, monter en wagon-lit? » Toute sa vie il conservera une prédilection pour le chemin de fer, et spécialement pour le Cisalpin dont il affectionne le confort. La santé est toujours fragile; lors d'une visite médicale, il a même été classé prétuberculeux. Qui oserait lui prédire la robuste constitution que l'on connaît au Beuve-Méry de l'âge mûr, infatigable montagnard et bourreau de travail : mais déjà et toujours insomniaque et migraineux.

Comment sortir de la dèche? L'année précédente, en 1919, il a assisté aux conférences de Carême du père Janvier à Notre-Dame.

La renommée de ce dominicain, prieur du collège de Flavigny, est alors très grande. Dans la chaire de Notre-Dame qu'il occupe depuis 1903, il consacre à la morale catholique des conférences d'une vigoureuse éloquence et d'une orthodoxie parfaitement conservatrice. Intéressé, séduit même, Hubert écrit au célèbre prédicateur la lettre du jeune homme pauvre. C'est un véritable appel au secours, qu'il a envoyé en dépit du scepticisme de sa mère. Pourtant, le père Janvier lui répond et l'invite à le venir voir. Commence alors une relation qui aura une influence considérable sur la suite de la vie d'Hubert Beuve-Méry. Grâce à son protecteur, celui-ci entre en relation avec M. Leseur. Curieux personnage que cet ami de Louis Barthou qui, après avoir copieusement trompé sa femme des années durant, se convertit après la mort de celle-ci à la lecture du journal intime qu'elle avait tenu. A plus de soixante ans, il obtient du pape l'autorisation spéciale de faire le noviciat de l'ordre de Saint-Dominique. Jusqu'alors, il avait dirigé la compagnie d'assurances « Le Conservateur », et c'est grâce à la recommandation de M. Leseur à son successeur qu'Hubert Beuve-Méry devient employé d'assurances en 1921.

Cette entrée dans le monde des cols blancs, loin de le satisfaire, déclenche chez le jeune homme l'une de ces crises d'interrogation sur le sens de l'existence auxquelles il sera sujet, non sans quelque secrète délectation, tout au long de sa vie. Passe encore de pousser une charrette ou de connaître des nuits blanches dans les gares, mais noircir du papier, faire des additions au « Conservateur »! Le sort en est jeté, il ne sera pas assureur.

On l'a déjà dit à sa mère : c'est un intellectuel. Après plus de trois ans d'interruption, il décide de reprendre ses études. Et d'abord, de passer la seconde partie du baccalauréat. Une nouvelle fois, c'est un ecclésiastique qui le tire d'embarras, en la personne du supérieur du collège d'Yssingeaux, où il avait fait une partie de ses études secondaires. Nous sommes en mars 1922. L'année scolaire est déjà fort avancée : il ne reste que le troisième trimestre. Le supérieur d'Yssingeaux accepte de l'accueillir sans un sou dans son internat, moyennant promesse du remboursement ultérieur de la pension mensuelle de 32 francs : trois mois de philosophie intensive et au bout, l'écrit de la seconde partie. Mais à l'oral, les sciences, trop négligées du jeune homme, se vengent. Il lui faudra attendre octobre pour réussir, après un été passé à Monistrol à potasser chez une brave femme qui a accepté de le nourrir contre un peu d'aide aux travaux de la ferme.

A son retour à Paris, à l'automne 1922, c'est un dominicain, le père Chauvin, qui le prend en main et l'incite à continuer des études, mathématiques de préférence. Mais Beuve-Méry ne s'intéresse qu'à la littérature. On négocie : le jeune bachelier fera du droit. C'est alors que, pour vivre, il commence, parallèlement à ses études supérieures, une carrière de journaliste qui s'étendra sur un demi-siècle.

Avec trois amis, un jésuite, le père de Grandmaison, un séculier, le chanoine Soulange-Bodin, curé de Saint-Honoré d'Eylau, fort répandu dans le monde parisien, et un laïque, Charles Pichon, chroniqueur religieux à *l'Écho de Paris,* le père Janvier avait fondé en 1912 un bimensuel, *les Nouvelles religieuses.* Cette austère revue d'information au grand format, à la mise en pages sommaire, n'est guère florissante, et le père Janvier ne tarde pas à se retrouver seul. Il lui faut reconstituer une équipe. Le père Leseur vient de terminer un noviciat un peu abrégé : il en sera le directeur; Janvier en sera l'éditorialiste occasionnel. Il manque un homme à tout faire; sur la recommandation de Chauvin, on embauche Hubert Beuve-Méry, qui trouvera dans cet emploi les ressources nécessaires à ses études. Enfin, un quatrième homme est là pour enrichir l'équipe de son expérience du métier et de sa parfaite connaissance du milieu ecclésiastique : c'est Alfred Michelin, qui fut pendant de longues années une des personnalités marquantes de *la Croix.* Les deux hommes ne se perdirent plus jamais de vue et, devenu directeur du *Monde,* Hubert Beuve-Méry ne manqua jamais à la tradition hebdomadaire du déjeuner avec son vieil ami, qui savait être un conseiller discret et avisé. C'est dans une baraque installée pendant la guerre dans la cour du couvent des dominicains de la rue Saint-Honoré qu'est installée la revue : un nid à rats au sens propre du mot. Quant à Hubert Beuve-Méry, il occupe rue Balzac un grand appartement vide appartenant à la vicomtesse de Lestrange qui voulait se prémunir contre une éventuelle réquisition. Celle-ci, auditrice passionnée du père Janvier, avait rêvé d'en faire le siège de la conférence des cardinaux et archevêques de France, dont le père était le secrétaire. Beuve-Méry se rappelle encore la lamentable cuisine qu'il s'y

16

préparait : une infâme colle de pâte, faite de farine délayée avec de l'eau et du beurre dans une marmite norvégienne, don d'une bienfaitrice qui, pour rompre son ordinaire, le recevait une fois par semaine à sa table, dans l'immeuble de sept étages dont elle était seule occupante.

Tout un petit monde d'artistes et d'hommes de lettres gravitait alors autour du père Janvier : celui-ci avait attiré des hommes comme le poète dramatique Henri Ghéon, ami de Gide, qui naguère avait animé avec Jacques Copeau le théâtre du Vieux-Colombier ; les Rouart, qui tenaient une galerie de peinture, le prince Ghika, qui s'était fait prêtre ; on y voyait aussi parfois Jacques Maritain. Hubert Beuve-Méry appartint quelque temps à ce tiers ordre.

C'est dans un milieu d'un catholicisme fort conservateur et même réactionnaire qu'il est ainsi tombé. En 1925, le père Janvier est un des animateurs de la campagne menée par le général de Castelnau, le « capucin botté », contre l'application de la loi de 1901 sur les congrégations. En décembre 1926, lorsque Pie XI met à l'index l'Action française, le père Janvier, ami et à l'occasion confesseur de Daudet (« le feu de Dieu », avait dit de lui ce dernier dans le journal de Maurras), est profondément heurté ; il faudra l'insistance de Beuve-Méry pour que le secrétaire de la conférence épiscopale se décide à écrire dans *les Nouvelles religieuses* un éditorial intitulé « Obéissance »...

Que de soutanes pour entourer la jeunesse du jeune homme qui promet! Beuve-Méry n'a jamais eu la vocation religieuse, en dépit d'un goût affirmé et prolongé pour la vie monastique, qui correspond chez lui au penchant pour la solitude, la contemplation, et une certaine sauvagerie. Assez rapidement même, il prendra des distances avec la foi. Agnostique? Oui, si l'on entend par là la perplexité, le doute, l'inquiétude, et non l'indifférence. Convaincu que l'être humain éprouve un irrépressible besoin d'absolu, il reste un esprit religieux à la recherche du Dieu inconnu, de ce « Dieu en creux comme un manque », aimera-t-il plus tard à répéter après Berl. D'un bout à l'autre de sa carrière, on trouve ce souci religieux. Et aussi ces présences ecclésiastiques, nombreuses, amicales, discrètes. Cela n'exclut pas, bien au contraire, un certain anticléricalisme de connaisseur du milieu catholique, qui est son milieu nourricier.

Parallèlement, le jeune homme a terminé sa licence de droit, et l'a

17

complétée — pour son plaisir — par une licence de lettres; puis, après l'école d'officiers de réserve à Saint-Cyr, il fait son service militaire en Allemagne sous les ordres du général Guillaumat. A son retour à Paris, il reprend sa place à la revue. Un jour, le père Janvier lui rapporte d'un de ses voyages en Espagne une des premières éditions du *De Indis* de Francisco de Vitoria. Le célèbre théologien du XVIᵉ siècle, qui fut, avec Bartolomé de Las Casas, le grand défenseur des Indiens contre la colonisation espagnole, était alors fort peu connu en France. Beuve-Méry lui consacre une thèse de doctorat en droit et contribue à réveiller l'intérêt pour un des premiers critiques du colonialisme.

En septembre 1928, il épouse Geneviève Deloye, une camarade de doctorat — dont il aime, jusqu'aujourd'hui, à louer la discrétion et l'efficace dévouement. Son patron de thèse, M. Lefur, lui fait bientôt savoir qu'un poste de professeur va être créé à l'Institut français de Prague et que l'on recherche des candidats. C'est à Prague que, après un bref crochet par Lourdes, il fera son voyage de noces[1].

Prague : la presse vénale

Dans la formation d'Hubert Beuve-Méry, l'expérience tchèque tient une place majeure[2].

A Prague où il arrive à vingt-six ans, en octobre 1928, il se trouve investi d'une double tâche d'enseignement et de journalisme. Son poste de professeur à l'Institut français de Prague, puis de lecteur à l'École tchécoslovaque des hautes études commerciales, comporte des cours de droit international, le devoir d'observer de près les problèmes d'Europe centrale, la chance d'être introduit dans les

1. Ce récit de la jeunesse de Beuve-Méry repose pour l'essentiel sur les entretiens que celui-ci a accordés aux auteurs. Les citations, sans autre référence, en proviennent.
2. La source principale de ce développement est constituée par le témoignage et les Archives de Beuve-Méry lui-même, à quoi on doit ajouter sa déposition devant la Commission d'enquête parlementaire sur les événements survenus en France de 1933 à 1945, rapport Charles Serre, t. III, 1951, p. 817-827.

milieux de la bourgeoisie dirigeante, la responsabilité de contribuer à former les cadres futurs de la diplomatie du pays.

Servi par le grand prestige dont jouit la France, il se mêle au personnel politique et administratif de la capitale. Il approche souvent Édouard Benès, ministre des Affaires étrangères depuis la Première Guerre mondiale, et président de la République à partir de 1935 : lorsque Benès prépare un discours qu'il devra prononcer en français, par exemple à la Société des nations ou devant quelque autre instance internationale, c'est à Beuve-Méry qu'il revient de mettre au point la traduction [1]. Il voit aussi beaucoup son rival Milan Hodza, leader slovaque du parti agrarien, président du Conseil à partir de 1935, et Camille Krofta qui succède à Benès en 1935 au ministère des Affaires étrangères.

La tradition s'est instaurée à Prague que la correspondance des grands journaux français soit souvent confiée à des professeurs de l'Institut. A Hubert Beuve-Méry échoit la correspondance du *Matin* puis celle du *Journal,* du *Petit Journal,* en 1933-1934, et enfin, à partir de mai 1935, celle du *Temps* [2]. Mission très légère à l'origine, les lecteurs français des feuilles à grand tirage s'intéressant fort peu à l'évolution intérieure de la Tchécoslovaquie. On trouvait là surtout le moyen commode de recevoir une carte de libre circulation dans les chemins de fer et l'occasion d'une exploration plus systématique du pays tout entier. Puis, peu à peu, le cours des choses conférant à la Tchécoslovaquie une importance croissante dans la vie internationale, le travail en vint à s'étoffer. Il fournit du même coup à Beuve-Méry des aperçus directs sur le fonctionnement du journalisme français contemporain. Sombre spectacle, en vérité : et cette expérience a marqué toute sa vie.

Quatre ans après son arrivée, un événement fortuit donne un certain rôle, soudain et éphémère, aux correspondants de presse installés à Prague.

Le 7 mai 1932, à la veille des élections législatives françaises, le président de la République Paul Doumer est assassiné à Paris

1. Ceci lui vaudra après la guerre quelques attaques assez dérisoires quand seront publiés les comptes du ministère des Affaires étrangères, portant les modestes appointements versés pour ce travail.
2. Il envoie aussi, entre 1933 et 1935, des articles à *l'Aube* de Francisque Gay, et à *l'Information économique et financière.*

par un Russe blanc nommé Gorguloff. Or, celui-ci avait passé en Tchécoslovaquie les trois années précédentes. Et voici que les rédacteurs en chef assiègent leurs correspondants à Prague de télégrammes qui réclament des détails originaux et une enquête sur les rumeurs insistantes qui font de l'assassin un militant communiste.

Ainsi sollicité, Beuve-Méry se fait limier d'occasion, suit les traces de Gorguloff, se persuade qu'il était d'esprit dérangé, très diminué par la syphilis et affligé de la manie de la persécution. Il apprend que Gorguloff avait appartenu au parti des Verts, petite formation d'opposition agrarienne, sans lien aucun avec le parti communiste en dépit de ce que d'emblée avait affirmé à Paris une droite intéressée à dresser l'opinion contre les « rouges ». Point mécontent de son travail, Beuve envoie son papier au *Matin*. Mais, quand il reçoit son exemplaire du journal, il tombe de son haut en lisant sur cinq colonnes que Gorguloff était décidément bien un agent communiste avéré... Il faut dire que *le Matin* de Maurice Bunau-Varilla est à la pointe de l'antisoviétisme. Beuve-Méry, indigné, appelle son rédacteur en chef au téléphone, lui dit son étonnement : « Je ne sais pas quelles sont vos sources, mais enfin, méfiez-vous, cela n'a pas l'air de se présenter tout à fait comme cela... » En réponse il ne reçoit qu'une espèce de grognement et dès le lendemain il voit arriver par l'avion de Paris un « grand reporter » du *Matin*, nommé Charles Favrel (on le retrouvera au *Monde* au moment de la guerre d'Indochine), qui lui réclame tous les détails possibles et lui dit : « Ecoute, mon vieux, c'est simple, toi, tu touches la pige, et moi je pisse la copie... » Ainsi bousculé, mortifié, indigné, Beuve-Méry envoie aussitôt sa démission au *Matin*.

Mais l'affaire ne se termine pas là. Après une expérience tout aussi fâcheuse au *Journal*, survient en effet un policier chargé d'une enquête par le gouvernement français. Il va trouver Beuve-Méry et le prie d'accepter de l'aider : Beuve-Méry y consent, moyennant qu'il pourra disposer des renseignements nouveaux mis au jour. Ceux-ci sont nombreux et confirment encore davantage l'invraisemblance de la thèse du complot communiste. Notre journaliste néophyte met alors en garde le policier : « Bon, j'ai les documents mais je vous préviens que, sauf fait nouveau, si jamais on construit le procès sur le thème d'un complot communiste, je publie ce que je sais en mettant tout par terre... Quelle pitié si vraiment notre société ne peut plus se défendre qu'avec des armes de ce genre! » La réponse vient du tac au tac : « Ah! ce que vous pouvez être jeune! » En vain Beuve-Méry essaie-t-il de vendre son reportage à différents journaux parisiens : toutes les portes se ferment, et il ne trouve finalement à se faire publier que dans une feuille régionale, *Marseille-Matin,* qu'un groupe d'armateurs vient de lancer dans le Midi[1].

Une deuxième expérience, un peu plus tard, achève d'ouvrir les yeux de Beuve-Méry sur la moralité des milieux de presse.

En juin 1934, Louis Barthou, ministre des Affaires étrangères dans le gouvernement de Gaston Doumergue, entreprend un grand voyage en Europe centrale. Il souhaite, contre la menace nouvelle de Hitler, installé au pouvoir en Allemagne depuis janvier 1933, resserrer les liens de la France avec les États de la « Petite-Entente » issus en 1919 de la décomposition de l'Autriche-Hongrie. Au nom du *Petit Journal* qu'il représente maintenant, Beuve-Méry accompagne le ministre parmi la cohorte de « grands » journalistes envoyés de Paris pour couvrir l'événement. Il fait ainsi mieux connaissance avec la corporation et, quarante ans après, il se souvient avoir été violemment heurté à la fois par la vulgarité des comportements et par l'immoralité financière de ses grands confrères — découvrant par exemple qu'il était banal de faire rembourser par le journal les notes de téléphone déjà réglées par les gouvernements visités soucieux de se ménager une bonne presse à coup de petites faveurs... Menues truanderies qui reflètent à un niveau subalterne l'atmosphère de franche canaillerie qui règne trop souvent dans cette presse française de l'entre-deux-guerres[2].

Dès avant 1914, Arthur Raffalovitch, chargé par l'ambassade du tsar à Paris d' « arroser » la presse française pour qu'elle célèbre la vertu des emprunts russes, avait parlé dans une dépêche de

---

1. Beuve-Méry est introduit à *Marseille-Matin* par François Charles-Roux qui est alors ambassadeur à Prague et qui appartient à une famille d'armateurs de Marseille.
2. La plus riche moisson de renseignements à ce sujet est rassemblée par Pierre Albert dans sa contribution au tome III de l'*Histoire générale de la presse française, De 1871 à 1940,* de Claude Bellanger, Jacques Godechot, Pierre Guiral et Fernand Terrou (Paris, PUF, 1972). Voir aussi Jean-Noël Jeanneney, « Sur la vénalité du journalisme financier entre les deux guerres », *Revue française de science politique,* août 1975, p. 717-738.

« l'abominable vénalité de la presse française [1] ». Les choses, depuis lors, se sont encore aggravées. Le journalisme financier surtout est le royaume du chantage, de la publicité financière déguisée, des dessous-de-table, mais l'atmosphère méphitique qui y règne a largement débordé alentour. L'utilisation systématique des fonds secrets par les gouvernements successifs peut seule expliquer la teneur de bien des articles dans l'entre-deux-guerres, et, en politique étrangère, les responsables des titres les plus honorés sur la place trouvent tout naturel de toucher de toutes mains. La période de négociation des traités de paix en 1919 a été un âge d'or à cet égard, car toutes les puissances moyennes ou petites qui n'avaient pas accès à la conférence des Quatre ont cherché à peser sur les décisions par le détour des « opinions publiques », c'est-à-dire qu'ils ont usé d'arguments sonnants et trébuchants pour s'assurer la bienveillance des journaux. Les archives de l'ambassade de Grèce en fournissent, parmi d'autres, un exemple éclatant. L'argent de Basil Zaharoff, le fameux marchand d'armes, grossissait là efficacement le budget officiel du gouvernement hellénique [2]... Les rédacteurs se font d'autant moins de scrupules que les questions en cause sont plus éloignées des préoccupations réelles des Français et qu'ils sont donc garantis contre toute réaction vive de la part des lecteurs.

Lorsque, en 1935, la correspondance du *Temps* à Prague revient à Beuve-Méry, il rejoint le journal qui est le plus prestigieux de France et le plus influent dans les chancelleries étrangères. *Le Temps* a figure installée de porte-parole officiel du Quai d'Orsay dont le fameux « Bulletin de l'étranger », dans la première colonne à gauche, est censé exprimer les vues (Beuve-Méry eut d'ailleurs l'occasion de constater que sa nomination comme correspondant était négociée selon l'usage entre la direction du journal et l'ambassade de France à Prague). Mais d'autres influences s'y exercent aussi qui empruntent des chemins plus vulgaires et de plus simples moyens de persuasion.

Le Temps trouvait parfaitement normal que ses correspondants fussent plus ou moins directement ou indirectement rétribués par les

---

1. L'expression a servi de titre au recueil des rapports de Raffalovitch saisis par les Soviets et publiés en France par *l'Humanité*, puis dans un livre de 1931.
2. Voir Dimitri Kitsikis, *Propagande et Pressions en politique internationale, la Grèce et ses revendications à la conférence de la Paix, 1919-1920*, Paris, PUF, 1963, 540 p.

gouvernements auprès desquels ils étaient accrédités. La publicité « touristique », les abonnements en nombre et quantité d'autres procédés plus ou moins pudiques s'ajoutaient aux simples « enveloppes » qui n'étaient pas non plus inconnues [1].

Les sources qui éclairent cette « vénalité » du premier journal français abondent pour les années vingt. On est moins informé sur les années trente. Il se peut que l'arrivée à la direction du journal d'une nouvelle équipe, en 1931, celle d'Émile Mireaux et de Jacques Chastenet — après le rachat du journal par un consortium de grandes entreprises [2] —, ait introduit quelque amélioration à cet égard. Mais le fait n'est pas certain : faute d'un coup de hache les mauvaises habitudes perdurent aisément.

Il fallut cependant quelque délai à Beuve-Méry pour se persuader que le Temps ne valait pas mieux, sous ce rapport, que ses concurrents. Car d'abord il apprécie que son activité de journaliste, à laquelle il prend goût de plus en plus, change de dimension. Sa responsabilité s'accroît en même temps à la mesure du poids du journal, comme font aussi les facilités qu'il peut trouver, à Prague, dans son travail d'information.

Non à Munich

Sur l'état d'esprit de Beuve-Méry pendant la montée des périls, on est bien renseigné par les articles de fond qu'il donne régulièrement à Politique, revue mensuelle d'inspiration « démocrate-chrétienne » qui est animée par Marcel Prélot et Charles Flory [3]. L'amitié croissante qu'il éprouve pour les Tchèques n'entraîne pas son indulgence envers le fonctionnement de leur démocratie et pour un personnel parlementaire qu'à part quelques « brillantes exceptions »

---

1. Pour des détails souvent surprenants, voir, du même Dimitri Kitsikis, « Le Temps et le gouvernement grec », Revue d'histoire moderne et contemporaine, septembre 1968, p. 512-534.
2. Voir Jean-Noël Jeanneney, François de Wendel en République. L'argent et le pouvoir, 1914-1940, Paris, Éd. du Seuil, 1976 (VI, 1, 2, « Le rachat du Temps »).
3. Plusieurs de ces articles sont repris dans Réflexions politiques, 1932-1952, Paris, Le Monde et Éd. du Seuil, 1951, 256 p.

il juge « généralement médiocre ». Il blâme le « parasitisme des clientèles ». Il déplore que « le fonctionnement interne des partis, gigantesques organisations économico-politiques tout entières entre les mains des secrétariats, empêche tout rajeunissement, tout renouvellement ». Prague n'a pas toujours traité ses minorités, y compris la minorité allemande installée dans les Sudètes, avec tout le libéralisme souhaitable et donne ainsi à percevoir la propagande que Hitler utilisera à coup sûr pour motiver une intervention dans la région.

Mais il n'est rien là qui puisse, aux yeux de Beuve-Méry, justifier que la France renonce à l'assistance militaire à quoi l'engage formellement le traité franco-tchécoslovaque du 16 octobre 1925, à quoi devrait la conduire une analyse lucide de la stratégie offensive de l'Allemagne nazie, telle que *Mein Kampf,* d'avance, en a tracé les traits.

Au poste d'observation avancé où il se trouve, à mesure que, de bluff en bluff, progressent les nazis, il forge à la fois une conviction, la nécessité d'un coup d'arrêt, et une angoisse, celle que la France se dérobe, à l'heure décisive, tandis que la Tchécoslovaquie se serait refusée jusqu'au bout à prévoir cette dérobade et à se prémunir contre ses conséquences.

En février 1938, il se décide à venir à Paris pour poser aux responsables, en surmontant sa timidité naturelle, cette question qui le hante : « Les événements se précipitent. Les Tchèques ont confiance en nous mais je crains que cette confiance ne soit excessive. Que peut-on dire à des amis de Prague pour ne pas passer, au lendemain d'une capitulation éventuelle, pour un niais ou pour un menteur? » Arguant de la situation qu'il s'est faite à Prague, il réussit à forcer la porte de Camille Chautemps, président du Conseil, et celle d'Édouard Daladier, ministre de la Défense nationale. Le premier lui fait une impression déplorable : « Visiblement il ne connaissait rien à rien. » Le second joue son rôle de « taureau du Vaucluse » et, tapant sur la table, il répète : « Vous pouvez être sûr d'une chose. J'ai mes accords d'état-major avec les Tchécoslovaques et je m'y tiens [1] ! » Au Quai d'Orsay, le directeur

---

1. Citations de « Munich, victoire de la paix? », *Politique,* octobre 1938, repris dans *Réflexions politiques, op. cit.,* p. 80-98.

des affaires politiques, René Massigli, pessimiste lucide, se montre beaucoup moins affirmatif : à l'inquiétude de son interlocuteur, il confie, à propos d'une déclaration solennelle que doit faire le lendemain au Parlement son ministre Yvon Delbos : « J'ai vu le texte. Les Tchèques seront contents. Mais, entre nous, ce ne sont que des mots. Naturellement il ne faut pas le dire... » Et du côté des militaires, les impressions de Beuve-Méry ne sont pas meilleures. Il s'entend expliquer par un général membre du Conseil supérieur de la guerre : « La France tiendra ses engagements. En tout cas il est clair qu'un Français n'a pas le droit d'inquiéter les Tchèques [1] »...

Inquiéter les Tchèques... Beuve-Méry s'en attribue non seulement le droit mais aussi le devoir. Et de retour à Prague, il demande audience à Benès (ce fut avec lui sa dernière rencontre) pour lui faire part de ses craintes. « Je ne vous dis pas que la France ne marchera pas. Je vous dis que c'est une hypothèse plausible, et ce qui serait le pis, c'est qu'ayant compté jusqu'au bout sur cette alliance vous vous trouviez cloués au mur les bras en croix... »

L'accueil est détestable! « Il est entré, se souvient Beuve-Méry, dans une colère folle, et en criant de sa voix rocailleuse : " Vous n'avez pas honte, vous, un Français, de dire des choses pareilles? Je connais la France, je connais l'histoire de France. Jamais la France n'a manqué à sa parole "... » Attitude que son visiteur analysa à l'époque comme un étrange phénomène d'auto-intoxication par sa propre propagande [2]...

Le 13 mars 1938 survient l'Anschluss. Hitler avale l'Autriche. La Tchécoslovaquie, d'évidence, est désormais en première ligne, le prochain objectif désigné à la boulimie des nazis.

Le 12 avril, Joseph Barthélemy, professeur de droit réputé, ancien député du Gers, membre du conseil d'administration du *Temps,* publie dans les colonnes du journal un article retentissant. Le futur garde des Sceaux de Vichy proclame la caducité juridique du traité franco-tchécoslovaque de 1925. C'est une aubaine pour Hitler dont

1. *Réflexions politiques, op. cit.,* p. 85. La mention du discours Delbos permet de situer la rencontre avec Massigli au 25 février 1938. Delbos déclare notamment : « ... Je tiens à déclarer une fois de plus que nos engagements envers la Tchécoslovaquie seraient le cas échéant fidèlement tenus... » (*JO, Débats de la Chambre,* 26 février 1938, p. 632).
2. Entretien H. B. M., et déposition à la Commission d'enquête..., rapport cité, p. 818.

25

la propagande se hâte de répandre la traduction de l'article dans toute l'Europe centrale. Le surlendemain, Beuve-Méry adresse à Barthélemy une longue lettre pour lui exprimer « ses sentiments d'accablement et de révolte ». Il y met en pièces le raisonnement juridique de l'article et les arguments économiques et politiques sur lesquels la thèse s'appuie, et il conclut : « Pour l'instant, si votre conscience est réellement angoissée, si, comme vous le dites, vous n'êtes pas sûr d'avoir toujours raison, pour Dieu taisez-vous! Il n'est pas impossible que la Tchécoslovaquie soit perdue finalement comme l'a été l'Autriche. Perdue sans guerre et par notre faute. Car, sauf un imprévu qui ne dépend ni de votre volonté ni de la mienne, ni même de celle des Allemands ou des Tchèques, la guerre n'en sortirait pas immédiatement. Les Tchèques, en effet, ne l'engageront pas à la légère et les Allemands ne veulent pas encore en courir les risques. Mais ne criez pas à ceux-ci que la voie est libre, que l'on peut y aller et que vous avez déjà au bord des cils le pleur discret que vous verserez sur Prague quand elle aura fait sa soumission [1]... »

Depuis longtemps le correspondant du *Temps* à Prague constatait que ses articles étaient soigneusement allégés avant publication de tous les arguments qu'il fournissait pour un appui aux Tchèques, tandis qu'on conservait précieusement l'énoncé des réserves ou des critiques qu'il pouvait émettre sur le fonctionnement de la démocratie tchécoslovaque. Cette fois-ci, c'est le silence complet. Non seulement la lettre à Barthélemy n'est pas publiée mais elle ne reçoit pas la moindre réponse.

La crise de Munich consacre, à la fin de septembre 1938, l'abandon de la Tchécoslovaquie à son sort par les Français et les Anglais, cet abandon auquel Benès et les siens n'avaient pas voulu croire. Beuve-Méry durcit alors le ton de ses papiers et songe à se retirer — de telle sorte qu'il est convoqué à Paris, au début d'octobre, par Jacques Chastenet, codirecteur du *Temps*, qui s'étonne de la prétention de ce collaborateur mineur à définir la politique étrangère du journal. A quoi Beuve-Méry réplique qu'il n'a pas une pareille ambition, mais celle seulement que ses

---

1. Publiée dans le numéro d'octobre 1938 de *Politique*, cette lettre est reprise dans *Réflexions politiques, op. cit.*, p. 88-91.

écrits ne soient pas défigurés au point qu'il éprouve le sentiment de commettre un abus de confiance envers ses lecteurs... Il ne reçoit en retour que des exhortations paternelles à ne pas faire de « coup de tête », à songer à ses trois fils qu'il lui faut nourrir... Le ton monte vite, et quand Beuve-Méry sort du bureau, c'est après avoir confirmé sa démission.

Voici bientôt la fin de l'épisode. Beuve-Méry rentre à Prague pour y reprendre son enseignement que le service chargé des relations culturelles lui a conservé malgré la vindicte personnelle de Georges Bonnet, et il lui revient d'y vivre, en mars 1939, l'entrée des Allemands et l'occupation totale du pays. Entre-temps, à Paris, le Centre de politique étrangère a publié un petit livre de Beuve-Méry. Il a pour titre *Vers la plus grande Allemagne,* dont il prévoit et les succès et l'échec final [1].

Les ambiguïtés de l'année quarante

Il ne reste plus alors à Beuve-Méry qu'à rentrer en France. Ce qu'il fait, aux environs du 20 juillet 1939, avec, en poche, un dernier reportage sur les pays de l'Europe danubienne. *Le Figaro* accepterait-il de le publier? « C'est très intéressant », opine Pierre Brisson, « mais vous comprendrez que, pour des raisons qui nous sont particulières, il nous est difficile de publier le chapitre sur la Roumanie » : Mme Coty, devenue propriétaire du journal à la suite de son divorce d'avec le célèbre parfumeur-journaliste, a en effet épousé son homme d'affaires d'origine roumaine, l'ancien consul à Paris, Léon Cotnareanu... Finalement, le reportage paraîtra, mais amputé de sa partie roumaine.

C'est alors que Jean Marx, directeur du service des œuvres à l'étranger au Quai d'Orsay, qui l'a soutenu contre Georges Bonnet, lui fait la proposition suivante : veut-il devenir l'assistant de son ami Jean Giraudoux, qui va diriger le commissariat à l'Information? C'est ainsi qu'après des vacances savoyardes, pendant lesquelles il a

1. Paris, Centre de politique étrangère, Section d'information, publication n° 14, 1939, 118 p.

réussi à convaincre sa femme de s'installer avec leurs enfants en Normandie, dans leur petite propriété de Mortagne — un lieu plus sûr que la Savoie, estime-t-il! —, Hubert Beuve-Méry se retrouve à la fin août à Matignon, pour seconder l'auteur de *Siegfried et le Limousin,* promu grand responsable du moral des Français. « J'ai été tout de suite horrifié, raconte-t-il, par ce que j'avais à faire. C'était un défilé permanent d'éditeurs, de propriétaires de journaux, de journalistes, de députés, de sénateurs, toutes sortes de gens qui avaient quelqu'un à caser, une " affectation spéciale " à demander, une collaboration à offrir, une subvention à solliciter pour faire de la bonne propagande et ainsi de suite. C'était déjà la " drôle de guerre ". Je suis resté là trois jours, peut-être quatre, et suis parti complètement écœuré, le 31 août 1939, devançant de vingt-quatre heures un ordre de mobilisation pour Metz auquel mes fonctions auraient pu me soustraire. Comme il était prévisible, on fut bien embarrassé de ma personne. Finalement je me trouvai à la tête d'une compagnie de frontaliers rattachée à la Ve armée, sur une ligne avancée au nord de la ligne Maginot, sans autre mission que d'occuper le terrain. »

Nous voilà bien loin du journalisme. On s'installe dans la drôle de guerre. Pendant plus de cinq mois, le lieutenant Beuve-Méry fait quelques sorties avec ses hommes, les occupe à creuser des trous que l'on vide quand l'eau s'y est installée, tiraille à l'occasion sur les avions allemands. Peut-être en ont-ils abattu un. On lutte comme on peut contre un froid très vif et contre l'insignifiance de cette vie. Un beau jour, au cours d'une inspection, un commandant qui a connu Beuve-Méry à Prague décide que celui-ci perd son temps, et qu'il serait plus utile à l'état-major de Nancy. Le voici donc nommé contre son gré, en février 1940, au Bureau central de renseignements (2e Bureau) de cette ville chargé du contre-espionnage et de la surveillance du territoire. A sa tête un sulpicien directeur de grand séminaire, Weber, qui deviendra archevêque de Strasbourg. Encore un clerc sur la route de Beuve! Parmi ses collaborateurs, un grand diable d'employé de banque nommé Pierre de Gaulle, dont le frère, Charles, fera le président du conseil municipal de Paris après la victoire du RPF aux élections municipales de 1947. En avril, à la veille de l'offensive allemande, Beuve-Méry est affecté, en raison de ses compétences, à l'organisation de l' « armée tchèque en France », soit deux régiments environ de réfugiés et de volontaires tchèques et slovaques répartis sur la côte languedocienne entre Béziers et Agde. Décidément, la Tchécoslovaquie le poursuit. En fait de mobilisation militaire, il s'agira surtout pour lui, qui a les pleins pouvoirs, à condition d'intervenir discrètement, d'éviter que ces hommes tombent entre les mains des Allemands après l'armistice. Sous de vagues prétextes commerciaux, il réussit à leur faire quitter le territoire français, avec comme direction théorique le Brésil, le Mexique ou l'Inde. Un certain nombre d'entre eux aboutissent en Angleterre.

Et c'est ainsi que, comme beaucoup de ses contemporains, Beuve-Méry se retrouve en juillet 1940, démobilisable, désemparé, mais sans doute moins surpris que beaucoup par ce qui vient d'arriver. « Pétain? C'était dans la logique des choses. J'étais de ceux qui connaissaient ses atomes crochus avec Goering, autre militaire. »

Que faire? Remonter vers Paris? Beuve-Méry n'en a guère envie. Comme beaucoup d'autres, il va s'installer à Lyon qui ne tarde pas à devenir, en cette seconde moitié de l'année 1940, la capitale intellectuelle de la France et l'un des principaux creusets politiques de ce qui sera bientôt la Résistance. Dans la chambre qu'il a louée, il lithographie, pendant le mois d'octobre, un tract quotidien appelé *Poignées de vérités,* qu'il va distribuer dans les boîtes aux lettres du quartier.

Dans ces appels à la reconstruction de la France s'exprime une condamnation sans équivoque du nazisme : « un ordre inhumain où l'Être allemand atteindrait un monstrueux épanouissement, où toute personne humaine serait broyée [1] », ainsi que du communisme : il évoque « la longue suite de crimes perpétrés au nom du communisme ». Mais l'auteur n'est pas insensible à la critique que ces deux idéologies ont faite de la démocratie libérale et du capitalisme. Curieusement, il suggère que la résistance anglaise a obligé Hitler à composer avec Pétain lors de la rencontre de Montoire, qui jette les bases de la collaboration franco-allemande :

« Nous connaissons la férocité de l'égoïsme britannique [on n'est pas loin de Mers el-Kébir] et nous ne voulons plus de la tyrannie

---

1. La citation est extraite de la première de ces feuilles, reproduite dans *Réflexions politiques, op. cit.,* p. 121-123.

dorée de la " City ". Mais nous savons que, sans la résistance anglaise, l'Allemagne bâtirait à sa guise un monde inhabitable pour nous. En ce sens Churchill est à l'origine de la rencontre Hitler-Pétain. Et les ruines imprenables de Londres inspirent au Führer sa soudaine passion pour la " libération " et la " conquête morale " du continent [1]. »

Il ne s'agit donc nullement d'un appel à la résistance armée ; bien au contraire, l'écho d'une autocritique nationale, fort répandue à l'époque, se fait ici entendre : « Nous n'aspirons pas à de sanglantes et ruineuses revanches. Nous acceptons de porter le poids d'une défaite méritée. »

Au total, il s'agit d'une sorte de manifeste pour une résistance spirituelle à la barbarie et pour la construction d'un ordre humain et communautaire, dont les accents sont proches de ceux de la « révolution nationale [2] ». « Nous voulons la responsabilité des chefs et le loyalisme des subordonnés. Nous voulons que tous, ouvriers, paysans, employés, commerçants, membres des professions libérales, fonctionnaires, puissent devenir des hommes vivants et forts dans une communauté vivante et forte. »

Loyauté, hiérarchie, communauté, énergie : c'est déjà avant la lettre l'idéologie d'Uriage, avec toute son ambiguïté : un pied chez Pétain, un pied dans la Résistance. Cette ambiguïté est celle d'un moment dramatique de notre histoire, fait de désarroi, d'idéalisme moralisant, de projection dans l'avenir sur fond de nostalgie réactionnaire. Du reste, la formule et le contenu de ces tracts intéressent. La Résistance en reprendra certains thèmes. François de Menthon, noble savoyard, responsable national de l'Action catholique de la Jeunesse française, propose à Beuve-Méry de l'emmener avec lui à Marseille, où, grâce à un imprimeur ami, il pourrait donner à ces écrits une plus large audience. Mais Beuve-Méry, prudent, se méfie de l'étourderie bavarde du futur ministre MRP ; il se refuse à le suivre. A Lyon, il retrouve des hommes dont il est politiquement et spirituellement proche : Stanislas Fumet, de *Temps présent*, une partie de l'équipe d'*Esprit*, avec le philosophe Jean Lacroix et le directeur de la revue, Emmanuel Mounier, qui

1. *Réflexions politiques, op. cit.*, p. 121-123.
2. *Ibid.*

s'efforce d'en obtenir la reparution. Dès ce moment-là, le problème est posé : quelle attitude adopter vis-à-vis du régime Pétain — le noyautage intelligent ou l'abstention totale? En faisant reparaître *Esprit,* quitte à ruser avec la censure, on apporte une caution intellectuelle à Vichy, fût-ce sous la forme d'une opposition légale; mais, en même temps, on rétablit un lien entre des hommes en plein désarroi; on commence à réagir contre cette immense prostration qui s'est emparée du pays tout entier au lendemain de la débâcle. Le choix n'est pas facile; il divise des hommes qui pourtant se retrouveront plus tard dans la Résistance. Le choix de Beuve-Méry est clair : c'est la présence, non le boycottage. Il approuve la reparution d'*Esprit* décidée par Mounier, qui le fait entrer au conseil de rédaction de la revue [1]; il y publie en mars 1941 un article « double jeu », dit-il, qui apparaît de l'extérieur comme une adhésion réservée à la révolution nationale de Vichy. Pour conférer à la trilogie « Famille, Travail, Patrie » un contenu réel et directement sensible, il faudra un long effort, un héroïque témoignage. Une nouvelle fois, Beuve-Méry plaide pour la primauté du spirituel et affirme l'urgence de donner à l'homme en proie à la machine un « supplément d'âme ».

N'en concluons pas trop vite que Beuve-Méry aurait été secrètement séduit par l'idéologie vichyste. Pendant les mois qui suivirent le grand écroulement de l'été 1940, on vit les Français tirer des conclusions diamétralement opposées de communes prémisses. Ajoutons, dans le cas de Beuve-Méry, une pointe d'esprit chimé-

1. La revue *Esprit* reparaît en novembre 1940. Elle sera interdite en août 1941 par décision du vice-président du Conseil, l'amiral Darlan, « en raison des tendances générales qu'elle manifeste ». Le 28 janvier 1941, Emmanuel Mounier note : « Les réactions du public sont bien déconcertantes souvent : sur les mêmes numéros voici des gens en qui je fais une égale confiance, tous également durs à l'égard de toute concession spirituelle : Vignaux, Schoelzer renâclent et trouvent que nous cédons du terrain. Le P. de Lubac, le P. Chaillet (arrivant de Hongrie), le P. Fraisse, Beuve-Méry enthousiasmés » (*Mounier et sa génération,* Paris, Éd. du Seuil, 1956, p. 284).
Sur la reparution d'*Esprit,* on se reportera au livre de Michel Winock, *Histoire politique de la revue « Esprit »,* 1930-1950 (Paris, Éd. du Seuil, 1975, p 206-230), qui note en outre les réserves de Daniel Villey et celles, en 1941, du père Chaillet que Mounier range parmi les partisans de la reparution. Mais Winock, pour qui Mounier et Lacroix n'ont pas eu de ces sursauts « rares mais déterminants qui ont été ceux d'un de Gaulle, d'un Michelet, d'un Frenay », dissipe entièrement la légende d'un Mounier ou d'un Lacroix « pétainistes ».

rique à l'intérieur d'un réalisme pessimiste et désabusé; ou, si l'on préfère, la recherche obstinée de l'impossible à l'intérieur de l'inévitable. A titre d'exemple on peut citer, en anticipant un peu, ce qu'il écrivait en avril-mai 1944, avec un manque d'à-propos qui confinait à la provocation délibérée, dans une « note d'orientation » qui fut diffusée dans un certain nombre de maquis [1], à un moment où l'engagement de son auteur dans la résistance armée était effectif :

« Au niveau où nous nous sommes placés, il faut avoir le courage de dire que si les ambitions allemandes avaient été compatibles avec les exigences du nouvel humanisme, de la nouvelle révolution, l'armistice était une nécessité douloureuse et la collaboration avec le vainqueur un devoir impérieux. Il va de soi qu'un raisonnement analogue dicterait l'option en faveur du communisme s'il paraissait un jour s'orienter vers une révolution telle que des Français peuvent et doivent la concevoir. »

Ce mélange d'utopie et de résignation au fait accompli étonnera toujours chez lui, et pas seulement ses adversaires.

De son côté, Stanislas Fumet a fait reparaître *Temps présent*, rebaptisé *Temps nouveau* pour la circonstance. Beuve-Méry accepte d'y tenir une chronique de politique étrangère qu'il signe d'un pseudonyme appelé plus tard à connaître la célébrité : Sirius. « Façon pour moi, explique-t-il, de suggérer à quel point ce que j'écrivais était loin de ce que j'aurais aimé savoir et pouvoir dire. »

Rencontre d'Uriage

Dans ce bouillon de culture lyonnais, duquel naîtra plus tard, au travers de la Résistance, le MRP, Beuve-Méry fait un jour, chez Emmanuel Mounier, une rencontre décisive pour ses années de guerre : celle de l'abbé de Naurois, un aumônier toulousain de choc, lié à Mgr Bruno de Solages. Il est devenu, raconte-t-il, l'aumônier d'un curieux groupe d'officiers commandés par deux nobles de

1. « Témoignage d'un Français occupé », *Réflexions politiques, op. cit.*, p. 141.

province : le capitaine Pierre Dunoyer de Segonzac, secondé par une sorte de moine-soldat, qui n'engendrera pas moins de seize enfants, le capitaine Éric d'Audemard d'Alançon. Cette poignée d'hommes, dont il fait le plus vif éloge, s'est installée dans le château médiéval d'Uriage — qui fut un temps occupé par Bayard —, sur les premiers contreforts du massif de Belledonne. Là, ils animent une école de cadres pour volontaires, d'un genre assez particulier [1]. Beuve-Méry accepterait-il de venir y faire une conférence? L'intéressé se montre sceptique : « Je vois. Des hobereaux catholiques patriotes, qui n'ont rien compris à ce qui arrive et qui ne comprennent rien à la politique. » Pourtant, après plusieurs discussions, Beuve accepte, en décembre 1940, d'aller donner une conférence sous le titre passe-partout de « L'Europe d'hier et l'Europe de demain ». Le vieux château incommode et glacé est en réfection. C'est donc dans la chambre de l'abbé, à l'hôtel de l'Europe, qu'il donne sa conférence devant un auditoire entassé sur le lit, sur la commode, sur la cheminée. Il faut croire que le courant passe, puisque Beuve-Méry, venu pour une conférence, va devenir permanent d'Uriage et

---

1. Sur l'expérience d'Uriage, en attendant l'achèvement de la thèse de Bernard Comte, que nous remercions de nous avoir communiqué le premier volume ronéotypé de ce travail :
– du même Bernard Comte, « L'expérience d'Uriage », dans *Églises et Chrétiens dans la Deuxième Guerre mondiale ; la région Rhône-Alpes*, sous la direction de Xavier de Montclos, Presses universitaires de Lyon, 1978, p. 251-267;
– sous la direction de Gilbert Gadoffre, *Vers le style du XXᵉ siècle*, par l'équipe d'Uriage, Paris, Ed. du Seuil, coll. « Esprit », 1945, 268 p. (ont effectivement collaboré : Gilbert Gadoffre, Hubert Beuve-Méry, Michel Bonnemaison, Gilles Chaine, Jean-Marie Domenach, Joffre Dumazedier, François Le Guay, Simon Nora);
– Gilles Ferry, *Une expérience de formation de chefs*, Paris, Éd. du Seuil, coll. « Esprit », 1945, 140 p. ;
– Janine Bourdin, « Des intellectuels à la recherche d'un style de vie : l'École nationale des cadres d'Uriage », *Revue française de science politique*, IX, nᵒ 4, décembre 1959, p. 1029-1045;
– Raymond Josse, « L'École des cadres d'Uriage (1940-1942) », *Revue d'histoire de la Deuxième Guerre mondiale*, nᵒ 61, janvier 1966, p. 49-74;
– le livre consacré à Pierre Dunoyer de Segonzac, *le Vieux Chef*, Paris, Éd. du Seuil, 1971, 256 p. (Mémoires et pages choisies);
– ainsi que deux articles d'Hubert Beuve-Méry : « Quantité et qualité », *Temps présent*, 9 mars 1945, repris dans Sirius, *le Suicide de la IVᵉ République*, Paris, Éd. du Cerf, 1958, 120 p., p. 13-17; « École de cadres », *Esprit*, octobre 1945.
– On peut également se reporter à la revue éditée par l'école :\ *Jeunesse... France!*, déc. 1940-mai 1941 (mensuelle) remplacée ensuite par les *Cahiers d'Uriage*.

s'attacher à Segonzac pendant toute la durée de la guerre. C'est l'abbé de Naurois qui a conseillé à ce dernier de recruter Beuve-Méry, dont il apprécie les qualités morales et les orientations intellectuelles, comme instructeur. Celui-ci hésite. Il fera d'abord un stage comme élève. A l'issue de celui-ci, c'est Beuve-Méry lui-même, si l'on en croit les souvenirs de Segonzac [1], qui a demandé à devenir « chef de l'équipe d'études » (à Uriage, tout le monde était peu ou prou chef de quelque chose), chargé des conférences, de la documentation, de la bibliothèque, des publications, du choix des conférenciers extérieurs.

« C'était bien ce que je pensais : pour la plupart, des officiers de cavalerie, chrétiens, bagarreurs en diable, spontanément résistants; un comportement profond radicalement incompatible avec le nazisme. Avec ça, peu versés dans la politique, donc naturellement pétainistes. Pétain, le vainqueur de Verdun, le dernier rempart, devenu chef de l'État dans l'effondrement général, cela ne se discutait pas. J'ai longtemps hésité. Ne valait-il pas mieux, les événements aidant, hâter l'évolution d'hommes de cette trempe, plutôt que de m'embarquer pour l'Angleterre, simple biffin sans capacités d'ordre aérien ou maritime? Ce qui fut le plus déterminant, ce fut sans doute Segonzac lui-même, qui, avant même de me bien connaître, avait flairé que je pouvais être un de ces éducateurs dont il avait besoin et qu'il s'efforçait depuis des mois de recruter. »

Dans la relation inédite de ses démêlés avec Beuve-Méry, René Courtin, son futur associé et adversaire à la direction du *Monde,* lui fera grief de cette attitude, avec une sévérité qui n'est évidemment pas celle d'un juge impartial [2].

« Il avait été instructeur à Uriage, donc pétainiste... Il n'avait donc pas eu aux heures décisives de la capitulation la réaction vitale de crier non à la défaite, à la collaboration, au totalitarisme et au paternalisme. D'autre part, sollicité pendant l'hiver 1942-1943 par Menthon et Teitgen de prendre la direction des *Cahiers politiques de la Résistance,* il s'y était obstinément refusé, avançant que la tâche

1. Voir *le Vieux Chef, op. cit.,* p. 88-89; ainsi que Bernard Comte, *Uriage, 1940-1945, op. cit.,* ronéotypé, première partie, p. 224 *sq.*
2. *Combat inutile au journal « le Monde »* (Archives René Courtin). A noter que l'ensemble de l'enseignement de Beuve-Méry à Uriage est inspiré par la haine du totalitarisme.

qu'il poursuivait à Uriage était plus importante que celle qu'il pourrait accomplir auprès d'un groupe d'exaltés. »

Aujourd'hui, le débat est encore loin d'être clos, et l'on trouve parmi les résistants des hommes pour approuver la tactique politique ambiguë qui avait conduit à la fondation d'Uriage, d'autres au contraire pour estimer que ce « double jeu » comportait trop d'équivoques et de concessions à la doctrine maréchaliste. C'est ce que note Bernard Comte : « Parmi les résistants, si Frenay ou Roger Stéphane sont allés au-delà et ont été heureusement surpris, Claude Bourdet ou le commandant Sonneville, fondateur du réseau Marco Polo, sont restés allergiques au " style " [1]. »

Le temps d'aller à Vichy et de faire transformer, grâce à Suzy Borel (la future Mme Bidault), le poste d'enseignement permanent qui venait de lui être attribué au Portugal en tournée de conférences universitaires à Lisbonne, Coïmbre et Porto, et voici Beuve-Méry, en mars 1941, installé à Uriage. L'expérience qu'il y vit est, avec le séjour à Prague, la plus importante dans l'itinéraire intellectuel et moral du futur directeur du *Monde*. Ce n'est pas pour rien que le cinq millième numéro du journal, dans une de ces éditions canula-resques dont les rédacteurs du *Monde*, s'arrachant pour une fois à l'austérité de leurs occupations, se font à eux-mêmes l'hommage ironique et autocritique, est ainsi domicilié :

10 à 40, boulevard du Bon-Vieux-Temps, Uriage.

Voici comment « le vieux chef » — au reste son cadet de quatre ans — apprécie la collaboration de Beuve-Méry, le « plus notable élément d'une équipe de militaires et de civils, d'intellectuels et de manuels, de catholiques, de juifs, de protestants, d'hommes apparte-nant à tous les milieux sociaux et à toutes les familles politiques : une équipe très diverse qui se révélera pourtant exceptionnellement soudée et homogène.

» Certes, l'ancien rédacteur du *Temps* n'était pas toujours d'un commerce facile. Ce moraliste intransigeant souffrait des faiblesses des hommes et des siennes propres, ce qui le rendait sévère et douloureux. Confié à des mains dont il mesurait avec perspicacité la débilité, le monde lui paraissait aller vers des lendemains sans joie. Mais, outre une rare intelligence de toutes choses, et en particulier

1. « L'expérience d'Uriage », *loc. cit.*, p. 267.

35

de l'actualité, il pratiquait au plus haut degré l'honnêteté intellectuelle et la rigueur dans l'analyse des faits. C'est à lui qu'Uriage doit
d'être resté constamment objectif et fidèle à la vérité.

» Au surplus, l'indépendant, l'ombrageux, le très sensible Beuve
sut être pour son chef d'occasion, moins âgé et moins brillant que
lui, un adjoint parfaitement discipliné et loyal. Son penchant pour
l'austérité lui facilitait peut-être l'intégration dans une équipe
opérant dans un style militaire monacal, mais il avait un réel mérite
à se soumettre à l'autorité souvent désinvolte, parfois capricieuse
d'un jeune cavalier [1]. »

Patronnée par le très officiel secrétariat d'État à la Jeunesse et aux
Sports, dont le premier titulaire fut Jean Ybarnegaray, l'École de
cadres d'Uriage est une création *ex nihilo* du capitaine Pierre
Dunoyer de Segonzac. Abasourdi par une débâcle qui l'indigne,
convaincu qu'il y a, à la base de cet effondrement, une défaillance
massive des élites dirigeantes qui confine à la trahison, ce saint-
cyrien, cavalier jusqu'au bout des ongles, issu d'une vieille famille
aristocratique du Sud-Ouest, juge qu'il n'y a rien de plus urgent,
pour faire appel d'une défaite inadmissible, que de se consacrer à la
formation de tous ceux qui devront dans la société de demain
exercer une fonction de commandement ou de direction.

On pouvait légitimement se demander si, dans la France vaincue
et occupée de 1940, le plus urgent était bien de se vouer à la reconstruction d'une élite et au rétablissement d'une hiérarchie [2]. Du reste,
pour qui cette élite? pour quel ordre, pour quelle hiérarchie?
L'ordre pétainiste? L'ordre démocratique [3]? Dunoyer de Segonzac
ne s'en préoccupe guère. Il place, en quelque sorte, l'organisation
de la société avant sa nature même, ou plutôt fait de l'organisation
la *nature même* de la société.

---

1. *Le Vieux Chef, op. cit.*, p. 89.
2. Bernard Comte s'interroge de son côté : « Même si notre refus d'assimiler
l'entreprise d'Uriage à la Révolution nationale semble convaincant, on peut s'interroger sur la pertinence de la création, dans l'été quarante, d'une institution de redressement moral et de la reconstitution sociale » (« L'expérience d'Uriage », *loc. cit.*, p. 267).
3. C'est la question que Paul Flamand, qui est aux côtés de Pierre Schaeffer,
de Claude Roy, de Pierre Barbier, l'un des animateurs du mouvement *Jeune France,*
pose un jour de 1941 à Segonzac. L'entrevue se termina assez mal (entretien Paul
Flamand).

Des chefs, pour quoi faire?

Pour lancer cette expérience originale, Segonzac a obtenu les pleins pouvoirs. Installée d'abord au château de la Faulconnière, près de Gannat (avec Segonzac, tout se passera toujours dans un château), l'École émigre ensuite à Uriage, dans la région grenobloise, pour fuir une proximité de Vichy qui lui valait un nombre excessif de visites.

Le choix du site n'est pas indifférent dans l'esprit des promoteurs :

« Le pouvoir du site est puissant... Ce n'est pas dans la mêlée quotidienne, ni même dans les murs d'une chambre qu'un chef peut réfléchir à sa mission, prendre conscience de ce qui pèse sur lui et s'agrandir. Il lui faut l'isolement, le grand air, le contact avec une nature qui inspire crainte et admiration, qui présente l'exemple d'une majesté et d'une harmonie. Une demeure historique, aux murs sévères, accordée à la couleur du pays, complète l'impression. Uriage est un château médiéval. Son histoire est associée au souvenir de Bayard [1]... »

On l'a déjà senti : Uriage tient de l'histoire de la chevalerie, du roman d'éducation, du grand jeu scout, de la fondation d'un ordre monastique, sur un fond d'idéalisme moral qui peut nous paraître un peu naïf et grandiloquent, et aussi passablement pétainiste, mais qui fut, notons-le, commun au vichysme et à la Résistance [2]. Après les grands écroulements, les recommencements ont besoin d'idées grandes et de grands sentiments, et d'appel à des traditions antérieures. C'est pourquoi Mounier a parlé d'Uriage comme d'un « beau rocher de fidélité française ».

Il n'est pas question d'analyser ici en détail l'ensemble de l'idéologie d'Uriage ni de faire le bilan d'une expérience qui, en moins de dix-huit mois, intéresse environ 3 000 des futurs cadres de la nation. Aujourd'hui encore, les « anciens d'Uriage » constituent,

1. Gilles Ferry, *op. cit.*, p. 26-27.
2. Comme l'a bien vu Stanley Hoffmann dans *A la recherche de la France*, Paris, Éd. du Seuil, coll. « Esprit », 1963, 460 p.

à l'intérieur des milieux dirigeants de la société française, une subtile confrérie, l'ébauche nostalgique d'un compagnonnage spirituel, d'un « ordre » dirions-nous après eux ; on n'a pas craint de se référer — mais uniquement en ce qui concerne l'organisation matérielle bien sûr — à l'Ordensburg nazi[1], sorte de séminaire laïque pour futurs chefs qui rappelle à la fois le monastère et l'ordre de chevalerie[2].

Car, au-delà de son objectif immédiat, la formation de cadres dans le contexte particulier de la défaite, c'est à une repensée totale de l'homme, de son milieu, de la société, à laquelle les hommes d'Uriage se sont attachés, comme en témoigne le livre collectif écrit à partir de 1943, au château de Murinais (encore un château !), dans la clandestinité, après la fermeture de l'École.

Le monde moderne est en crise ; une crise sans précédent, estiment les hommes d'Uriage. La répétition de semblables diagnostics, depuis Péguy jusqu'à nos jours, devrait à la longue inciter à la prudence ou du moins à une certaine relativité. Pourtant, l'analyse est singulièrement moderne et pourrait, à quelques retouches près, se retrouver sous une plume contemporaine. Le formidable décollage démographique de l'humanité combiné à une tumultueuse poussée d'urbanisation a profondément transformé les conditions sociales de l'existence. Quant au système de production capitaliste, il est passé de l'ère de la concurrence à l'ère du monopole ; mais il n'a su produire que la sous-consommation et la guerre. De plus, le machinisme a détruit la relation traditionnelle du travailleur à son travail ; la liberté de l'ouvrier à l'intérieur du système est complètement illusoire, il est devenu doublement esclave : esclave du système, esclave de sa machine ! Mais ces diverses manifestations de la crise ne sont que les signes d'une crise plus profonde, qui atteint l'homme dans son essence même ; le vieil humanisme est apparu comme complètement désuet. Un déséquilibre fondamental est

---

1. Gilles Ferry, *op. cit.*, p. 33.
2. Après avoir accordé aux partis la fonction institutionnelle et politique, l'équipe d'Uriage ajoute à propos de l'action éducative en profondeur sur les hommes :
« [...] il y faut la force contagieuse, irremplaçable de l'exemple. Le lien est à la fois plus fort et plus profond, il enserre et engage davantage l'homme, tout l'homme, la mystique garde le pas sur la politique. L'instrument d'une telle action est l'*Ordre* où s'unissent et se déploient les vocations » (*Vers le style du XXᵉ siècle, op. cit.*, p. 252).

apparu : « L'homme n'a pu s'adapter à une civilisation qui n'a pas été construite pour lui [1]. »

Quant aux tentatives de solution qui ont été présentées, elles se révèlent impuissantes ou condamnables. Certes, la démocratie libérale a le grand mérite de sauvegarder le principe essentiel de la liberté humaine, mais son individualisme et sa préférence pour le politique l'empêchent d'appréhender la dimension socio-économique de la crise du monde moderne. De son côté, le nazisme peut séduire en raison de son aspect systématique et de son retour aux sources naturelles de la civilisation; mais, en définitive, il débouche sur un effroyable nihilisme [2]. Quant au communisme, sa force est de reposer sur une philosophie universaliste de l'histoire et sur une immense aspiration à la dignité et à la solidarité, mais il est inacceptable parce que son matérialisme est devenu l'ersatz d'une religion.

C'est donc un homme nouveau qu'il faut concevoir et qu'il faut promouvoir. Et, pour cela, les hommes d'Uriage font avant tout confiance à un gigantesque effort pédagogique, dirigé principalement vers les élites. Ce n'est pas par hasard qu'Uriage a recruté dans des professions qui relèvent, au sens large, de l'information et de l'éducation, ou suscité des vocations dans ce sens : professeurs comme Gilbert Gadoffre, Paul Reuter ou Gilles Ferry, hommes de revues ou d'édition comme Emmanuel Mounier, Jean-Marie Domenach, animateurs de culture populaire comme Joffre Dumazedier ou Benigno Cacérès (fondateurs de l'association Peuple et Culture, encore vivante aujourd'hui), et journalistes comme Beuve-Méry. C'est l'occasion de noter la conception résolument pédagogique qu'il a toujours eue du journalisme : d'où la tendance au « cours magistral » qu'on a parfois décelée dans les éditoriaux de Sirius, le nombre considérable des conférences qu'il a prononcées comme directeur du *Monde* — et visiblement avec plaisir; enfin, après l'abandon de ses fonctions directoriales, le retour à la fonction enseignante [3]. Presque autant que journaliste, Beuve-Méry s'est toujours senti *professeur*.

1. *Vers le style du* XXᵉ *siècle, op. cit.*, p. 54.
2. « Le nazisme en créant des titans a créé des chevaliers du néant » (*ibid.*, p. 62).
3. A Paris-I et au Centre de formation et de perfectionnement des journalistes de la rue du Louvre, animé notamment par Philippe Viannay.

Les hommes d'Uriage estiment que l'homme qu'ils appellent de leurs vœux se définit d'abord par un style [1]. N'est-il pas significatif de les voir intituler *Vers le style du XXᵉ siècle* le livre collectif dans lequel ils ont tenté de livrer l'essentiel de leur réflexion? Dans ce même ouvrage on lit cette adjuration :

« Disons aux jeunes qu'il faut être fou de style, et montrons-leur que bien des attitudes en vogue dans les années passées sont plus répugnantes qu'immorales, parce qu'elles sont laides. La resquille manque de style, l'abus de confiance, la fourberie, le sans-gêne manquent de style. Face à la vulgarité décadente, ce sens du style sera un élément essentiel de l'éducation des élites nouvelles [2]. »

Dans cette esthétique chevaleresque, on sent la marque du « chevalier » Segonzac. Le style, Beuve-Méry l'a lui-même bien défini en parlant des hommes nouveaux : « rudes, robustes de corps, francs de regard, courageux et tenaces, capables d'engagement et d'honneur, suffisamment libérés de l'excès d'artifice qu'entretiennent et développent les civilisations vieillissantes », leur rudesse s'alliant « tout naturellement à un sentiment fraternel, à une volonté de vivre, d'agir, de travailler et, s'il le faut, de mourir ensemble [3] ».

Tout cela, dont le style, à son tour, reflète bien une époque particulière, suppose que l'on en finisse avec le mépris dans lequel l'éducation classique a tenu le corps et l'exercice physique. Péguy n'est pas loin avec la réhabilitation — mieux : la spiritualisation — des valeurs charnelles.

Car l'objectif poursuivi est celui d'un épanouissement spirituel, sous une forme qui mérite d'être notée. Une civilisation « spiritualiste » est « celle qui reconnaît une hiérarchie des valeurs indépendante et parfois différente des hiérarchies de l'autorité et de l'utilité ». Il y a là, par rapport à tous les ordres moraux de droite ou de gauche qui auraient pu séduire des hommes à la recherche d'un nouvel ordre, une revendication d'indépendance spirituelle qui est en somme une exigence de laïcité à l'égard des nouvelles religions temporelles.

---

1. *Le Monde,* plus tard, sera peut-être d'abord un style de journalisme.
2. *Op. cit.,* p. 83.
3. « Quantité et qualité », *Temps présent,* 9 mars 1945. Cité par Janine Bourdin (*loc. cit.*) qui remarque que ce portrait de l'homme nouveau suit de très près celui qui figure dans *Vers le style du xxᵉ siècle, op. cit.,* p. 76-77.

On ne saurait trop insister sur l'aristocratisme qui se dégage des textes théoriques d'Uriage, comme d'ailleurs des commentaires plus pratiques qu'a inspirés à Gilles Ferry l'expérience unique d'un stage de six mois (les stages normaux duraient de deux à trois semaines). Non seulement l'existence d'une élite est posée comme une nécessité [1]; mais, à bien des égards, elle est une donnée naturelle : « Il existe un tempérament de chef et d'autre part des natures qui, si riches et si caractérisées qu'elles soient, demeurent toujours inaptes à l'exercice du commandement [2]. »

Comme le soulignent d'autres textes, il n'est pas question d'identifier les élites à la classe dirigeante [3]. Ces élites existent dans tous les milieux : il s'agit seulement de leur permettre de s'épanouir. Si « sociale » et progressiste que soit cette conception de l'élite, elle est évidemment aux antipodes de l'égalitarisme et de la mystique de « masse ». Du reste, les hommes d'Uriage répudient explicitement la conception démocratique qui fait du chef la simple expression, le simple mandataire de la masse. Faut-il voir dans ces idées l'origine lointaine de certaines difficultés qui surgiront au *Monde* entre le directeur et son personnel? C'est un fait en tout cas qu'Hubert Beuve-Méry a toujours eu le vif sentiment de sa responsabilité personnelle à la tête des entreprises qu'il a dirigées et qu'il a toujours regardé avec réticence les tendances de son personnel à constituer des « soviets », selon une expression qu'il emploie souvent.

Mais pour autant que « l'esprit d'Uriage » a pu traduire ses propres orientations, il n'est pas sans intérêt de relever, dans la partie positive des propositions de l'équipe d'Uriage, des idées telles que l'éducation ouvrière, la réforme des Grandes Écoles ainsi que celle de la formation des enseignants, et un projet d'école pour les hauts fonctionnaires.

Dans le domaine économique et social, on identifierait volontiers aujourd'hui les tendances d'Uriage à celles d'une technocratie de

1. « Pour que les élites se multiplient, il faut que la masse les tolère, qu'elle admette leur supériorité. Et rien n'est plus difficile que de faire admettre en France, à l'intérieur d'une profession, les droits supérieurs de ceux qui sont les *plus capables* » (*Vers le style du* XXe *siècle, op. cit.,* p. 130).
2. Gilles Ferry, *op. cit.,* p. 16.
3. *Vers le style du* XXe *siècle, op. cit.,* p. 129.

gauche : il s'agit en effet de substituer grâce au Plan, c'est-à-dire à une direction consciente, une économie des besoins à l'économie de profit ; pour ce faire, il faudra aller plus loin sur la voie socialiste. « A l'appropriation privée des moyens de production clef, doit être substituée la socialisation par un État représentant l'intérêt général [1] » ; ce point, soulignent les auteurs, est la conséquence directe du choix en faveur de la planification.

Et enfin, car le primat du spirituel et du moral est absolu dans l'idéologie d'Uriage, la « mystique du travail » est la clef de voûte de tout l'édifice : cette mystique du travail, cette « civilisation du travail » qui sera un des maîtres mots des marxistes comme des chrétiens dans l'après-guerre. En vérité, on ne saurait surestimer l'influence d'Uriage [2] dans la formation de toute une couche dirigeante d'origine sociale-chrétienne de la France contemporaine. Et dans cette couche dirigeante, il y a le futur directeur du *Monde*.

Peut-on, dans cette idéologie qu'il a largement partagée avec ses compagnons, repérer ce qui a pu constituer son apport personnel ? C'est probablement impossible. Tout au moins peut-on souligner, outre la préoccupation européenne présente dans sa première conférence, l'insistance de la référence à Péguy. Certes, au cours de la période, Péguy est inévitable. Les valeurs qu'il incarne sont revendiquées à la fois par Vichy et par la Résistance. A ce titre, il devait nécessairement avoir une place privilégiée à Uriage, même si l'interprétation antitotalitaire de Péguy, proposée dès le début de 1941 par Beuve-Méry aux élèves d'Uriage, différait notablement de celle, traditionaliste et réactionnaire, de Vichy. Ce qui a le plus frappé le conférencier, c'est ce qu'il appelle « l'unité profonde de son socialisme, de son nationalisme et de son christianisme [3] ».

1. *Vers le style du* XXᵉ *siècle, op. cit.,* p. 215.
2. Uriage ou *Esprit*? La parenté a été souvent soulignée, et encore tout récemment, quoique de façon discutable, par Pierre Bourdieu (*Actes de la Recherche en sciences sociales,* nᵒˢ 5-6, novembre 1975). Il est de fait que l'orientation générale d'Uriage peut être qualifiée de personnaliste. Du reste, Emmanuel Mounier, Jean Lacroix, Henri Marrou y firent plusieurs conférences. Jean-Marie Domenach, futur directeur d'*Esprit,* est aussi un ancien d'Uriage. D'autres encore, tel Bertrand d'Astorg. D'où l'irritation des hommes de Vichy, Henri Massis en particulier : « " Uriage, c'est *Esprit* ", dit-on avec irritation en certains milieux », note Emmanuel Mounier le 25 juillet 1941 (*Mounier et sa génération, op. cit.,* p. 302).
3. « Charles Péguy et la révolution du XXᵉ siècle », conférence présentée à Uriage pour la première fois au début de 1941 et reprise récemment dans le cahier spécial de *l'Herne* consacré à Péguy, 1977, p. 309-321.

Décidément, ce qui domine cette époque de reconstruction intellectuelle et morale, lors même que l'on dénonce le totalitarisme, c'est l'aspiration impérieuse à une synthèse. Une synthèse bien abstraite, et qui se situe délibérément à l'écart de l'événement, au moins au début. Comment expliquer autrement la persistance d'un accord fondamental entre Segonzac qui a fui Vichy mais reste longtemps inébranlablement fidèle à Pétain, et une équipe qui dans sa majorité incline progressivement vers la Résistance?

Le 3 juin 1941, l'amiral Darlan vient inspecter l'école et haranguer élèves et instructeurs. Le discours de Darlan est une défense et illustration de la politique de collaboration avec l'Allemagne qui comporte nécessairement l'hostilité contre l'Angleterre[1].

« M. Darlan déclare qu'il n'a jamais aimé l'Angleterre, mais il y a aujourd'hui une raison plus sérieuse, une raison péremptoire de choisir contre elle. C'est que l'Angleterre est vaincue. Elle l'est déjà. » D'après le rapport que nous citons, c'est la tonalité anticléricale des propos de l'amiral qui aurait choqué, et non leur orientation politique.

« Mon rôle, explique Beuve-Méry, était surtout d'utiliser l'événement », et un événement majeur, ce fut, en octobre 1941, le renvoi de Weygand : un coup dur pour les plus maréchalistes d'Uriage. Troublé, Segonzac va demander des explications à Pétain, qui l'éconduit. Du reste, la surveillance du gouvernement Laval se fait de plus en plus étroite, les pressions, voire les tentatives de liquidation de l'entreprise, de plus en plus nombreuses. L'arrivée de Beuve-Méry avait introduit à Uriage une dimension politique et idéologique nouvelle qui contribuera, au jugement de Bernard Comte[2], à conduire Segonzac de « l'indépendance loyale au non-conformisme, puis en 1942 à la dissidence de fait ». On ne s'y trompe pas dans les milieux officiels : Garrone, frère du futur cardinal, et directeur de la Jeunesse au cabinet de Lamirand, convoque le chef des études d'Uriage pour exiger sa démission. Celui-ci répond que, simple contractuel, il laisse à l'autorité

---

1. Le résumé de cette conférence, établi par l'un des auditeurs, et communiqué à Jules Jeanneney, figure dans le *Journal politique* de celui-ci, édition établie et annotée par Jean-Noël Jeanneney, Paris, Colin, 1972, p. 482-483.
2. « L'expérience d'Uriage », *loc. cit.,* p. 258.

administrative le soin de mettre fin à son engagement. Les choses en restent là provisoirement.

Après l'invasion de la zone libre par les Allemands, le 11 novembre 1942, et la méditation du vieux chef devant les stagiaires, au cours de la veillée de Noël sur le « devoir de désobéissance », le destin d'Uriage est fixé et la dissolution de l'École décrétée par Laval le 27 décembre 1942.

Les armes à la main

Qu'à cela ne tienne! Segonzac, qui est sous le coup d'un mandat d'arrestation et qui a déjà de nombreux contacts avec le maquis, entre dans la clandestinité avec toute son équipe, qu'il replie en grande partie, sous la direction de Gilbert Gadoffre, sur le château de Murinais, au pied du Vercors, entre Grenoble et Valence. Là, outre le travail théorique dont nous avons déjà parlé, on décide de faire l'instruction des maquis comme précédemment on faisait celle des futurs cadres de la nation. Ce sont les « équipes volantes » de trois hommes, chargés l'un de l'instruction militaire [1], le deuxième de l'éducation politique, le troisième de la culture et des loisirs. Au cours d'une de ces séances, Hubert Beuve-Méry aborde un thème qui lui est cher [2] : l'intégration européenne, qui implique que dans l'avenir les futurs officiers français et allemands soient formés dans les mêmes écoles! On devine l'accueil de certains maquisards, qui se demandent même un moment s'ils n'ont pas affaire à un agent provocateur! Décidément, la démagogie ne sera jamais son fort... Le reste du temps se passe en activités complémentaires : impression et distribution de journaux clandestins notamment.

Mais bientôt, nouveau changement de décor. Segonzac décide en décembre 1943 d'aller voir de Gaulle à Alger pour s'expliquer, comme il l'avait fait précédemment avec le maréchal... Le résultat

---

1. Grâce en particulier à un surprenant *Règlement militaire à l'usage des maquis*, rédigé par le colonel de Virieu.
2. Souvenirs relatés par Hubert Beuve-Méry lui-même.

44

n'est guère meilleur; très vite, les deux hommes se heurtent. Mais, bien entendu, cela ne remettra pas en question l'engagement de Segonzac et de son groupe dans la Résistance. Sur instruction du général Revers, chef de l'Organisation de résistance de l'armée (ORA), que Beuve-Méry a réussi à rencontrer à Paris, Segonzac flanqué de ses fidèles va prendre la tête d'un maquis dans le Tarn, afin d'assurer les liaisons dans le cas d'un double débarquement allié dans le golfe du Lion et celui de Gascogne. Il y forme notamment une compagnie juive avec d'anciens éclaireurs israélites passés par Uriage.

Le reste appartient à l'histoire de la Résistance. Avec ses épisodes héroï-comiques.

Telle par exemple la perquisition du château d'Ambazac (encore un!), à vingt kilomètres de Limoges, qui appartient à la famille de porcelainiers Haviland, cousins de Segonzac. C'est là qu'après son retour d'Alger se sont installés un certain nombre de ses hommes, notamment Gadoffre, Beuve-Méry, Ferry, Domenach. A l'arrivée des Allemands, sauve-qui-peut général! Beuve-Méry, très chevaleresque, joue les châtelains sur un balcon, aux côtés de la maîtresse de maison et de l'un de ses enfants, pour donner le change aux Allemands.

Telle surtout la rocambolesque libération de Castres. Avec sa poignée d'hommes — une centaine tout au plus —, Segonzac a réussi à créer l'insécurité sur les routes pour les Allemands. Une embuscade au Vintrou leur a coûté cher. De sorte que le commandant allemand de la place de Mazamet envisage de se replier sur Castres par train spécial. Segonzac en est informé : « un peu écœuré » par la tuerie qu'il a lui-même commandée au Vintrou, il demande une entrevue au commandant allemand de la place de Mazamet pour le convaincre qu'il n'a aucune chance et qu'il ne lui reste qu'à se rendre. « L'entrevue du Drap d'or », persifle Beuve-Méry. L'homme refuse : « Je le quittai en lui exprimant des regrets, mais en le félicitant, et me mis sans délai en devoir de tirer la suite logique de ses refus [1]. »

Toujours le style Cyrano! La visite de courtoisie avant l'attaque, qui portera contre le train spécial qui assure le repli sur Castres de

---

1. *Le Vieux Chef, op. cit.*, p. 148.

la garnison de Mazamet, n'est guère du goût de Beuve-Méry. Sa protestation, avant de partir pour l'embuscade, est passée à la postérité : « Quelle connerie, mon commandant, quelle connerie [1] ! »

Pourtant l'attaque du train réussit, et, comme l'avait prévu Segonzac, le commandant allemand arbore le drapeau blanc. La garnison allemande de Castres — 4 000 à 5 000 hommes — n'a pas bronché au bruit de l'explosion et de la fusillade. Sans désemparer, Segonzac, désormais renforcé de maquisards voisins, décide d'aller exiger, seul, la reddition de cette garnison, cent fois plus forte que ses assaillants : ce qu'il obtient, grâce à un incroyable culot et à une habile mise en scène destinée à convaincre les Allemands que leur situation est désespérée. Dès lors, les « renforts » sont venus vite. Beuve-Méry raconte : « Le nombre de brassards et d'uniformes que l'on a pu voir sortir en une même journée, comme les champignons après la pluie, était quelque chose de prodigieux ! C'était splendide ! tout le monde était d'une résistance ! C'était à mourir de rire, ou de rage. »

Il ne reste plus aux libérateurs de Castres qu'à s'intégrer à l'armée régulière — Segonzac, en bon officier, y songe depuis longtemps —, et pour cela rendre compte à Paris au général Kœnig et obtenir de lui les équipements nécessaires. C'est Beuve-Méry, impatient de regagner Paris, qui est chargé de cette mission : remontée pittoresque d'une France insurgée où les nouveaux vainqueurs, constitués en petits potentats locaux, ne constituent pas le moindre des dangers. Commencé à bicyclette, le voyage se termine dans une traction avant qui prend feu peu après Chartres : l'essence obtenue de Noirs américains compréhensifs était du kérosène !

Non moins compréhensive, la traction avant accepte néanmoins de rouler jusqu'à Paris : Beuve-Méry peut faire son rapport à Kœnig. Une page est tournée. La suivante s'appellera *le Monde*.

---

1. « Sans que j'aie jamais su, commente Segonzac, si cette appréciation péjorative visait mes conceptions tactiques générales ou particulières, ou mon idée farfelue d'avoir prévenu l'adversaire de mes intentions » (*Le Vieux Chef*, op. cit., p. 148).

CHAPITRE II

Naissance du *Monde*

Le Monde naît en décembre 1944, à la rencontre de trois données majeures : le vide créé par la suppression du *Temps,* qu'a décidée le Gouvernement provisoire, l'impatience d'une équipe rédactionnelle sans emploi, donc ardemment désireuse de retrouver un journal où travailler, et enfin la volonté politique du général de Gaulle et des siens de voir resurgir un grand organe de qualité et de prestige.

La mort du « Temps »

Dès Alger, le Gouvernement provisoire a prévu par divers textes et circulaires qu'on interdirait de renaître à tous les journaux qui, existant au 25 juin 1940, ont continué à paraître en zone nord plus de quinze jours après l'armistice, et en zone sud plus de quinze jours après le 11 novembre 1942 et l'occupation intégrale du territoire. C'était fixer, pour la zone repliée, la limite du 27 novembre 1942. Or *le Temps* s'est sabordé le 29, quarante-huit heures plus tard : ses responsables ont toujours été persuadés, non sans quelque motif, que la date fatidique n'avait pas été choisie au hasard, glissée tout juste entre *le Figaro* — qui a cessé sa parution le 11 novembre et qui peut donc revivre — et *le Temps,* qui, lui, est condamné. Jacques Chastenet rapporte dans ses Mémoires un propos de Jacques Guignebert, secrétaire général à l'Information, à Raymond Millet, journaliste au *Temps* : « Quelle qu'ait été la date de sabordage du journal, on eût fait en sorte que cette date fût trop tardive [1]. »

1. *Quatre fois vingt ans,* Paris, Plon, 1974, p. 369.

Pourquoi donc cette particulière rigueur — ou cette particulière rancune?

Replié en zone sud dès l'armistice, bientôt installé à Lyon, le journal n'a certes pas manifesté, pendant le temps de sa parution, d'héroïsme éclatant. Il est vrai que si Jacques Chastenet a souhaité, dans les·premiers mois, un retour à Paris, qui l'eût conduit sous l'emprise directe de l'occupant, le projet en a été bientôt abandonné, sur la pression en particulier de François de Wendel[1]. Mais le Temps a accepté, comme le Figaro, comme la plupart des journaux repliés, une subvention mensuelle des pouvoirs publics[2], et il a soutenu fidèlement, pour l'essentiel, la politique du maréchal. On peut suivre ici un bon connaisseur de « l'air du temps » sous Vichy, qui écrit, après une étude attentive du journal : « Sans doute le Temps a-t-il fait des réserves sur nombre d'aspects du régime de Vichy, il n'en reste pas moins que sur les points fondamentaux il s'est rallié. Qu'il s'agisse de l'armistice, ou des pleins pouvoirs au maréchal, de la politique extérieure ou de la politique sociale, le grand quotidien libéral a pris des positions qui étaient contradictoires avec sa doctrine. Seules ses options économiques se sont maintenues jusqu'environ l'été 1941 où le poids des événements les a infléchies. Cette attitude [...] illustre l'incertitude idéologique de la bourgeoisie possédante qui s'est toujours montrée plus profondément attachée au parlementarisme qu'à la République[3]... »

Après le retour de Laval au pouvoir, en avril 1942, des voix se sont élevées au journal pour conseiller à ses responsables d'arrêter les frais. Dès janvier 1942, François de Wendel, lors d'une réunion du consortium des grandes affaires qui, depuis le rachat aux Hébrard, était majoritaire au Temps, a pris position contre l'octroi d'argent frais à Chastenet et Mireaux, avec ce commentaire

1. Jean-Noël Jeanneney, François de Wendel..., op. cit., p. 596-597. Dans ses Souvenirs cités, Quatre fois vingt ans, parus en 1974, Chastenet attribue curieusement au seul Mireaux (décédé en 1969) l'effort pour revenir à Paris. « Baudouin et Mireaux me poussent à aller préparer le retour du journal dans la capitale. Je m'y refuse. » Ce qui est contredit catégoriquement par les notes de Wendel prises sur-le-champ.
2. Philippe Amaury, Les Deux Premières Expériences du « ministère de l'Information » en France, Paris, LGDJ, 1969, p. 637.
3. Alain-Gérard Slama, « Un quotidien républicain sous Vichy : le Temps (juin 1940-novembre 1942) », Revue française de science politique, août 1972, p. 747-748.

significatif : « Tout en reconnaissant que le journal ne peut guère avoir une attitude différente de celle qu'il observe, j'estime qu'elle est trop gouvernementale pour que nous ayons à nous substituer au gouvernement ; c'est à celui-ci de rémunérer les gens qui le servent. »

Après avril 1942, un homme comme Wendel, qui est résolument hostile à Pétain et plus encore à Laval, éprouve une sévérité croissante à l'égard du journal, écrivant au mois d'août : « Il semble que Brisson au *Figaro* se défend mieux que Chastenet et Mireaux. Cela lui est d'ailleurs plus facile, le caractère traditionnellement officieux du *Temps* lui valant une surveillance que *le Figaro*, toujours plus indépendant dans le passé, n'appelle pas au même degré. » Aussi Wendel marque-t-il nettement à Chastenet qu'il ne verrait, pour sa part, « aucun inconvénient » à la suspension d'un journal qui « n'a plus que l'ombre d'indépendance et n'est plus qu'un office d'insertions tendancieuses et mensongères [1] ». Pourtant, en dépit d'un accrochage public entre Laval et Chastenet, en juillet 1942, lors d'un banquet de presse [2], *le Temps* choisit de se survivre encore.

Même après l'invasion de la zone sud, Chastenet (contrairement à ce qu'il a voulu faire accroire après la Libération) s'entête à maintenir le journal, faisant même appuyer par quelque argent frais du consortium un projet de moyen terme : *le Temps* paraîtrait deux fois par semaine, en ne traitant que les questions littéraires et économiques [3]. C'est finalement quelques jours plus tard, à l'occasion d'un accrochage avec la censure de Paul Marion, qui refuse de laisser passer un éditorial de Chastenet sur le sabordage de la flotte à Toulon, que les deux directeurs décident enfin de cesser la publication.

1. *François de Wendel..., op. cit.*, p. 597.
2. « Note sur la situation du *Temps* » (plaidoyer de ses dirigeants), 8 septembre 1944 (Archives du ministère de l'Information, dossier *Temps,* n° 692). D'après ce texte rétrospectif, Laval aurait reproché au *Temps* de faire « de l'opposition au gouvernement » et une « mauvaise besogne française », et Chastenet aurait répliqué que « la France ne saurait être confondue avec le gouvernement de Vichy ». Bonis-Charancle, secrétaire général du *Temps,* évoque l'épisode devant Wendel au mois d'août.
3. Ici encore, dans ses Mémoires, Chastenet rejette sur son collègue Mireaux le désir d'une publication bihebdomadaire du *Temps.* Il écrit qu'après l'invasion de la zone sud il lui « paraît indispensable de cesser la publication du journal », ajoutant : « Il me faut cependant convaincre mon collègue Mireaux »... (p. 346). Sur la réunion du « consortium », la source est le journal tenu par Wendel, chez qui a lieu la rencontre.

Nulle vaillance exceptionnelle ici, assurément, au regard des critères politiques de 1945, mais nulle infamie non plus. Après la fin du journal, plusieurs de ses rédacteurs ont imprimé une feuille clandestine composée avec des renseignements provenant des radios alliées. Entrés dans la résistance active, deux collaborateurs connus du journal, Georges Aymès et Rémy Roure, ont été déportés et le premier d'entre eux n'est pas revenu de Buchenwald...

Ainsi, quelques nuances qu'on apporte au plaidoyer développé après la Libération et depuis lors par les responsables du *Temps,* il demeure que la suppression régalienne du journal ne se fondait pas sur les mêmes critères que ceux qui avaient justifié la sanction prise à l'égard de la presse parisienne de la collaboration. L'ordonnance du 31 octobre 1945 distinguera d'ailleurs après coup entre les journaux qui, ayant collaboré avec l'ennemi, ont vu leurs biens confisqués par l'État sans indemnité, et une autre catégorie qui peut être expropriée moyennant un dédommagement « équitable ». Ce sont les publications qui, « sans avoir participé à la politique de collaboration, ont été l'objet de graves abus. Fondées par des sociétés dont l'objet social était la publication d'un journal essentiellement politique, elles sont tombées sous le contrôle de groupements et d'organismes fondés pour la défense d'intérêts privés à caractère purement financier ou économique. Cette situation a été autant néfaste pour la liberté de la presse que pour la dignité de la vie publique ».

C'est là le moyen de justifier *a posteriori* la mort du *Temps*. En fait, les gouvernants issus de la Résistance lui font payer deux choses. D'abord, d'avoir accepté de continuer à jouer, sous le maréchal, et sans visible répugnance, le rôle d'organe officieux dans le domaine extérieur qui était le sien sous la IIIe République : à cet égard, les quelques jours qui séparent le sabordage du *Figaro* et celui du *Temps* ne sont pas seulement le moyen commode de faire deux poids et deux mesures. Ils symbolisent une différence de prestige et donc de responsabilité. Mais l'ordonnance insiste sur un autre aspect, particulièrement sensible dans l'atmosphère de la Libération, celle des grandes espérances : la compromission du *Temps* avec les puissances économiques. Ici encore, *le Temps* n'était pas avant la guerre plus blâmable que ses confrères — mais plus en vue. Son cas frappait davantage, d'autant plus que les mythes avaient simplifié les choses aux yeux du public. En fait, malgré des affirmations partout répétées, le Comité des forges n'avait pas joué, en tant que tel, un rôle majeur dans le rachat de 1929 — mais seulement contribué à coordonner les « bonnes volontés ». Les intentions du consortium n'avaient pas été étroitement égoïstes. L'argent investi au *Temps* par les capitalistes divers qui s'étaient réunis à cette occasion ne leur servait pas à améliorer dans les colonnes du *Temps* leur image de marque : ils savaient qu'en toute occurrence le journal ne leur serait pas farouche. Il s'agissait pour eux d'éviter l'achat par des capitaux étrangers ou provenant de bailleurs de fonds douteux, et de maintenir le quotidien dans sa ligne antérieure.

Reste que l'affaire avait fait choc, scandale — et qu'elle avait constitué *le Temps* en symbole. Rappelons au surplus que les rapports particuliers du *Temps* avec l'argent, policés au sommet, et à peu près publics, même s'ils étaient mal interprétés, existaient aussi, beaucoup plus clandestins, à la base, et que l'indignation de Beuve-Méry, du temps de Prague, avait, ici comme ailleurs, motifs non imaginaires à s'enflammer [1]...

Une équipe disponible

Quoi qu'il en soit des raisons politiques de la décision gouvernementale, les journalistes du *Temps,* assurément moins sensibles que Beuve-Méry, pour la plupart d'entre eux, à ces aspects peu honorables du passé, éprouvent une vive déception en constatant, à la Libération, que le journal n'est pas autorisé à reparaître. Dans un premier temps, l'équipe tâche d'arracher une contre-décision.

Les directeurs, pour leur part, sont en retrait forcé ou délibéré.

1. Étant donné ce qu'était l'atmosphère de la Libération, il n'est pas besoin d'expliquer, comme on l'a fait volontiers dans les cercles du journal, la décision frappant *le Temps* en 1944 par une rancune personnelle de Pierre-Henri Teitgen, ministre de l'Information, à l'égard des Wendel, auxquels sa famille s'était, avant la guerre, opposée en Lorraine, Parti démocrate populaire contre Fédération républicaine. (Hypothèse avancée dans une note : « Situation du *Temps* », dans les papiers de Martial Bonis-Charancle. Une autre version de la même note qui figure aux Archives du ministère de l'Information, dossier *Temps,* ne comprend pas cette observation...)

Émile Mireaux, qui fut ministre de l'Éducation nationale au début du règne de Vichy, est comme tel sous le coup de poursuites judiciaires, donc indisponible. Quant à Jacques Chastenet, il a choisi curieusement, au début de juillet 1944, à l'approche des armées alliées, de quitter la capitale pour la Gironde. « Je me vois pris, explique-t-il dans ses Mémoires, entre, d'une part, mon désir de rester à Paris pour y suivre les événements et y préparer la réapparition du *Temps,* et, d'autre part, la nécessité où je me trouve de m'occuper de mon vignoble et surtout de la commune dont je suis maire... » De telle sorte qu'il ne sera de retour à Paris, retardé par la difficulté des communications, que le 6 septembre 1944. Dès le lendemain, il est dans le bureau de Joannès Dupraz, secrétaire général du ministère de l'Information, en compagnie d'Émile Henriot et d'André Chênebenoit, deux rédacteurs éminents du journal. C'est pour s'entendre signifier que « *le Temps* se trouv[e] automatiquement inclus dans la catégorie des journaux de zone libre qui n'[ont] pas suspendu leur publication dans les quinze jours qui ont suivi, en zone libre, l'occupation totale du territoire ; que dans ces conditions *le Temps* n'[est] pas autorisé à reparaître, et qu'il [sera] soumis, comme tous les autres journaux parisiens ou repliés, à une enquête judiciaire au cours des mois à venir ». A toutes les justifications présentées, Dupraz oppose un refus de discussion [1].

Tel est le fait du prince. Or, le point important est ici que l'équipe de rédaction se montre vite disposée, pour voir renaître un autre *Temps,* à beaucoup de concessions, et qu'elle ne fera pas du maintien du titre et des directeurs antérieurs une condition *sine qua non* à sa participation.

Elle serre les rangs, pousse en avant ceux de ses membres dont la conduite sous l'Occupation peut paraître la plus honorable au nouveau gouvernement du pays. Son porte-parole principal est Martial Bonis-Charancle, l'un de ceux qui ont fait paraître en 1943-1944 le bulletin clandestin d'information destiné à la Résistance. Ancien collaborateur dans les années vingt d'Ernest Billiet à l'Union des intérêts économiques, à l'époque premier groupe de pression politique du patronat, il est devenu en 1932 secrétaire

---

1. Note signée « *le Temps* », 8 septembre 1944 (Archives du ministère de l'Information).

général administratif du *Temps*. Il a de la finesse, de la rondeur, et il est très populaire parmi les rédacteurs du journal[1].

Bonis-Charancle exprimera, quelques années plus tard, dans une lettre privée, des reproches à l'encontre de Chastenet, qu'il ne devait pas être seul, à l'époque, à formuler : « Remonté à Paris en 1943 alors que je restais à Lyon avec une petite équipe du *Temps*, Chastenet a-t-il fait quelque chose pour assurer la reparution du journal? C'était cependant son rôle. Pierre Brisson a bien su manœuvrer avec la Résistance pour obtenir l'autorisation de paraître du *Figaro*! Si Chastenet avait demandé que le conseil d'administration du *Temps* fût complété par des personnalités comme MM. Basdevant ou Lepercq, par exemple, nous aurions été sérieusement protégés quand les voleurs sont arrivés. Au moment de la Libération, où était Chastenet? En Gironde, alors que sa place était à Paris[2]... »

Un pareil état d'esprit explique que d'emblée la rédaction ait été disposée à ne pas se solidariser avec Chastenet. Quand il regagne Paris, Bonis-Charancle peut écrire à sa femme, après ses premiers contacts, le 20 septembre 1944 : « Certes, on ne nous fait pas de grief patriotique, mais on ne veut pas en ce moment de journal patronal. On souhaite que nous reparaissions, mais on voudrait trouver une formule qui nous fasse faire peau neuve, c'est-à-dire qu'on demande en somme l'éviction des directeurs et le changement des propriétaires. Tout cela n'est pas facile à régler, mais nous aboutirons, je l'espère, à une formule transactionnelle[3]... »

Que tous fussent disposés à jeter du lest, on l'aperçoit bien dans une pétition adressée un peu plus tard au gouvernement : « Privés de leur journal auquel ils ont apporté pendant des années le meilleur d'eux-mêmes, les rédacteurs font observer que, les raisons qui ont pu dicter la suspension du *Temps* étant étrangères à leur propre

1. Comme en témoigne plus tard René Courtin dans ses Souvenirs inédits et inachevés : *Combat inutile au journal « le Monde »*, où il écrit que Bonis-Charancle « jouissait d'un immense prestige auprès de la rédaction, du personnel administratif et des ateliers ». Il semble bien qu'au *Temps* Bonis-Charancle ait été pour beaucoup de choses l'inévitable « décideur ».
2. Bonis-Charancle à Cheminais, 8 février 1950 (Archives Bonis-Charancle) (il s'agit, comme on verra, de l'éventualité d'une renaissance du journal dont Chastenet exclurait Bonis).
3. Document aimablement communiqué par leur fille Anne Béranger.

activité journalistique, ils ne sauraient, sans injustice, en supporter les conséquences [1]. »

Or, dans ce désir d'un arrangement, la rédaction rencontre en face d'elle, du côté du gouvernement, une volonté politique.

Un vide à remplir

Le général de Gaulle s'irrite de constater, parmi la floraison des feuilles nées de la Résistance, dont beaucoup sont de fort mince qualité, l'absence d'un journal de référence, solide, sérieux, fiable. Pierre-Henri Teitgen, son ministre de l'Information, Gaston Palewski, son directeur de cabinet, rejoignent spontanément cette même préoccupation [2]. La ligne est claire : c'est celle qui, dès les 23 et 25 septembre 1944, est exposée à Bonis-Charancle par Joannès Dupraz : « Les groupements ou sociétés qui sont derrière votre journal sont actuellement, rappelle Dupraz, l'objet de violentes critiques. On les poursuit avec passion. Certaines personnalités qui sont à leur tête ont été arrêtées ou sont menacées d'arrestation. Il n'est pas possible par conséquent de laisser à votre journal la structure qu'il a actuellement [3]. » « Il est naturel que vous soyez protégés vis-à-vis de l'opinion comme il faut que l'opinion elle-même soit apaisée [4]. »

Cela posé, « *le Temps* est nécessaire et doit revivre : c'est un des " pilotis " sur lesquels la situation actuelle doit trouver ses assises. *Le Temps* doit être à nouveau un journal officieux en politique étrangère, et conserver son entière liberté, je répète " entière liberté ", en politique intérieure [5] ».

Il n'y a plus qu'à mettre tout cela en musique. C'est le même

1. Pétition signée de Georges Virenque, doyen d'âge, 11 octobre 1944 (Archives du ministère de l'Information).
2. Entretiens divers (notamment Dupraz et Palewski).
3. « Entretien avec M. D., 23 septembre 1944 », note de Bonis-Charancle, dans ses papiers.
4. « Entretien avec M. D., 25 septembre 1944 », note de Bonis-Charancle, dans ses papiers.
5. *Ibid.*

Dupraz qui en est chargé. A l'origine il paraît espérer un accord à l'amiable avec les gens du *Temps*, autour de deux idées simples qu'il explique à Bonis-Charancle : éviction de la direction Chastenet-Mireaux et de certains propriétaires des actions, ceux qui sont particulièrement symboliques des puissances économiques... Bonis-Charancle tâte alors le terrain : « Supposez que M. de Fels ou M. X, rentier, ou M. Mercier achète la majorité des actions. Y verriez-vous une objection? » Edmond de Fels, très riche particulier, avait participé à titre personnel à l'opération de rachat de 1929. Quant à Ernest Mercier, il était avant la guerre un grand personnage du pétrole et de l'électricité, et il n'est pas compromis [1]... Mais Dupraz fait grise mine : « Pour M. de Fels, répond-il, ce serait à voir. Pour M. Mercier, il ne peut en être question puisque ce serait remplacer des puissances économiques par une autre puissance économique. » Bonis-Charancle avance alors l'idée d'une fondation neutre à qui l'on vendrait une majorité des actions [2]. L'idée paraît plaire à Dupraz qui deux jours plus tard la rejoint et la précise en ces termes nets : « Les propriétaires actuels n'ont pas acheté *le Temps* avec une mentalité d'actionnaires. Ils l'ont sauvé une première fois; ils peuvent le sauver une deuxième fois soit en revendant, d'accord avec le gouvernement, leurs actions à de nombreuses individualités, soit en créant une fondation avec charge de faire paraître le journal, le conseil d'administration et le directeur étant à l'origine choisis en accord avec le gouvernement [3]... »

Bonis-Charancle transmit-il la proposition? Fut-elle accueillie par un refus? Celui-ci est vraisemblable : les propriétaires du journal espéraient probablement gagner du temps, les premières ordonnances de la Libération ayant créé un délai de trois mois au bout duquel, à défaut de poursuites judiciaires, le journal pourrait reparaître. Vain espoir : les nouveaux maîtres (et Dupraz n'en a pas fait mystère à Bonis-Charancle) sont décidés à proroger le délai

1. Voir Robert F. Kuisel, *Ernest Mercier, French Technocrat*, Berkeley et Los Angeles, University of California Press, 1967, 184 p.
2. 23 septembre 1944, note Bonis-Charancle citée.
3. 25 septembre 1944, note Bonis-Charancle citée, et notes de Chênebenoit (sans date) sur une visite ultérieure chez Dupraz (Archives Chênebenoit).

autant qu'il sera nécessaire [1] et, de fait, il est porté à six mois par l'ordonnance du 30 septembre 1944.

Au demeurant, le ministère de l'Information, faute de répondant du côté des propriétaires, écarte bientôt l'idée d'en obtenir une renonciation résignée, et Dupraz peut déclarer un peu plus tard à Émile Henriot et à André Chênebenoit que le dossier du *Temps* a été classé, ajoutant : « *Il ne peut pas être question d'y revenir. C'est peut-être regrettable — je le regrette en ce qui me concerne, car je crois qu'il y a là une perte d'actif, à cause de tout ce que le Temps représentait, et de ce qu'il passait pour représenter, surtout à l'étranger. Mais il eût fallu, pour que réussissent ces premières propositions, dont j'avais signalé le caractère fragile et même précaire, qu'elles soient acceptées immédiatement et sans discussion : le projet est [aujourd'hui] abandonné* [2]... »

C'est décidément un nouveau journal que l'on bâtira, en utilisant les installations et l'équipe — épurée — du *Temps*.

Un triumvirat

Reste à trouver une nouvelle équipe dirigeante.

Au cabinet du général, Gaston Palewski met d'abord en avant le nom d'Étienne Dennery, normalien, agrégé d'histoire et de géographie, qui a été avant la guerre professeur à l'École libre des sciences politiques puis, à Londres et à Alger, directeur de l'Information de la France libre. Mais il advient qu'au grand regret de Palewski Dennery choisit de préférence la carrière diplomatique [3].

Faute d'une personnalité qui s'impose, le petit groupe de ceux qui, autour de De Gaulle et autour de Teitgen, vont décider de l'affaire fait sortir trois noms de divers échanges de vues : ceux

---

1. 25 septembre 1944, note Bonis-Charancle citée.
2. Notes Chênebenoit citées (dans ses Archives).
3. Entretien Gaston Palewski. Dennery sera nommé ministre plénipotentiaire l'année suivante, et directeur d'Amérique au Quai d'Orsay. Il sera ensuite ambassadeur en Pologne, en Suisse et au Japon, et finira sa carrière comme administrateur général de la Bibliothèque nationale.

d'Hubert Beuve-Méry, de Christian Funck-Brentano et de René Courtin.

Le nom d'Hubert Beuve-Méry a surgi d'une conversation entre Pierre-Henri Teitgen et son ami Paul Reuter, directeur adjoint de son cabinet[1]. Un beau soir, confidentiellement, Teitgen prend Reuter à part, avant d'en parler à quiconque dans son cabinet, pour lui expliquer que le gouvernement a le souci de fonder un grand quotidien de politique étrangère, un journal « officieux », mais que toute la réussite, c'est bien clair, dépendra du choix de son chef. Il faut trouver « l'oiseau rare », un grand journaliste qui soit aussi un homme honnête et parfaitement indépendant. Reuter a-t-il une idée?

Eh bien! oui, il en a une, et il s'agit de Beuve-Méry. Reuter l'avait connu à Uriage où lui-même, professeur de droit, avait été détaché pour donner un enseignement durant tout le premier semestre de 1942 (avant d'entrer également dans la Résistance, par l'intermédiaire de Teitgen). A l'automne 1944, Beuve a dit à Reuter, en termes généraux et vagues, qu'il s'ennuyait un peu à *Temps présent*. Il ne s'y trouve pas mal, assurément, mais il ne serait pas mécontent, à l'occasion, d'être chargé de quelque chose de plus important.

Tout en donnant le nom de Beuve-Méry, Reuter met Teitgen en garde : certes, l'homme est d'une honnêteté absolue, et il échappera à toute corruption. Mais attention : il manifestera à coup sûr un esprit indépendant, rétif aux pressions... Sur quoi Teitgen se récrie qu'on ne cherche pas à faire un journal aux ordres, mais seulement un organe qui puisse exprimer le point de vue du gouvernement avec fidélité et justesse, de temps en temps...

Contact est donc pris, et les choses dès lors vont prestement, avec l'approbation du cabinet du général de Gaulle. Paul Reuter, très vite, par discrétion, s'efface; il se souvient seulement d'avoir participé à un déjeuner de travail avec les seuls Beuve-Méry et Teitgen, et conserve encore, dans l'oreille, trente-cinq ans plus tard, ce mot du premier au second : « Tout cela est bien bon, mais je vous mets en garde : il sera bien tentant, ensuite, le journal une fois installé, de retourner le char... » Ainsi Beuve avertit-il clairement qu'il ne

---

1. Les renseignements qui suivent sont issus d'un entretien avec Paul Reuter, 9 janvier 1978.

se sentira, à l'avenir, envers le MRP, dont il va apparaître, aux yeux des milieux de presse, comme le représentant·au *Monde*, nulle dette de reconnaissance ni devoir de soumission...

De la même façon, Christian Funck-Brentano sera l'homme de la Résistance extérieure et l'homme du général de Gaulle. Gaston Palewski l'a suscité et beaucoup poussé. Il l'a connu dans les années vingt au cabinet du maréchal Lyautey, au Maroc. Fils d'un historien de l'Ancien Régime jadis notoire, chartiste comme son père, Christian Funck-Brentano était demeuré pendant les années trente directeur de la Bibliothèque de Rabat. Après juin 1940, il avait été l'un des premiers résistants du Maroc, il avait rejoint ensuite de Gaulle à Alger, et il avait été chargé, après la Libération, du service de presse à son cabinet.

Quant au dernier personnage, qui va jouer un rôle essentiel dans l'histoire des premières années du journal, il incarne lui aussi une tendance particulière de la Résistance. Au *Temps* d'Adrien Hébrard, jadis, était en force la H.S.P., la bourgeoisie protestante installée. Elle sera donc représentée aussi au *Monde* par René Courtin, professeur d'économie politique à la faculté de droit de Montpellier [1].

Protestant du Midi, René Courtin a ses racines dans la Drôme, du côté de Die, où il retourne chaque année se ressourcer parmi ses pêchers et ses chiens de chasse [2]. Protestant de Paris, il sort d'une famille de hauts fonctionnaires; son père, polytechnicien, inspecteur des Finances, a terminé sa carrière administrative comme président de chambre à la Cour des comptes. A l'école du libre examen, René

---

1. Sur la personnalité de René Courtin, les sources sont constituées par un recueil d'articles et de Souvenirs inédits imprimés peu après sa mort, *Pour les autres et pour soi*, Montpellier, Causse et Castelnau imprimeurs, s. d. (1965?); par le numéro spécial de la *Revue d'économie politique* qui lui est consacré (nov.-décembre 1964) avec les articles d'Henri Guitton, d'André Philip et de Daniel Villey; et, enfin, par une thèse de doctorat en science économique inédite due à Jean-Michel Rousseau, *René Courtin, l'homme, la pensée, l'action* (dirigée par Daniel Villey, s. d. (1967), 372 p. dact., plus annexes), qui est très brève sur *le Monde* mais qui contient une utile bibliographie des articles de René Courtin, notamment dans *le Monde* et dans *Réforme*.

2. Voir, par exemple, les pages qu'il publie dans *Réforme*, n° 25, 8 septembre 1946, « Souvenirs de chasse », *Pour les autres..., op. cit.*, p. 75-84, et le texte de jeunesse, « Désintoxication par la montagne », *Nouvelle Revue*, avril 1926, dans Rousseau, *op. cit.*

Courtin a forgé un caractère qu'indignent et mobilisent tous les risques menaçant l'épanouissement de l'individu. S'il avait pu choisir, dès 1930, de prêcher pour l'Europe, développant dans diverses conférences publiques le programme « paneuropéen » de Coudenhove-Kalergi [1], l'ascension de Hitler, ensuite, lui a fait remiser le rêve. Spontanément, instinctivement, il a été révolté par l'impuissance de la démocratie française devant l'Allemagne, par l'agression de l'Italie en Éthiopie, par la remilitarisation de la rive gauche du Rhin, au nom de Munich, en septembre 1938. Spontanément, instinctivement, dès novembre 1940, à Montpellier, il a rallié la première Résistance auprès de ses collègues universitaires François de Menthon et Pierre-Henri Teitgen. Avec eux il a milité au mouvement Liberté puis il a été chef régional à Combat, pour les six départements du Languedoc méridional. Il est entré dans la clandestinité complète en novembre 1942, au moment de l'invasion de la zone sud par les Allemands.

Claude Lévi-Strauss, qui avait connu Courtin au Brésil avant la guerre, l'avait revu et admiré à Montpellier (où lui-même enseignait au lycée), à la fin de 1940, évoque volontiers sa dette de reconnaissance : Courtin sauva littéralement la vie de ses parents, en les accueillant et en les cachant, comme ils fuyaient les persécuteurs nazis, durant l'hiver 1942-1943, dans sa maison de la Drôme. « Avec plusieurs des défauts du grand bourgeois, c'était une sorte de saint [2]... »

Dans la Résistance, Courtin a siégé comme expert pour les questions économiques au Comité général d'études, où il s'est trouvé, aux côtés de Teitgen et de Robert Lacoste, le principal rédacteur du rapport sur l'activité économique de l'après-guerre [3]. Et lors de la Libération de Paris, il a été nommé secrétaire provisoire au ministère de l'Économie nationale, chargé d'assurer la difficile transition.

Le même souci de son indépendance personnelle, de sa liberté d'homme d'étude et de réflexion, explique son attitude des semaines

---

1. « Les États unis d'Europe », *Foi et Vie*, 1930.
2. Entretien Claude Lévi-Strauss, 29 septembre 1978.
3. Pour des détails sur son rôle on peut consulter la thèse récente de Diane de Bellescize sur le *Comité général d'études de la Résistance*, Paris-II, 1974, 824 p., multigraphiée.

suivantes. Dès l'installation de Mendès France au ministère de l'Économie, Courtin a résigné sa charge [1]. Soucieux de ne pas paraître exploiter ses titres de Résistance, il a refusé le poste de procureur général à la Cour des comptes. Il a choisi de réintégrer sa chaire, satisfait de se voir élu à la faculté de Paris.

Ses doctrines d'économiste s'expliquent par la même obsession du libre arbitre et de la liberté d'entreprise. Certes, il sait reconnaître que les circonstances exceptionnelles de la Libération exigent des mesures exceptionnelles, mais il a le souci constant que ne soit pas instauré durablement un dirigisme d'État. Les interventions des pouvoirs publics lui paraissent devoir toujours moins bien faire que les lois naturelles du marché auxquelles son optimisme s'obstine à faire confiance. (Et cette conviction-là n'a pas facilité ses quelques semaines de cohabitation quai Branly avec Pierre Mendès France.)

Dans l'atmosphère de la Libération, il est ainsi rejeté à droite des forces de la Résistance; il l'est aussi par la virulence de son hostilité au communisme. Il en redoute la dictature. Dès le temps de la clandestinité, il s'en était continûment inquiété. Yalta lui est apparu détestable à cause des concessions territoriales faites à Staline. Il juge néfaste le système du tripartisme : une présence prolongée des ministres communistes au gouvernement lui semblerait lourde de périls pour l'avenir.

Qu'on ait songé alors, du côté du ministère de l'Information, à faire figurer René Courtin au triumvirat directeur du *Monde* pour y représenter à la fois le protestantisme libéral, la Résistance de l'intérieur, et la bourgeoisie intellectuelle exempte de toute préoccupation mercantile, on ne s'en étonnera pas. Dans cette mission il se montrera tel qu'on l'avait toujours connu, homme de conviction passionnée de droiture et de brusques emportements, homme de courage et de candeur, une candeur dont il a concédé lui-même qu'elle pouvait aller parfois jusqu'à une franche naïveté [2]... Emma-

---

1. Il a tenu un journal quotidien du 19 août au 20 septembre 1944 (Archives René Courtin).
2. Les mots de droiture, de candeur — de naïveté même — sont ceux qui viennent spontanément aux lèvres de Claude Lévi-Strauss quand il évoque aujourd'hui René Courtin (entretien cité). Le pasteur Albert Finet, directeur de *Réforme,* écrira pour sa part, après la mort de Courtin : « C'était sa nature franche et droite qui le faisait

nuel Mönick, qui fut son homologue au ministère des Finances comme secrétaire général provisoire lors de la transition de 1944, écrit dans ses Souvenirs qu'il vit alors en René Courtin le « symbole de la Résistance dans ce qu'elle avait de plus pur ». Et il précise un peu plus loin qu'il était « trop pur pour être habile [1] »...

Précautions statutaires et arrière-pensées politiques

Voilà donc la troïka à qui le gouvernement va confier la tâche de mettre sur pied le nouveau journal. Les trois hommes ne se connaissent guère. Beuve-Méry, notamment, ignorait auparavant jusqu'à l'existence des deux autres.

Joannès Dupraz ménage des rencontres qui paraissent présager d'une bonne harmonie. Lui-même a reçu Beuve-Méry, Courtin et Funck-Brentano séparément, pour en prendre la mesure. Il juge Funck-Brentano « très bien élevé, sûrement cultivé mais assez pâle ». René Courtin pose d'emblée qu'il ne pourra se consacrer qu'à mi-temps au journal, le reste étant dû à son enseignement de la faculté de droit. Dupraz conclut que le seul des trois qui ait à la fois une certaine expérience du métier et la possibilité de se donner au journal à temps plein est Hubert Beuve-Méry [2] et il fait donc admettre aisément qu'au sein du comité de direction ce dernier sera, *primus inter pares,* le directeur en titre. C'est aussi Beuve-Méry que Bonis-Charancle vient trouver, avec une délégation d'anciens journalistes du *Temps,* pour le presser d'accepter la tâche et d'organiser l'installation au *Monde* de l'ancienne rédaction — allégée seulement de quelques éléments trop compromis sous l'Occupation [3]. Telle est donc l'équipe qui va bâtir le journal en ses débuts.

---

aimer, ses prompts retours après ses emportements, et, jusque dans les injustices où il se laissait parfois entraîner, il n'était pas possible de lui tenir rigueur tant sa bonne foi était évidente » (*le Monde,* 8 mai 1964).
1. Emmanuel Mönick, *Pour mémoire,* Paris, hors commerce, 1970, p. 116 et 126.
2. Entretien Dupraz.
3. Entretien H. B. M.

Le gouvernement, de son côté, est fidèle à ses intentions affichées et tient ses promesses en assurant au quotidien tout neuf les moyens matériels d'un départ convenable, et les moyens institutionnels de l'autorité et de l'indépendance.

Les moyens matériels : d'abord un financement initial, sous forme d'avances de l'État, soit un million de francs en espèces, un million en crédit-papier, et un million en crédit-location [1] : avances équivalentes à celles qui ont été consenties précédemment aux autres journaux. D'autre part, l'administration des Domaines loue par contrat au *Monde* les biens du *Temps* qu'elle a confisqués, c'est-à-dire l'imprimerie et l'immeuble de la rue des Italiens : ici encore il n'est pas fait plus que pour d'autres feuilles issues de la Résistance et installées dès l'été dans les meubles des différents organes du temps de l'Occupation.

Il est plus important probablement que le gouvernement ait aidé *le Monde* à se donner les structures institutionnelles, humaines et financières sur lesquelles il va pouvoir construire son aventure.

Joannès Dupraz [2] marque d'emblée que le souci central du ministère de l'Information, rejoignant celui des trois responsables désignés, est d'assumer autant que le permettra la législation sur la presse l'indépendance matérielle et morale du journal. La société [3] sera à responsabilité limitée, avec un capital modeste de 200 000 francs divisé en 200 parts, la majorité de celles-ci étant souscrites à égalité par Beuve-Méry, Courtin et Funck-Brentano à raison de 40 chacun. Les parts pourront être cédées librement entre associés mais seront incessibles à un tiers sans l'accord de la majorité des trois quarts du capital social. Les bénéfices donneront un dividende annuel qui ne pourra dépasser, Courtin le fait préciser [4], 6 % du capital. La direction sera collégiale, mais c'est à Beuve-Méry, choisi d'un commun accord comme gérant, qu'ira l'autorisation de paraître — signée par Jean Letourneau, directeur de la Presse, le 30 novembre 1944. On partira sur ces bases.

1. Sur ce sujet, note de Dupraz pour Letourneau, directeur de la Presse, 20 novembre 1944 (Archives du ministère de l'Information, dossier *Monde*). L'argent sera remboursé dès avril 1945 au ministère des Finances.
2. Entretien Dupraz, dont le rôle et les intentions sont confirmés sur ce point par Courtin, *Combat inutile..., op. cit.*
3. Statuts originaux (Archives H. B. M.).
4. *Combat inutile..., op. cit.*, article 24 des Statuts.

Sont-elles aussi claires et nettes que Dupraz l'affirme aujourd'hui ? On ne peut pas esquiver le problème des intentions du MRP et de l'étendue de son désintéressement politique. En fait, on se convainc vite que ce parti n'a pas cherché, en créant *le Monde*, à se pourvoir d'une feuille qui soit un organe officieux et dévoué : *l'Aube* de Francisque Gay, reparue à la Libération, joue convenablement ce rôle. Le désir d'aider à la naissance d'un journal de haute tenue, et de lui concéder une indispensable indépendance, est indubitable. Certes. Mais dans le même temps on constate que les responsables du parti ne dédaignent pas de prendre quelques gages et de placer, pour l'avenir, quelques hommes sûrs.

A cet égard le seul incident sérieux auquel aient donné lieu les discussions de départ est significatif [1]. Dans un premier temps, Joannès Dupraz propose que les trois membres fondateurs du comité de direction désignent chacun deux amis. Entre ces six personnages, on répartirait à égalité celles des parts qui ne reviendraient pas aux trois premiers. Le soir même, René Courtin fait appel à son cousin Jean Vignal, polytechnicien et ingénieur des Mines, et à son ami Pierre Fromont, professeur d'économie politique à la faculté de droit de Montpellier. « Tous deux avaient eu, écrit Courtin, une attitude irréprochable dans la Résistance. Fonctionnaires et peu fortunés, ils n'avaient non plus aucune attache avec des puissances d'argent ; l'un protestant, l'autre catholique, ils étaient également libres [2]. »

Mais voici que, le lendemain, Dupraz, non sans quelque embarras, informe ses interlocuteurs qu'il y a eu « maldonne », que le ministère a changé d'avis et qu'il désignera lui-même les autres membres de la société. Courtin alors se rebiffe, explique qu'il aurait volontiers accepté cette formule à l'origine, mais qu'à présent il est engagé vis-à-vis de ses amis et qu'il lui est donc impossible de se dédire. Nouvelle réunion, nouvelle pression : en vain. Courtin reste inébranlable, de telle sorte qu'en désespoir de cause Dupraz doit porter l'affaire à Teitgen. « Mais la chaleur et l'autorité du ministre furent, écrit Courtin, également impuissantes... » Courtin suggère seulement à titre de conciliation que ses amis ne reçoivent qu'un

1. Sur ce point la source est Courtin, *Combat inutile...*, *op. cit.*
2. René Courtin, *ibid.*

nombre de parts plus limité que prévu, pour laisser place aux autres.

Et c'est ainsi qu'on aboutit en définitive à la répartition suivante :

Hubert Beuve-Méry	40 parts
René Courtin	40 parts
Christian Funck-Brentano	40 parts
Jean Schloesing	25 parts
Gérard de Broissia	25 parts
André Catrice	15 parts
Suzanne Forfer	15 parts
Pierre Fromont	5 parts
Jean Vignal	5 parts

Du côté des nouveaux venus, ceux de la seconde répartition, la tonalité MRP est forte. C'est Joannès Dupraz lui-même qui a choisi Jean Schloesing et Gérard de Broissia. Il a connu Schloesing en Amérique avant la guerre où celui-ci était attaché commercial : ce protestant résistant vient d'être nommé à la tête d'Havas, pour éviter, si l'on en croit Dupraz, « d'y placer Émilien Amaury ». Gérard de Broissia est industriel, ami personnel de Dupraz, lié de près à lui par des relations d'affaires. Jean Letourneau, directeur de la Presse, autre personnalité MRP, amène André Catrice, son beau-frère, administrateur de *l'Aube,* industriel du textile, dont un frère sera bientôt député MRP du Nord. Enfin, Suzanne Forfer, directrice du lycée de jeunes filles de Sceaux, a été proposée par Michel de Boissieu, membre du cabinet de Pierre-Henri Teitgen [1]. On constate donc que la coloration MRP a été nettement accentuée en cours de route par le changement de procédure que Dupraz a imposé [2], et cette impression est encore confirmée si l'on sait que Suzanne Forfer raconta plus tard à Beuve-Méry, quand elle eut

1. Sur l'origine de ce recrutement, les témoignages de Courtin, de Dupraz et de Beuve-Méry concordent.
2. Courtin écrit à ce propos dans le même sens (*Combat inutile..., op. cit.*) : « Ce changement dans la position du ministère a donné lieu à toutes sortes de commentaires. L'interprétation la plus vraisemblable est qu'il a voulu accentuer discrètement l'influence du MRP dans la nouvelle société et empêcher que deux associés puissent faire la loi. En fait, ce système n'a profité qu'à Beuve-Méry. »

appris à le connaître, s'être engagée auprès de Michel de Boissieu et de sa femme à léguer à ceux-ci ses parts de la SARL, Boissieu étant empêché pour l'heure d'y siéger « par ses fonctions politiques [1] ».

Un bon départ

Telles sont les bases sur lesquelles l'entreprise prend son essor, le lundi 18 décembre 1944 (le premier numéro étant daté du lendemain selon une tradition reprise du *Temps* de l'avant-guerre).

Les fées penchées sur ce berceau ne sont pas toutes favorables, et, au moment où commence l'aventure, elle apparaît fort incertaine à ses responsables — et d'abord à Beuve-Méry lui-même dont le pessimisme spontané trouve ici une ample nourriture. Une lettre privée qu'il adresse à un ami sûr, Paul Thisse, et qui date exactement du 17 décembre 1944, en témoigne avec éloquence : « Ce dimanche, écrit Beuve-Méry, est pour moi une veille de bataille après le lent et difficile travail [...] de la [...] création... du *Monde*. Je me suis débattu comme j'ai pu, suppliant qu'on fît cet honneur et cette charge à d'autres. J'ai fini par céder et cela me paraît une des plus belles histoires de fous de ce temps qui en compte pas mal. En tout cas je me sens comme un homme nu sur l'avant d'un très gros tank débouchant en plein combat. Tous les combattants voudraient bien s'emparer d'un si puissant engin ou à défaut le culbuter, et le faible pilote est sûr de recevoir des projectiles venus de partout. Sans rien exagérer j'ai pu dire à Teitgen que j'avais 999 chances d'être sacrifié, même moralement, et que je faisais vraiment le don de ma personne... au *Monde* [2]. »

1. Engagement confirmé par écrit le 18 janvier 1947, qui emploie les termes cités, double communiqué ultérieurement par Suzanne Forfer (Archives H. B. M.), et entretien Michel de Boissieu. Celui-ci minimise la portée de cette lettre et estime que l'indépendance du *Monde* à l'égard de tous les pouvoirs, aujourd'hui, correspond exactement aux espoirs de l'équipe fondatrice, autour de Teitgen.
2. H. B. M. à son ami Paul Thisse, lettre autographe. La lettre est datée du 18 décembre 1944, mais c'est une erreur pour le 17, comme en témoigne l'allusion au dimanche (Archives H. B. M.).

L'enfant, pourtant, est viable, et, dès son premier anniversaire à la fin de 1945, le premier bilan n'est pas décourageant.

A l'intérieur de lui-même, *le Monde* est parvenu à réussir convenablement l'amalgame difficile entre la vieille équipe du *Temps* et les jeunes recrues de proche en proche choisies et assimilées.

Aux yeux du public surtout, le « produit » s'est défini et affirmé, et il a su conquérir une place à part dans la presse française. Il a su déjà, en un an, devenir indispensable à plus de 170 000 lecteurs — c'est-à-dire près du triple des fidèles du *Temps* d'avant-guerre [1]. Le tirage moyen journalier est de 108 356 exemplaires en 1945; il sera de 159 903 en 1946.

Il est vrai que ce succès ne s'est pas affirmé sans bien des traverses : et le plus grave des périls, à cette première époque, est intérieur au journal.

La première révolte de Courtin (janvier 1945)

Dès la discussion des statuts, les pouvoirs du gérant avaient été l'objet d'un vif débat — assez vite escamoté. Courtin, après coup, se reprocha toujours de n'avoir pas insisté pour que la répartition des pouvoirs fût, d'avance, exactement précisée : « Quoique je n'aperçusse pas complètement, écrit-il, l'immensité des pouvoirs que lui accorde la loi, je péchai par excès de confiance [...]. Gérant, Beuve-Méry, conformément à l'ordonnance sur la presse, serait également directeur de la publication. Dans mon esprit [s'il] avait la responsabilité financière, commerciale et administrative de la société, [il] serait seulement, sur le plan politique, *primus inter pares*. En cas de désaccord, les décisions seraient prises à la majorité, et le gérant ne ferait qu'exécuter les décisions prises par le collège. Si peu méfiant que je fusse, je demandai que les pouvoirs du comité de

1. Des chiffres et des réflexions utiles sur ce « décollage » dans Abel Chatelain, « *Le Monde* » *et ses lecteurs sous la IVᵉ République*, Paris, Colin, coll. « Kiosque », 1962, p. 33 *sq.*

direction soient précisés par les statuts. Mais Joannès Dupraz s'opposa à ma proposition. Sans contester une conception collégiale de la direction qui depuis le début avait été une des conditions de nos négociations, il fit valoir qu'il valait mieux, avant que la société eût commencé de fonctionner, ne pas en figer rigidement l'équilibre, que, du reste, si nous cessions d'être d'accord, *le Monde* s'écroulerait malgré toutes les précautions prises. Cet avis fut partagé par mes deux associés, et je commis l'erreur d'accepter sans cependant m'être laissé convaincre. Toutefois j'exigeai que les statuts ne reconnaissent aucun pouvoir politique particulier au gérant. Ce qui me fut accordé. La précaution cependant était insuffisante et, dès ce moment, sans que je m'en sois douté, les jeux étaient faits. »

Il ne faut pas longtemps en effet pour que se révèlent au grand jour les dangers de l'ambiguïté : révélation hâtée par une circonstance imprévue. Le jeu à trois se transforme très vite en système binaire. Christian Funck-Brentano, à qui on était convenu, comme gaulliste, de réserver la responsabilité principale de la politique intérieure, se révèle aux yeux de tous inférieur à sa tâche. « Notre déception fut grande », écrit Courtin — et son témoignage est ici rejoint par plusieurs autres, y compris celui de Palewski lui-même, qui l'avait « inventé » : « Toujours aimable et parfois amusant, notre associé témoigna immédiatement, dit Courtin, d'une très grande irrégularité dans ses apparitions [...]. Ses articles sautillants et décousus étaient souvent sibyllins. Bonis, ironique, se répandait dans les couloirs [...] en brandissant le journal encore humide et en interpellant les rédacteurs : " Qui a compris le dernier rébus du journal? ". »

La partie, donc, va très vite se jouer entre Beuve et Courtin. Si l'on paraît à l'origine d'accord pour que le premier ait la haute main sur la politique étrangère, le second sur le secteur économique et financier, cette répartition n'empêche pas les chevauchements ni les conflits, spécialement dans le champ déserté de la politique intérieure. Dès le premier numéro, Courtin a éprouvé un petit choc : « Je constatai en effet, écrit-il, que la manchette portait l'indication suivante : Directeur, Hubert Beuve-Méry, comité de direction, René Courtin, Christian Funck-Brentano. La correction, à mes yeux, eût voulu : Comité de direction, Beuve-Méry, directeur, René Courtin, Christian Funck-Brentano. Le travail de grignotage commençait. En me reportant au numéro zéro, je vis toutefois que la même indication était déjà portée. Cette insignifiante affaire me rendit vigilant... »

Mais voici plus grave : dès le début de janvier 1945, la première crise éclate quand Courtin présente à Beuve-Méry un papier qui lui paraît important, où il préconise, sur un ton prudent, et dans le droit-fil de sa philosophie politique, une pause dans les réformes de structure de l'économie française.

A sa surprise, il constate que Beuve-Méry retarde de jour en jour la publication de l'article. Il le relance, et s'entend finalement expliquer que le texte ferait scandale et qu'au reste il est en contradiction avec les idées que son auteur lui-même a exprimées sous l'Occupation dans son rapport sur la politique économique d'après-guerre au Comité général d'études. Piqué au vif, Courtin réplique que ses idées n'ont pas changé, que si certes il avait été, de ce rapport, le principal rédacteur, le chapitre consacré aux réformes de structure était l'œuvre de Teitgen, et qu'il n'assume pas la responsabilité politique de l'ensemble. Comme l'article ne paraît toujours pas, Courtin s'assure le soutien explicite de Funck-Brentano, et il revient à la charge de telle sorte que poussé dans ses retranchements Beuve-Méry finit par lui faire une déclaration décisive : puisqu'il est gérant responsable, ayant déposé le titre du journal, c'est à lui seul, Beuve-Méry, que revient, en cas de désaccord, de trancher.

Courtin est « abasourdi » : « En un instant, écrit-il, la charte qui avait présidé à toute l'édification du journal était [...] abolie. » Pas un seul instant il n'envisage d'accepter une telle situation, et d'un seul élan il demande audience à Teitgen, ministre de l'Information, son ami, assuré d'être rétabli dans « son bon droit ». C'est s'apprêter à tomber de haut !

Pierre-Henri Teitgen, en effet, refuse tout à fait de prendre parti en faveur de Courtin. Au contraire, il dit estimer que Beuve-Méry est bien le responsable de la publication : en cas de désaccord fondamental, c'est bien à lui de décider en dernier ressort.

Courtin est bouleversé par ce désaveu sans nuance et profondément blessé dans son amitié pour Teitgen. Sur-le-champ il annonce au ministre sa démission : après coup seulement il analysa mieux les motifs de cette attitude, en observant que son adversaire avait

bénéficié en l'occurrence de toute une série de circonstances
propices : « Tout d'abord du préjugé favorable auprès du MRP
dont Beuve-Méry a toujours profité lorsqu'il s'est trouvé en conflit
avec le membre d'une autre famille spirituelle. [D'autre part], le
nouveau quotidien était encore très faible, son avenir mal assuré. Le
départ de Beuve, directeur du journal, responsable de l'administration et de la marche de l'affaire, eût provoqué, semble-t-il, une crise
plus grave que mon départ, même si Funck-Brentano s'était
solidarisé avec moi. Du reste, ne serais-je pas plus malléable que
Beuve-Méry, plus disposé à me soumettre aux injonctions de mon
ami ? Enfin et surtout, le terrain sur lequel était porté le conflit
m'était au plus haut point défavorable. Les réformes de structures
étaient alors un dogme de la Résistance, indiscuté et presque sacré.
Personnellement Teitgen s'était prononcé sur la question [...]. Aux
yeux d'un homme d'État, responsable et réaliste, je le comprends
maintenant, le choix entre l'orthodoxe et le briseur d'idoles ne
pouvait faire aucun doute... »

Qu'au surplus le « briseur d'idoles » ne fût pas un politique, son
attitude du moment en témoigne autant que le retard de sa lucidité.
Car, s'il avait eu conscience de jouer un si gros coup, il eût à la fois
veillé à mieux choisir son terrain et à s'assurer au-dehors le soutien
des forces qui pouvaient lui être alliées. Au lieu de quoi il fonce
droit devant lui, ému, meurtri et candide.

En cette occurrence cependant, qui fait figure de brève répétition
générale pour la grande crise de 1951, il n'a pas encore perdu toutes
ses cartes, sans même qu'il s'en rende bien compte lui-même. Son
départ, en effet, à si proche distance du coup d'envoi, ferait un trop
grand bruit et ferait éclater le triumvirat d'origine trop vite pour que
le jeune *Monde* ne risquât pas d'en mourir.

Le lendemain, la nuit ayant porté conseil, Courtin prend mieux la
mesure de la situation, et il rétablit pour un temps sa position. Dès
son arrivée rue des Italiens il dicte une lettre à Teitgen qui confirme
sa résolution de partir. Il y écrit notamment :

« ... En revenant ce matin dans cette maison où, tous les jours
précédents et jusqu'à hier, je montais l'escalier si joyeusement, je me
sens un étranger dépossédé de ce qu'il croyait tenir, et dégoûté de
son travail. Il est impossible, dans ces conditions, que la lourde
atmosphère qui s'est créée ici persiste plus longtemps. Dans l'intérêt

même du journal, je crois indispensable de quitter *le Monde* au plus tôt, et je pense que la meilleure date sera le 15 février. Ce délai sera certainement suffisant à M. Beuve-Méry pour me trouver un successeur. S'il n'y parvient pas, je ne vois aucune raison pour qu'il réussisse mieux plus tard.

» Je ne veux pas reprendre toute l'argumentation que j'ai développée longuement devant vous hier. Il me suffit de vous rappeler brièvement que je me considère comme victime d'une exclusion de fait, en contradiction formelle avec tout ce qui avait été décidé dans les conversations lors de la fondation du journal. Je ne peux mettre mon nom sur la manchette d'un organe que je n'ai plus aucun moyen de contrôler.

» Enfin, vous comprendrez sans difficulté qu'après avoir été secrétaire général provisoire à l'Économie nationale, après avoir refusé le poste de directeur général de la Documentation et des Études, et celui de procureur général à la Cour des comptes, je ne puisse envisager un seul instant d'être au *Monde* non un associé dans la plénitude de ses droits, mais un employé de M. Beuve-Méry [...] [1]. »

Sa lettre à la main, Courtin fait alors irruption dans le bureau du directeur et il lui tend la feuille avec ces simples mots : « Mon cher, voici votre œuvre... »

Peut-être Courtin fut-il ici moins surpris et moins innocent qu'il ne l'affirme après coup. Quoi qu'il en soit, Beuve-Méry se montre plus souple que d'ordinaire et il se plie, cette fois-ci, à un compromis. Il accepte, moyennant quelques remaniements de forme, que l'article litigieux paraisse dès le soir même [2], et il consent au principe d'un arbitrage en cas de conflit. Mais il fait aussi observer qu'il n'est pas possible que Funck-Brentano, « qui ne [suit] pas les questions et dont les réactions devant les événements [sont] purement sentimentales, [soit] le tiers départageant : le comité de direction, tel qu'il [a] été établi, ne [peut] pas utilement fonctionner ». C'est se placer en position de force, et Courtin doit en convenir : « Là était le vice fondamental de l'édifice, l'origine de toutes les difficultés insurmontables qui en fait aboutirent à faire du

1. Archives René Courtin et H. B. M.
2. « Réformes de structure », *Le Monde*, 1er février 1945.

Monde l'organe personnel de M. Beuve-Méry : une organisation tripartite avait été prévue, des hommes de tempérament et de compétences opposés se heurtaient mais personne n'était là pour les concilier... »

Courtin propose alors à Beuve-Méry un aménagement provisoire qui vaudrait pour trois mois : en cas de conflit on s'en remettrait pour arbitrage à un tiers en la personne de François de Menthon, garde des Sceaux. Voici qu'apparaît encore, dans ce théâtre, un MRP de stricte obédience. Courtin sait bien qu'il est plus proche, étant « catholique de gauche », de Beuve-Méry que de lui. Mais il est aussi, pour lui-même, un ami de vingt-cinq ans et un compagnon de Résistance. Menthon ayant accepté, Courtin prépare un protocole qui fixera sur le papier un accord « établi à titre purement provisoire pour éviter une crise dans la direction du journal ». Au bout de trois mois l'accord sera prolongé par tacite reconduction. Le recours à l'arbitrage éventuel de François de Menthon sera suspensif de toute décision. L'article 4 de l'accord rappelle enfin qu'il « ne constitue en aucune façon novation, chaque partie maintenant intégralement son point de vue, à savoir :

» M. Beuve-Méry soutient qu'en tant que directeur-gérant nommé par les associés, et conformément aux indications qui lui ont été données par le ministère de l'Information, il n'est pas tenu par un vote du Comité de direction.

» MM. Funck-Brentano et Courtin, au contraire, en se référant aux promesses formelles qui leur ont été faites au moment où ils ont été sollicités d'entrer au *Monde* [...], soutiennent que les pouvoirs propres que M. Beuve-Méry tient en sa qualité de gérant visent uniquement la direction administrative et commerciale du journal et de ce fait ne s'étendent pas à la direction politique [1] ».

D'après le récit de Courtin, Beuve lut le protocole « d'un air dégoûté, voulut bien en accepter les termes mais me le rendit sans l'avoir signé ». Et Courtin ne se bat pas pour l'obtenir, fort d'une décision intime : « Si durant les trois mois le protocole n'était pas respecté je donnais ma démission... »

Courtin n'eut pas, en fait, à en venir à cette extrémité ni même à en menacer à nouveau. L'état d'esprit de Beuve-Méry dans les jours

---

1. Archives René Courtin et H. B. M.

qui suivent se reflète bien dans la lettre qu'il envoie de son côté, le 2 février 1945, à Pierre-Henri Teitgen et qu'il communique à Courtin; il y écrit notamment : « [...] Si l'intérêt national vous paraît l'exiger (ce dont à notre échelon je ne suis nullement convaincu), je veux bien ne pas quitter immédiatement un poste où, comme je le craignais au départ, je cours le plus grand risque de me déconsidérer sans profit pour personne.

» Ne pouvant accepter de me poser vis-à-vis de mes coéquipiers en " usurpateur de droits ", j'assume extérieurement et effectivement, par raison d'État et par la force des choses, la responsabilité du journal avec tout ce que cela peut comporter pour moi. Mais rien ni personne ne peuvent faire que j'accepte intérieurement cette responsabilité dans les conditions actuelles [...]. »

Quant à Courtin, annonçant de son côté à Teitgen, le 6 février 1945, qu'il retire sa démission, il lui déclare : « C'est uniquement pour ne pas susciter une crise grave dans la direction du *Monde* que nous renonçons, dans la situation présente, à porter la discussion devant l'ensemble des associés. Mais le problème demeure entier, en sorte que j'ai tenu à vous rappeler que nous ne saurions en aucun cas laisser prescrire nos droits. Ces discussions ont été affreusement pénibles. Elles sont closes aujourd'hui [...]. Rien ne subsiste maintenant de ces divisions, et vous pouvez être assuré que le travail, qui n'a jamais été interrompu, continue dans une atmosphère de confiance mutuelle [1]... »

Il est de fait que s'établit alors au journal une façon d'armistice, chacun faisant effort pour arrondir les angles. Durant les trois mois qui suivent il n'apparut nécessaire à personne de faire appel à l'arbitrage de Menthon. Beuve-Méry profita seulement de l'occasion pour supprimer les éditoriaux non signés. C'était un parti logique, dès lors qu'on renonçait à rechercher toujours sur eux un accord unanime de l'équipe dirigeante.

Il faut dire que dès ce moment Funck-Brentano, qui n'avait en fait plus de service propre à diriger, se trouva presque complètement écarté. Ses apparitions au journal se firent de plus en plus brèves et espacées, et finalement exceptionnelles. La légende de la maison veut qu'il ait seulement abandonné un imperméable qui verdit

1. Texte appuyé par une lettre plus brève de Funck-Brentano disant son accord.

lentement à une patère [1]... Dans le numéro-canular préparé par la rédaction le 13 avril 1948 pour fêter les 999 précédents, on lit cet entrefilet fort parlant : « Le prix Funck-Brentano, destiné à récompenser clandestinement un auteur destiné lui-même à demeurer inconnu, a été décerné ce matin, par 0 voix contre 0, à M. W. X., qui nous a demandé de ne pas révéler autrement son identité, pour son livre *Invisible Fantôme*. Tous les membres du jury, y compris M. Christian Funck-Brentano, s'étaient fait excuser... »

Le triumvirat initial, dans la pratique, a donc vécu. Mais entre Beuve et Courtin, jusqu'au printemps de 1949, une situation d'équilibre instable, chacun y mettant du sien, parvient à s'installer. Courtin continue de diriger de près le service économique et financier du journal, y publiant plusieurs centaines d'articles. « Force m'est de reconnaître, écrit-il après coup, que Beuve-Méry ne me gêna pas. Je lui soumettais mes papiers avant publication comme il est de règle dans tout quotidien. Chaque fois il me proposait des rectifications infimes que j'acceptais le plus souvent car elles étaient judicieuses : il [n'y manquait pas] car elles affermissaient son autorité. »

Attaques à gauche

L'épisode comporta aussi des conséquences extérieures, quant à l'image du journal dans le public. Beuve-Méry n'avait pas eu tort de prévoir de vives réactions au plaidoyer de Courtin pour un ralentissement des réformes de structures : occasion d'observer combien peut être incertaine encore, en cette première année de la vie du *Monde*, aux yeux des milieux politiques, la situation du journal sur l'éventail des opinions.

C'est à propos de la crise du papier que, le 24 décembre 1944, cinq jours seulement après la naissance du *Monde*, *l'Humanité* lance contre ce nouveau confrère ses premières attaques, développées dans les jours et les semaines qui suivent, sur ce thème martelé : la presse

---

1. Entretien Dupraz.

73

héroïque, née de la Résistance, est bridée par de nouveaux venus, par des « journaux inconnus dans la lutte clandestine ». En tête de ceux-ci parade désormais *le Monde,* « copie fidèle du *Temps,* l'ancien journal du Comité des forges [1] ».

A la fin de janvier 1945, les attaques se précisent et se durcissent. Le 16, la pénurie de papier grandissant, *le Monde* ne paraît, comme ses confrères, que sur deux pages recto verso.

Avec le recul, l'important est clairement ailleurs : ce jour-là, pour la première fois, *le Monde* paraît sur la moitié de son format précédent, sur la moitié du format du *Temps.* Cela semble d'abord une simple mesure de circonstance obéissant aux exigences des rotatives — mais c'est un coup de génie : car le format, désormais, ne changera plus. C'est celui que nous connaissons toujours, le meilleur de toute la presse française, pour la commodité des lecteurs et l'équilibre de la page.

Il est vrai que pour l'heure les critiques et les jaloux ne prêtent pas attention à cela, mais au choix que fait le journal, une semaine plus tard, de paraître sur quatre pages au lieu de deux, en ne tirant, pour ne pas utiliser plus de papier, qu'à 70 000 exemplaires seulement, alors qu'auparavant il approchait déjà les 150 000 exemplaires. Les lecteurs devront, pour n'être pas frustrés, arriver les premiers au kiosque, mais les heureux élus auront un produit qui apparaît, par rapport aux concurrents, d'une richesse d'information écrasante.

Voilà bien l'occasion d'attaques redoublées — où *Franc-Tireur* rejoint *l'Humanité* — et qui trouveront un nouvel aliment après la parution, dans le numéro daté du 31 janvier, du fameux article litigieux de René Courtin.

Combat, le *Combat* d'Albert Camus, d'Albert Ollivier, de Pascal Pia, joue sa partie dans le concert des critiques, sur les mêmes thèmes, et ses attaques ne peuvent être que particulièrement désagréables à l'équipe du *Monde,* et particulièrement périlleuses auprès de leurs lecteurs communs. Hubert Beuve-Méry, pour sa part, ressent avec « douleur » les attaques de Camus qu'une visite qu'il lui a faite n'a pu détourner de ses préventions [2].

---

1. Voir les textes bien choisis que donne Chatelain, *op. cit., passim.*
2. Entretien H. B. M.

Il y a plus significatif encore : le MRP lui-même entre dans la danse, par la plume de Maurice Schumann qui, dans *l'Aube,* donne un éditorial claironnant intitulé, en réponse à Courtin, « Une agression contre le général de Gaulle » — événement témoignant clairement que, dans l'entourage du général, on n'a pas été insensible à cette double critique du *Monde,* vu à la fois comme journal officieux et comme organe du conservatisme et du gros argent : *le Monde* décidément fils du *Temps*...

Les lignes de force de la controverse se mettent ainsi en place. Les adversaires du *Monde,* jouant de ses ambiguïtés, cherchent à lui imposer un masque qui recouvre ses traits véritables, comme cela apparaît très clairement lors d'un grand débat qui se déroule à l'Assemblée consultative les 7 et 9 mars 1945 à propos de la pénurie du papier. Par la voix du communiste Georges Cogniot les thèmes sont repris abondamment de la double subordination du *Monde* aux « trusts » et au gouvernement — celui-ci au surplus souvent trahi sous l'influence des premiers. « En vain, rappelleriez-vous, monsieur le Ministre, s'écrie Cogniot à l'adresse de Teitgen, que vous disposez d'un organe officieux bien muni de papier, pour faire entendre la voix de la France. Je veux citer *le Temps* du Comité des forges, ressuscité dans toute sa gloire [1]... »

Cette même hostilité des journaux issus directement de la Résistance se retrouve dans la petite guerre qui est faite au *Monde* par le Syndicat de la presse parisienne (auquel Beuve-Méry, par souci d'indépendance, a refusé de s'affilier), et notamment par Albert Bayet, son président. Le 15 juillet 1945, recevant la liste des nouveaux tirages autorisés, Bayet écrit son indignation au ministre de l'Information, qui est à présent Jacques Soustelle : « Le tirage du *Monde* est porté à 198 000 exemplaires. Un tirage de cet ordre n'avait jamais été envisagé [...]. Au contraire, lorsque nous avions consenti, par déférence pour le général de Gaulle, à tolérer le privilège que constituait pour *le Monde* la parution sur grand format et le prix de 3 francs, il avait été bien stipulé que *le Monde* s'en tiendrait à un tirage analogue à celui de l'ancien *Temps* et ne ferait pas concurrence à ses confrères du soir. Le tirage de 198 000 constitue une violation de ces engagements qui, pour n'avoir pas été

1. *JO, Débats de l'Assemblée consultative,* 7 mars 1945, p. 352.

écrits et signés, ne doivent pas avoir moins de valeur entre camarades de la Résistance soucieux d'éviter tous procédés de concurrence purement commerciale... » Mais le commentaire du directeur de la presse n'est pas moins digne d'intérêt qui, dans une note pour le secrétaire général du ministère, rejette cette protestation avec ces arguments : « [...] Il serait parfaitement inadmissible de ne pas tenir compte de la demande du public. Tous les états de bouillonnage [...] établissent sans contestation possible que, de tous les journaux parisiens, le Monde est de loin celui qui, tant à Paris qu'en province, manque le plus à la vente. J'ajoute que de l'avis unanime il n'est pas possible de parler de concurrence vis-à-vis des autres journaux du soir, la clientèle du Monde étant très différente de celle qui se contente des autres quotidiens du soir [1]... »

Le ministère s'en tient donc fermement à sa politique : le Monde doit être le grand journal français de référence, comme pouvait l'être le Temps, attentif comme lui aussi aux vues du gouvernement actuel, et donc naturellement fidèle à la Résistance mais, contrairement au Temps, tout à fait indépendant et de l'administration et des « trusts ». « Le Monde est entièrement neuf, s'écrie Teitgen en réponse à Cogniot, le 9 mars 1945, et c'est probablement le plus pauvre de tous les journaux de Paris! » Il insiste : « Le Monde n'est pas l'organe camouflé du Comité des forges et du Comité des houillères; il est acquis que c'est un journal confié à des résistants notoires et dignes de respect. » Et il fait un vibrant éloge de Courtin : « Après mon évasion en 1940, je l'ai trouvé à la faculté de droit de Montpellier [...]. Dans cette ville atterrée, accablée, dont toutes les énergies, tous les courages semblaient détendus, il était le seul qui ait su immédiatement résister et protester... Pendant deux ans il a porté à bout de bras l'opinion publique de cette ville, il en a été le foyer de résistance [2]... »

Défense courageuse — défense efficace. Dans les mois qui suivent, les critiques de la gauche s'apaisent à l'égard du Monde. Certes, elles sont prêtes, le cas échéant, à renaître. Mais elles vont

1. Archives du ministère de l'Information, dossier Monde. La note est du 25 juillet.
2. JO, Débats de l'Assemblée consultative, 9 mars 1945, p. 407.

bientôt laisser la place principale, dans le chœur des critiques, à celles qui vont lui venir de sa droite, du côté spécialement des actionnaires du vieux *Temps*.

La rancune du « Temps »

La gauche, progressivement, apprend à distinguer *le Monde* du *Temps*. La droite, de plus en plus, met l'accent sur la ressemblance : c'est pour une autre querelle, sur le thème du coucou : « Le succès vous était facile, évidemment, puisque vous avez volé *le Temps*. Toute votre prospérité n'est que celle qui était potentiellement la sienne [1]... »

Pour un François de Wendel, par exemple, aucun doute : il s'agit d'un pur et simple « cambriolage [2] ». En d'autres termes : « *le Monde* ressemble au *Temps* comme l'assassin ressemble à la victime dont il a dérobé les vêtements » : cette image de Maurice Reclus, jadis l'une des « grandes signatures » du *Temps*, est rapportée par Chastenet dans ses Mémoires et résume efficacement la thèse. Le débat est ouvert.

Il faut rappeler ici cette première donnée importante que ni Beuve-Méry ni ses deux collègues du comité de direction n'ont été pour rien dans l'expropriation du *Temps,* décision éminemment politique du gouvernement de la Libération : décision naturellement

1. Du côté de « l'accusation », les principales pièces sont constituées par : un article de Pierre Dominique dans les *Écrits de Paris,* avril 1952, « La IVe République contre la presse », p. 48-56; Claude Hisard, *Histoire de la spoliation de la presse française,* Paris, La Librairie française, 1955; Philippe Boegner, *Cette presse malade de soi-même,* Paris, Plon, 1973; et Jacques Chastenet, *Quatre fois vingt ans, op. cit.,* p. 373-374. En face, le point de vue d'Hubert Beuve-Méry est présenté dans sa lettre aux *Écrits de Paris,* en réponse à Pierre Dominique, mai 1952, p. 11, et surtout dans sa conférence du 24 mai 1956 au théâtre des Ambassadeurs, *Du « Temps » au « Monde » ou la presse et l'argent,* Paris, Les Conférences des Ambassadeurs, 1956, 20 p. On peut consulter aussi son commentaire des Mémoires de Chastenet, « Du Temps au Monde », 20 juin 1974, et dans ses Archives une intéressante correspondance avec Philippe Boegner (nov. 1973-janvier 1974).
2. Cahiers inédits de François de Wendel, XXXIII, 18 décembre 1944 (à l'occasion de la sortie du premier numéro du *Monde*). Un peu plus tard il écrit encore : « *Le Monde* a volé [au *Temps*] son immeuble, son matériel et sa clientèle » (Cahier XXXIV, 1er avril 1946).

exorbitante du droit commun — dans des circonstances qui n'étaient pas ordinaires. Beuve-Méry a seulement accepté de remplir le vide ainsi créé.

Nul doute qu'il ne ratifiât de la sorte après coup, pour sa part, un choix politique du gouvernement conforme à sa sévérité personnelle à l'égard du *Temps* d'avant-guerre. Mais il n'est pas indifférent de savoir qu'il ne fut personnellement pour rien dans cet oukase gouvernemental et que, s'il s'était dérobé à l'appel de Teitgen et de Dupraz, *le Temps* ne fût pas ressuscité pour autant. Beuve-Méry mit toujours personnellement grand soin à prendre ses distances autant que faire se pouvait à l'égard des accusations portées contre *le Temps* de Vichy. Jugeant que ce journal n'avait pas « collaboré », il alla spontanément, au moment où son procès approchait, voir Pierre-Henri Teitgen, alors garde des Sceaux, pour l'aviser que, si l'on n'aboutissait pas à un non-lieu, il prendrait lui-même la défense du *Temps* en première page du *Monde* : démarche qui compta peut-être dans l'attitude très modérée du ministère public au cours du procès qui, à Lyon, aboutit au non-lieu, le 26 mars 1946.

D'autre part, le souci des fondateurs responsables du *Monde* de s'interdire à eux-mêmes toute possibilité de bénéfice substantiel s'explique, entre autres motifs, par le souci obsédant de ne pas paraître s'enrichir aux dépens du *Temps* dépouillé de ses biens.

Il est vrai, et c'est là le deuxième chapitre du dossier, qu'avec tout son jansénisme *le Monde* ne pouvait pas ne pas tirer quelque avantage de cet héritage. Ses adversaires, dans toutes les polémiques ultérieures, y reviennent sans cesse : « Qu'auraient représenté [les seuls] 200 000 francs [de départ], demande Pierre Dominique en 1952, si M. Beuve-Méry avait dû payer comptant l'imprimerie, le papier, la rédaction? La vérité est qu'il bénéficiait de très larges crédits portant sur des dizaines de millions, parce qu'il avait en main le bien de propriétaires connus sur la place de Paris : une maison, une imprimerie, des stocks, des abonnés, et même des lecteurs habitués à la typographie du *Temps*. C'était un petit jeu à la portée du premier venu[1]... » A quoi Philippe Boegner fait écho en 1973 : « En héritant d'une clientèle de départ fort importante en qualité (et ce sont les premiers lecteurs les plus difficiles à obtenir,

---

1. Pierre Dominique, *loc. cit.*

qui coûtent cher), *le Monde* put, à sa naissance, se passer de tout investissement important : le fonds de commerce était là, avec les moyens techniques pour l'exploiter [1]. »

Il importe ici de distinguer. L'héritage matériel du *Temps* est en réalité fort modeste. Dans son *Histoire de la spoliation de la presse française,* Claude Hisard parle des « magnifiques installations » du journal. En réalité les locaux de l'immeuble de la rue des Italiens étaient très vétustes ; quant aux rotatives, elles dataient de 1911 et étaient d'une solidité très douteuse. Au surplus, c'était là le plus facile à apprécier, donc à rembourser le jour venu. Beuve-Méry veilla scrupuleusement à s'acquitter des indemnisations dues aux propriétaires, dès que la loi en eut défini les modalités, et il s'attira finalement en 1959 l'hommage du président du conseil d'administration du *Temps* pour la « rectitude de son comportement [2] ».

L'importance du fonds de commerce est ailleurs. Il réside dans une équipe de rédaction déjà constituée et de bonne qualité — mais qui avait après tout liberté de s'en aller, en essaim, porter ailleurs son talent et son expérience. Il était surtout dans une certaine clientèle. Beuve-Méry a eu grand soin de rappeler toujours que *le Temps* d'avant-guerre ne tirait qu'à 50 000 ou 60 000 exemplaires, avec une vingtaine de milliers d'abonnés dont la moyenne d'âge était élevée, que *le Monde* a très vite doublé et bientôt triplé ce chiffre. Il a eu grand soin de rappeler aussi qu'il se refusa à utiliser le fichier des abonnés du *Temps,* fichier qui, au reste, avait perdu, après les bouleversements de la guerre, après les années d'interruption, quatre en zone nord et deux en zone sud, une grande partie de sa valeur. Il a eu grand soin de refuser, à titre symbolique, de répondre favorablement aux anciens lecteurs du *Temps* qui avaient vu leur abonnement arrêté et qui réclamaient le service du *Monde* pour le délai restant à courir.

Assurément. Mais on ne peut pas nier non plus que *le Monde* ait tiré grand avantage, en pratique, de cette succession. Il est significatif que Bonis-Charancle, secrétaire général administratif du *Monde* après l'avoir été du *Temps,* ait adressé à d'anciens abonnés

---

1. Philippe Boegner, *op. cit.*
2. Lettre de Robert Fabre, président de la Société du journal *le Temps,* à Beuve-Méry, 8 juillet 1959 (Archives H. B. M.).

du *Temps* (à l'insu, il est vrai, de son patron) une circulaire qui prenait le contre-pied de la décision de Beuve-Méry quant aux abonnements interrompus. Lorsque des camelots, en décembre 1944, attirent dans la rue le chaland en criant : « Lisez *le Monde*, ancien journal *le Temps*[1] », ils n'obéissent pas à des instructions du journal, mais le journal n'en profite pas moins. Beuve-Méry et son équipe n'ont certes pas cherché à marquer de rupture brutale. En témoignent tant la typographie et la présentation générale que le choix du titre lui-même, que Beuve-Méry a trouvé, comme le disait Georges Cogniot à l'Assemblée consultative, « en glissant banalement de la catégorie de la durée à celle de l'espace[2] », et aussi son dessin en lettres gothiques fait pour rappeler à l'œil exactement le cartouche du *Temps*... Chacun connaît, dans les milieux de presse, le grand attachement des lecteurs à la forme même de leur quotidien. Du *Temps, le Monde* a hérité un noyau de départ.

Il a hérité aussi de quelques équivoques. On sait qu'avant la guerre *le Temps* exprimait officieusement les orientations diplomatiques de la France et que, à ce titre, il était scruté avec soin par les chancelleries étrangères. Pendant des années, cette fonction de porte-parole officieux du Quai d'Orsay fut — à tort — attribuée au *Monde* par la rumeur publique, comme si, en ce domaine, il n'avait fait que prendre la suite du *Temps*. Il en résulte une certaine confusion qui trente-quatre ans après n'est pas toujours complètement dissipée chez certains de ses lecteurs du tiers monde. Mais très tôt des divergences patentes auraient dû ouvrir les yeux de chacun. Cette circulaire du service d'Information et de Presse du ministère des Affaires étrangères, en date du 22 avril 1948, est significative :

« De nombreux télégrammes et dépêches en provenance de diverses ambassades et légations apportent chaque jour au Département le témoignage du trouble suscité à l'étranger dans certains esprits par les divergences qui apparaissent parfois entre la thèse des milieux officiels français et les vues exprimées dans les éditoriaux du journal *le Monde* qui pour de nombreuses personnes serait, à l'instar

1. Note des Renseignements généraux (Archives du ministère de l'Information, dossier *Monde*, 5 janvier 1945).
2. *JO, Débats de l'Assemblée consultative*, 7 mars 1945, p. 352.

du *Temps,* aujourd'hui disparu, un organe officieux du Département.

» Certes, *le Monde* offre à beaucoup d'égards des analogies de présentation avec son prédécesseur. Toutefois, lors de sa création, il n'a pas sollicité et par conséquent n'a point conservé le privilège dont s'enorgueillissait *le Temps,* à juste titre, de servir de tribune à la pensée politique des dirigeants de notre diplomatie.

» Il y a là une équivoque fâcheuse qu'il importe de dissiper tant auprès des agents du Département qu'auprès de lecteurs étrangers qui pourraient, de la sorte, se faire une idée inexacte de la position française dans les grands problèmes internationaux [1]. »

Cela n'empêchera pas le ministère des Affaires étrangères d'exprimer son opinion, dans les premières années du journal, sous le pseudonyme collectif fort transparent d'Albert Duquet [2]. Ainsi, les choses étaient claires, ou presque.

L'extrême parcimonie de la gestion du *Monde* est un fait avéré. Elle n'aurait pas suffi, en d'autres circonstances, à permettre de lancer un journal de cette importance à partir d'un capital de 200 000 francs.

Mais de là à écrire, comme fait Pierre Dominique, qu'à partir de ces bases réussir *le Monde* était « un petit jeu à la portée du premier venu », il y a un fossé infranchissable. Les facilités que les circonstances apportèrent au *Monde* pour son départ valurent aussi bien pour plusieurs autres feuilles qui furent lancées en 1944 et qui ne durèrent guère. Elles permirent sa naissance, mais ne garantirent nullement sa survie ni son succès — et cela d'autant moins, c'est chose bien claire, que *le Monde* choisit bientôt de naviguer dans des eaux fort éloignées de celles, sans péril et sans surprise, où *le Temps* majestueusement croisait jadis et naguère...

1. Circulaire signée Pierre Ordioni (Archives H. B. M.).
2. Alfred Grosser, *La IVe République et sa politique extérieure,* Paris, Colin, 1961, p. 168.

CHAPITRE III

La querelle du neutralisme

Du tripartisme à la troisième force, ou le poids de la conjoncture

Il advient en effet qu'en moins de dix-huit mois, du début de 1946 à l'été de 1947, toute une série de grands événements politiques bouleversent en France l'équilibre des forces et rejettent très vite dans le passé la conjoncture au cœur de laquelle, au moment de son apparition, le Monde s'était défini.

Le départ du général de Gaulle, le 20 janvier 1946, son hostilité sans nuances à la Constitution de la IVe République adoptée par référendum en octobre 1946, la création enfin par lui, en avril 1947, du Rassemblement du peuple français conçu comme une machine de guerre contre le régime nouveau, tout cela aboutit, entre autres vastes conséquences, à une rupture de fait entre gaullisme et démocratie chrétienne. Aux yeux du général, le MRP, « parti de la fidélité », devient vite, installé au cœur du « système », celui de la trahison. Au Monde, si Christian Funck-Brentano avait été un autre homme, on imagine comment son affrontement prompt avec Beuve-Méry eût pu transporter sans délai à l'intérieur du comité de direction le déchirement survenu entre deux grandes familles de la Résistance. Funck est trop évanescent pour provoquer un tel choc dans l'immédiat — mais tôt ou tard les conséquences de cette rupture sont destinées à peser sur le destin du journal.

A l'extrême gauche, d'autre part, le départ des communistes du gouvernement Ramadier, en mai 1947, et leur installation, à leur tour, dans une hostilité de principe à la IVe République, est le deuxième grand événement de politique intérieure : celui-ci ne devrait pas, *a priori,* causer au *Monde* les mêmes soucis, étant donné son point de départ fort loin des eaux du PC. Mais, en fait, l'essentiel est ailleurs, que le départ des ministres communistes ne fait que refléter : il est dans la naissance de la guerre froide. Le monde, en 1947, redevient brutalement bipolaire. Comme tout l'Occident, le gouvernement français choisit la solidarité américaine. Les besoins économiques, l'appui précieux du plan Marshall l'y conduisent par une pente naturelle, comme fait aussi la guerre d'Indochine où la IVe République, après l'échec des négociations de 1946 avec le Viêt-minh, commence de s'enliser.

Or ce sont là des faits qui, bien plus que la rupture entre de Gaulle et le MRP, vont déchirer le journal. On eût bien pu, à considérer les attaches respectives des trois fondateurs du *Monde,* s'attendre à l'inverse. Mais la surprise vient d'Hubert Beuve-Méry. On l'avait vu comme le féal du MRP, son représentant spécifique au *Monde?* Eh bien! on s'était trompé. Voici l'occasion fournie à Beuve de démontrer qu'il n'a pas seulement libéré son journal de la domination de l'argent — mais qu'il refuse aussi bien l'allégeance au parti qui l'a choisi et installé aux commandes du *Monde.*

Peu à peu, en effet, il définit une politique surprenante, faite pour tromper complètement l'attente du MRP. Pour l'Indochine, tandis que ce dernier s'enfonce chaque jour davantage dans la guerre, *le Monde,* à petits pas, mais avec une netteté croissante, va s'efforcer de définir sa ligne et d'esquisser une solution. Certes, les choses se sont faites de façon tâtonnante, et l'incertitude des positions du journal dans les débuts de l'affaire indochinoise reflète les incertitudes de la situation sur le terrain. Un des plus libéraux et des plus éclairés des journalistes spécialisés, Jacques Guérif, plaide à la fois [1] pour le respect des accords Sainteny-Hô Chi-minh du 6 mars 1946 et pour l'autonomie de la Cochinchine, solution qui a les préférences de l'amiral Thierry d'Argenlieu et qui aura pour effet de casser le Vietnam en deux. Guérif [2] n'en est pas moins un partisan résolu de l'autonomie des colonies françaises dans un ensemble fédéraliste.

---

1. Sous le titre surprenant : « Il ne doit y avoir qu'une politique française en Indochine », *le Monde,* 13 août 1946.
2. Voir, par exemple, sa série « L'élaboration de l'Union française », avr.-mai 1946.

Personne à l'époque, pas même les communistes, ne préconise l'indépendance.

A l'opposé, un éditorialiste comme Rémy Roure manifeste sa profonde hostilité au communisme d'Hô Chi-minh et son attachement à la présence française. L'Indochine, on le voit, est devenue une pomme de discorde dans le journal. Mais c'est seulement en 1950, avec les révélations le 12 janvier par *le Monde* de l' « affaire des généraux [1] », que sa position devient sans ambiguïté et que les reportages retentissants d'un Charles Favrel font de la rue des Italiens un des hauts lieux d'une lutte effective contre la guerre d'Indochine : on y préconise la négociation et le désengagement.

Dans ce débat, Beuve-Méry va intervenir nettement et précocement. Son fameux article « Une '' sale guerre '' » a paru dans *Une semaine dans le monde* le 17 janvier 1948. Reprenant une expression de William Bullitt dans *Life* qu'il avait recueillie de la bouche même d'un combattant français, Sirius appelle à mesurer l'ampleur du changement qui s'est opéré dans la conscience des peuples indochinois tandis que le « national-communisme » du Viêt-minh heurte de plein fouet un nationalisme français sans lucidité.

Et de conclure : « Il y a des générosités qui paient et des égoïsmes réputés sacrés qui coûtent affreusement cher. »

Du côté de la guerre froide, d'autre part, à mesure que les adversaires se durcissent, à mesure que paraît se préciser la menace obsédante d'une troisième guerre mondiale, Beuve-Méry met en place une doctrine qui refuse l'alignement sur le puissant allié protecteur que sont les États-Unis d'Amérique : pour la France il affirme souhaitable, il déclare réalisable une politique de non-alignement entre les deux blocs.

Déjà avant la guerre, Hubert Beuve-Méry appelait de ses vœux la fondation des États unis d'Europe, dont nota-t-il plus tard [2], en raison de son envergure et de sa largeur de vues, Tomáš Masaryk aurait pu être le premier président. Mieux, en mars 1941, dans la

---

1. Le général Revers avait remis en 1947 au ministre de la Défense, Pierre-Henri Teitgen, un rapport personnel sur la situation militaire en Indochine. Des fuites avaient eu lieu et le rapport avait pu être utilisé par la radio du Viêt-minh.
2. *Réflexions politiques, op. cit.*, p. 52.

revue *Esprit* provisoirement et précairement reparue, l'homme qui a quitté *le Temps* pour protester contre la politique munichoise du grand quotidien de la bourgeoisie française préconise une « rationalisation audacieuse de l'Europe », « un aménagement plus ordonné du continent », qui n'ont, est-il besoin de le noter, rien à voir avec l'Europe hitlérienne qui, à la même époque, en séduit plus d'un, y compris en France. Ces convictions européennes n'ont rien de surprenant de la part d'un homme qui fut longtemps proche de la démocratie chrétienne ; en 1945, elles ne sont d'ailleurs plus originales : si l'on met de côté le parti communiste et le général de Gaulle, il y a dans la France de la Libération des hommes et des femmes pour estimer le nationalisme révolu et pour placer leur espoir dans une construction européenne. La guerre froide n'a pas encore éclaté, et beaucoup d'espoirs sont encore permis.

Pourtant, dès 1945, le nouveau directeur du *Monde* n'a pas d'illusions. Les illusions ne seront d'ailleurs jamais son fort. C'est bien par rapport aux blocs en formation qu'il situe le projet. Dans *Temps présent* qu'il a un moment animé après la Libération aux côtés de Stanislas Fumet, il note le 19 octobre 1945 :

« L'organisation d'une entente occidentale d'importance comparable aux États-Unis et à l'Union soviétique, située géographiquement, économiquement, politiquement à mi-chemin de ces deux puissants partenaires, paraît normalement logique, souhaitable, profitable à tous. A une condition cependant : que la nouvelle organisation soit aussi indépendante à l'égard de Washington que de Moscou. »

Il y a dans cette citation, dans cette dernière phrase notamment, tous les ingrédients de ce qu'on nommera par la suite, quand les effets conjugués de Yalta, de la reconstitution du Kominform, du coup de Prague, du plan Marshall se seront produits, la querelle du neutralisme.

Appellation malencontreuse. Certes, en 1946, Hubert Beuve-Méry intitulera encore « Neutralité » un article de *Temps présent* (5 avril 1946), dans lequel il déclare que la France ne peut ni ne doit opter pour le « capitalisme américain », non plus d'ailleurs que pour le « totalitarisme russe ».

« Pourquoi, dès lors, ne proclamerait-elle pas sa neutralité et celle des territoires de l'Union française? »

Mais le mot de neutralité prendra vite le sens d'idéalisme pacifiste, de passivité, voire d'attitude capitulatrice, ce qui, appliqué à un antimunichois résolu, est pour le moins fâcheux. Comme le contexte le démontre assez, c'est bien plutôt de non-alignement qu'il s'agit. Mais, à l'époque, le mot n'existait pas, et ce n'était évidemment pas par hasard. Il importe néanmoins de le souligner : dans l'atmosphère de 1946, l'inspiration « neutraliste » avant la lettre a pour fondement l'aspiration à un ensemble européen autonome, se tenant militairement et idéologiquement à égales distances des deux blocs en formation. En d'autres termes, le neutralisme sous sa forme la plus pure et la plus radicale est antérieur à la guerre froide ; on pourrait même soutenir qu'il n'a pas pu survivre aux conditions nouvelles qui devaient présider à la querelle du même nom.

Car, dès 1948, les choses ont changé. Dès le début de l'année, le coup de Prague, le durcissement des deux camps rendent irréaliste la recherche d'une troisième voie. C'est ce que note Hubert Beuve-Méry dans l'hebdomadaire qu'il a créé pour compléter *le Monde* quotidien et qui se nomme justement *Une semaine dans le monde* (12 juin 1948) :

« On pouvait imaginer un tout autre jeu. Sans acrimonie, mais avec force, la France pouvait montrer dès San Francisco [1] le danger de la politique des deux blocs, incluse tout entière dans le droit de veto. Elle pouvait prendre date en préconisant très fermement la politique d'union européenne, s'efforcer inlassablement de désarmer les préventions des uns et des autres, substituer une sorte de neutralité vigoureuse à la recherche désespérée d'alliances successives ou contradictoires. »

Ces phrases sonnent comme un regret plutôt que comme un programme. Pourtant, à défaut de faire revenir en arrière une histoire bipolaire, n'est-il pas encore temps de l'infléchir, ou comme le dira le directeur du *Monde* dans une conférence prononcée le 8 mai 1951 à Rome devant la Societá italiana per l'organizzazione internazionale : « Il ne doit pas être impossible pour les Européens de garder avec le pacte Atlantique l'essentiel des attitudes qu'ils auraient dû prendre sans lui. »

---

1. L'auteur fait évidemment allusion à la fondation des Nations unies (juin 1945).

Sans entrer dans tous les détails d'un débat qui s'étend principalement de 1948 à 1953, c'est-à-dire dans les plus belles années de la guerre froide, contentons-nous d'analyser et de situer la contribution du *Monde* dans la controverse.

Les thèses neutralistes dans « le Monde »

L'intervention du *Monde* dans la discussion sur les orientations de la politique étrangère française dans le contexte de la guerre froide atteint son point culminant avec la période qui précède et surtout qui suit immédiatement la signature du pacte Atlantique, c'est-à-dire les années 1949-1951. Mais, dès 1948, des rédacteurs du *Monde*, Delage et Duverger, ont posé le problème : Europe atlantique ou Europe neutralisée [1] ? Cette position n'est pas le fait de l'ensemble de la rédaction, loin de là; et, bien entendu, elle s'accompagne non seulement d'une large information, mais encore, à plusieurs reprises, de l'expression de points de vue opposés. Elle est principalement le fait d'un collaborateur extérieur prestigieux, Étienne Gilson, d'Hubert Beuve-Méry lui-même sous le pseudonyme de moins en moins opaque de Sirius, d'un autre collaborateur extérieur, Maurice Duverger, et, occasionnellement, d'autres journalistes de la maison, comme par exemple Georges Penchenier.

Étienne Gilson a écrit du 1er avril 1948 au 29 septembre 1950 25 articles dans *le Monde*. A partir du 25 décembre 1948, ils sont exclusivement consacrés à ce qu'on ne va pas tarder à appeler la querelle du neutralisme; car, soulignons-le, c'est lui qui lance le débat.

Cette intervention d'un vénérable académicien, maître incontesté des études thomistes en France et dans le monde, professeur d'histoire de la philosophie médiévale au Collège de France, peut paraître surprenante. Mais, au lendemain de la guerre, il a accepté

1. Edmond Delage, *Le Monde*, 1er octobre 1948.

d'être désigné [1] par le MRP comme membre du Conseil de la République, qui est, comme chacun sait, une sorte de Sénat-croupion. Il n'est donc pas totalement un novice dans la vie politique. D'autre part, ses nombreux séjours outre-Atlantique — notamment au Canada — lui ont permis d'étudier l'état d'esprit des Américains vis-à-vis de l'Europe à propos des problèmes de défense.

Quelles sont ses thèses?

D'abord que, s'il doit y avoir demain une guerre entre les deux Grands, c'est aux États-Unis d'en assumer la responsabilité principale, et non à la France comme lors de la Première Guerre mondiale, ou à la Grande-Bretagne, comme lors de la Seconde. Chacun son tour, en quelque sorte.

Il convient donc d'examiner à la lumière du passé — où l'on vit le Sénat américain refuser de ratifier la politique présidentielle d'intervention dans les affaires mondiales — l'idée qu'on se fait aux États-Unis de la défense contre l'Union soviétique :

« Ce qu'on est disposé à nous acheter avec des dollars, c'est une fois de plus notre sang, et une troisième invasion de l'Occident européen auprès de laquelle les deux précédentes apparaîtraient comme des parties de plaisir. C'est beaucoup trop cher. Nous n'avons d'autre choix qu'entre un engagement non point moral, mais militaire des États-Unis avec toutes les précisions qu'il requiert ; ou bien, si les États-Unis refusent de se battre en Europe — ce qui est leur droit —, notre refus de nous sacrifier pour les États-Unis, ce qui est le nôtre. Une neutralité de l'Europe n'est pas inconcevable, pourvu qu'elle soit fortement armée [2]. »

C'est justement la thèse d'une neutralité armée qui fait le fond de la position d'Étienne Gilson. En dépit d'une interprétation tenace qu'il ne cesse de combattre, Gilson ne plaide pas pour le désarmement, mais pour le désengagement et le non-alignement de la France. Il refuse l'engagement automatique de la France dans un conflit direct entre les deux Grands, de la même manière qu'il doute

---

1. L'article 6 de la Constitution de 1946 disposait en effet que l'Assemblée nationale pouvait désigner elle-même, à la représentation proportionnelle, des conseillers de la République jusqu'à concurrence d'un sixième du nombre total des membres du Conseil de la République.

2. « L'alternative », Le Monde, 2 mars 1949.

d'une automaticité de l'intervention américaine en cas d'envahissement de l'Europe occidentale par les Soviétiques. La France doit
donc pratiquer une politique de réarmement par ses propres
moyens, avec comme seul objectif la défense du territoire national
contre l'agression :

« Le jour où [les Français] ne voudront plus se battre pour cela,
ils ne voudront plus du tout se battre ; qu'on leur dise de réarmer
à cette fin, ils le comprendront sans peine, et s'ils le font, tous ceux
qui craignent pour la France une politique d'isolement seront bientôt tirés d'inquiétude. Un peuple armé n'a pas à craindre de manquer
d'alliances [1]... »

Pour l'essentiel, Sirius, dont les interventions, peu nombreuses,
mais substantielles, font l'effet de bombes dans le conformisme
atlantique régnant, partage le point de vue d'Étienne Gilson. En
particulier, il doute fortement de l'automaticité d'une intervention
américaine en cas d'envahissement de l'Europe occidentale. Pour
le reste, il faut relever ceci : comme chez la plupart des Français, à
l'exception des communistes et de quelques compagnons de route, le
durcissement soviétique à partir de 1947 a fait renoncer Sirius à
tenir la balance égale entre le « totalitarisme soviétique » et
l' « impérialisme américain ». Nul doute que, pour un homme à qui
la Tchécoslovaquie tient autant à cœur, le « coup de Prague », au
début de l'année 1948, n'ait accéléré cette évolution. Sirius donc
ne conteste pas la nécessité d'une défense de l'Occident, mais bien
la manière dont on la met en œuvre : « Aussi bien est-ce moins la
légitimité du pacte Atlantique qui prête à discussion que son opportunité, ses modalités, et en tout cas les tapageuses maladresses
dont il a été l'occasion. »

Cet article [2], paru quelques jours avant la signature du pacte
Atlantique (4 avril 1949 à Washington), est en retrait non seulement
par rapport aux positions de Beuve-Méry exposées plus haut, mais
aussi par rapport à celles d'Étienne Gilson développées à la même
époque dans le Monde. Dès ce moment-là, Sirius a abandonné,
stricto sensu, la thèse de la neutralité : un mot que désormais il évite.
Ce qu'il préconise est moins une solution de rechange qu'un

1. « Le labyrinthe », Le Monde, 24 août 1950.
2. « Le pacte Atlantique et la paix ». Le Monde, 17 mars 1949.

amendement. Voici, sous sa plume, le 20 juillet 1950, une précision utile : « Une certaine neutralité, ou mieux une certaine indépendance d'action, y a toujours été présentée [au *Monde*] comme un moindre mal, aussi longtemps du moins que le pacte Atlantique demeurerait ce faux-semblant, ce bluff réciproque qu'il est depuis l'origine [1]. »

Ce que Sirius demande, c'est que l'on soit cohérent et logique jusqu'au bout, et que l'on ne se paie pas de mots. Au lendemain même de la signature du pacte, Sirius écrit la phrase qui va provoquer une avalanche de protestations et de démentis avant d'apparaître comme une lucide anticipation : « En second lieu, qu'on en convienne ou non, le réarmement de l'Allemagne est contenu dans le pacte de l'Atlantique comme le germe dans l'œuf [2]. »

Quand on cite cet article, on oublie souvent de préciser que Sirius dans la suite ne repousse pas en toute hypothèse un tel réarmement. Il écrit même : « Ce réarmement serait normal le jour où l'Allemagne enfin amendée et réintégrée dans la Communauté européenne partagerait avec elle les avantages et les risques [3] », et un peu plus loin : « La solidarité européenne est aussi un bloc. »

Mais, pour l'heure, on va trop vite, et surtout, on y va à l'aveuglette.

D'où le troisième aspect de la position de Sirius. S'armer en prévision de la guerre, soit ; mais faut-il dès maintenant la considérer comme inévitable? En ce cas, poussant la logique jusqu'au bout, il faut, dit-il, réarmer d'urgence l'Allemagne occidentale, mettre les communistes hors la loi, replier nos usines en Afrique du Nord, et même accepter de devenir la 49e étoile sur la bannière étoilée, avec présence de deux élus français au Sénat américain.

Si l'on ne veut pas de cette logique, il faut élaborer une stratégie de la paix, en un mot, refuser l'escalade infernale de l'armement et de

---

1. « C'est la foi qui manque le plus », 20 juillet 1950.
2. « Un nouveau pilier de la paix? », 6 avril 1949.
3. Hubert Beuve-Méry nous a confié que, dans une conversation qu'il a eue à cette époque avec Robert Schuman à New York, il avait lui-même suggéré à ce dernier un dispositif de défense proche de celui qui allait peu de temps après être proposé sous le nom de CED.

l'agressivité, et aller vers ce qu'on a appelé depuis une politique de la détente.

Défiance à l'égard des États-Unis, indépendance nationale, refus de la logique des blocs, armement national visant à la défense exclusive du territoire national, politique de détente : on ne saurait dire que ces thèmes, qui sur le moment ne rencontrèrent guère d'échos, n'eurent pas de postérité... Seulement Hubert Beuve-Méry et le général de Gaulle qui, en définitive, ont partagé beaucoup d'idées, ne les ont jamais partagées en même temps.

Portée et limites d'une campagne

Le mot neutralisme qui, répétons-le, n'est pas très exact, surtout dans le cas de Sirius, est un mot surtout utilisé par les adversaires de la chose. De plus, il recouvre un ensemble de positions à la vérité assez éloignées les unes des autres.

Proche des positions du *Monde,* on trouve la revue *Esprit,* qui consacre notamment en mars 1951 un numéro spécial à la « paix possible » avec des articles de Pierre Emmanuel, de Jean Lacroix, de Jean-Marie Domenach et de Paul Fraisse, de Jean-William Lapierre, d'Henri Bartoli, de Jean Baboulène et de Paul Ricœur. La position qui s'y exprime est très proche de celle du *Monde.* Pour sauver la paix, la France se doit de prendre l'initiative d'une rupture des situations de force qui prévalent actuellement dans le monde, c'est-à-dire refuser la logique de la guerre froide et des blocs antagonistes. En clair, dénoncer tous les pactes qu'elle a signés, au profit d'une politique de neutralité. Neutralité qui ne signifie nullement désarmement, précise Jean-William Lapierre [1], qui rejoint les points de vue exprimés par Étienne Gilson et Sirius, et se distingue du pacifisme intégral de certains neutralistes.

On notera encore cette précision, caractéristique de l'état d'esprit des milieux neutralistes qui explique très souvent leur comporte-

---

1. *Esprit,* mars 1951, p. 389.

ment : actuellement, ce sont les États-Unis qui représentent le principal danger de guerre : « Il est vrai que la neutralité française affaiblirait le bloc américain. Mais c'est précisément chez les dirigeants de ce bloc que se manifeste le plus fortement la volonté d'aggraver les risques de guerre mondiale. C'est la politique des situations de force, définie par M. Dean Acheson. Affaiblir le camp le plus belliqueux, n'est-ce pas un bon moyen de sauvegarder la Paix [1] ? »

Il n'est pas douteux, on le voit, que le neutralisme s'accompagne ici comme ailleurs d'une solide dose de méfiance à l'égard des États-Unis, qui peut expliquer, dans une certaine mesure, une appréciation plus positive de la diplomatie stalinienne.

On peut encore ranger, sur une proche longueur d'ondes, *France-Observateur* de Gilles Martinet et de Claude Bourdet qui défendait déjà ces thèmes dans *Combat* en 1948. La formule qui exprime le mieux leur position : « Ni Washington, ni Moscou », fait plutôt penser aux positions de Beuve-Méry d'avant la guerre froide. Leur neutralisme socialiste s'exerce surtout en direction des partis de la troisième force pour obtenir une inflexion dans le sens qu'ils souhaitent.

Très différentes sont les positions « neutralistes » des petits groupes progressistes proches du parti communiste, comme, par exemple, l'Union progressiste de Pierre Cot, Gilbert de Chambrun, d'Astier de la Vigerie. Pour eux, le neutralisme, c'est d'abord le refus du pacte Atlantique. Par rapport à l'engagement de la France du côté occidental, qui est un fait accompli depuis 1948, le retour à une position de strict équilibre entre les deux Grands constituerait incontestablement un progrès. Est-ce suffisant ? Certainement pas. Il n'est que de lire comment Pierre Cot, s'exprimant cette fois comme directeur de la revue du Mouvement de la paix, *Défense de la paix* (mars 53), apprécie l'attitude neutraliste :

« ... S'ensuit-il que tous les neutralistes sont d'accord et sur tous les points avec le mouvement de la paix ? En aucune façon. Le danger d'une certain neutralisme est de vouloir tenir la balance égale entre le bien et le mal, et de refuser de prendre parti. C'est

1. *Esprit*, mars 1951, p. 383.

aussi de croire à l'existence et à la possibilité d'une troisième force internationale dont l'expérience a prouvé qu'elle ne pouvait être qu'un piège ou une illusion.

» Il reste que le neutralisme est une étape au cours d'une évolution. Dans toute la mesure où le neutralisme permet de désintoxiquer les opinions publiques et de freiner la course à l'abîme, nous l'approuvons. Par rapport au Mouvement de la paix, le neutralisme est à mi-côte; c'est mieux que de rester au bas du chemin. Nous conservons l'espoir qu'un jour tous les neutralistes viendront jusqu'à nous — sur la hauteur où l'on voit se lever le soleil et chanter l'horizon. »

On note que, de Pierre Cot à Hubert Beuve-Méry, il y a presque autant de distances que du même Beuve-Méry à un atlantiste convaincu comme Raymond Aron. Pourtant, le commun refus par les deux premiers de l'atlantisme environnant introduit entre eux une forme de solidarité objective que se plaisent à souligner les adversaires. En revanche, si des hommes comme l'abbé Boulier [1] ou Gilbert de Chambrun considèrent que l'apparition d'un courant neutraliste original aboutit à renforcer leurs propres positions procommunistes, Laurent Casanova, membre du bureau politique du PCF, regrette que le neutralisme de Sirius s'accompagne d'un anticommunisme de classe qui obscurcit en lui la perception de l'intérêt national [2].

Dans le camp atlantiste, au contraire, l'indignation est grande. Elle va de l'assimilation du neutralisme à un néo-vichysme, de la part de certains éléments gaullistes [3], à l'accusation de gaullisme larvé de la part d'un homme comme Claude Harmel [4] en passant par celle de couardise de la part d'un socialiste comme Robert Verdier [5]. Souvent, c'est le caractère négatif et démobilisateur des positions de Gilson, de Beuve-Méry et de leurs amis qui est dénoncé. Ainsi Charles Ronsac, dans *Franc-Tireur* : « Nous avons

---

1. *Action,* 11-17 septembre 1950.
2. Dans l'article d'*Esprit* déjà cité, p. 382-383, Jean-William Lapierre ne manque pas de souligner le fossé qui sépare les communistes des positions neutralistes.
3. *Le Rassemblement,* 22-28 décembre 1950.
4. Dans la revue *Fédération,* non daté.
5. *Le Populaire,* 13 décembre 1950. Le neutralisme est une politique d'isolement. une « escroquerie à la lâcheté », dit-il.

vu un brillant académicien décréter sans rien suggérer qu'il fallait avoir la politique de ses armes quand on ne pouvait pas avoir les armes de sa politique, ce qui revient à dire que, n'ayant pas d'armes, il vaut mieux n'avoir aucune politique [1]. »

C'est aussi le point de vue de Georges Bidault qui note dans *l'Aube*[2] qu'un neutralisme conséquent implique un effort d'armement sans précédent :

« Si on ne fait pas cela, si on ne dit pas cela, si on nous parle à retardement des défauts du pacte Atlantique, des chances gaspillées que nous offrait la défaite, d'une neutralité sans efforts, même si on le fait au coin d'une phrase, on ne fait que joindre le faux-fuyant au sophisme, après avoir joint le sophisme à l'illusion. »

Mais est-il besoin de le dire? C'est le reproche d'une complicité plus ou moins inconsciente avec les Soviétiques et leurs amis communistes français qui revient le plus souvent.

Au total, avant d'examiner les conséquences sur la vie du *Monde* lui-même de la campagne menée par Sirius et un certain nombre de ses collaborateurs, il faut insister sur l'importance et les limites d'une campagne de presse de ce genre, quand elle va à contre-courant de l'opinion publique et qu'elle se heurte au manichéisme des uns et des autres. Le « neutralisme » des années 1949-1951 reste le fait d'intellectuels, lecteurs d'un certain nombre d'organes de presse de la gauche indépendante, tels que *le Monde, France-Observateur, Esprit, la Quinzaine,* avec une place particulière des chrétiens de gauche. Mais cette position un peu ombrageuse, vaguement teintée de pessimisme, n'est pas mobilisatrice. Les élections de 1951 en témoignent, qui voient les candidats neutralistes tels que Rivet et Bourdet obtenir aux législatives des résultats bien modestes.

En revanche, l'influence de ces analyses et de ces prises de position sur la classe politique tout entière est grande; elle explique en partie les difficultés qu'a rencontrées *le Monde* depuis 1949.

A l'extérieur du journal, les anciens maîtres du *Temps,* qui n'ont pas désarmé, en tirent l'espoir de renforts. La droite relève la tête. Beaucoup, dans les milieux d'affaires, se sentent un nouvel appétit

1. « La volonté, arme de la paix », 21 juillet 1950.
2. « De l'illusion à l'abandon », 17 décembre 1950.

d'intervention dans la vie politique, directement ou indirectement, et ces moyens accrus trouvent des motifs nouveaux, en sus de la rancune et de la frustration des propriétaires dépouillés, à tâcher de mettre à terre *le Monde* d'Hubert Beuve-Méry.

A l'intérieur du journal, d'autre part, si l'affrontement Beuve-Méry-Funck-Brentano, que la logique de 1944 faisait attendre, et que la personnalité du second eût rendu peu inquiétant pour le premier, n'a pas lieu, un autre face-à-face s'y substitue, celui même qui s'était une première fois dessiné en janvier 1945, mais auquel les circonstances vont donner une tout autre portée et un tout autre contenu : le duel Beuve-Méry-Courtin, qui culmine et se règle, avec tempêtes et bonaces, entre la fin de 1949 et la fin de 1951.

Simplifiant la portée de la bataille, les observateurs du moment, quelles que fussent leurs allégeances, ont eu tendance à confondre cette double menace. Mais on se condamnerait à ne pas comprendre les conflits compliqués de ces années-là si l'on n'apercevait pas bien qu'il n'y eut jamais de collusion, jamais de rapprochement véritable entre René Courtin, homme de la Résistance, et les forces extérieures au journal dont les représentants donnèrent constamment l'impression de chercher une revanche pour la défaite de Vichy. La seule mention — d'ailleurs piquante — d'un contact quelconque est l'allusion faite par Bonis-Charancle, en février 1950, à un déjeuner qui avait réuni quelque temps plus tôt, à l'insu de Beuve-Méry, Jacques Rueff, Courtin et Chastenet, et à l'occasion duquel Chastenet aurait demandé à Courtin s'il ne serait pas possible de lui faire une place au *Monde*[1]... On ignore la réponse de Courtin — mais les choses n'allèrent assurément pas loin. Contre *le Monde,* les périls, parfois, purent se conjuguer; les assaillants, point.

---

1. Mentionné dans une lettre importante de Bonis-Charancle à Cheminais du 8 février 1950 qui sera évoquée plus loin. Les archives de Courtin contiennent aussi une lettre de Bonis-Charancle qui sera citée ci-après.

Les ennemis du dehors

Donc, commençons par les assauts du dehors, qui firent en somme courir beaucoup moins de périls au journal que la bataille du dedans.

Au reste, ces épisodes sont aussi, et de beaucoup, les plus obscurs, les sources étant spécialement difficiles d'accès parce que les responsables sont peu soucieux de laisser y parvenir. Quand ils iront jusqu'à mettre sur pied une entreprise de concurrence, avec *le Temps de Paris,* en 1956, les détails de l'offensive pourront s'apercevoir, comme on le constatera, assez bien. Mais, pour les premières années, il s'agit de velléités, de projets plus ou moins avancés, et toujours avortés, qui se prêtent plus facilement à la dissimulation devant l'histoire. C'est donc à partir de ce qui peut affleurer qu'il faut tâcher de reconstituer les assauts successifs.

On s'efforce d'abord de débaucher Beuve-Méry lui-même [1]. C'est la tentative d'un personnage de presse et de coulisses, Jean Létang, qui dispose de quelque influence dans certains milieux du patronat, et qui essaie de persuader, durant plusieurs mois, la direction du *Monde* d'accepter l'argent qui se propose « au bas de son escalier » pour l'aider à moderniser le journal. Beuve-Méry s'amuse à donner un peu de fil, avant de faire comprendre à Létang qu'il perd son temps. Létang, beau joueur, ne lui en tiendra pas rigueur et même lui fournira souvent par la suite des renseignements utiles sur l'état d'esprit des milieux patronaux.

Il sera clair assez vite que ce n'est pas là le bon chemin. Une dernière fois, en novembre 1951, Beuve-Méry, en pleine crise interne, se verra faire une offre semblable. Cette fois-là il voit venir à lui un personnage plus considérable, Robert Bollack, patron de l'Agence économique et financière. Bollack avait été, dès l'entre-deux-guerres, l'un des plus prospères de ces patrons de presse qui faisaient efficacement et clandestinement commerce de ses colonnes

---

1. Sur les épisodes Létang et Bollack, entretien H. B. M., et, pour la date de l'entrevue Bollack, agenda H. B. M.

auprès des banques et des entreprises soucieuses de publicité financière déguisée en prose rédactionnelle [1].

Lui est beaucoup plus brutal que Létang : il offre tout simplement au directeur du *Monde* d'acheter sa retraite. De gros capitaux sont prêts à s'investir dans le journal, 200 millions probablement. « Notre groupe serait heureux, ajoute-t-il, si vous le souhaitiez, de travailler avec vous, mais; si vous préfériez vous retirer, nous jugeons que cela vaudrait bien une indemnité de 50 millions » (soit environ 2,5 millions de 1978)... Bollack est peut-être surpris de se voir fermement éconduire. Au moins a-t-il donné à Beuve-Méry la satisfaction d'entendre sa femme le féliciter, le soir même, à la table familiale, au nom du savant calcul que voici : « Le lingot d'or d'un kilo vaut 600 000 francs, et tu pèses 80 kilos... En vérité je n'aurais jamais pensé, au moment de notre mariage, qu'un jour tu vaudrais ton poids d'or... »

Une autre stratégie consiste à débaucher une partie de l'équipe, de l'intérieur. C'est ainsi qu'en 1950 Jean Couvreur, « grand reporter » au *Monde*, se trouve placé, à son étonnement, au centre d'une offensive qui paraît fort résolue contre le journal : il l'a raconté vingt-deux ans plus tard à son « patron » [2]. Un beau jour de cette année-là, il se voit approché par le journaliste Roger Lutigneaux, qui avait été son confrère, avant la guerre, au *Matin* de Bunau-Varilla, et qui est critique littéraire à la Radiodiffusion française. A Couvreur, Lutigneaux déclare sans détour qu'il faut en finir avec Hubert Beuve-Méry dont les campagnes de « trahison » sont devenues intolérables à des consciences vraiment françaises. « Je suis, explique-t-il, le représentant d'un groupe très important, disposant de ressources financières puissantes, composé de personnalités de premier plan [...]. Nous ne voulons pas de la tutelle des gens de droite, ni de l'assujettissement à Moscou. Nous voulons rendre au *Monde* la place qu'occupait fort honorablement *le Temps* avant la guerre [...]. L'opinion attendait un grand journal républicain et c'est une feuille crypto-communiste qu'on leur sert ! »

1. Sur le personnage et ses activités, voir sa déposition à la Commission d'enquête parlementaire sur l'affaire Oustric, en 1931, et Jean-Noël Jeanneney, « Sur la vénalité du journalisme financier entre les deux guerres », *loc. cit.*, p. 717-738.
2. Lettre de Jean Couvreur à Hubert Beuve-Méry, 3 octobre 1972, et entretien Jean Couvreur. Voir en annexe un extrait de cette lettre.

Sur les listes que Lutigneaux montre alors confidentiellement à Couvreur, celui-ci se souvient d'avoir vu les noms de personnalités connues, notamment du monde des affaires, et ceux de banques et de compagnies diverses : « La grosse artillerie de l'argent. »

Ce que Lutigneaux souhaite organiser, avec l'aide décisive de Couvreur, très populaire au journal, c'est une sorte de coup d'État de l'intérieur, avec le bénéfice de la surprise. A son interlocuteur il donne le nom de deux des rédacteurs qui ont été déjà pressentis et qui consentent à prêter la main à l'opération.

Couvreur, pour s'informer, désire gagner du temps, et il demande donc un délai de réflexion. Au *Monde,* il tâte les deux traîtres potentiels, qui confirment en effet leur résolution, et se persuade de la réalité du péril. Puis, retrouvant Lutigneaux comme convenu, il lui assène son refus qui laisse l'autre, à l'en croire, effondré... Ainsi avorte l'affaire.

Couvreur, racontant l'histoire et se défendant de « jouer les Bayard », sait bien lui-même qu'elle peut avoir « un petit côté feuilleton, cinéma », et laisser sceptique. Il se peut aussi que Lutigneaux ait exagéré son pouvoir, et la surface de ses mandants, dont Couvreur aujourd'hui veut avoir oublié les noms. Mais, quel que soit pourtant le coefficient d'incertitude entourant cette affaire, elle n'est pas, quant au fond, dépourvue de vraisemblance, jusque dans l'étonnante maladresse des promoteurs de l'entreprise choisissant si mal leur homme clef et jouant sur des chevaux si incertains : on verra de plus près, à propos du *Temps de Paris,* des exemples d'illusions ou de légèreté qui ne sont pas éloignés de ceux-ci.

Jean Couvreur n'a pas tort, revenant sur cet épisode qui lui laisse, vingt-cinq ans plus tard, quelque émotion et quelque fierté, de rappeler que les raisonnements des assaillants pouvaient alors s'appuyer sur une réalité demeurée vivante jusqu'à la grande crise de 1951 : l'amalgame n'est pas parfait et, parmi la vieille équipe du *Temps,* plusieurs jugent que Beuve-Méry les entraîne sur des chemins politiques douteux, et qu'au surplus, à force d'économies, il le fait en leur imposant des salaires de misère. C'est ainsi que le vieil Edmond Delage s'est fait une spécialité et a créé le rite de demander à la ronde, chaque matin, en arrivant au journal, à propos du directeur : « Alors, quelles nouvelles de l'affameur [1]?... »

Il demeure que pendant toute cette période on n'enregistre le départ *politique* que d'un seul membre notable de l'équipe venue du *Temps* : départ symbolique, il est vrai, car il s'agit, en décembre 1947, de Martial Bonis-Charancle lui-même, qui a joué dans la naissance du *Monde* le rôle non négligeable que l'on sait.

Bonis-Charancle aurait pu s'accoutumer au style de vie particulier du journal. Il ne peut se faire à ses options politiques, en particulier dans l'affaire d'Indochine. C'est ainsi qu'un jour il sort du bureau de Beuve-Méry en lui lançant cette exclamation indignée : « Vous avez un clairon qui ne sonne que des défaites! » En décembre 1947, il tire les conclusions de ce désaccord de fond, et il s'en va [2]. Plus tard, en 1951, il écrira à Pierre-Henri Teitgen, après que celui-ci aura rappelé à l'Assemblée que la dévolution à l'État des biens des journaux acquittés était une « expropriation pour cause de victoire » : « Bien que *le Temps* se soit sabordé le [29] novembre 1942, vous l'avez fait poursuivre pour " trahison " (*sic*) et vous l'avez remplacé par un journal, *le Monde,* que j'ai dû quitter il y a trois ans pour me désolidariser de la campagne contre la " sale guerre " et des doctrines de défaitisme et de neutralisme propagées et depuis accentuées par les Beuve-Méry, Gilson et autres Duverger. Vous avouerez que je suis en droit de n'y plus rien comprendre [3]... »

Dans le même temps où s'esquissent et échouent ces tentatives d'investissement du journal de l'intérieur, on aperçoit que se dessine, au début de 1950, une offensive fondée sur une stratégie différente — sans qu'on puisse savoir clairement, à vrai dire, si ses maîtres d'œuvre ont quelque lien avec les premiers : il s'agit là d'un projet de renaissance du *Temps* sous les auspices de ses anciens directeurs, avec l'ambition de récupérer, aux dépens du *Monde,* l'ancienne clientèle. L'idée en était caressée à droite depuis 1948 [4]. C'est déjà l'esquisse du *Temps de Paris* de 1956.

1. Entretien Jean Planchais. Selon Beuve-Méry lui-même, Delage avait été avant la guerre pour *le Temps* un actif « démarcheur dans les colonies ».
2. Voir l'évocation de ce départ par Bonis-Charancle lui-même dans *l'Écho de la presse et de la publicité,* 27 juin 1952.
3. Bonis-Charancle à Pierre-Henri Teitgen, 3 février 1951 (Archives Bonis-Charancle).
4. Les Cahiers inédits de François de Wendel donnent quelques indications à cet égard. En décembre 1946, alors que Chastenet pousse à la négociation avec *le Monde*

En janvier, février et mars 1950, les petites feuilles annoncent la prochaine naissance d'un journal que dirigeraient les deux anciens patrons du *Temps,* Mireaux et Chastenet. Selon certaines gazettes, Paul Marchandeau, qui fut avant la guerre ministre et maire de Reims, présiderait le conseil d'administration : il anime l'Association des créanciers de la SNEP et de l'État (la Société nationale des entreprises de presse a été créée pour gérer les biens confisqués) qui s'efforce de défendre les intérêts de la presse expropriée à la Libération [1].

Le rôle central de Paul Cheminais, PDG de la Société d'études économiques et sociales, elle-même société administrative de la Société du journal *le Temps,* est en tout cas avéré [2]. Du côté des collaborateurs éventuels, on cite les noms de René Malliavin, jadis collaborateur de Paul Deschanel, directeur des *Écrits de Paris,* où il signe Michel Dacier des articles virulents contre le monde politique issu de la Résistance, d'Albert Mousset, un ancien du *Temps,* pour le service étranger, de Raymond de Nys, qui avait été de l'équipe du *Petit Parisien* sous l'Occupation. Robert Poulaine, un ancien rédacteur du *Temps*, où il était chargé des questions coloniales, et qui n'a pas été repris par Beuve-Méry en 1944, est aussi mêlé à l'affaire [3].

---

et à la « liquidation », André de Fels réagit différemment : « Il croit que nous pouvons récupérer nos biens et reparaître, étant donné l'évolution politique qui se dessine. Il ne paraît pas exclu que l'on trouve à ce moment dans les milieux financiers et bourgeois les fonds voulus pour ressusciter *le Temps* » (17 décembre 1946). Un an et demi plus tard, Chastenet a repris de l'énergie, et entre en conversation avec Pierre-Étienne Flandin « qui ferait bien volontiers une combinaison avec lui pour faire redémarrer le journal ». Wendel commente que Flandin plairait sûrement à la moyenne des actionnaires du *Temps* et de ses lecteurs, qu'il apporterait probablement des concours financiers, chose non négligeable, mais il dit à Chastenet que la « mise au service de M. Flandin du journal » ne lui semble pas opportune « à un moment où de Gaulle paraît devoir revenir au pouvoir [...], étant donné le peu de sympathie réciproque des deux hommes » (15 juillet 1948).

1. Voir par exemple *Aux écoutes,* 27 janvier 1950 et 31 mars 1950, *Juvénal,* 27 janvier, *les Lettres françaises,* 2 mars.

2. Grâce notamment à une lettre déjà citée, adressée à Cheminais par Bonis-Charancle qui se plaint de Chastenet, 8 février 1950 (Archives Bonis-Charancle). Cheminais, au début de sa carrière, a été chef du contentieux du Comité des houillères et de l'Union des mines où il a dû connaître Chastenet.

3. Les trois derniers noms, ceux de Raymond de Nys, d'Albert Mousset et de Robert Poulaine, sont avancés dans une lettre de Guy Laborde, un ancien du *Temps* d'avant-guerre, à Bonis-Charancle le 28 janvier 1950, où il dit son espoir d'être recruté dans la nouvelle équipe (Archives Bonis-Charancle).

Quel qu'ait été l'état d'avancement du projet au printemps de 1950, il est clair qu'il rencontre des difficultés et qu'il souffre de querelles personnelles. C'est ainsi qu'on voit Martial Bonis-Charancle se plaindre amèrement à Cheminais d'une exclusive lancée contre lui par Chastenet sous prétexte qu'il a accepté d'entrer au *Monde* et d'y demeurer trois ans. Bonis exprime son « indignation contre un personnage dont l'injustice et l'égoïsme sont révoltants [1]... », et son amertume peut expliquer la vivacité des critiques qu'il exprime contre une préparation qui ne lui paraît pas assez étudiée, écrivant : « Si vraiment *le Temps* est derrière le nouvel organe, il faut que l'affaire réussisse. Un échec engagerait l'avenir pour longtemps. Or, on ne prépare pas en deux mois un journal comme *le Temps*. Du seul point de vue commercial, c'est une erreur de partir au printemps : l'été est tout de suite là avec les gros déficits qu'apporte la période des vacances. D'autre part, les budgets de publicité sont préparés pour l'année suivante d'octobre à décembre. Faire inscrire un nouveau journal dans un budget en cours d'exercice est une opération extrêmement difficile et de peu de rendement. Le meilleur moment pour partir est octobre ou novembre [2]. » Toutes critiques, à vrai dire, dont le fiasco du *Temps de Paris* montrera, six ans plus tard, la très exacte pertinence — et qui peuvent contribuer peut-être à faire remettre de mois en mois l'apparition du nouveau quotidien du soir. L'été 1950 se passe, puis l'automne, et l'opposition de Georges Villiers, président du CNPF, fait alors, semble-t-il, échouer le projet [3]. Il renaîtra bientôt — mais il est clair que, pour l'heure, ce n'est pas, en ces années-là, de l'extérieur que *le Monde* doit affronter les plus grands périls : c'est bien à l'intérieur de lui-même qu'il a couru le grand risque de se défaire.

---

1. Lettre du 8 février 1950 citée. A noter que Bonis-Charancle ne souhaitait pas être administrateur du nouveau journal — mais seulement son conseiller dans ses débuts.
2. Lettre du 8 février 1950 déjà citée.
3. Bonis-Charancle à Courtin, 26 juillet 1951 (Archives René Courtin) (remarques rétrospectives).

Le conflit du dedans (1949)

Après le brutal affrontement de janvier 1945, Courtin et Beuve-Méry ont réussi à établir entre eux, chacun y mettant du sien, une situation d'équilibre instable jusqu'au printemps de 1949. Bien qu'il ne vienne au journal que le matin, Courtin y est fort actif à la tête des services économiques et financiers, publiant environ 400 articles de 1945 à 1949 [1].

L'entente fragile est alors préservée par la relative incompétence de chacun des deux hommes dans le domaine de prédilection de l'autre. Pour « éviter d'inutiles bagarres », Courtin veillait seulement « à ne pas utiliser des formules trop voyantes. Beuve-Méry, qui, affirme-t-il, à ce moment surtout, ignorait tout des problèmes économiques, eût accepté de couvrir la politique libérale la plus échevelée pourvu qu'elle se présentât sous un aspect empirique. Il accepta même avec chaleur les articles de Maurice Allais qui fut [protégé] par son vocabulaire. Comme les économistes le savent, Maurice Allais ne parle en effet jamais de libéralisme mais de planisme concurrentiel ».

Le directeur de son côté se contente de limiter ou de refuser, malgré les efforts de Courtin, la collaboration d'autres économistes qui sont des apôtres voyants du libéralisme, notamment celle de Daniel Villey. Mais il demeure que Courtin ne se se sent pas trop bridé.

En retour il ne se mêle guère, pour sa part, des affaires extérieures qui lui apparaissent dans les premiers temps comme un « monde inconnu et mystérieux ». Quand règne le tripartisme, associant au pouvoir communistes, socialistes et MRP, Courtin comprend, malgré ses inquiétudes personnelles, que le Monde ne puisse pas se permettre d'afficher d'hostilité envers le stalinisme. Mais, après 1947, après le départ des ministres communistes et avec la naissance de la guerre froide, Courtin croit trouver l'occasion d'un choix clair

1. On en trouvera la liste complète en annexe à la thèse citée de Jean-Michel Rousseau sur Courtin, p. XIII à XXIV.

et les moyens d'aider au « redressement » nécessaire. Écoutons ici encore son témoignage : il n'est pas indifférent d'observer comment, au moment où va s'engager le conflit, il le considère.

« Nous discutions chaque matin alors des perspectives futures. Je fus atterré en comprenant que si la Russie et les États-Unis devaient un jour se séparer, et si un choix devenait nécessaire, le sien ne ferait aucun doute : il irait du côté de la Russie. Je pèse mes mots en écrivant ces lignes : si besoin était, des témoignages aussi irréfutables et aussi précis que le mien ajouteraient une confirmation de ces dires. Mais ce propos a besoin d'être explicité.

» Beuve-Méry souhaite que la France conserve son indépendance et que la tension actuelle soit pour cette grande pécheresse une occasion de redressement moral, politique et social. Il n'est pas stalinien, et n'a pour le régime russe aucune sympathie. Mais il a une haine plus forte encore pour la civilisation américaine. Mieux vaudrait encore la Russie que les États-Unis. La Russie est odieuse mais elle n'est pas totalement méprisable. Elle est pauvre, elle a le sens de l'effort désintéressé, du travail anonyme et communautaire. Elle apporterait ainsi l'Épreuve.

» Écrasée sous le totalitarisme, la France parviendrait sans doute à sauver son âme. Comme au Moyen Age, pendant des siècles ou des millénaires, l'esprit trouverait abri dans quelques monastères où il s'épurerait jusqu'à devenir pure flamme. Cet esprit est immuable. Il finirait par embraser toute la société et [par] faire jaillir une nouvelle civilisation plus haute que toutes celles portées jusqu'ici par la terre. Un protectorat américain achèverait au contraire de nous perdre dans l'individualisme, l'égoïsme, le mercantilisme, c'est-à-dire la mort de l'âme.

» Cette politique, si étrange soit-elle, marque une continuité. C'est ce masochisme qui déjà en 1940 l'avait conduit à Uriage pour appuyer la Révolution nationale d'où devaient jaillir des valeurs communautaires sans comparaison avec la liberté formelle que prétendait apporter une Résistance aux vues courtes, animée par des politiciens médiocres qu'il méprisait. »

On peut certes discuter la pertinence de l'analyse que Beuve-Méry dit aujourd'hui « absurde et inacceptable »..., mais non pas la conviction qui l'anime. Le heurt des deux tempéraments, désormais, se durcit d'une divergence majeure sur l'avenir du pays.

Beuve-Méry, en face, ne s'irrite pas moins des scrupules, des critiques, de la concurrence de celui dont il parle à Duverger comme d'un « hanneton bourdonnant[1] » dont le harcèlement constant l'irrite et le lasse...

Dès la fin du printemps 1946, René Courtin a décidé de consacrer une bonne part de son activité à une croisade pour l'Europe unie[2]. En juillet 1947, il est, avec Duncan Sandys, Coudenhove-Kalergi et Henri Brugmans, l'un des fondateurs du Mouvement européen, et devient son délégué général pour la France. En mai 1948, il est rapporteur pour les questions politiques au congrès de La Haye qui obtient pour 1949 la création du Conseil de l'Europe, et dès lors il utilise les colonnes du *Monde* pour faire campagne en faveur d'une Europe unie qui se fasse sous l'aile des États-Unis en attendant, à terme, de pouvoir peut-être un jour se poser comme un partenaire à égalité[3].

Beuve-Méry, d'abord, laisse faire Courtin sans l'appuyer. Mais voici qu'est lancée, au début de mars 1949, la campagne « neutraliste » d'Étienne Gilson, à qui Beuve-Méry, nous l'avons vu, apporte bientôt un explicite soutien.

Courtin, d'emblée, en est profondément blessé. Il proteste. Une scène violente[4] l'oppose à Beuve-Méry. Au dîner des associés, le 23 mars 1949, la tension est vive. Il croit obtenir que la campagne « neutraliste » baisse d'un ton, mais bientôt elle reprend de plus belle. Tout en se donnant parfois « le luxe » (c'est l'expression de Courtin) de laisser place à des avis contraires, Beuve fait développer ses thèses par des plumes extérieures, comme celles de Duverger ou de Maurice Vaussard, et par ses « boy-scouts » fidèles, Georges Penchenier et surtout André Fontaine, le jeune chef du service étranger.

A la rentrée d'octobre 1949, les explications les plus orageuses

---

1. Maurice Duverger, *L'Autre Côté des choses*, Paris, Albin Michel, 1977, p. 124.
2. Il dit en avoir eu brusquement « la vision » au printemps de 1946, à la sortie d'un dîner avec André Istel. Sur la doctrine européenne de Courtin, on trouvera d'utiles informations dans la thèse citée de Jean-Michel Rousseau, p. 230-318.
3. Voir les analyses de Chatelain, *op. cit.,* p. 75 *sq.*
4. Le récit de Courtin est ici malheureusement interrompu, mais on peut tirer quelques renseignements des notes télégraphiques qu'il avait prises pour préparer la suite qui n'a jamais été rédigée.

reprennent entre Beuve-Méry et Courtin [1]. Dès lors, plus que jamais auparavant, on va voir mise en pleine lumière la plus grande faiblesse de Courtin : n'être pas prêt à prendre lui-même la place de Beuve-Méry, et que celui-ci ne l'ignore pas. A la fin de juillet, au surplus, Courtin s'est fait mettre en congé de six mois du journal, dans l'intention d'avancer des travaux personnels, de travailler davantage pour l'Europe et surtout de prendre du champ par rapport au contenu du *Monde,* pour en mieux juger [2]. Mais sa faiblesse en est accrue.

Courtin sur l'Aventin

Le 24 octobre 1949, Courtin annonce à Beuve-Méry qu'étant donné la double évolution du contenu du journal et de son mode de gouvernement il s'oriente vers un départ définitif au 1er janvier 1950. Mais voici que le soir même, et le lendemain, il trouve dans *le Monde* des articles de Duverger et de Pierre Emmanuel qui lui paraissent « abominables [3] ». Maurice Duverger écrit notamment : « Le jour où les Français verront clairement que le drapeau libéral recouvre un égoïsme social pur et simple, un profond déplacement d'opinion pourrait s'accomplir... » Mais il y a plus grave, aux yeux d'un Courtin : il juge révoltants les termes que Pierre Emmanuel emploie pour parler des États-Unis, dans des articles où il développe sa réflexion sur l'avenir de la planète et la nécessité d'une Europe autonome, en renvoyant à peu près dos à dos URSS et Amérique. Pierre Emmanuel part d'une information récente selon laquelle « Washington souhaite voir se former un front unique de l'Église orthodoxe contre le communisme, et le décider à suivre l'exemple du Saint-Office décrétant les communistes d'excommunication ». Nou-

1. La source essentielle est la correspondance des deux hommes (Archives H. B. M. et René Courtin, qui se complètent).
2. Courtin a publié 38 articles du 1er janvier au 30 juillet 1949. Ensuite, il ne donne plus au journal que 2 articles seulement datés du 8 septembre et du 1er décembre.
3. Maurice Duverger, « Le cloaque », 26 octobre 1949, Pierre Emmanuel, « Amérique impériale » et « Où est notre Dieu? » (deux derniers d'une série de quatre articles sur le rôle mondial de l'Amérique), 25 et 26 octobre 1949.

velle qu'il commente ainsi : « Nul n'a l'idée d'esquisser un sourire en voyant l'ancien marchand de bretelles se muer en défenseur de la foi. " Hello pope! ", dit M. Truman. Tout est dans l'ordre : le futur pape pourrait être américain — tout ce qui n'est pas communiste est nécessairement américain... » Puis il développe un tableau très sombre de l'Amérique, en proie à la hantise du sexe, et au péril totalitaire du FBI, deux « fascinations-terreurs » contre lesquelles « l'Amérique se cherche en vain un centre ». Car « aucun peuple ne ressemble moins à son gouvernement, et c'est grave. Ce manque de sens politique le prédispose au fascisme : il s'y dirige sans s'en douter. Parce qu'il a gagné la guerre, sa force est aux mains de l'armée, qu'il redoute mais subit, car elle sait faire sa propagande par la peur. Le FBI tient toute son importance de la guerre. Personne n'ose s'y attaquer, pas même le président. Une force occulte se constitue qui pourrait un jour n'avoir plus grand-chose à envier aux diverses Gestapos européennes. Le peuple américain en a peur : de cette peur naît une mauvaise conscience qui se voit partout, qui racornit la liberté dont il est si fier parce qu'il est en train de la perdre... » Et il conclut sur cet appel à la fois vigoureux et vague : « Par peur de lui-même ce peuple s'imposera-t-il un corset de fer — un fascisme américain? M. Murphy trouve Franco charmant : toute l'Amérique pensera-t-elle un jour comme M. Murphy? Peut-être l'Europe a-t-elle son mot à dire là-dessus. Qu'elle le dise donc tout de suite, et fort! »

De tels propos sont faits pour émouvoir toute la « droite libérale », une émotion qu'exprime vigoureusement Paul Claudel, en tant que président de l'Association France-États-Unis, dans une lettre indignée au journal[1].

Courtin, sous l'effet du choc, remet en cause sa décision première, consulte autour de lui et conclut que, selon les termes de son explication à Beuve-Méry, « la solution qu'il envisageait, en apparence honorable, était en fait peu courageuse ». Car, écrit-il, « je me bornais, de façon assez pharisienne, à ne plus mêler mon nom et ma personne à une politique que je déplorais, alors que j'avais le devoir de résister dans toute la mesure de mes forces pour défendre [mes] idées... ». N'est-il pas plus logique d'informer, avant

1. *Le Monde*, 28 octobre 1949.

toute décision, les associés réunis en assemblée générale des motifs d'un départ éventuel, pour qu'ils en apprécient l'opportunité, au lieu qu'ils soient mis en face du fait accompli?

Le 25 octobre 1949, Courtin rend visite à Pierre-Henri Teitgen pour lui demander un conseil. Mais Teitgen dit souhaiter un délai de réflexion, délai dont Courtin pense avoir la clef quand il apprend, le lendemain matin, que Teitgen est nommé ministre d'État chargé de l'Information dans le nouveau gouvernement qui vient d'être formé par Georges Bidault. Le 4 novembre 1949, Teitgen prévient d'un mot Courtin qu'il ne se sent pas en mesure, dans sa position nouvelle, d'assurer une médiation — et il le renvoie à Joannès Dupraz, qui fut naguère le parrain du journal à sa naissance [1]...

Les jours qui passent laissent ainsi se développer entre Beuve-Méry et Courtin — qui, comme il fait souvent, est parti pour sa maison de la Drôme — une correspondance qui résume avec une parfaite clarté les deux points de vue, le malentendu d'origine et le heurt des deux caractères inconciliables.

« Comme je vous l'ai dit, écrit le 5 novembre Beuve-Méry à Courtin, je comprendrais — quoique bien à regret — que vous ne vouliez plus couvrir de votre nom des textes qui n'ont pas votre approbation. Je comprendrais aussi, s'il le faut, que vous jugiez nécessaire de mettre nos associés en demeure de choisir entre vous et moi ou plus exactement entre vos conceptions et les miennes pour parer aux reproches, évidemment injustes, que certains pourraient vous adresser. Convenez que, de mon côté, la situation serait alors la même, bien aggravée cependant du fait que, depuis les débuts, j'ai porté, bien ou mal, la responsabilité du journal.

» Et pour nous deux le risque serait grand de voir le journal tomber rapidement entre les mains d'affairistes et de politiciens dont vous avez aussi horreur que moi.

» Quant au comité de direction, on peut certes imaginer, en dehors de la conférence tenue chaque matin, une sorte de conseil qui fixe à intervalles plus ou moins espacés la politique du journal. Mais à quoi pourrait bien servir ce conseil s'il ne faisait que reproduire nos propres discussions et si la décision n'émanait pas, finalement,

---

1. Teitgen à Courtin (Archives René Courtin).

d'un homme devenu par là même le véritable responsable et donc le véritable directeur du journal?... »

A quoi Courtin répond, le 9 novembre : « ... Il est bien vrai en effet que vous avez porté depuis le début la responsabilité du journal et je pense que tous savent et sauront reconnaître l'extrême mérite de votre gestion. Mais je persiste à penser que le rôle prépondérant que vous avez occupé jusqu'ici, et que vous conserverez, j'espère, dans l'avenir, ne vous autorisait pas à mener une politique personnelle qui n'a cessé de s'infléchir depuis plusieurs mois dans un sens que je juge déplorable. Si vous avez été seul, c'est que, contrairement aux conditions de l'association, vous n'avez tenu aucun compte de mes avis, de mes réserves et de mes critiques. Il serait donc excessif que vous fassiez état, pour défendre votre position, d'une situation contre laquelle je n'ai cessé de protester depuis le premier jour et que j'ai subie de façon fort pénible tant qu'elle était politiquement acceptable [...]. Si vous croyez vraiment impossible un accord qui se bornerait à reconstituer un équilibre primitivement prévu par le gouvernement au moment de la constitution du *Monde,* alors il est impossible de ne pas aller devant les associés qui décideraient... »

La balle revient bientôt, sèchement : Beuve-Méry ne bouge pas d'un pouce de sa position, et il réplique, le 14 novembre : « Depuis près de cinq ans, nous nous sommes fait de mutuelles concessions qui, naturellement, nous coûtaient beaucoup à l'un et à l'autre, mais nous estimions que notre bonne entente et l'intérêt du journal méritaient bien ces sacrifices. Si nous n'arrivons plus à maintenir ce régime, je vois assez mal l'utilité d'un nouveau comité de direction [...]. La difficulté serait déplacée mais non résolue. Il s'agirait toujours, en définitive, que nous tombions d'accord vous et moi... »

Dès ce moment-là il n'y a plus de compromis possible. On le voit bien lorsque Courtin se résout à suivre le conseil de Teitgen et à faire appel à Dupraz : un dîner réunit les trois hommes, le jeudi 15 décembre 1949. Beuve-Méry, loyalement, a refusé de voir Dupraz en tête à tête auparavant[1]. Dupraz serait bien en peine, à supposer qu'il le souhaite sincèrement, de trouver un terrain

1. Lettre manuscrite de Dupraz à Beuve-Méry, 8 décembre 1949, et réponse de Beuve-Méry à Dupraz, 12 décembre (Archives H. B. M.).

d'entente. Et dès lors, comme avait fait déjà Teitgen en janvier 1945, il donne raison à Beuve-Méry. Certes, il lui reproche de ne pas avoir publié assez de tribunes libres allant dans le sens de l' « atlantisme », mais enfin il estime que la réussite du journal est d'abord le fruit du labeur de Beuve-Méry. A lui seul il appartient d'assumer la direction du journal, le rôle de Courtin se bornant, sur le plan général, à des conseils préalables et à d'éventuelles critiques *a posteriori*. Courtin ne peut prétendre, selon les termes mêmes de Dupraz [1], qu'au rôle que joue le Conseil de la République aux côtés de l'Assemblée nationale...

En vain, Dupraz demande à Courtin de surseoir trois mois à sa décision pour se ménager le temps de réfléchir. Dès le surlendemain, ce dernier tire la conséquence logique de l'entrevue en annonçant à Beuve-Méry son départ définitif du *Monde*. Et il commente : « Si les États-Unis, écœurés de la façon dont nous les remercions de leur aide, abandonnent l'Europe et la France à la misère, au désespoir et au bolchevisme, *le Monde,* Gilson, Pierre Emmanuel, Escarpit et vous-même en porterez une part de responsabilité — mais pas moi... » Courtin demande que disparaisse son nom de la manchette du journal au plus tard à compter du 1er janvier 1950 : ce sera chose faite ponctuellement, le fantomatique Funck-Brentano étant emporté, bon gré mal gré, dans la même charrette.

L'affaire peut paraître close. En fait, ce n'est qu'un prologue. Courtin reste associé du journal, accompagné de deux amis fidèles, et au fond il regrette de n'avoir pas porté l'affaire devant l'assemblée générale : puisqu'il avait accepté d'avance l'arbitrage de Dupraz, sa loyauté a jugé impossible de ne pas s'y plier dès lors que la décision lui était défavorable. La tentation n'en demeure pas moins de recourir un jour aux associés si quelque nouveau haut-le-cœur le saisit devant les prises de position du *Monde*. Tentation d'autant plus grande qu'entre-temps le fossé d'amertume s'est creusé entre les deux protagonistes de décembre 1949.

Non sans lucidité Beuve-Méry avait écrit à Courtin dès le 14 novembre 1949 : « ... Il est trop aisé de prévoir comment évolue presque fatalement ce genre de querelle. Amicale au début, puis

---

1. Propos rapportés par Courtin lui-même dans une lettre du 17 décembre 1949 à Dupraz (Archives René Courtin). Le récit de ce dîner est complété par l'entretien avec Dupraz, 1977.

simplement courtoise, la controverse prend bientôt un tour plus ou moins vif. Des échos parviennent au-dehors. Quand une galerie s'est formée avec des " supporters " de part et d'autre, l'amour-propre s'en mêle inévitablement. La discussion tourne alors au combat pour la joie ou l'écœurement des spectateurs. Si par malheur nous commettions la faute d'en arriver là, ce serait au profit de tout ce que, ensemble, nous détestons le plus... »

Et, en effet, deux notes adressées par Courtin, qui souhaite expliquer son départ, aux associés, d'une part, et à divers amis de l'extérieur, d'autre part, provoquent un nouvel échange de lettres où le ton monte, où la passion, cette fois-ci, affleure plus près encore de la surface. Les mots que l'on se renvoie, de plus en plus aiguisés, sont faits pour aviver les blessures et les rendre plus durables.

Dès le 17 décembre, Courtin écrivait à Beuve-Méry dans sa lettre de démission officielle : « Laissez-moi [...] vous exprimer mes inquiétudes : vous avez fait le vide autour de vous en écartant ou en décourageant, consciemment ou inconsciemment, tous ceux qui étaient susceptibles de vous résister ; et aucun homme n'est à même de subir victorieusement l'épreuve d'un pouvoir sans limites... »

Dans sa note aux associés, non seulement il reproche à Beuve-Méry de faire courir au journal « le risque d'être éliminé par un concurrent n'ayant pas son indépendance et inspiré par des éléments vichystes », mais il évoque en ces termes acerbes — après avoir rendu un nouvel hommage à l'œuvre accomplie — la personnalité de son adversaire :

« M. Beuve-Méry est un autocrate qui ne souffre auprès de lui aucune personnalité indépendante. Il est ainsi parvenu, consciemment ou inconsciemment, à écarter ou à décourager tous ceux qui étaient susceptibles de lui résister.

» Il est en même temps d'un caractère désabusé et pessimiste et considère que la partie engagée par la France est perdue d'avance. Le libéralisme économique est pour lui un dogmatisme désuet qui provoque ses sarcasmes ou sa colère.

» Enfin, il témoigne d'un mépris universel des hommes auquel se joint une méfiance particulièrement pour tous ceux, hommes et peuples, qui réussissent. Cette remarque rejoint la première. Il ne peut collaborer qu'avec ceux qu'il domine, d'où l'atmosphère pesante qui règne dans les bureaux du journal.

» Dans ces conditions, *le Monde,* au lieu d'être pour l'opinion française, un élément tonique, constitue au contraire un instrument de démoralisation qui, jour après jour, ferme les portes à l'espoir... »

Ce qui lui vaut de recevoir de Beuve-Méry la réponse suivante, datée du 7 janvier 1950 :

« Cela devait arriver et j'avais pris la liberté de vous en prévenir il y a environ un mois.

» Exposer nos divergences sur des questions économiques ou politiques, matières éminemment sujettes à discussion, n'a pu longtemps vous suffire. L'argumentation juridique n'étant pas davantage concluante, vous avez cherché des justifications d'ordre moral. Vous posant en victime, vous avez retenu ce que vous pouviez avoir eu à souffrir par moi et négligé tout ce que j'avais souffert par vous. Et pour vous assurer d'une meilleure conscience vous n'avez reculé, me blessant jusqu'à l'âme, ni devant la contre-vérité flagrante, ni devant l'allusion perfide [...].

» Avant tout, il faut être logique. Puisque tel est " le fond de votre pensée ", puisque *le Monde* est, entre mes mains, " un instrument de démoralisation ", puisque " l'attitude du *Monde* ne peut que décourager les États-Unis et les pousser à abandonner l'Europe et la France à la misère, au désespoir et au bolchevisme ", puisque, par ma faute, le journal risque d'être " éliminé " au profit d'un concurrent vichyste, vous avez le *devoir strict* de m'en empêcher. Pourquoi n'avoir pas accepté de prendre la barre quand, tant de fois, je vous l'ai offerte? Pourquoi avoir toujours écarté, quand je la suggérais, l'idée d'une dissolution volontaire de notre association si, décidément, nous ne pouvions plus nous entendre? Il vous reste aujourd'hui à obtenir qu'on me retire un poste où je peux faire trop de mal mais non, bien entendu, à mener une agitation qui ne peut que profiter à nos adversaires communs. Vous savez très bien que je ne peux moralement pas — si grande envie que j'en aie parfois — reprendre ma liberté contre l'avis de tous ceux qui ont voix au chapitre y compris — jusqu'ici — le vôtre. A vous donc de provoquer la décision nécessaire. Vous savez que j'abandonnerai l'œuvre qui m'a dévoré depuis cinq ans avec peine sans doute mais aussi avec un immense soulagement.

» Quant à mon " mépris universel des hommes " — pardonnez ce qui me reste de naïveté —, je vous croyais absolument incapable de signer à tête reposée et de distribuer un tel document.

» Je ne puis que vous dire toute ma tristesse. »

Cette correspondance se clôt provisoirement, le 25 janvier 1950, par une dernière réponse de Courtin, où il propose notamment cette piquante rectification à ses propres commentaires : « Je reconnaîtrai que ma forme a dépassé ma pensée lorsque j'ai parlé de votre mépris *universel* des hommes : c'est mépris général que j'aurais dû écrire. Vous m'avez trop souvent parlé avec amertume et dégoût des chefs de la Résistance d'abord, de la totalité des hommes politiques ensuite, puis de la plupart des rédacteurs du journal (des plus anciens surtout), des ouvriers de l'imprimerie, de nos confrères, de mes amis sinon des vôtres, pour que je puisse avoir de votre pensée une opinion différente. Il est vrai par contre que vous avez une sympathie très chaude pour les humbles et pour les malheureux : mais cette sympathie témoigne de votre générosité et de votre charité souvent apitoyée plus que de votre estime. Ma formule était donc à peine forcée... »

Quand un désaccord oppose des personnalités aussi fortes et aussi entières que celles de Beuve-Méry et de Courtin, il est difficile de faire le départ entre ce qui relève de l'incompatibilité d'humeur et ce qui a trait au heurt des idées. Bien vite, en tout cas, la discussion prend la forme d'un débat de fond, où d'autres personnes sont impliquées.

L'affaire Gilson

Commencée, nous l'avons vu, en 1949, la campagne neutraliste de Gilson prend fin brutalement le 7 septembre 1950. Sous le titre « Un échec », le grand historien du thomisme se voit contraint de constater que, conformément à ses prévisions, la notion de neutralité est trop contraire à la tradition française pour que son plaidoyer ait quelques chances de réussite. Mieux : on l'a déformé complètement en faisant de lui un adepte du désarmement unilatéral. Il conclut de façon désabusée : « Évidemment, l'idée d'une

Europe assez forte pour rester libre de sa politique et garder la liberté de ses armes n'entre pas dans une tête française. On ne peut qu'en donner acte à l'opinion publique maîtresse responsable en fin de compte des destinées d'une démocratie. Voilà qui est fait. »

Cette prise de congé accompagnée de l'expression du plus noir des pessimismes a quelque chose en somme de très gaullien[1]. Si la campagne Gilson est terminée, l'affaire Gilson, elle, commence. Car, sur ces entrefaites, Étienne Gilson, qui a dépassé l'âge de soixante ans et qui compte plus de trente ans d'enseignement, fait valoir ses droits à la retraite; demande automatiquement accordée dans ces conditions et parue au *Journal officiel* du 11 janvier 1951 : il a en effet décidé de consacrer ses dernières années d'enseignement au Centre d'études médiévales de l'université de Toronto (Canada) qu'il a contribué à fonder, et auquel depuis vingt ans il a donné chaque année une série de cours prestigieux. Mal interprété des journalistes qui qualifient cette installation au Canada de départ sans retour de la France, l'affaire est attisée par la publication dans l'hebdomadaire catholique de New York *Commonweal* (fin janvier 1951) d'une lettre ouverte à Gilson, bientôt reprise dans la presse française. Cette lettre est l'œuvre de Valdemar Gurian, lui-même professeur de sciences politiques à l'université Notre-Dame (Indiana), qui a successivement émigré de la Russie soviétique et de l'Allemagne nazie. Gurian est un anticommuniste décidé. Selon lui, lors de quatre conférences sur Duns Scot prononcées par Étienne Gilson à Notre-Dame, celui-ci aurait, dans des conversations privées, tenu les propos les plus défaitistes sur la France, incapable de se défendre et promise à l'invasion soviétique. Et Gurian l'accuse de saper la résistance, d'organiser la panique et de desservir son propre pays aux États-Unis.

Sommé de donner des précisions sur ces accusations, Gurian devra convenir qu'il n'a pas lui-même entendu ces propos; il ne trouvera personne pour les confirmer, et l'affaire tournera à sa confusion. Mais en attendant, en France, quel charivari! La publication par *le Figaro littéraire* de la lettre ouverte de Gurian est

---

1. Commentant dans *le Monde* du 22 septembre 1978 la mort d'Étienne Gilson survenue le 19, André Fontaine use du même adjectif pour qualifier ce passage. Il conclut qu'à propos de cette affaire « la bassesse l'avait constamment disputé à la passion ».

le signal d'un extraordinaire déchaînement où, à travers la personne d'Étienne Gilson, c'est le journal qui l'a publié qui se trouve visé. Notons d'abord — fait exceptionnel dans les annales du Collège de France — que le 17 février 1951, par 16 voix pour (alors qu'il en faut 17) contre 9, et 7 bulletins marqués d'une croix, les collègues de Gilson refusent de le nommer professeur honoraire. Il est possible que ce geste traduise la mauvaise humeur, tout universitaire, d'un certain nombre de professeurs qui reprochent à leur collègue de trop négliger le Collège de France au profit du Canada. Mais, dans le contexte du moment, cette marque de défiance prend nécessairement une coloration politique. D'autant plus que la presse de droite parle de « fuite », comme si la France était en guerre, de « trahison » comme si Gilson avait livré des secrets militaires aux Russes. C'est, ne l'oublions pas, l'époque du maccarthysme.

Ainsi, *Aspects de la France,* qui a interrogé un certain nombre de personnalités, a obtenu les réponses suivantes :

Jean Paulhan : « Il me semble que M. Gilson s'est rendu très précisément coupable du crime de trahison » ; le colonel Rémy parle de « sanctions » à faire prendre par les organes officiels issus de la Résistance ; Gabriel Marcel parle d'une « sécession » « toute proche de la trahison » ; Daniel Halévy pense qu'il a été pris par la « panique »...

Dans *Carrefour* (20 février 1951), le Pr Valléry-Radot qui a lu dans *le Journal de Genève* que Gilson ne voulait plus remettre les pieds en France — ce qui est complètement faux — déclare que M. Gilson s'est exclu de la communauté française et demande sa déchéance de l'Académie française en raison de sa lâcheté : « Cela est abominable », cependant que Lucien Febvre prétend se retrancher, en historien, derrière l'examen des textes exacts. Il n'en déclare pas moins que si Gilson a effectivement prononcé les paroles qu'on lui prête, alors la décision du Collège de France est justifiée.

Pierre Boutang, dans *Aspects de la France* (2 février 1951), dénonce les « lâches sophismes » de MM. Gilson et Beuve-Méry et propose comme sous-titre au *Monde* : « De la résistance à la capitulation. »

De son côté, Alfred Fabre-Luce signale dans *Rivarol* du 1er mars 1951 que M. Pleven, exaspéré d'avoir été poursuivi pendant son voyage aux États-Unis par le fantôme de M. Beuve-Méry, menace *le*

Monde d'une restauration du *Temps.* C'est l'annonce de la crise qui va éclater quelques jours plus tard.

On remarque en tout cas le zèle particulier de la presse d'inspiration vichyste, ravie de prendre sa revanche en accusant des résistants comme Beuve-Méry et Gilson de « défaitisme ». Mais on note aussi, le 31 janvier, un article de Robert Tréno dans *le Canard enchaîné :*

« Ugolin mangeait ses enfants pour leur conserver un père ; vous, vous partez pour conserver une élite à la France. Merci M. Gilson... Good-bye Mr. Gilson. »

A partir du mois de mars, la tempête s'apaise. Gilson, qui dans une lettre personnelle à Hubert Beuve-Méry déclarait (12 mars 1951) : « Je me suis toujours tenu pour un fonctionnaire de l'enseignement public comme les autres, libre de demander sa retraite en temps voulu et de faire de ses loisirs l'usage qui en convenait », n'interviendra plus dans le journal. Cependant que, le 10 mars, le directeur du *Monde,* qui pour l'occasion signe de son nom, met un point final : « Sauf fait nouveau, l'affaire Gilson paraît close à la confusion des accusateurs [1]. »

Et de dénoncer la tentative d' « assassinat moral » commise sur la personne d'Étienne Gilson. Mais c'est lui, Beuve-Méry, qui va désormais se trouver au centre de la polémique.

---

1. En 1956, le Collège de France conféra à Étienne Gilson l'honorariat avec cinq années de retard. Marcel Bataillon écrivait alors au *Monde* que « l'absence du nom de ce grand savant sur la liste de nos professeurs honoraires était encore plus regrettable pour le Collège de France que pour M. Gilson lui-même... » (André Fontaine, *loc. cit.*).

CHAPITRE IV

La crise de 1951

L'affaire Gilson est close le 10 mars 1951 par l'article de Beuve-Méry. Moins d'une semaine plus tard commence, avec une nouvelle initiative de Courtin, la grande crise qui va décider de l'avenir du journal. Apparemment les deux épisodes s'enchaînent ; ils participent de la même querelle ; ils revêtent souvent une tonalité analogue. Rien pourtant n'autorise à établir une relation directe entre eux. Seulement, Courtin se rendait bien compte que « l'effacement volontaire de Gilson depuis septembre 1950 n'avait nullement mis fin à la campagne neutraliste dans le journal ». Il est possible en outre que les attaques lancées contre le défaitisme du *Monde* à propos de la « désertion » d'Étienne Gilson lui aient donné assurance et encouragement. Il était loin d'être seul à juger sévèrement les positions du journal en matière de politique étrangère ; portée à un moment où celui-ci se trouvait affaibli par la récente polémique, son attaque trouverait certainement à l'extérieur un écho amplifié.

En réalité, il est possible d'établir aujourd'hui que la décision de principe de Courtin a été prise dès le début de l'année. Le 8 janvier 1951, en effet, il écrit à sa femme : « Long bavardage avec Michel Debré qui voit la situation très grave, mais moins sur le plan de la guerre froide que de la guerre chaude. Il nous voit lâchant les Américains pour constituer un gouvernement de Front national. Mendès France, Léo Hamon pousseraient à cette politique qui serait sûrement appuyée par *le Monde*.

» Il y a donc là un danger effroyable, en sorte qu'en accord avec mes amis j'ai décidé de prendre avec Dupraz le rendez-vous qui m'avait été proposé par ce dernier pour voir si, comme Menthon,

Teitgen et Bidault, il considérait le départ de Beuve comme indispensable et prendrait les mesures aboutissant à ce départ. Ce sont de terribles et dangereuses responsabilités que je prends ainsi, mais je ne pense pas avoir le droit de me dérober... »

Et, quatre jours plus tard, le 12 janvier, il écrit ces lignes importantes : « Je veux seulement t'indiquer la grande et terrible nouvelle attendue depuis longtemps : Dupraz vient de me téléphoner pour me dire que Beuve-Méry ne pouvait plus continuer. La décision de principe est donc acquise et les modalités pratiques seront étudiées jeudi prochain [1]. »

Le 16 mars 1951, Courtin, Funck-Brentano et Fromont mettent au point une lettre recommandée pour Beuve-Méry où ils le requièrent, en application des statuts, de soumettre à la prochaine assemblée générale le projet de résolution suivant : « Le comité de direction, composé de MM. Hubert Beuve-Méry, René Courtin et Christian Funck-Brentano, est reconstitué. Ce comité fixera à la majorité l'orientation politique du journal et statuera dans les mêmes conditions sur l'opportunité de publier ou de rejeter les articles dont l'insertion sera proposée par le directeur ou par un des deux autres membres du conseil de direction. »

Depuis décembre 1949, Courtin avait gardé au fond de lui-même le regret d'avoir renoncé sans utiliser les voies légales. Il demeurait sensible au reproche caractéristique que Wilfrid Baumgartner avait fait à l'époque, parmi d'autres, lui écrivant amicalement : « Je comprends ta décision. Je la regrette encore un peu. Il était plus loyal de partir. Il était peut-être plus utile de rester [2]. »

Quoi qu'il en soit, le fer est lié. Et aussitôt voici qu'à nouveau surgit Dupraz. Son rôle s'annonce essentiel — à la fois parce que ses amis de l'assemblée générale peuvent faire la décision, selon le camp où ils se portent, et parce que les assaillants voient désormais en lui, si Beuve-Méry s'obstine et s'ils triomphent, le prochain directeur du journal.

Comment va-t-il réagir? Avec la grande prudence qui lui est propre en toutes circonstances. Quand Courtin et Funck-Brentano le préviennent de leurs intentions et de leur souhait, il s'efforce, une

---

1. Archives René Courtin.
2. Baumgartner à Courtin, 17 janvier 1950 (Archives René Courtin).

fois de plus, de jouer les conciliateurs en les détournant d'en venir à pareille extrémité. Il promet de revoir Beuve-Méry ce même vendredi 16 mars, de lui prêcher la modération, puis de faire rapport à Courtin qui part le lendemain pour la Drôme. Sur quoi, le silence : le 17 mars, Courtin décide donc d'envoyer la lettre recommandée qui a été préparée [1].

En vain Funck-Brentano, plusieurs jours durant, tâche-t-il d'atteindre Dupraz au téléphone. Il n'y parvient que le mercredi 21 : et voici son récit à Courtin, qui peint bien une atmosphère, et l'incertitude d'origine qui, tout au long, va peser sur l'entreprise.

« [Dupraz] commence par s'excuser de ne pas vous avoir appelé dans la nuit de vendredi. Ses excuses vous étant destinées, je vous les transmets : le téléphone n'était pas branché dans sa chambre, il aurait dû réveiller sa vieille mère et il était deux heures du matin.

» De son entretien avec B[euve] (tenu au domicile de celui-ci), rien n'avait résulté : il n'était pas sorti des généralités de principe. Comme je rappelais qu'il s'agissait de recevoir une réponse à notre question bien précise, D[upraz] m'a répondu qu'il s'était trouvé avec Schloesing et Reuter, et que B[euve] était visiblement soucieux de chercher un point de dissociation dans le bloc des opposants.

» Vous imaginez que cette réponse m'a indisposé. Mais comme elle me fournissait une arme, puisque le seul bloc dissociable est celui des amis de D[upraz], je crois n'avoir pas mis trop d'ironie dans ma question : " Qu'en pensez-vous ? " Voici la réplique de D[upraz] : " Il m'était possible d'être plus ferme que je ne l'avais été chez moi, où me bridait ma qualité d'hôte. " La conclusion de B[euve] a été : " J'aurai donc tout le monde contre moi ? " J'ai répondu : " Bien sûr. "

» Je vous transcris littéralement les paroles de D[upraz] (que je lui ai fait répéter).

» Il était, par vous, au courant de l'envoi de notre projet de décision, et l'approuve. A ma question : " Elle sera donc votée par tous ? ", il m'a répondu : " Certainement, à moins qu'une contre-proposition de B[euve] ne reçoive notre consentement amiable. " Il

---

1. Détail donné par Courtin lui-même dans une lettre manuscrite du même jour à Beuve-Méry (Archives H. B. M.).

s'est douté, sans doute, que je sursautais à l'autre bout du fil, car il a ajouté aussitôt : " ... qui reviendrait exactement au même ".

» Vous savez qu'il ne se déplaît pas à la vision de choses qui seraient différentes tout en revenant au même.

» N'étant pas électeur en Touraine, je manque de subtilité et lui ai demandé de me dire quelles hypothèses il faisait. Il m'est apparu, clairement cette fois, qu'il n'en faisait aucune. " Sans doute pensez-vous, lui ai-je dit, à un protocole qui le lierait aussi étroitement que notre texte, puisque celui-ci est un minimum, mais lui épargnerait un désaveu et un vote pénible de l'assemblée générale. " Il y eut dans la bouche de D[upraz] quelques phrases " qui étaient juste la même chose qu'un acquiescement " [...]. Je vous fais part, en toute confiance, de mes agacements, mais ils n'ont apparu que sur mon invisible visage [1]... »

Le surlendemain 23 mars 1951, Dupraz rappelle Funck-Brentano pour lui transmettre une contre-proposition de Beuve-Méry. Avant même de la dire, il précise qu'elle ne sera certainement pas acceptée. Il s'agirait d'une réunion mensuelle des associés qui feraient, après coup, leurs observations... Jugeant « inutile d'épiloguer », Funck-Brentano répond par un « non catégorique » et pour Courtin il a encore ce commentaire : « Vous jugerez s'il vous convient de faire connaître par écrit à D[upraz] votre sentiment sur les propositions de B[euve]. Il ne serait pas mauvais, selon moi, de pousser dans les reins notre aboulique allié. Car il me semble qu'il s'agit bien de cela. Je crois qu'il désire ce que nous voulons mais est atteint de l'épidémie d'incapacité d'agir qui sévit partout [2]... »

Beuve-Méry, au reçu de la lettre recommandée, se contente de mentionner la requête dans une lettre datée du 24 mars et adressée aux associés — et le même jour il envoie une convocation à l'assemblée du 7 avril... sans que la question figure à l'ordre du jour. On joue à la petite guerre. Funck-Brentano, piqué au vif, écrit pour protester en rappelant au directeur du *Monde* que, « si les statuts donnent le droit à deux associés porteurs du quart du capital de soumettre une question à l'assemblée générale, ils interdisent par ailleurs à ladite assemblée de délibérer sur ce qui ne figure pas à son

1. Lettre manuscrite, vendredi 23 mars 1951 (Archives René Courtin).
2. Copie de la lettre, datée 27 mars (Archives René Courtin).

ordre du jour [1] »... Ce qui vaut à Funck-Brentano, dès le lendemain, un coup de téléphone de Beuve-Méry selon qui « l'assemblée n'a pas à délibérer sur une question de cette nature ». Donc « nous allons à la bagarre! », s'écrie Funck-Brentano, tout en commentant avec un optimisme excessif : « Beuve-Méry fuit la discussion. La fuite est l'attitude de qui se sait battu... » Et il conclut sa lettre à Courtin en « serrant sa main de vainqueur [1] »!

Un fragile compromis

C'est s'avancer beaucoup... Une fois de plus, Dupraz joue les intermédiaires compréhensifs, sinon quelque peu les Maître Jacques, et une fois de plus il sauve, en fait, la mise à Beuve-Méry.

Sur l'assemblée générale du 7 avril 1951, on ne dispose pas de compte rendu détaillé. Mais sa portée est bien claire. Certes, Beuve-Méry doit consentir, contre son intention première, à laisser discuter le problème posé. Mais c'est en vain que Courtin présente un projet de résolution que, d'accord avec Funck-Brentano, il a préparé et qui stipule que le comité sera reconstitué et doté de pouvoirs considérables : il se réunirait deux fois par semaine et trancherait à la majorité « toutes les questions relatives à la direction politique du journal, notamment a) aux nominations et avancements dans la rédaction, b) à la publication des articles de fond »... Pour permettre à ce comité d'être efficace, une salle serait mise à sa disposition « dans laquelle ser[aient] déposés a) le manuscrit des articles les plus importants, b) les épreuves de tous les papiers au fur et à mesure de leur établissement. Tout membre du comité de direction pourra s'opposer à la publication d'un papier jugé par lui litigieux et obtenir que ledit papier soit soumis au comité de direction »...

C'eût été là se promettre des affrontements permanents et enserrer Beuve-Méry dans un corset étroit. Celui-ci n'y saurait consentir. Avec l'appui de Dupraz, il obtient que l'unanimité se

1. Lettre du 23 mars citée.

fasse finalement sur une solution beaucoup moins contraignante, et surtout permettant de gagner du temps. Certes, on reconstitue un comité de direction, où entrera, aux côtés de Beuve-Méry, de Courtin et de Funck-Brentano, Joannès Dupraz lui-même. On se réunira chaque semaine — mais le texte adopté prévoit seulement que, « en cas de désaccord entre les membres du comité, l'assemblée des associés sera saisie du motif de ce désaccord et décidera à la majorité de la décision à prendre ». La décision finale est remise à plus tard. « En tout état de cause, les associés se réuniront à nouveau dans un délai de trois mois, afin de déterminer par un texte les conditions définitives de fonctionnement de ce comité de direction[1] ». Beuve-Méry écrit à ce propos à un ami très proche : « Évidemment je reconnais compétence aux associés pour s'occuper de la ligne du journal. J'avoue que, en équité tout au moins, je n'arrive pas à leur contester entièrement ce droit[2]... »

Mais, dès l'instant de cette décision, Courtin, pour sa part, se considère comme à nouveau défait. Il consent pourtant à signer l'accord : il garde l'espoir de démontrer en trois mois l'inefficacité du système. Et surtout, il attend les élections législatives qui vont intervenir en juin. Car les augures disent Joannès Dupraz menacé dans son département d'Indre-et-Loire. Si la chance de Courtin veut que Dupraz soit battu, celui-ci pourra, les mains libres, jouer au journal un rôle plus efficace, et en accepter la direction[3].

L'atmosphère de ces rencontres du jeudi est sinistre. « Beuve-Méry, raconte Dupraz aujourd'hui, sortait d'une armoire, d'un air las, quatre verres et une bouteille de quinquina, et on échangeait des propos gênés. De semaine en semaine, visiblement, en dépit de la modération de cette surveillance, l'exaspération de Beuve allait croissant[4]... »

René Courtin, de son côté, se persuade de la totale inefficacité du système. Il faut dire que, dès la première rencontre, le 19 avril 1951, il a dû constater tristement que Dupraz était décidément rebelle à le

1. Archives H. B. M.
2. Lettre sans date à André Joly, son jurisconsulte et son ami, accompagnant le texte de l'accord, dossier Joly remis après sa mort à Beuve-Méry (Archives H. B. M.).
3. Sur ces motivations, quelques notes cursives de Courtin pour la rédaction de son mémoire inachevé.
4. Entretien Joannès Dupraz.

soutenir à fond et à jouer son jeu : s'opposant en particulier à voir les articles de politique étrangère soumis au comité avant publication. Chaque jeudi Courtin arrive rue des Italiens avec les six derniers numéros du journal et, plus ou moins appuyé par Funck-Brentano, développe un long monologue critique. Une « orientation discrète » est donnée par Dupraz. Beuve offre d'un ton dégoûté, selon l'expression de Courtin, quelques « concessions purement verbales [1] ». Et cela recommence la semaine suivante... Bref, Courtin considère que, « sous une forme plus discrète et, partant, plus dangereuse, la même politique neutraliste et démoralisante » continue d'être suivie [2]. La situation est en vérité invivable : elle se dénoue le 12 juillet 1951.

Ce jour-là, comme il a été prévu trois mois plus tôt, l'assemblée générale de la Société du journal le Monde se réunit à nouveau. Quand Courtin entre en séance, il sait déjà que Dupraz — invité à titre d'observateur — ne se ralliera pas à sa thèse et donc que les voix que ce dernier peut entraîner (Schloesing, Broissia, Catrice) se prononceront contre le projet de réforme radicale. Au moins Courtin tient-il à prendre date. Avec l'appui de Funck-Brentano, il résume donc ses griefs politiques [3] et propose une fois de plus un projet de résolution qui reprend les dispositions avancées le 7 avril précédent. Il est battu par 110 voix contre 90 — celles de Christian Funck-Brentano, de René Courtin, de Pierre Fromont et de Jean Vignal. Un comité de direction nouveau est institué, incarnant l'accord de fait passé entre Beuve-Méry et le groupe de Dupraz : outre ces deux hommes, y figurent Jean Schloesing et, comme suppléant, André Catrice.

Pour ce coup, le camp défait est décidé à saisir l'opinion et à mettre l'affaire, pour la première fois, sur la place publique. Un premier texte rédigé par Courtin est complété par Funck-Brentano [4] et diffusé par l'Agence parisienne d'information, qui est liée au

1. Notes Courtin citées, et notes du même pour son intervention du 12 juillet 1951 (Archives René Courtin).
2. « Note sur la direction du journal le Monde communiquée par MM. René Courtin et Christian Funck-Brentano », 18 juillet 1951.
3. Notes pour son intervention (Archives René Courtin).
4. Les deux textes sont aux Archives René Courtin, avec une lettre de Funck-Brentano à Courtin du 20 juillet 1951 justifiant les quelques modifications — mineures — apportées, ce dernier étant dans la Drôme.

RPF. Un exemplaire de la note est envoyé de surcroît à tous les parlementaires [1] et aux principales rédactions des journaux parisiens.

Les deux hommes marquent hautement qu'ils « entendent dégager leur responsabilité à l'égard de la politique passée, présente et future du journal le Monde ». Leur déclaration est sans ambiguïté : « Ils estiment que le grand organe, constitué à l'heure de la Libération par un accord conclu entre divers éléments de la Résistance, avait pour objet, par-delà les intérêts de personnes et de partis, de servir une politique strictement nationale. Il leur apparaît que, par l'orientation donnée à sa politique et par les décisions qui viennent d'être prises, le Monde a cessé d'être fidèle à sa vocation. »

Courtin et Funck-Brentano ont eu d'autre part clairement le souci de bien marquer que la tendance MRP du journal a choisi de soutenir Beuve-Méry, donc sa politique étrangère. Souci que Funck-Brentano explicite quand il écrit à Courtin, pour se justifier d'avoir ajouté dans le communiqué le titre de Catrice, présenté comme « administrateur de l'Aube » : « Il est vrai qu'il y a dans notre note quelque chose d'offensif : nous nous refusons à couvrir la politique neutraliste, le MRP s'en charge. " M. Dupraz, député MRP, M. Catrice, administrateur de l'Aube " [...]. C'est là ce qui empêchera les personnes et les journaux liés au gouvernement de nous être sympathiques. C'est ce qui nous empêche sans doute de compter sur le Figaro et qui nous rend France-Soir désagréable. S'il y eut maladresse politique, elle est là. Nous le savions bien : vous l'avez écrit, je vous en ai approuvé et vous en approuve parce que nous ne nous sommes, ni vous ni moi, jamais mis sur le terrain de l'habileté politique [2]... »

Dans la presse parisienne, la note du 18 juillet trouve en effet peu d'écho, que ce soit pour la raison donnée par Funck-Brentano ou parce que l'approche du mois d'août engourdit les attentions, ou encore parce que, aux yeux des observateurs superficiels, la défaite de Courtin était apparue acquise dès la fin de 1949 et que ce nouveau départ ne pouvait faire événement [3]. Le Monde lui-même s'est gardé de mentionner l'épisode.

1. Selon le New York Herald Tribune du 15 août 1951.
2. Lettre du 20 juillet 1951 à Courtin, citée (Archives René Courtin).
3. Brèves mentions dans l'Aurore du 20 juillet, France-Soir et Paris-Presse du 21 juillet 1951.

Le coup de théâtre qui survient quelques jours plus tard va rencontrer un tout autre retentissement : il ne s'agit de rien de moins que de la brutale démission de Beuve-Méry.

Beuve-Méry démissionne

Que la note du 18 juillet 1951 ait été péniblement ressentie par l'équipe dirigeante du *Monde,* en témoignent assez les trois lettres de protestation adressées à Courtin par Robert Gauthier, Jacques Fauvet et André Fontaine : ils reprochent à Courtin d'ignorer la réalité pratique de la confection d'un journal en préconisant un contrôle collégial *a priori.* Ils lui reprochent de n'avoir pu consacrer au *Monde,* pris qu'il était par des tâches diverses, que la moitié de son activité. Robert Gauthier précise à ce propos : « Je passe sur la dérision qu'il y a à mêler M. Funck-Brentano à l'affaire : elle mérite à peine d'être relevée. Je puis en effet porter témoignage que, depuis le milieu de 1945, M. Funck-Brentano a limité sa collaboration au *Monde* à des visites de plus en plus brèves et de plus en plus espacées. Il y eut naguère un scandale : que M. Funck-Brentano acceptât si longtemps de percevoir des appointements pour un travail que, non seulement il n'effectuait pas, mais qu'il ne manifestait aucune intention d'effectuer. Il y en a un autre aujourd'hui : que M. Funck-Brentano se flatte de parler comme s'il avait jamais fait partie d'une équipe qu'il ne connaissait pas et qui ne pouvait le reconnaître comme sien [1]. »

Surtout l'équipe ne supporte pas qu'on lui reproche d'avoir trahi la vocation du *Monde* et d'en démoraliser les lecteurs. C'est ainsi qu'André Fontaine présente ce plaidoyer et cette profession de foi : « Il me semble qu'il y a deux moyens de faire son métier de journaliste. Le premier est de trier, dans les faits, ce qui sert une cause. Le second de tâcher d'établir la vérité. Je constate que sur la plupart des points où on nous a attaqués — guerre d'Indochine, intentions de MacArthur, possibilité de tenter un arrangement de

1. Archives René Courtin, 24 juillet 1951. On trouvera cette lettre en annexe.

fait en Corée, caractère inéluctable du réarmement allemand, " contenu dans le pacte Atlantique comme le germe dans l'œuf ", l'événement nous a donné raison. Il existe des pays où la presse a **pour unique mission de jeter sur la vérité un manteau de Noé.** Grâce à Dieu, nous n'en sommes, en France, pas encore parvenus là. Il ne faut pas compter sur nous pour dire aux Français qu'ils peuvent entièrement se reposer sur les Américains du soin de conduire leurs affaires, ni pour essayer de leur faire croire qu'au cours d'une guerre prochaine ils auraient beaucoup de chance d'éviter une occupation soviétique. Nous avons toujours dit que l'avenir était dur et qu'il exigeait de la part de tous — à commencer par les classes possédantes — un effort sans comparaison avec celui qu'est en mesure d'exiger un gouvernement appuyé sur une majorité nettement conservatrice. Nous avons toujours écrit que les rapports à l'intérieur de la coalition atlantique n'étaient concevables que sur une base de stricte égalité entre les partenaires. Cette attitude me paraît plus patriotique que celle qui consiste à tout céder à un allié qui n'a pourtant pas toujours une vue claire de l'intérêt commun.

» Voilà sans doute ce que vous appelez démoraliser l'opinion. Dans ce cas nous sommes en bonne compagnie, avec votre ami Winston Churchill et quelques autres, dont les discours, en 1940 et après, n'ont jamais laissé beaucoup de place à l'optimisme aveugle. »

Quant à Beuve-Méry, dans la lettre où il annonce son départ aux associés, le 27 juillet, il choisit de ne pas entrer dans le détail de ces justifications-là. Il élève contre l'initiative de Courtin publiant les décisions de l'assemblée où ce dernier a été défait « la plus vive et la plus douloureuse protestation ». Le geste lui est apparu, dit-il, d'autant plus inadmissible que Courtin « se sait à peu près assuré de l'impunité ». Et il précise : « Je ne peux en effet étaler ces querelles intestines dans les colonnes du *Monde* sans nuire à mon tour aux intérêts moraux et matériels dont vous m'avez chargé, faciliter le jeu de nos adversaires communs, provoquer la déception et peut-être le découragement parmi ceux qui, en France et hors de France, ont accordé leur estime à un journal qu'ils croyaient sans histoire. »

« Les intérêts matériels » : au moment où le journal va devoir affronter une « nouvelle bataille des prix », avec la « hausse simultanée du papier, des salaires et de tous les services », Beuve-

Méry estime qu'elle sera perdue « si une partie de nos associés combattent publiquement et violemment leur propre journal »...

La démission du gérant doit prendre effet au plus tard, selon les termes de l'article 18 des statuts, le 1er novembre 1951[1]. Dans l'intérêt du journal, Beuve-Méry demande cependant à être libéré plus tôt et il **ajoute** : « A mon avis [...], la solution la plus sage et la plus digne serait d'adopter la suggestion que M. Funck-Brentano a présentée au cours de notre dernière réunion et de dissoudre nous-mêmes une entreprise dont notre accord a permis le succès et dont nos divisions peuvent consommer la ruine... »

L'échiquier est bouleversé. Les dés commencent de rouler.

Le sens d'un geste

En dépit de sa décision de mettre fin à six ans et demi d'une grande aventure ce 27 juillet 1951, le premier des acteurs demeure Hubert Beuve-Méry lui-même.

C'est un choix de solitaire qu'il a fait. La lettre par laquelle, le 8 août, il l'annonce à ses fidèles du journal leur tombe sur les épaules sans ménagement ni préparation. Plusieurs durent se sentir blessés d'apprendre cette grande, cette émouvante nouvelle par un mot bref qui était presque une circulaire[2].

Certains observateurs ont avancé, naturellement, et surtout après l'issue finale, que Beuve-Méry avait fait une fausse sortie, pour prouver qu'il était indispensable, et revenir en posant ses conditions. Mais tous ceux qui l'ont approché de près dans les jours qui suivirent sont persuadés de la sincérité de son geste[3] où l'ont conduit d'abord une grande fatigue psychologique et morale devant tant de critiques accumulées et cette sorte de harcèlement que

1. « Le gérant a, à toute époque, la faculté de cesser ses fonctions, à charge pour lui d'aviser ses coassociés par simple lettre recommandée adressée au moins trois mois à l'avance. »
2. Entretien André Fontaine.
3. Entretiens Fontaine, Dupraz, témoignage inédit de Maurice Ferro, « Le Caire-Washington-Paris, un certain monde et une certaine presse », p. 16, et confirmation par Maurice Duverger, *op. cit.*

pratiquait Courtin. C'était au surplus la pente de son caractère pessimiste que de considérer depuis l'origine que l'entreprise lancée en 1944 était vouée à sombrer bientôt sous l'assaut de ses ennemis du dehors ou du dedans. Il était devenu rituel parmi le personnel de l'entendre, à chaque anniversaire, prévoir cet aboutissement prochain. Quand il pense aux intérêts matériels du *Monde,* c'est d'abord, significativement, la question des indemnités de licenciement qui l'obsède. Beuve-Méry n'a pas cessé de se montrer persuadé de la précarité de l'entreprise et presque de la fatalité de son échec. Mieux valait donc à ses yeux couler pavillon haut — et trouver amère satisfaction, au milieu même du grand chagrin, à être ainsi justifié. Mieux valait laisser un exemple inentamé pour l'avenir : « C'était la dernière obligation que je puisse remplir envers l'équipe et envers l'institution que nous avons faite ensemble, écrit-il le 8 août à Gauthier, à Fauvet, à Fontaine et à Olivier Merlin : laisser celle-ci intacte dans nos mémoires et dans nos cœurs, comme un exemple que d'autres, peut-être, beaucoup plus tard, pourraient reprendre [1]. »

En vérité, les contemporains se sont trompés, qui ont cru à un calcul machiavélique. La légende se trompe qui rapporte qu'il aurait été mis en minorité. Rien de cela n'est vrai. Le geste de Beuve-Méry est celui d'un Alceste perpétuellement tenté par le renoncement et presque par le défaitisme, et qui soudain, noyé de lassitude, déchiré et soulagé, cède à cet appel intime, à l'appel, comme le Misanthrope même, d'un

... désert éloigné des humains,
Où d'être homme d'honneur on ait la liberté...

En face, du côté de Courtin, la surprise est complète — et l'incompréhension ne l'est pas moins. Certes, comme dit Dupraz, il « se pourlèche [2] », mais aussi il s'inquiète de quelque coup fourré possible... « Que s'est-il passé? se demande-t-il [3]. Le plus vraisemblable me paraît être que le MRP, inquiet des responsabilités politiques que lui avait fait prendre Dupraz et que j'avais rendues publiques, a fait renverser la vapeur. Se sentant abandonné de tous,

1. Archives H. B. M.
2. Entretien Dupraz.
3. Courtin à Jean Vignal, 29 juillet 1951 (Archives Vignal).

Beuve a alors tout lâché... » Interprétation qui méconnaît le tempérament et les vrais mobiles de l'adversaire : Dupraz a été aussi surpris en réalité que Courtin par la décision de Beuve-Méry.

Pierre Fromont ne se leurre pas moins quand il attribue l'événement à l'influence du MRP sur Beuve-Méry, invitant du coup son ami Courtin à une grande méfiance : « Je veux attirer votre attention, lui écrit-il, sur la précipitation apportée par Beuve-Méry dans cette affaire. Cette hâte me paraît suspecte, car vraiment rien ne pressait. Son plan n'est-il pas le suivant : puisque ce qui lui semble dangereux désormais est que ses ennemis possèdent des " alliés dans la place ", il regagnera sa tranquillité lorsque ces alliés-là auront été chassés. Le plus simple est de dissoudre la société, et de même que l'autre jour on a reconstitué sur-le-champ un nouveau comité dont vous ne faisiez plus partie, on reconstituera immédiatement une nouvelle société dont les opposants seront éliminés. Je vous demande d'envisager très sérieusement cette hypothèse; sans doute on ne sait pas encore quelle sera exactement la composition du futur gouvernement; mais il est probable que le MRP en fera partie, tandis qu'il est difficile de prévoir ce que sera la situation politique à l'automne. Le " coup " sera peut-être impossible à jouer en octobre ou novembre; il est à peu près gagné d'avance si Beuve-Méry le joue en ce moment [1]. »

Et Fromont ajoute encore cette intéressante mise en garde : « J[oannès] D[upraz] ne songe évidemment qu'à vous trahir. Il ne faudrait pas insister, je crois, pour le retenir, et s'il veut s'en aller, lui donner gaiement sa liberté... » : méfiance à laquelle Courtin est lui-même tout à fait enclin [2].

Il faut dire que quelques jours plus tard, et la chose est assez piquante, Beuve-Méry se persuade à son tour, non moins à tort, qu'une solidarité intime existe à présent entre Courtin et Dupraz [3]..., et cette rencontre ramène, une fois de plus, à l'assez énigmatique personnage que figure Joannès Dupraz.

Il est vrai seulement que Courtin et Dupraz se sont immédiatement concertés et qu'ils ont mis au point un scénario destiné à être

1. Fromont à Courtin, 30 juillet 1951 (Archives René Courtin).
2. Fromont écrit à Courtin le 1er août : « Je suis heureux de constater que vous portez à J. D. la même méfiance que moi... » (Archives René Courtin).
3. Lettre H. B. M. du 8 août 1951 citée.

suivi sans trop de heurts au cours de deux assemblées générales extraordinaires, le 2 et le 7 août 1951 [1]. En présence de Dupraz, invité à nouveau comme observateur, les associés, après avoir pris acte de la démission de Beuve-Méry et avoir rendu hommage « à l'intégrité de [sa] gestion, à [son] désintéressement, à [son] labeur acharné et ininterrompu » depuis six ans, décident, contre le souhait du directeur démissionnaire, que l'entreprise doit survivre et se poursuivre. A cette fin, on adopte les aménagements suivants : la gestion de la société et la direction du journal seront dissociées à compter du 17 septembre 1951, date prévue pour le départ de Beuve-Méry. Lui-même a proposé ce délai où Courtin et Funck-Brentano, pris de court, voient l'occasion de consulter et d'aviser : ils le regretteront [2].

André Catrice, qui se trouve précisément libéré par la « suspension » de *l'Aube* le 31 juillet — suspension en fait définitive —, sera gérant du *Monde,* chargé de tous les problèmes administratifs, et assisté par un comité de gestion où figurent Schloesing, Vignal et Broissia. Quant à la ligne politique, elle sera déterminée par un comité de direction de quatre membres, présidé par Dupraz et composé, autour de lui, de Courtin, de Funck-Brentano et enfin, ès qualités, de Catrice. Le seul Beuve-Méry s'étant abstenu, le nouvel organigramme est adopté à l'unanimité des autres associés.

Pour les observateurs extérieurs, au fond des choses, l'interprétation de l'événement est assez simple — trop simple pour être juste : Beuve-Méry ayant mené sa partie personnelle s'est démarqué des trois grandes composantes qui furent à l'origine du *Monde.* Donc on l'élimine et une nouvelle « troïka » se forme, Dupraz, assisté par Catrice, prenant tout naturellement le rôle de représentant du MRP (le rôle que Beuve-Méry s'est vite refusé à tenir), avec vocation à devenir, à terme, directeur du journal : ce point est présenté comme avéré, par exemple, par le *New York Herald Tribune* du 15 août [3]. Et, le 23 août encore, Michel Debré peut écrire à Courtin : « Savez-

1. Procès-verbaux (sommaires) (Archives H. B. M.).
2. Dans ses notes préparatoires pour son *Combat inutile...*, *op. cit.*, Courtin écrit à propos de cette réunion : « Personne ne repêche [Beuve]. Sa volonté de faire sauter le journal. Mes amis pas là. Solution Dupraz — proteste (?) — Délai, erreur, proposé par Beuve. Arrange tout le monde. »
3. « *Editor ousted of Paris Paper on Political Row* — Le Monde *had supported the Neutralist Movement; MRP Deputy New Chief* » (Walter Kerr).

vous ce qu'on dit à Paris? On dit que *le Monde* est devenu simplement un journal MRP — et que tout le personnel de *l'Aube* sera repris par vos collègues [1]. »

Vues de l'intérieur de l'Assemblée des associés, les choses sont moins claires. Dans un résumé qu'il dresse pour lui-même, Jean Vignal écrit : « Pas de directeur (on s'efforcera de se tenir à cette décision, quitte à chercher un directeur, en cas d'échec). Le rédacteur en chef, M. Chênebenoit, en tiendra lieu [2]... » On est là en pleine utopie, si l'on s'imagine pouvoir durer ainsi — mais les principaux protagonistes se l'imaginent-ils vraiment?

Et d'abord, que veut Dupraz? Il se défend aujourd'hui catégoriquement d'avoir jamais songé à assurer lui-même la direction du journal, à la fois parce qu'il avait été, comme fonctionnaire, à l'origine de l'entreprise, ce qui lui constituait une impossibilité morale de paraître ainsi profiter, même après un long délai, de l'institution qu'il avait mise sur pied, et parce que, désormais, il était un homme politique, ancien ministre, réélu en juin député d'Indre-et-Loire, et que la présence d'un homme politique comme directeur rue des Italiens était incompatible avec l'idée que, depuis l'origine, il se faisait du journal. En revanche et dans le même temps, les fidèles de Beuve-Méry eurent tous le sentiment, comme beaucoup de journaux extérieurs, que Dupraz serait le remplaçant, et qu'il s'y préparait [3]. Il est vrai qu'ils ne le considérèrent et ne le jugèrent alors qu'à travers le voile de leur hostilité.

Les forces en présence

Il ne fait aucun doute que Dupraz a éprouvé une grande déception, comme plusieurs de ses amis démocrates-chrétiens, à voir *le Monde* échapper entièrement à son influence. A Paul Reuter, vers ce moment-là, il déclare amèrement : « Beuve-Méry n'a rien compris... C'était une maison où nous devions être à l'aise [4]... »

1. Archives René Courtin.
2. Papiers Jean Vignal.
3. C'est le cas de Bernard Lauzanne et d'André Fontaine.
4. Entretien Paul Reuter.

Et pourtant il est difficile de voir en Dupraz, au cours de ce mois d'août, le représentant désigné par le MRP unanime pour revenir à l'assaut d'un grand journal dont l'indépendance de Beuve-Méry l'aurait dépouillé : tout simplement parce que le MRP est loin de former, en l'occurrence, un bloc homogène.

Qu'une aile du MRP ait accumulé beaucoup de rancœur contre *le Monde,* aucun doute : on y retrouve une partie des hommes qui ont été mêlés de plus près à la responsabilité de la « sale guerre » d'Indochine. Mais enfin, le journal, étant ce qu'il est, garde chez les démocrates-chrétiens des sympathies fidèles. Jacques Fauvet, chef du service politique, a été personnellement très proche du MRP. Depuis deux ans, il a pris ses distances par rapport au mouvement, à cause de l'Indochine, mais il y conserve assurément de nombreuses amitiés. Et la chose est d'autant plus importante que le MRP, s'il est sorti très affaibli des élections du 17 juin 1951, garde un poids considérable au gouvernement dont les socialistes sont éliminés. Dans le cabinet Pleven constitué, après une longue crise, le 10 août (trois jours après la seconde assemblée générale du *Monde),* le MRP a plus d'un tiers des portefeuilles. C'est lui en particulier qui détient celui de l'Information, attribué à Robert Buron, député de la Mayenne : caractère capable d'indépendance.

Du côté des gaullistes, le jeu paraît, au premier regard, être moins ouvert. L'entourage de De Gaulle — Gaston Palewski, Olivier Guichard, Georges Pompidou — suit l'affaire de très près. Certes, ils n'ont qu'un pouvoir « négatif », à présent (c'est le terme même de Palewski[1]), à la différence de 1944 — mais ils paraissent fort décidés à en user par fidélité de Funck-Brentano interposée. Au journal, un jeune rédacteur de politique étrangère, ancien officier de la France Libre, est, au su de tous, proche du RPF : Édouard Sablier témoigne de la grande amertume d'un homme comme Palewski contre Beuve (pas moindre que celle de Dupraz...) : « Il nous a trahis[2] ! », amertume qui reflète fort bien celle du général lui-même, autant que celle des militants du RPF : à cet égard la lecture de son hebdomadaire, *le Rassemblement,* est éclairante, qui, dès avant la

1. Entretien Palewski.
2. Entretien Sablier.

nouvelle de la démission de Beuve-Méry, développe longuement, fin juillet, en s'appuyant sur la note Courtin-Funck, le thème suivant : « La prétendue " objectivité " de ce quotidien du soir réputé sérieux, et d'ailleurs assez largement renseigné, n'est que faux-semblant [...]. Sa direction est entièrement entre les mains d'hommes appartenant à un parti de troisième force et à un seul : le MRP [1]... »

· Il reste enfin à considérer ce que peut représenter Courtin lui-même. La consultation de ses papiers personnels confirme une impression qu'il a souvent donnée aux témoins du conflit : celle de sa grande solitude. Du côté des défenseurs de Beuve-Méry, on a souvent tendu à faire de lui le porte-parole ou l'instrument des forces puissantes de l'argent impur. C'était assurément se leurrer. Le seul milieu où Courtin ait des attaches solides, celui de la grande bourgeoisie protestante libérale (et en particulier de la fraction de celle-ci qui fut résistante), ne lui offre guère que le soutien moral de quelques individus — tels l'ambassadeur Gabriel Puaux ou le grand économiste Charles Rist, qui lui écrit, le 7 août, ces lignes caractéristiques d'une sensibilité désabusée et sûrement peu militante : « Je me félicite du départ de Beuve-Méry. Ces cléricaux sont empoisonnants. Malheureusement, les radicaux ont perdu tout idéal, et les socialistes ressassent de vieux catéchismes que les cléricaux ont maintenant incorporés dans la doctrine catholique orthodoxe. Quant aux gens de droite, ils restent ce qu'ils ont toujours été : bouchés à l'émeri [2]... » Tout cela ne peut pas, du côté de l'action, conduire bien loin. Ce milieu est en tout cas bien incapable de fournir à Courtin le nom d'un directeur de remplacement. En vain songe-t-il à Raymond Aron [3], que Beuve-Méry avait tâché naguère d'attirer au *Monde* à son départ de *Combat* en 1947, mais qui, sur le conseil de Malraux, avait préféré *le Figaro* de Pierre Brisson [4]... Aron est à présent trop solidement installé au Rond-Point pour changer de maison tandis que son allégeance au RPF lui

---

1. «L'"objectivité" du *Monde*, masque du MRP», *Le Rassemblement*, 27 juillet 1951.
2. Archives René Courtin.
3. Allusion dans une lettre de Fromont à Courtin, 6 août 1951 (Archives René Courtin).
4. Raymond Aron, « Pourquoi je quitte *le Figaro* », *Le Point*, 6 juin 1977.

vaut d'autres hostilités. Or Fromont peut écrire à Courtin, le 6 août : « Je suis comme vous : à défaut de Raymond Aron, je ne vois personne comme directeur... »

Une fois de plus on touche ici du doigt la faiblesse centrale de Courtin : il a pu saisir la balle au bond, en faisant agréer la démission de Beuve-Méry, mais il ne veut pas prendre sa place et ne peut pas lui trouver un successeur. Et la nature ayant horreur du vide, le champ est libre pour l'adversaire qui n'est qu'en apparence désarmé.

Dans ce champ libre vont enfin émerger deux forces nouvelles, qui jusqu'ici n'avaient nullement leur mot à dire et dont l'avènement est pour tous une surprise, pour beaucoup un désagrément, pour quelques-uns une chance inespérée : il s'agit des rédacteurs et il s'agit des lecteurs.

L'autorité morale et intellectuelle de Beuve-Méry sur sa rédaction est à l'époque moins absolue que parfois on ne l'a cru et affirmé après coup. A l'origine, une partie de l'équipe du *Temps* ne l'avait en somme accepté que comme un moindre mal. Chaque année qui a passé a permis à Beuve-Méry, à l'occasion des départs en retraite, de recruter de jeunes journalistes dont il pouvait faire la carrière et assurer la formation. Mais on verra qu'en 1950-1951 encore plusieurs anciens du *Temps* lui demeurent sourdement hostiles, soit qu'ils lui reprochent la parcimonie de sa gestion, partant, des salaires versés, soit qu'ils aient été heurtés par sa politique étrangère. Rémy Roure, très gaulliste, est en désaccord avec la politique de Beuve-Méry, quel que soit son respect personnel pour son caractère et son œuvre, et se réjouit en somme de son départ. Lorsque, après le 7 août, le directeur démissionnaire réunit les membres présents de son équipe pour exposer l'affaire telle qu'il la voit, c'est Roure qui prend la parole au nom des autres. « Je lui ai dit en somme, raconte-t-il ensuite à Courtin, que les dissentiments politiques qui nous séparaient ne nous empêchaient pas de regretter son départ, le départ d'un grand directeur et d'un honnête homme qui avait maintenu l'indépendance matérielle du journal. J'ai ajouté que ce qui comptait, c'était la maison, le journal, créé autour du noyau du *Temps,* et par une rédaction remarquable. Je n'ai pas caché le désarroi de cette rédaction. » Mais il ajoute : « Enfin j'espère bien que le neutralisme a vécu, du moins ici. Il reste l'inquiétude d'une direction politique de parti un peu voyante [1]... »

Il semble bien, par conséquent, qu'à ce moment-là une bonne part de la rédaction du journal se fasse à l'idée du départ de Beuve-Méry. Jean Couvreur, à propos de l'offensive qui a tâché de le débaucher, évoque en ces termes l'atmosphère du journal quelques mois plus tôt : elle n'a pas pu profondément changer. « Je devinais chez quelques-uns un trouble réel, un vrai désarroi, non certes à cause des prises de position du journal, qu'ils approuvaient, mais à cause des attaques que cette attitude leur valait. Ils étaient embarqués certes, avec *le Monde,* sur un vaisseau de haut bord, battant fièrement pavillon progressiste, tenu en main par un timonier à la fois prudent et intrépide, mais ils se demandaient parfois où les conduirait cette navigation difficile,

> ... vers quels bagnes du sort
> Ou vers quelle Circé des mers occidentales,
> Cognant d'un vol aveugle au mur des jours étales
> L'oiseau fantomatique égarait son essor...

» Ils étaient pris à partie par les confrères, les lecteurs et parfois même, chez eux, à la table familiale, par leur femme, par leurs parents. Ils ne cédaient pas, mais, à la longue, ces attaques, venant de gens qui les voyaient chaque jour, ébranlaient leur certitude [...]. Comment s'étonner dès lors qu'il y ait eu des interrogations, sinon des hésitations, parmi eux? Et là-dessus, croyez-moi, j'ai des souvenirs précis, je n'invente rien [...]. Ainsi, peu à peu, un climat d'incertitude s'était installé à la rédaction. Vous ne vous en êtes, peut-être, jamais aperçu. Moi, j'ai eu maintes occasions de m'en apercevoir [2]... »

Le premier mouvement de la rédaction, en août 1951, n'est pas de se révolter contre le départ de Beuve-Méry, même si beaucoup le déplorent sincèrement. Pour les anciens du *Temps,* au moins, c'est un événement auquel ils avaient été préparés par les pratiques de la presse d'avant-guerre. La protestation essentielle se porte d'abord ailleurs : contre l'ignorance totale où les rédacteurs ont été jusqu'à présent laissés de la crise qui secouait *le Monde* et qui pouvait

1. Rémy Roure à Courtin, 13 août 1951 (Archives René Courtin).
2. Lettre du 3 octobre 1972 citée.

être mortelle ; qui allait en tout cas changer grandement la situation de son personnel.

Le 6 août, les rédacteurs du journal présents à Paris se réunissent pour adresser à l'unanimité à l'assemblée générale une lettre où il est dit notamment : « La rédaction du journal, toujours tenue à l'écart de toutes les tractations concernant la propriété du journal, entend faire reconnaître son droit moral absolu. C'est par son travail quotidien, c'est par son sentiment d'équipe et par son esprit créateur que la rédaction du journal peut se flatter d'être un des éléments primordiaux de son existence quotidienne, et cela dès le premier jour [...]. Dans ces conditions, après avoir rendu un unanime hommage à la gestion, à la direction et aux vertus professionnelles de M. Beuve-Méry, à son respect de la liberté d'expression de chacun, les rédacteurs souhaitent que tout soit fait pour amener M. Beuve-Méry à revenir sur sa démission... » Mais le texte ajoute ensuite : « En tout état de cause, ils demandent que, dans les décisions à intervenir, il soit très précisément tenu compte de leurs droits sur la propriété morale du journal... » Pour donner plus de poids à cette requête, on charge André Chênebenoit, rédacteur en chef, qui a auprès de l'équipe du *Monde* beaucoup d'autorité, de la développer de vive voix à l'assemblée générale du lendemain 7 août.

Quant à la forme juridique que pourrait revêtir la prise en compte de ce droit moral, la rédaction, pour l'heure, ne va pas plus loin dans les détails — mais déjà elle s'affirme en bloc comme un acteur nouveau pour la suite de la bataille.

La seconde irruption inattendue dans le conflit, celle-ci un peu plus tardive mais qui va compter, est celle des lecteurs eux-mêmes.

C'est du côté du « catholicisme de gauche » que le mouvement est lancé — et nommément par *Esprit* et par *Témoignage chrétien* : sous le titre frappant « Feu 1944 », cet hebdomadaire publie un article très rude annonçant que « la belle indépendance du *Monde* cédera peu à peu la place à une politique réactionnaire dans ce qu'elle a de plus petit, de plus étroit, de plus mesquin », et affirmant : « Le dernier journal indépendant a vécu. Il devient l'organe, non d'un parti mais, ce qui est pire, d'une politique qui va du RPF à la droite du MRP... »

Courtin est d'autant plus meurtri par cette attaque qu'il connaît bien le père Chaillet, fondateur de *Témoignage chrétien,* rencontré dans la Résistance durant l'été 1943, et que lui-même a eu l'occasion d'aider le journal dans la clandestinité [1].

L'auteur anonyme de l'article déplore pour finir que l'opinion publique se montre en l'occurrence si « amorphe ». Il ne faut pas longtemps pour que *Témoignage chrétien* soit, comme il le souhaitait, démenti par le courrier important qui commence d'arriver au journal pour exprimer à Beuve-Méry l'attachement et le soutien de nombreux lecteurs.

Les beuve-mérystes contre-attaquent

Les acteurs sont en place : l'action peut se nouer.

Les premiers à y entrer sont plusieurs proches de Beuve-Méry qui ne se résolvent pas à admettre sa décision comme définitive. C'est le cas d'André Fontaine, en particulier, et c'est le cas d'Édouard Sablier. C'est le cas aussi de Maurice Duverger, qui a évoqué récemment en détail dans un livre de souvenirs son rôle au cours de la crise de 1951 [2].

En vacances dans le Lot-et-Garonne, il réagit très fort au reçu — « surprise totale » — de la courte lettre passe-partout par quoi Beuve-Méry lui annonce sa démission. Il lui écrit pour l'appeler à revenir sur sa décision : « Si vous le voulez, je peux être vingt-quatre heures sur vingt-quatre à votre disposition à Paris, pour chercher les moyens juridiques de rétablir la situation. » Un télégramme de Beuve-Méry l'appelle à Paris, il accourt, se fait expliquer les choses, se persuade que « la situation pourrait être renversée si l'on parvenait à convaincre le directeur démissionnaire que la voie du sacrifice personnel, qu'il a choisie, n'était pas la véritable voie du devoir »...

Désespérant d'y parvenir seul, Duverger a alors l'idée de faire appel à Jean Monnet, avec qui il a un peu travaillé dans les derniers temps, et dont il sait que Beuve-Méry estime et le caractère et le mode de vie.

1. Brouillon d'une lettre de protestation de Courtin au père Chaillet, 20 août 1951.
2. Maurice Duverger, *op. cit.*

Le choix de cet appui, pourtant, peut surprendre, Monnet ayant figure aux yeux des « neutralistes » d'apôtre d'une Europe « atlantiste ». Mais Duverger croit pouvoir s'attendre à une convergence de caractères, par-delà les divergences de vues, sur une certaine conception du journalisme. Et il dit avoir obtenu que Jean Monnet, sur-le-champ, demande à voir Beuve-Méry pour faire peser sur lui toutes ses capacités fameuses et éprouvées de persuasion.

En réalité, il n'est pas sûr que Monnet et Beuve-Méry aient eu besoin de Duverger pour se concerter : l'agenda de Beuve-Méry mentionne un déjeuner entre les deux hommes dès le 31 juillet, quatre jours après la démission et avant que Duverger ait pu intervenir. Mais, au fond, il n'importe guère. Quel qu'ait été le poids relatif de Duverger sur Monnet et de Monnet sur Beuve-Méry, une chose est claire : peu de jours plus tard, Beuve-Méry décide qu'il va revenir sur sa démission et permettre à ses amis de livrer bataille en sa faveur. Duverger raconte qu'il l'entend lui déclarer alors : « Vous êtes content, hein ? Maintenant, à vous de jouer puisque vous dites que les juristes peuvent redresser la situation... »

C'est son ami proche André Joly, ancien camarade de faculté, jurisconsulte éminent, grand spécialiste des SARL, qui est chargé directement de l'entreprise. Duverger, à ses côtés, prêtera main-forte à l'imagination de Joly [1].

Ensemble ils cherchent et découvrent les leviers juridiques qui permettront de remettre en cause les décisions des 2 et 7 août.

Gérant, Beuve-Méry ne pouvait être révoqué qu'à la majorité des trois quarts — et les 55 parts dont il disposait en fait, grâce à l'appui fidèle de Suzanne Forfer que son caractère a conquis, lui garantissaient, avant le 27 juillet 1951, une « minorité de blocage » : plus du quart des parts. Mais une fois la démission agréée, il faut, pour qu'il soit renommé, que soit retrouvée une majorité des trois quarts : espoir pour l'heure inaccessible.

Joly et Duverger dénichent alors deux textes essentiels. Le premier est l'article 2 de la loi du 28 février 1947 qui dispose : « En attendant les mesures législatives portant nouveau statut de la presse, sont et demeurent sans effet tous actes qui porteraient atteinte au droit et à la situation existants de ceux qui, en vertu de

1. Dossier de travail d'André Joly (Archives H. B. M.).

l'autorisation qu'ils ont obtenue, à titre individuel ou collectif, de faire paraître un journal ou écrit périodique, en assurent l'admi-nistration, la direction et la rédaction. » D'où une conséquence capitale, que Duverger explicite ainsi : « Hubert Beuve-Méry avait reçu, le 30 novembre 1944, une autorisation de faire paraître *le Monde*. Elle lui avait été accordée personnellement, la constitution de la SARL étant postérieure puisqu'elle résulte d'un acte du 11 décembre 1944. Qu'il ait donné sa démission de directeur et de gérant le 27 juillet 1951 et que l'assemblée l'ait accepté le 2 août, cela ne supprimait en rien les droits qu'il tenait de l'autorisation de paraître. En vertu de celle-ci, il pouvait empêcher toute publication du journal dans des conditions qui n'auraient pas son agrément. Et, par exemple, mettre son veto à la nomination de n'importe quel directeur [1]. »

C'était là un premier avantage acquis, qui redonnait une arme pour négocier. Ce n'était pas assez pour assurer le retour de Beuve-Méry.

La quête acharnée de nos deux juristes met alors au jour une autre donnée, de plus large portée celle-ci. Les articles 7 et 8 de l'ordonnance du 26 août 1944 imposent aux journaux une direction personnelle exercée obligatoirement par *le* gérant ou *l'un* des gérants, et prohibant toute direction collective. Par conséquent, on s'aperçoit qu'était illégale la décision du 7 août prévoyant un comité de direction simplement doté d'un président qui n'était pas gérant et sans directeur unique... Les peines prévues pour violation de cette règle sont lourdes. Admirable découverte, qui aboutit à une lettre adressée aux associés, en date du 10 septembre, par Beuve-Méry (qui est allé entre-temps se refaire des forces en escaladant ses chères montagnes de Savoie). Ce texte, accompagné d'une longue consulta-tion de Joly, ne va pas sans quelque cocasserie : la lettre menace tranquillement les associés de peines de prison...

Beuve-Méry y explique notamment avec un parfait sérieux que, « exerçant les pouvoirs de gérant de la société jusqu'au 17 sep-tembre 1951 », il est tenu d'informer ses coassociés de ce fait juridique nouveau et fort grave : « Non seulement, en effet, il pourrait avoir pour conséquence d'entraîner la nullité de la

1. Maurice Duverger, *op. cit.*, p. 138.

troisième décision de notre assemblée, mais encore il rendrait ses auteurs passibles des peines correctionnelles prévues par l'article 20 de l'ordonnance du 20 août 1944 qui punit d'une amende de 100 à 100 000 francs et d'un emprisonnement de 6 jours à 6 mois la violation de l'article 7. Le même article 20 permet au tribunal correctionnel de prononcer, le cas échéant, la suspension temporaire ou définitive du journal... »

Par la même lettre, Beuve-Méry convoque pour le jeudi 13 septembre 1951 une assemblée générale extraordinaire destinée à régulariser une situation juridiquement si préoccupante...

Or il faut dire que, durant ces mêmes semaines d'août et du début de septembre, une autre évolution s'est faite qui est favorable à Beuve-Méry, et dont ses fidèles ne sont que parmi d'autres les auteurs : le MRP paraît de moins en moins décidé à soutenir Joannès Dupraz.

Dans la répartition plus ou moins spontanée des tâches qui s'est instaurée rue des Italiens, c'est Jacques Fauvet qui s'est chargé, comme ses allégeances anciennes le rendaient naturel, de toucher les milieux démocrates-chrétiens [1]. Il a vu Robert Buron, en particulier, ministre de l'Information depuis le 10 août, qui lui a donné spontanément son appui. L'homme est capable de montrer, envers son parti, de l'indépendance d'esprit, comme il le prouvera trois ans plus tard en acceptant, à titre personnel, d'entrer dans le gouvernement de Pierre Mendès France. De son côté, Georges Bidault, ministre des Affaires étrangères, paraît aussi, pour des raisons moins claires, très hostile à Joannès Dupraz [2].

Dans ce climat, des rumeurs commencent à courir sur la personnalité même de Dupraz, et son rôle pendant la guerre. Il avait été déjà mis en cause en 1945. On rappelle qu'il a été, à Vichy en 1941-1942, directeur adjoint du cabinet de Paul Charbin, secrétaire d'État au Ravitaillement, et on veut ignorer la caution de Résistance par « double jeu » que Teitgen lui a fournie publiquement en l'appelant à son cabinet et en le défendant contre Jacques Debû-

1. Entretien Jacques Fauvet.
2. A en croire au moins des propos tenus par André Fontaine et Jean Baboulène, de *Témoignage chrétien,* à Daniel Villey au camp « européen » de la Lorelei, fin août 1951, et rapportés par Villey à Courtin, dans une lettre datée du 1er septembre (Archives René Courtin).

Bridel à la tribune de l'Assemblée consultative [1]. A ces rumeurs, un peu plus tard, l'hebdomadaire communiste de Pierre Hervé et Kriegel-Valrimont, *Action,* donnera accueil dans ses colonnes, non sans quelque retentissement [2]. On rappelle surtout que Dupraz est administrateur de Descours et Cabaud, entreprise de commerce en produits métallurgiques, qui travaille beaucoup en Indochine, et qu'une filiale parisienne de cette firme, Misetal, comptoir d'achats pour l'Indochine et l'Argentine, a précisément pour PDG Gérard de Broissia. Toutes ces données, qu'enfle comme toujours le bouche à oreille, sont faites pour nourrir les inquiétudes d'une bonne partie des intellectuels à l'écoute, non seulement du public de *Témoignage chrétien,* mais jusqu'à des amis protestants de Courtin : ainsi, un homme aussi influent dans ces cercles qu'Albert Finet, directeur de l'hebdomadaire protestant *Réforme,* auquel Courtin collabore souvent. A celui-ci, Finet (que Duverger a d'ailleurs contribué à indigner [3]) écrit le 9 septembre : « Je crois que vous faites fausse route. Que Beuve-Méry soit un homme impossible à vivre, c'est très possible ; qu'il ait ouvert les colonnes de son journal à une politique que vous réprouvez, je n'en disconviens pas, encore que je croie que ces articles n'ont pas eu à l'égard des Américains l'effet néfaste que vous déplorez. Au moins, *le Monde* était un journal libre. Croyezvous qu'on puisse en dire autant lorsque Dupraz en sera directeur? Je ne le connais qu'indirectement pour un affairiste, très mêlé aux affaires d'Indochine et peut-être, en sous-main, lié aux anciens intérêts du *Temps,* MRP d'autre part — et je ne vois guère *le Monde* meublé de l'ancienne équipe de *l'Aube* et gardant son ancienne autorité internationale [4]. »

Ainsi court l'opinion, et grandit la solitude de Courtin, au moment où il lui faut affronter la contre-offensive de ses adver-

---

1. *JO. Débats de l'Assemblée consultative,* 9 mars 1945, p. 401. « Il est entré, sur ma demande, dans le cabinet de M. Charbin, ministre du Ravitaillement du gouvernement de Vichy [...]. Il y a monté un service de renseignements dont j'ai personnellement apprécié la valeur [...]. Il n'était pas rétribué. Il n'a cessé de me rendre, dans la clandestinité, les services les plus appréciables. »

2. *Action,* 21 septembre 1951, Albert Reville, « Les dessous de l'affaire du *Monde.* Joannès Dupraz : " J'ai cru que l'innocence était une faiblesse " » (cette citation constituait l'épigraphe d'un recueil de poésies publiées dans sa jeunesse par Dupraz sous le titre *les Chants morbides*).

3. Maurice Duverger, *op. cit.,* p. 133-134.

4. Archives René Courtin.

saires. Replié tranquillement dans sa chère Drôme, dans l'attente paisible du 17 septembre qui doit mettre fin au règne de Beuve, il se trouve rappelé brusquement le 8 septembre à Paris par le père Chaillet, qui paraît décidément jouer un certain rôle aux marges du conflit. C'est pour apprendre que « dans la rédaction, au RPF, au MRP et dans le gouvernement lui-même, l'installation de Dupraz, remplaçant en fait Beuve, suscite émotion et opposition [1] ». Une rapide enquête confirme à Courtin tout cela tandis qu'il reçoit aussi brutalement et sans préparation la grande nouvelle que Beuve-Méry, par un revirement complètement inattendu, accepte à présent de rester aux commandes du *Monde*!

Des intermédiaires trop bien intentionnés lui font d'autre part croire un moment qu'à présent Beuve-Méry accepterait les conditions qu'il avait toujours refusées : mais c'est une illusion, comme le prouve à Courtin un dîner qu'il consent à prendre avec lui. On ignore le détail de leur conversation, mais on sait qu'à peine reparti pour Die, Courtin y reçoit la convocation adressée par Beuve-Méry et Catrice pour l'assemblée générale du 13 septembre, où tout doit être, à nouveau, remis en cause.

Mais voici une autre donnée nouvelle, qui témoigne que le vent est en train de tourner. Au jour de cette assemblée, les associés vont avoir en main une longue lettre de Dupraz où il refait l'historique de l'affaire pour expliquer qu'il rejette sans appel l'idée d'assurer personnellement la succession : qu'à celle-ci il n'ait jamais songé, ou qu'il y ait renoncé par réalisme devant les deux faits nouveaux de la campagne menée contre lui sur divers bords et du retour en force de Beuve-Méry, n'importe guère au fond. Il écrit : « J'estime [...] que mon arbitrage a perdu un peu de son autorité dans de patients efforts tous orientés pour la pérennité du journal et que cette conciliation doit être recherchée en mon absence. Il ne peut être dit en effet que j'accepterais une succession, même provisoirement et sous une forme collégiale, dès l'instant que M. Beuve-Méry accepte désormais de rester parmi nous. Il ne peut être dit davantage que les efforts de l'arbitre ont conduit à sa promotion. Il ne peut être dit

___

1. Lettre de Courtin à Vignal, 4 pages manuscrites, 18 septembre 1951 (Archives Vignal) (source très utile pour l'histoire des jours suivants, tels que vécus par Courtin).

enfin qu'un parti met la main sur le journal, ce qui est entièrement inexact; mais je suis un homme politique [1]... »

Dupraz est donc absent lorsque, le 13 septembre 1951, à dix heures du matin, les associés qui sont les plus actifs se réunissent chez Catrice, rue de la Michodière, pour préparer la réunion de l'après-midi. Un peu plus tard, Courtin et Funck-Brentano, qui se sont concertés la veille avec Palewski et Pompidou, pour le RPF [2], déjeunent avec Beuve-Méry, sur l'initiative de celui-ci, au café Voltaire. Jacques Gascuel, rédacteur économique au journal, est présent. Dans un récit à Jean Vignal, qui est en vacances loin de Paris, Courtin écrit à ce propos :

« A ma stupéfaction, il acceptait *toutes mes conditions*. Un devoir de loyauté m'obligeait ainsi à soutenir cette combinaison qui présentait, du reste, un certain nombre d'avantages [3]... »

Cette « combinaison » semble bien comporter le maintien de Beuve-Méry, et cela témoigne assez des limites et des faiblesses de l'offensive de Courtin.

La rédaction entre en scène (septembre)

Quand la séance officielle de l'assemblée générale extraordinaire s'ouvre dans l'après-midi du 13 septembre 1951, la tension est grande au journal.

Duverger, avec quelques-uns, est derrière la porte. « On essaie de calmer nos nerfs en se livrant au petit jeu des hypothèses. Soudain, on perçoit des éclats de voix dans la grande pièce. Puis un silence terrible. Dans le couloir, bruit de porte qui s'ouvre et de gens qui s'en vont. Nous sommes stupéfaits et atterrés. Que s'est-il passé? Je me glisse dehors. J'entrouvre doucement le bureau de Beuve-Méry. Il est là, seul. Il me fait signe d'entrer. Il me dit que ses nerfs ont

1. Archives René Courtin et H. B. M.
2. René Courtin à sa femme, 14 septembre (Archives René Courtin).
3. Outre la lettre de Courtin à Vignal citée, une autre lettre à sa femme, 14 septembre, Catrice à Courtin, 11 septembre 1951, et notes Courtin pour son récit inachevé (Archives René Courtin).

craqué. Quand le hanneton a recommencé à bourdonner avec ses attaques sur le " neutralisme ", il a éclaté, criant qu'il en avait assez et ne voulait plus voir personne ce soir-là. Tout le monde est parti penaud, après avoir suspendu jusqu'au lendemain [1]... »

Si le procès-verbal de la séance est elliptique presque jusqu'au silence, Courtin a donné de son côté ce récit à Vignal : « Beuve affecta pendant longtemps d'accepter toutes les conditions mais insulta à plusieurs reprises Schloesing et Dupraz (qui n'était pas venu). *In fine,* lorsque tout paraissait à peu près accepté, il prit une crise de nerfs, *sans raisons apparentes,* et se mit à râler dans un fauteuil qu'il n'en pouvait plus et se retirait... La séance dut donc être suspendue... »

Le plus remarquable, à ce point de l'évolution, c'est qu'au moment décisif il n'y a pas de front Dupraz-Courtin. Ce dernier écrit à sa femme : « Ma consolation est d'avoir jusqu'au bout conservé mon sang-froid et avoir cherché de bonne foi un arbitrage entre les adversaires avec une neutralité qui a été reconnue par tous. Ce n'est, en tout cas, pas à moi, que Beuve en a voulu [2]... » Et on le voit prier à la fois le père Chaillet et Robert Buron, ministre de l'Information, de faire pression sur Beuve pour qu'il accepte, enfin! les fameuses conditions qui limiteraient son pouvoir.

Étrange bataille, décidément, qui se joue entre un directeur sortant qui ne cesse de traîner les pieds, de se laisser haler par les siens, et des adversaires divisés entre eux, hésitants, divergeant sur leur but, et qui répugnent à aller jusqu'au bout de leur logique, faute d'un système efficace de remplacement... De cette rencontre de molles volontés, l'issue ne peut être, pour l'heure, que fort incertaine!

Le lendemain, vendredi 14 septembre, les mêmes se retrouvent à 17 heures, rue des Italiens. C'est ce jour-là que, pour la première fois, l'équipe des rédacteurs du *Monde* va jouer un rôle essentiel. La veille, leur assemblée générale a adopté à l'unanimité une motion où la rédaction, se référant à sa lettre du 6 août, réclame qu'il soit « donné une forme juridique à la volonté de voir consacrer son droit à la copropriété du journal », demande qu'une commission d'étude

---

1. Maurice Duverger, *op. cit.,* p. 148.
2. Vendredi 14 septembre 1951 (Archives René Courtin). Le texte complet figure en annexe.

où les rédacteurs seraient représentés étudie un projet de transformation à cette fin de la SARL et, enfin, préconise un maintien du
statu quo dans la direction du journal en attendant que la
commission ait achevé sa tâche [1].

En début de séance, le 13 septembre, André Chênebenoit est venu
présenter et développer le contenu de cette motion devant l'assemblée générale des associés [2] qui, après son départ, n'a pas tranché la
question. Dans ces conditions, la rédaction, se réunissant à nouveau
le 14 au début de l'après-midi, déplore de n'avoir pu obtenir
satisfaction et, dans la crainte de voir suspendu le journal, réclame
qu'il soit fait appel à l'arbitrage du président de la République.
Faute d'être entendue, la rédaction menace de faire grève...

Trois hommes jouent là un rôle central. Jean Schwœbel d'abord,
un jeune rédacteur qui va faire de la recherche d'un nouveau statut
pour les journalistes sa passion et presque son obsession...
Émile Henriot, ensuite. Il a tout le prestige du « feuilletoniste »
littéraire influent, académicien et ancien du *Temps*. Il rejoint ou
devance les « boy-scouts » dans une juvénile indignation qui se
nourrit du grand et amer souvenir de l'épisode du rachat du *Temps*
en 1929-1931. « Nous ne nous laisserons pas, cette fois-ci, s'écrie-
t-il, vendre avec les meubles... »

Mais l'homme clef est André Chênebenoit. Car il apparaît alors
aux associés que son accession à la direction du journal pourrait
être une excellente solution, en binôme avec Catrice pour l'administration. Son prestige personnel le ferait fort bien accepter par la
rédaction. Que si Chênebenoit s'était laissé convaincre, celle-ci
aurait probablement renoncé à défendre Beuve-Méry, non sans
quelque soulagement chez plusieurs.

Seulement Chênebenoit, quand l'assemblée générale au début de
la deuxième séance, celle du 14 septembre après-midi, lui demande
officiellement d'accepter cette charge et cet honneur, s'y refuse
obstinément, et ce refus au nom de la fidélité à Beuve-Méry n'est
certes pas sans noblesse. Élevé dans le sérail, fils d'un sénateur qui

---

1. La lettre d'envoi aux associés est signée de trois délégués, André Ballet, Pierre
Drouin et Jean Schwœbel. Sur les circonstances de son élaboration, voir Jean
Schwœbel, *la Presse, le Pouvoir et l'Argent*, Paris, Éd. du Seuil, 1968, p. 99-100.
2. Maurice Duverger écrit à tort que l'assemblée a refusé de l'entendre (*op. cit.*,
p. 146).

avait fait partie du conseil d'administration du *Temps* trente ans plus tôt et qui y avait été influent, entré lui-même au journal en 1924 et secrétaire général de la rédaction de 1928 à la guerre, fort répandu dans le Tout-Paris des lettres et de la politique, il eût trouvé dans cette accession la plus belle des consécrations possibles. Pourtant, il tient bon.

Pour Courtin, ce refus est un coup nouveau. « Nous n'avions personne à lui substituer, écrit-il à Vignal. Notre faiblesse était évidente et nous risquions pour lundi une grève... » Donc il se trouve privé de toute latitude d'action : « Une décision pouvait encore être prise le lendemain. C'est alors que Beuve nous fit observer que, devant quitter ses fonctions le 17, il avait besoin de savoir s'il aurait, le 15, à faire ses adieux... Nous étions coincés, et c'est dans ces conditions que nous avons dû proroger Beuve [...]. Il ressort de cet historique que Beuve nous a bernés pendant toute la journée du 13 pour gagner vingt-quatre heures et nous placer hors délai [1]. »

C'est là, en vérité, dans l'émotion de la défaite, donner de l'explosion de Beuve-Méry l'interprétation d'un machiavélisme bien tortueux... Mais le résultat est incontestable. Pris à la gorge, les associés se résolvent à proroger de trois mois les pouvoirs de Beuve-Méry comme directeur et comme gérant, jusqu'au 17 décembre suivant. Catrice demeurera cogérant, seul survivant, dans ce naufrage, des décisions du mois d'août — tout le reste de la combinaison étant, pour illégalité, annulé!

Dans un mot bref adressé en hâte à son vieil ami Emmanuel Journoud, à Strasbourg, Beuve-Méry lui-même résume ainsi les choses :

« Journée de dupes... Western extravagant. Au dernier round l'adversaire triomphant est contraint de lâcher pied devant le Soviet des rédacteurs. La fin du *Monde* est officiellement reculée de trois mois... et moi dans le bain pour ces trois mois [2]. »

Autour de lui le cercle est en tout cas desserré, et son camp peut désormais espérer disposer du temps nécessaire pour conduire la

---

1. Le 18 septembre, Courtin écrit encore à sa femme : « Que te dire de moi? Je sors très abattu de m'être laissé " avoir " par Beuve. La partie n'est ni gagnée ni perdue mais une dure partie va se jouer durant les trois mois qui viennent. »
2. Archives H. B. M. (cachet de la poste, 17 septembre 1951).

contre-offensive jusqu'au succès définitif. Dans le même temps, l'autre grand bénéficiaire de la journée est la rédaction elle-même, représentée par Chênebenoit et Schwœbel, qui, sous la menace de sa grève, obtient à peu près satisfaction.

Certes, l'assemblée rejette l'idée d'une médiation du président de la République. Courtin, pour sa part, y voit « une folie » : « le scandale public, la perte de toute autorité et la mort du journal[1] ». Comme l'écrit Schwœbel après coup : « Ce refus était, somme toute, très heureux. On voit mal aujourd'hui comment le chef de l'État, M. Vincent Auriol, aurait pu, en l'absence de tout statut de la presse, contester ou même réformer les décisions légalement prises par les associés en conformité avec les règles du droit commercial[2]... »

A titre de contrepartie, les associés proposent qu'on recrée un nouveau comité de direction que présiderait le directeur et qui comprendrait cette fois trois délégués de la rédaction, trois anciens, Chênebenoit, Émile Henriot et Rémy Roure. Mais c'est au tour des deux journalistes de rejeter l'idée, parce qu'ils sont « convaincus l'un et l'autre que cet organisme collégial ne présenterait pas aux yeux de la rédaction toutes les garanties d'indépendance ou plutôt d'anticonformisme souhaitables[3] ».

De telle sorte que, pour sortir de l'impasse, les associés se décident enfin à céder, et à décider, conformément au vœu des rédacteurs, qu'une commission, comprenant d'un côté André Catrice, qui la présidera, et René Courtin, et de l'autre deux représentants des journalistes (qui seront toujours Chênebenoit et Schwœbel), « étudiera les modalités d'attribution de parts sociales à la collectivité des rédacteurs ». Étape décisive, qui compte dans l'histoire du journal et de la presse française tout entière.

Pour la première fois enfin, les lecteurs du *Monde* ont droit à être informés directement du développement d'une affaire qui les concerne tous — et dans laquelle ils vont désormais, pour cette dernière phase de la lutte, être plus nombreux à jouer un rôle. Dans le numéro qui paraît le 17 septembre et qui est daté du 18, ils peuvent lire un bref encadré qui leur fait part des décisions prises.

1. René Courtin à sa femme, 15 septembre 1951 (Archives René Courtin).
2. Jean Schwœbel, *op. cit.*, p. 101.
3. *Ibid.*, p. 102.

La mobilisation des lecteurs (octobre-novembre)

C'est sur l'initiative notamment de Maurice Duverger que s'organise dans les semaines qui suivent, à travers toute la France, un mouvement de soutien à Beuve-Méry parmi les milieux intellectuels et universitaires. Une campagne de signatures est organisée efficacement, en particulier à Caen, à Lyon, où Beuve-Méry a gardé beaucoup d'amitiés et où Jean Lacroix se multiplie, à Bordeaux où Duverger est professeur et à Strasbourg où un vieil ami de faculté de Beuve-Méry, Emmanuel Journoud, directeur de la succursale de la banque nationale du Commerce et de l'Industrie, se charge de coordonner l'effort [1].

Des listes impressionnantes parviennent sur le bureau de Beuve-Méry. C'est ainsi qu'à Strasbourg, par exemple, une déclaration de soutien reçoit les signatures de 63 professeurs de l'Université dont cinq doyens (théologie protestante et théologie catholique, médecine, sciences et lettres), 87 professeurs de lycée, l'évêque et les 7 membres de l'organisme directeur de la Communauté israélite... C'est ainsi encore qu'à Lyon un texte semblable est signé par 25 professeurs des facultés de lettres et de droit, 61 professeurs des lycées, 488 étudiants en sciences, en lettres, en droit et en khâgne, où Jean Lacroix enseigne la philosophie.

Dans le même mouvement, on crée des comités de lecteurs. Le 11 décembre, de Bordeaux, Robert Escarpit écrit à Beuve-Méry à ce propos : « L'ampleur du mouvement et sa puissance me surprennent moi-même. Il a fallu se battre pour n'avoir pas un bureau de 1 000 personnes. Vous avez suscité des espoirs et des confiances que vous ne pouvez ignorer. Ces gens-là ont des droits sur vous! La bataille qui s'engage n'est pas seulement la vôtre. Excusez-moi de donner dans l'éloquence militaire mais l'enthousiasme civique a cet effet sur moi [2]... »

1. Lettre de compte rendu de Journoud à Beuve-Méry, 7 décembre 1951 (Archives H. B. M.).
2. Archives H. B. M.

Finalement, pour couronner l'édifice, on met sur pied une Fédération des comités de lecteurs du *Monde*. Pour celle-ci on recrute un secrétaire général dynamique et imaginatif, Jacques Narbonne, normalien agrégé de philosophie et assistant à la Sorbonne ; on rédige et on fait imprimer sur un beau papier à en-tête une lettre au directeur du *Monde* datée du 2 décembre 1951, qui proclame que les lecteurs ont leur mot à dire et qu'ils souhaitent le dire en faveur de la conception que Beuve-Méry se fait, contre son « accusateur », de la vocation du journal. Les lecteurs, affirme-t-on, se refusent à ce qu'on « dispose d'eux comme d'un objet, comme d'une chose, comme d'une marchandise [1] »... On constitue, au début de décembre, un Comité directeur provisoire de la Fédération où acceptent de s'inscrire un nombre impressionnant de personnalités très rassises [2]. On organise enfin une grande réunion d'information le 11 décembre à Paris où est adoptée, à la quasi-unanimité des présents, une motion chaleureuse de soutien à Beuve-Méry [3].

Ce que fut l'état d'esprit de beaucoup de ceux qui s'engagèrent et donnèrent leur nom dans cette campagne se retrouve bien dans une lettre adressée un peu plus tard à Courtin par Roger Mehl, maître de conférences à la faculté de théologie protestante de Strasbourg, son coreligionnaire et son ami, en réponse à une justification reçue de lui :

« Ce qui m'émeut dans votre lettre, écrit-il, c'est que je sens combien vous avez souffert dans tout ce drame du *Monde* et que j'entrevois, par-derrière ce qui a été pour beaucoup d'entre nous une " cause " objective, bien des intrigues, bien des discussions sordides qui ont dû être pour vous terriblement pesantes. Quand on est loin du champ de bataille, on a le privilège de pouvoir s'abstraire de tout cela : pour moi je pouvais faire abstraction de la personnalité de Beuve-Méry ou du passé de Duverger — ne les connaissant ni l'un ni l'autre.

» Toutefois je me demande si voir les choses de plus loin n'est pas en l'occurrence réellement un privilège et ne permet pas quand même une lecture plus objective des événements. Vous parlez du

1. On trouvera en annexe la lettre de Jacques Narbonne.
2. Liste dans Duverger, *op. cit.*, p. 154-155.
3. Compte rendu dans *Action*, 13 décembre 1951.

caractère démoralisant de la lecture du *Monde*. Je puis vous assurer
que, si nous avons défendu *le Monde* sous sa forme actuelle, c'est
précisément parce qu'il nous apparaissait comme la dernière lecture
quotidienne tonique qui fût laissée aux Français intelligents : nous
n'y avons jamais trouvé d'attaques systématiques et *suivies* contre
tout ce qui venait d'Amérique, mais des mises en garde contre le
leurre qu'a représenté, dans sa première conception, le pacte
Atlantique, contre l'esprit de croisade, qui a été et demeure un des
dangers de l'Amérique ; jamais nous n'y avons trouvé un esprit
totalement négatif, ni un esprit attentiste (et ce sont là les deux
formes de la démoralisation) [...].

» Non certes, je ne crois pas que l'indépendance du *Monde* soit
liée à la personne de Beuve-Méry. Mais qui proposiez-vous pour le
remplacer ? Vous ne l'avez jamais dit et vous vous êtes borné à faire
porter votre attaque sur ce qui justement mettait en lumière
l'indépendance du *Monde*. Comprenez qu'alors il fallait bien que
nous ayons peur. S'il ne s'était agi dans votre esprit que de rétablir
une direction collégiale du *Monde,* soyez bien assuré que nul d'entre
nous n'aurait bougé. Mais ce que vous aviez laissé entendre, c'est
que vous demandiez un changement complet d'orientation du
Monde, pour le rendre plus favorable aux Américains, moins
critique à leur égard, c'est-à-dire forcément plus partial. De plus
nous ne savions rien sur la nouvelle équipe de direction que vous
proposiez. Nous savions seulement que la plupart des rédacteurs
actuels seraient liquidés ou partiraient avec Beuve-Méry.

» Vous avez sans doute mille fois raison sur les problèmes de
personnes. Mais il vaut mieux que le lecteur ne juge pas le problème
des personnes ; il juge sur pièces, d'après ce qu'il lit. Et le lecteur que
nous sommes ne pouvait pas ne pas être inquiet à l'annonce d'un
chambardement, dont il ne pouvait absolument pas savoir où il le
menait. Voilà pourquoi, *en cette occurrence,* il a pris parti pour
Beuve-Méry [1]. »

Revenant après coup sur cette mobilisation des lecteurs du
Monde, Maurice Duverger écrit dans ses Souvenirs, non sans
justesse : « En regardant les choses avec le recul du temps, j'ai
l'impression aujourd'hui que, si mes interventions au début de la

1. Archives René Courtin.

crise ont pesé sur son dénouement, j'ai un peu joué la mouche du coche au dernier acte. Mais en énervant tout le monde, en accentuant la tension, la mouche a peut-être contribué à faire avancer le coche [1]... »

Il est clair que Beuve-Méry lui-même, son tempérament étant ce qu'il était, ne pouvait que considérer cette agitation avec des sentiments mêlés. Heureux qu'elle s'exerçât en sa faveur, il aurait vu (et toute la rédaction assurément avec lui) d'un fort mauvais œil qu'elle pût durer et s'institutionnaliser, même pour un recueil de fonds désintéressés risquant de brider par la suite sa liberté. Son refus de publier dans les colonnes du journal la lettre de Jacques Narbonne est, à cet égard, assez clair. La Fédération des comités de lecteurs du *Monde,* une fois son rôle conjoncturel rempli, disparut sans tambour ni trompette.

Il faut bien dire que, quelque importantes qu'aient pu être ces initiatives pour créer un climat général favorable à Beuve-Méry, et pour l'encourager personnellement à tenir bon, c'est ailleurs que s'est livrée la bataille décisive : si Courtin avait eu les moyens de l'emporter, la Fédération n'aurait probablement pas pesé lourd et les indignations seraient probablement retombées assez vite...

De Gaulle sauve Beuve (décembre)

Au terme de plusieurs séances de travail tenues entre la mi-septembre et la mi-novembre, la commission mixte met au point le projet de modification des statuts prévue le 14 septembre : il organise la naissance d'une Société de rédacteurs dont l'objet principal sera d'acquérir quatre-vingts parts de la SARL *le Monde,* parts nouvelles spécialement créées à cette fin. Les associés sont alors, fin novembre, invités à donner leur accord par correspondance, de telle sorte que les représentants des rédacteurs puissent siéger à la prochaine assemblée générale. Au cours d'une réunion officieuse, un plein accord paraît obtenu.

1. Maurice Duverger, *op. cit.,* p. 158.

Mais voici que, dans le même temps [1], Courtin découvre avec amertume que Catrice semble bien rallié à présent à l'idée d'un maintien de Beuve-Méry à la tête du journal, faute que se soit dégagé un candidat de tendance MRP. Il est tout à fait clair, désormais, que depuis l'assemblée de septembre on a renoncé, dans les différentes tendances de ce parti, à investir le journal. D'autre part, Catrice, installé au *Monde,* a visiblement constaté qu'il pourrait ne pas s'entendre si mal avec Beuve-Méry. D'où son choix...

Courtin, une fois de plus, tombe des nues. « Mon sang ne fait qu'un tour [2] », écrit-il. Il déclare hautement que, dans ces conditions, tout est remis en question et qu'il refusera de voter l'augmentation de capital prévue.

Et la querelle recommence. Courtin rédige un projet de protocole qui lie la réforme des statuts à un engagement par les associés de « n'émettre aucun vote qui pourrait conduire à maintenir en fonction l'actuel directeur [3] ». Mais Catrice rejette l'idée que l'on puisse ainsi d'avance se lier les mains. En revanche, il promet à Courtin — au moins est-ce ainsi que celui-ci le comprend — que Beuve-Méry ne pourra pas être prorogé à la majorité simple puisqu'il a démissionné. Il lui faudra, pour rester à la tête du journal, être *renommé,* c'est-à-dire, aux termes des statuts, recueillir les trois quarts des voix à l'assemblée générale (et c'était là, comme on a vu, l'interprétation de Joly et de Duverger à l'origine). Comptant sur l'appui de Broissia, avec qui il s'est mis en cheville, Courtin peut calculer qu'il disposera d'une minorité de blocage, et reprendre espoir.

Mais c'est pour rencontrer bientôt une nouvelle déconvenue, un événement considérable, encore plus inattendu pour lui. Et cette fois, c'est l'attitude de Funck-Brentano qui est en jeu. Jusqu'à présent, les deux hommes avaient maintenu une bonne harmonie. Avant l'assemblée générale de septembre, le premier pouvait même écrire au second : « Votre lettre m'a fait grand plaisir. Je vous téléphonais à l'heure où vous l'écriviez et nous étions dans le même

---

1. La chronologie, faute de documents, est ici un peu floue, mais l'enchaînement des événements paraît indubitable.
2. Notes brèves citées (Archives René Courtin).
3. Projet de protocole (Archives René Courtin).

esprit. Nous finirons siamois [1]... » A plusieurs reprises Courtin a rencontré les deux collaborateurs de De Gaulle qui suivent l'affaire de près : Pompidou et Palewski. Michel Debré, qui a connu Courtin dans la Résistance et au Mouvement européen, sert un peu d'intermédiaire [2].

Mais le RPF, dans le même temps, a subi d'autres pressions. Édouard Sablier, appuyé à partir du début d'octobre par Maurice Ferro, correspondant du journal à Washington, comme lui ancien officier de la France libre, et catalogué gaulliste, a fait le siège de la rue de Solferino pour persuader le général et les siens de l'utilité de soutenir Beuve-Méry [3]. A huit jours de distance, Sablier et Ferro, en octobre, sont reçus par de Gaulle lui-même. L'un et l'autre plaident chaleureusement la cause de Beuve-Méry ; ils admettent les divergences dans le domaine intérieur, mais ils insistent sur ce qui leur paraît l'essentiel : les affaires étrangères. C'est ainsi que Ferro plaide : la politique du *Monde,* « politique d'indépendance par rapport au bloc soviétique tout autant qu'au puissant allié américain [...], ne risqu[e-t-]elle pas de prendre un sérieux virage dans l'hypothèse d'un changement radical de contrôle du journal? N'[est]-elle pas plus proche de la doctrine d'indépendance nationale chère au général que l'alignement inconditionnel sur Washington? »

A ses interlocuteurs, de Gaulle commence par opposer un refus formel, puis il annonce qu'il réfléchira. Et quelque temps plus tard, il leur fait savoir qu'il est sensible à leur plaidoyer, et qu'il demandera à Funck-Brentano de soutenir Beuve-Méry au jour J. A Palewski, il explique qu'à ses yeux mieux vaut conserver au *Monde* un adversaire de qualité sincère et honnête, plutôt que de faire place à on ne sait quel personnage qui risquerait d'être de moindre niveau [4]. Choix décisif, qui change tout : de Gaulle sauve Beuve-Méry.

---

1. Lettre datée seulement mercredi, probablement d'après le texte (mais non à coup sûr) du 11 septembre 1951.
2. *Ibid. :* « Pourrions-nous nous voir tout de suite? Pompidou serait très désireux de causer avec vous ce soir, mercredi, à 9 h 30. Debré y sera, et Palewski, tous les amateurs de scandale du RPF »... Voir aussi une lettre manuscrite de Michel Debré, également sans date, qui donne Pompidoux (*sic*) comme le maître d'œuvre.
3. Entretien Sablier et Maurice Ferro, récit inédit cité.
4. Entretien Palewski.

Telle est en tout cas la version simple qu'on présente aujourd'hui du côté gaulliste. Il faut pourtant observer qu'à regarder les choses de près elles semblent bien avoir été, du côté de la rue de Solferino, un peu moins simples que cela, et que de Gaulle peut-être — en tout cas, son entourage — ont espéré, très tard encore, pouvoir tirer profit de la situation à l'avantage du RPF.

C'est ainsi que Funck-Brentano, vers la fin de novembre, vient proposer à Courtin une solution nouvelle : il s'agirait de nommer à la tête du *Monde* un duo fort gaulliste : Gabriel Puaux comme directeur et... Funck-Brentano lui-même comme gérant [1].

Gabriel Puaux, diplomate, ancien résident général au Maroc, ancien ambassadeur en Suède, membre de l'Institut, est proche des milieux gaullistes. Mais c'est aussi une personnalité de la « HSP », ce qui pourrait, espère-t-on, contribuer à rallier Courtin. Vain espoir : celui-ci juge immédiatement l'idée inacceptable et il l'indique « discrètement » à Funck-Brentano dont assurément la candidature personnelle aurait quelque peine à être prise au sérieux.

Dès lors, entre les deux hommes, l'entente est morte, et la rancune court vite. Funck-Brentano et les siens en viennent à reprocher vivement à Courtin d'avoir de son côté donné son accord à Catrice dans l'affaire des rédacteurs, sachant ce que serait l'attitude de celui-ci sur le problème de la direction, et d'avoir consenti à ce que leurs représentants soient admis à l'assemblée des associés avant que ce problème soit réglé, accroissant ainsi la force de Beuve-Méry. Quelques jours après la bataille, Michel Debré fournit à René Courtin ces intéressantes précisions : « ... *Le Monde* : j'ai fait mon enquête et je crois pouvoir vous affirmer que mon ami [?] n'a pas, dans cette affaire, varié d'une semelle. Mais, comme je vous l'ai indiqué, à partir du moment où " ils " ont eu la déception de vous voir accepter l'augmentation de capital avant la désignation des dirigeants, et faire confiance à M. C[atrice] aussi bien qu'à des représentants du personnel dont il connaissait la position et dont il savait qu'ils étaient des complices actifs, P. [il s'agit de Pompidou ou de

---

1. Sur ce projet les sources sont les notes brèves de Courtin (allusives), le procès-verbal original de Fromont sur les assemblées générales des 12 et 13 décembre 1951, et une déclaration rétrospective de Courtin au procès-verbal de l'assemblée générale du 29 mars 1952 résumant le projet de protocole à lui soumis par Funck-Brentano.

Palewski] et son entourage ont considéré l'affaire comme manquée. Au surplus, l'ami F. B. a été très déçu de l'accueil que vous lui avez réservé, ou plutôt que vous avez réservé à sa demande. Dès lors F. B. s'est trouvé alléché par votre adversaire. »

Michel Debré ajoute ensuite ceci, qui est plus étonnant, qu'alléché Funck l'a été « sans aucun accord, ni préalable ni postérieur, de P. Ceci je puis vous l'affirmer, d'autant plus que j'ai eu les échos d'une conversation récente où F. B. n'a pas été uniquement félicité [1] ! ». Quelle était donc cette « affaire » qui par « P. » fut jugée manquée?

La chronologie et les intentions sont ici un peu floues. Mais on ne peut douter qu'en définitive, que ce soit avant ou après cette ultime manœuvre, de Gaulle ait consenti à laisser soutenir Beuve-Méry, et que son équipe ait vu là, à défaut du mieux, le moyen d'améliorer — Beuve-Méry étant de toute façon le vainqueur probable — les actions du RPF au journal...

Le résultat, quoi qu'il en soit, est bien clair. L'assemblée doit se tenir le 12 décembre 1951 à 17 heures. Vers midi, ce jour-là, Funck-Brentano téléphone à Beuve-Méry pour lui demander de déjeuner avec lui [2]. Au dessert l'accord est passé, et, quand on entre en séance, les jeux sont faits [3].

La réforme des statuts a été adoptée par correspondance dans les jours précédents. Donc, pour la première fois, le représentant des rédacteurs, André Chênebenoit, siège. Le seul absent non représenté est Jean Schloesing, qui boude et s'est retiré sur l'Aventin. Gérard de Broissia n'est pas là non plus, mais il a donné à Courtin son accord et son pouvoir. Broissia est ainsi le seul membre de l'ancien « groupe Dupraz », désormais dispersé, à soutenir encore Courtin. Celui-ci peut bien rappeler à l'assemblée qu'on a songé à d'autres candidats, qu'on a parlé de Raymond Aron, de Gabriel Puaux, et

---

1. Michel Debré à Courtin, 19 décembre 1951 (Archives René Courtin).
2. Agenda H. B. M., et témoignage Ferro.
3. Sur les deux assemblées générales des 12 et 13 décembre 1951, on est mieux renseigné que d'ordinaire : outre les notes citées de Pierre Fromont et la protestation également citée de Courtin au procès-verbal de l'assemblée générale du 29 mars 1952, on dispose du procès-verbal détaillé rédigé par Catrice à partir d'un projet Fromont, et des pièces de la controverse ultérieure sur le procès-verbal entre Catrice et Courtin (lettre Courtin à Catrice du 9 février 1952, réponse Catrice, 15 février, et dernière lettre de Courtin à Catrice, 4 mars) (Archives René Courtin).

même très vaguement d'André François-Poncet, haut-commissaire de France à Berlin, que lui-même a évoqué le nom de son coreligionnaire Paul-Louis Bret, directeur de la division de la presse à l'UNESCO : ce n'est guère qu'un baroud d'honneur. Courtin lui-même doit admettre que ces noms n'ont pas été approuvés par ses collègues et que la plupart n'ont même pas été pressentis... Catrice peut d'ailleurs faire observer qu'aucune de ces personnalités n'a, pour l'heure, de fonctions qui soient compatibles avec la direction d'un journal.

Courtin peut bien encore demander que Chênebenoit assure la direction effective du journal, par délégation du gérant et avec l'appui d'un conseil de direction : il sait d'avance que le refus de Chênebenoit ne sera pas moins formel qu'en septembre.

Il peut bien, enfin, faire d'amers reproches publics à Funck-Brentano sur son soudain changement de camp : c'est pour s'entendre répliquer par l'intéressé qu'il n'a pris sa décision que quand il a entendu Courtin lui dire (et celui-ci ne s'en défend pas) : « Périsse *le Monde* plutôt que le maintien de M. Beuve-Méry! », propos que l'assemblée en général (et les représentants des rédacteurs en particulier) n'était pas prête à entendre avec le sourire...

Il ne reste plus à Courtin qu'une barrière juridique : la nécessité de la majorité qualifiée. Or, voici que celle-ci même se dissout grâce à une subtilité juridique opportunément imaginée : Catrice, qui préside, fait en effet mettre aux voix la décision suivante : « Les associés décident la prorogation des pouvoirs actuels de M. Beuve-Méry jusqu'à ce que, dans les conditions de majorité requises par les statuts, un autre gérant-directeur puisse être nommé... » Et il affirme que, pour ce vote, la majorité simple suffit, ce que, en vain, Courtin conteste vivement, rappelant que Catrice, naguère, lui avait affirmé le contraire. Le vote auquel on passe malgré cette protestation donne 190 parts pour Beuve-Méry contre les 65 du groupe Courtin.

Si Schloesing était là, et votait pour Beuve-Méry, on résoudrait la question en dépassant la majorité des trois quarts, grâce à l'apport nouveau des 80 parts de la rédaction. Donc l'assemblée décide à l'unanimité de se renvoyer au lendemain 13 décembre, pour tâcher de convaincre l'absent. Mais c'est un effort inutile : Schloesing ne vient pas davantage. Le temps n'a pourtant pas été perdu pour tout le monde. Car, dans l'intervalle, Catrice et Beuve-Méry ont suscité une consultation du vieil ami André Joly qui conclut à la validité d'une décision à la majorité simple, et conseille de faire procéder à un vote nouveau sur un texte plus simple, plus direct et plus explicite que celui adopté la veille. Ce texte est voté dans les mêmes conditions que le précédent, à la majorité simple de 190 parts contre 65. Il est ainsi rédigé : « Les associés, constatant que dans le délai de trois mois après la démission de M. Beuve-Méry il n'a pu être procédé à son remplacement comme gérant-directeur de la publication, décident de proroger les fonctions de M. Beuve-Méry. En conséquence, M. Beuve-Méry demeurera gérant-directeur de la publication aux termes de l'ordonnance du 24 août 1944 [...] tant qu'il n'aura pas été pourvu à son remplacement dans les conditions prévues au troisième alinéa de l'article 18 des statuts. »

Et ceci pour l'essentiel ramène les choses à la situation antérieure à la démission du 27 juillet précédent. Beuve-Méry ne peut plus être délogé que par la mort, son retrait volontaire ou une décision des trois quarts des associés...

La crise est dénouée — non sans pourtant que Funck-Brentano lui ajoute un assez piquant épilogue, en posant sa candidature à un poste de cogérant. Catrice et Beuve-Méry, naturellement, soutiennent cette idée qui récompenserait le ralliement : ils n'en ignorent pas pour autant l'inévitable destin. La proposition étant mise aux voix, Funck-Brentano trouve en effet contre lui les 65 parts du groupe Courtin qui, pour la première fois, retrouve in extremis le moyen d'un veto — puisque, à la différence d'une prorogation, la nomination nouvelle d'un gérant requiert une majorité qualifiée des trois quarts... Et c'est ainsi que Beuve-Méry et Catrice sont dispensés d'une encombrante association qu'ils ont pu se donner les gants de défendre...

CHAPITRE V

Combats pour l'indépendance
1952-1957

Le rapport Fechteler...

Dans l'ardeur de la bataille qui s'était déroulée tout au long de l'année 1951 avec comme enjeu la direction du *Monde,* on avait presque fini par oublier l'objet de la querelle. Les grands débats de politique étrangère avaient fait place aux grandes et petites manœuvres internes. L'affaire Fechteler qui sert d'épilogue à la crise de 1951, comme l'affaire Gilson lui avait servi de prologue, va redonner à la querelle du neutralisme toute son acuité.

Sous le titre : « La politique américaine en Méditerranée, un rapport de l'amiral Fechteler au National Security Council », *le Monde* daté du 10 mai 1952 publiait sur toute l'étendue de sa page 3 un document qui allait faire l'effet d'une véritable bombe. Annoncé en page 1 par un chapeau [1] d'André Chênebenoit, rédacteur en chef, comme paraissant « présenter de sérieuses garanties d'authenticité », il était précédé de quelques lignes de son introducteur, Jacques Bloch-Morhange. Celui-ci donnait des précisions impressionnantes : rédigé entre le 10 et le 17 janvier 1952 par l'amiral Fechteler, chef des opérations navales de la marine américaine, il avait été transmis par estafette le 18 à James Seldon Lay, secrétaire du National Security Council, c'est-à-dire l'instance suprême de la

---

1. Sous le titre : « La politique américaine en Méditerranée s'inspire-t-elle des plans de l'amiral Fechteler ? » Le texte complet du rapport figure en annexe.

défense nationale américaine [1]. Intercepté par les Services de documentation militaires britanniques aux États-Unis et transmis le 24 janvier 1952 au Premier lord de l'Amirauté, c'est ce document qui était tombé dans les mains de Bloch-Morhange. Il avait pu en prendre copie, à l'exclusion, disait-il, de renseignements purement techniques ou de considérations exclusivement militaires, qu'il avait hâtivement résumés entre crochets, et en avait fait état les 2 et 16 février dans son bulletin confidentiel *Informations et Conjoncture,* sans provoquer la moindre réaction de l'ambassade américaine, pourtant destinataire du bulletin.

Cet exposé stratégique, d'une brutale franchise, ne manquait pas de vraisemblance. En revanche, les résumés des parties prétendument techniques et militaires, opérés par Bloch-Morhange, étaient à la fois explosifs et extravagants : ainsi l'hypothèse du lâcher de plus de 150 000 parachutistes soviétiques sur les îles Britanniques; l'affirmation du caractère inévitable de la guerre d'ici à 1960; ou encore l'occupation du territoire soviétique comme but final d'une guerre éventuelle.

Voilà qui sentait quelque peu les services secrets. Qui était donc Jacques Bloch-Morhange? Cet ancien FFI était devenu en 1946 attaché au cabinet de Longchambon, ministre du Ravitaillement, avec rang d'inspecteur général, avant de se lancer dans le journalisme et les affaires. Il fut notamment collaborateur de *Paris-Presse* et de *Combat,* soutint en 1951 la campagne neutraliste de Claude Bourdet.

L'année précédente, il avait créé l'hebdomadaire *Don Quichotte* et fondé pour sa publication la société d'édition « 24 heures du monde »; l'entreprise fut arrêtée au bout de quelques mois. Il se trouvait en 1952 associé à Charles Lemarié, gérant de la société franco-hellénique de l'Import-Export Sofrimex. C'est là qu'étaient discrètement installés les bureaux d'*Informations et Conjoncture.*

---

1. En faisaient en outre partie à l'époque : le président Truman, le vice-président Barkley, le secrétaire d'État Acheson, le secrétaire à la Défense Lovett, le président du National Security Resources Board Gorrie. Pouvaient occasionnellement s'y joindre M. Harriman, conseiller personnel du président Truman, le général Bradley, chef d'état-major interarmées, le général Bedell Smith, chef de la CIA (encadré du *Monde,* 10 mai 1952).

Selon certains informateurs [1], Jacques Bloch-Morhange avait vainement offert ce rapport à *France-Soir* et au *Progrès de Lyon*, avant d'aller le proposer au *Monde*. S'il en était ainsi, l'hypothèse, plusieurs fois avancée à l'époque [2], d'une machination contre *le Monde* était sans fondement.

Que disait en substance le rapport Fechteler ?

a) qu'une guerre avec l'Union soviétique était pratiquement inévitable d'ici à 1960. Dans cette hypothèse, les 52 divisions européennes ne tiendraient pas plus de trois jours devant les 112 divisions russes, cependant que 150 000 parachutistes russes pourraient aisément couper l'Angleterre de l'Écosse... L'analyse exprimait en outre un profond scepticisme sur la solidité des régimes politiques, économiques et militaires européens face à la subversion et à l'attaque. Dans ces conditions, la défense de l'Europe occidentale était pratiquement impossible ;

b) que la contre-attaque américaine à partir de l'Atlantique ou du Pôle était très difficile ; qu'en revanche elle était très possible à partir du bassin méditerranéen, qui deviendrait la base principale d'opérations combinées. Il s'agissait, comme l'avait jadis recommandé Churchill, d'attaquer l'URSS en frappant l'Europe au bas-ventre, quitte à abandonner l'Europe de l'Ouest au moins provisoirement à la domination soviétique :

c) que dans ces conditions, et aussi en raison du pétrole du Moyen-Orient, l'orientation politique des États arabes du pourtour méditerranéen devenait une question essentielle ; que le malaise et les troubles étaient dus avant tout à la maladresse de la France et de la Grande-Bretagne ; qu'il appartenait donc aux États-Unis de jouer franchement la carte arabe, de passer des accords spéciaux avec la Ligue arabe et, éventuellement, de tenter une réconciliation des Arabes avec la France et la Grande-Bretagne.

Au lendemain de la publication, dont le retentissement international fut immédiat et considérable, les démentis catégoriques allaient se succéder : et d'abord ceux de l'amirauté britannique et du Premier ministre Winston Churchill lui-même. Surtout, le 14 mai,

---

1. *L'Écho de la presse* du 16 mai 1952.
2. Par *France-Observateur* du 22 mai 1952 ; par *Défense de la paix* (juin 1952), sous la signature de Charles Favrel, par ailleurs rédacteur au *Monde* ; et enfin par *Liberté de l'esprit* (juillet-septembre 1952).

le grand journal libéral néerlandais *Algemeen Handelsblad* publiait sur six colonnes à la une un article de son collaborateur Albert Besnard qui avait retrouvé l'original, parfois mot pour mot, du prétendu rapport Fechteler; c'était, sous le titre « Sea of Decision », un article du *commander* Antony Talerico paru dans la revue navale américaine : *US Naval Institute Proceedings* de septembre 1950. Il n'y manquait guère que les fameux résumés entre crochets de Jacques Bloch-Morhange. Bizarrement, l'amiral Fechteler, qui dirigeait depuis peu l'Institut naval sous les auspices duquel la revue paraissait, déclara dans une conférence de presse au lendemain de cette révélation n'en avoir conservé aucun souvenir.

Si l'on en croyait les démentis officiels, il s'agissait donc d'un faux, et la bonne foi du *Monde* avait été surprise, à moins que, comme allaient le suggérer ses adversaires, ce ne fussent sa légèreté ou, pis, sa passion antiaméricaine qui se trouvassent à cette occasion soudain révélées. Étrange faux, pourtant, dont on connaissait l'auteur[1]! Pour une machination, elle était bien maladroite. Il n'était pas non plus interdit de penser que l'article du *commander* Talerico ait pu servir de base, parfois littérale, à un rapport ultérieur. D'autant plus que c'est bien hypocritement qu'on feignait de se scandaliser de thèses dont chacun savait qu'elles étaient couramment développées aux États-Unis, par exemple par le sénateur Taft. *L'Observateur* n'avait-il pas de son côté publié le 3 janvier précédent, comme le rappelait Gilles Martinet, des extraits d'un article de Guy Richards et John L. Zimmerman, précisément paru dans la même revue, *US Naval Institute Proceedings,* et qui soutenait les mêmes thèses — cela sans provoquer le même vacarme? Il est vrai que la charge émotionnelle de l'affaire avait été largement accrue par le caractère « secret » du rapport attribué à l'amiral Fechteler. En tout cas, si faux il y avait, *le Monde,* comme le confirma son directeur dans plusieurs lettres personnelles adressées à des lecteurs, aurait aimé en connaître l'inventeur et s'était adressé au Quai d'Orsay pour que celui-ci procède à une enquête : en vain. L'affaire Fechteler sera sans lendemain. Mais l'intensité de l'émotion

---

1. Cela permet à *l'Information* du 13 mai 1952 d'évoquer Alphonse Allais : « Les pièces de Shakespeare ne sont pas de Shakespeare, mais d'un faussaire qui se faisait appeler Shakespeare. »

suscitée, la multiplicité des réactions en font un excellent instrument d'analyse de la société politique et des milieux de presse au beau milieu de la IVe République.

... un pas de clerc

Les réactions favorables sont de trois sortes.

Pour les communistes et leurs proches *(Libération)*, le rapport Fechteler dévoile les intentions agressives des États-Unis à l'égard de l'Union soviétique. La conséquence à en tirer, c'est qu'il faut quitter le pacte Atlantique.

Pour les gaullistes, le rapport révèle surtout les ambitions américaines qui visent à substituer les États-Unis à la Grande-Bretagne et surtout à la France dans le pourtour méditerranéen, en Afrique du Nord particulièrement : ainsi réagissent Gaston Palewski et Michel Debré.

Restent enfin ceux qui se sentent proches des positions du *Monde* tels, par exemple, Gilles Martinet, ou qui sont tout simplement des observateurs indépendants comme Pierre-René Wolf de *Paris-Normandie,* ou même des journaux comme *la Croix* ou *Franc-Tireur.* Pour eux, vrai ou faux littéralement, le rapport Fechteler est véridique. Il exprime une vérité profonde de la politique américaine : c'est que l'acceptable et l'inacceptable en fait de guerre mondiale ne s'apprécient pas de la même manière selon que l'on est de nouveau appelé à fournir le champ de bataille, ou seulement les armes et les munitions. En tout état de cause, la sagesse élémentaire pour les Européens commande de faire comme si le rapport était vrai.

Quant aux réactions défavorables, elles couvrent un large éventail, du *Populaire,* socialiste, et de *Force ouvrière* jusqu'à la droite. Les arguments sont beaucoup moins typés, bien qu'ils s'expriment avec une grande violence. On peut les classer en deux catégories.

Pour les uns, *le Monde* a usurpé sa réputation de sérieux. Ses informations sont souvent légères, voire tendancieuses. Le rapport

Fechteler en est la preuve. Ainsi Édouard Helsey, dans *la France indépendante* (21 juin), après avoir rendu hommage à la qualité du journal, ajoute : « On ne rencontre pas dans *le Monde* de mensonge formel — hormis peut-être dans la rubrique financière — mais tout est disposé de manière à égarer notre jugement. Avec de menus fragments d'information partiellement exacts, on compose une mosaïque fallacieuse bien faite pour tromper les yeux mal exercés. »

Pour d'autres, *le Monde* fait avant tout le jeu des communistes; ainsi Raymond Aron dans *le Figaro* du 14 mai : « On ne s'étonnera pas, hélas, que notre confrère *le Monde* soit au premier rang de cette troupe singulière qui semble tenir toutes les victoires de la stratégie stalinienne, tous les échecs de la stratégie occidentale pour des contributions à la cause de la paix »; même opinion d'Oreste Rosenfeld dans *le Populaire* (16 mai) : « Consciemment ou non, la rédaction du *Monde* a rendu grand service à la propagande stalinienne. »

Pour tous les adversaires du *Monde*, pour tous ceux qui l'accusent de complicité et de passion partisane, l'affaire Fechteler reste, un quart de siècle après l'événement, une pièce à conviction. En 1977, Pierre Viansson-Ponté se l'est entendu reprocher à trois reprises au cours d'une conférence donnée devant un public de patrons. La plupart des rédacteurs de l'époque considèrent qu'il s'est agi d'une grosse bévue. Plus que la publication du document, c'est, dans les jours qui suivirent, l'entêtement du journal à refuser de reconnaître son erreur qui a indisposé. Lorsque la source du prétendu rapport Fechteler (l'article du *commander* Talerico) est connue, au lieu de reconnaître que sa bonne foi a été surprise, André Chênebenoit écrit froidement que l'on se trouve devant « un texte authentique et public [1] ». Parle-t-il de l'article ou du rapport?

Sans vouloir admettre qu'il est de la nature des faux d'être vraisemblables, et même souvent d'exprimer « objectivement » la vérité, sans pour autant cesser d'être des faux, il ajoute qu'en toute hypothèse « le fond demeure, et légitime les questions que nous avions posées ». Quatre jours plus tard, c'est Hubert Beuve-Méry [2] lui-même qui se décide à reconnaître qu'il s'agit d'un faux dont

1. « La stratégie américaine en Méditerranée : le " document Fechteler " n'était pas inédit », *Le Monde*, 16 mai 1952.
2. « Précisions », *Le Monde*, 20 mai 1952.

l'auteur est inconnu, et ajoute qu'il a eu pour résultats « une explosion dont la force et l'ampleur seraient inexplicables sans l'acharnement qu'on a mis çà et là à la retourner contre *le Monde* ».

Faut-il ajouter foi à la thèse qui fait du « rapport Fechteler » une machine de guerre contre *le Monde*? Il est vrai que le journal a connu, nous l'avons vu, maintes tentatives pour l'abattre, et qu'il sera la victime, notamment pendant la guerre d'Algérie, de diverses provocations. C'est Jacques Fauvet qui, sans se prononcer sur l'hypothèse de la provocation, remarque néanmoins : « Cela collait trop bien avec nos idées; nous aurions dû nous méfier [1]. » Si l'on rejette cette hypothèse, quelle autre formuler? Une des plus vraisemblables est que le document Fechteler aurait pour origine les Services secrets britanniques, inquiets de la politique proarabe des Américains en Méditerranée.

Cette version est en tout cas conforme au propre témoignage de Jacques Bloch-Morhange, qui a toujours affirmé [2] que le document lui a été communiqué par un « correspondant » proche de l'ambassade de Grande-Bretagne à Paris. Selon l'opinion de collaborateurs du journal, l'opération aurait été télécommandée par certains milieux gaullistes, inquiets de voir les États-Unis faire passer au second plan la défense de l'Europe occidentale et se substituer aux Anglais et aux Français dans le monde arabe. Les deux hypothèses ne sont d'ailleurs pas incompatibles.

Jacques Bloch-Morhange a-t-il manipulé *le Monde* ou a-t-il été manipulé lui-même? On ne sait. Il n'est pas jusqu'à Beuve-Méry qui n'ait été quelque peu atteint par l'incident. Certes, c'est André Chênebenoit, « le prudent secrétaire général de la rédaction du *Temps,* devenu depuis huit ans le rédacteur en chef du *Monde* », selon l'opinion de Beuve-Méry lui-même [3], qui était le principal responsable de la « gaffe [4] ». Comme le dira Beuve, « je l'avais désigné comme gardien de but, et il a joué les avants-centres ». Mais

---

1. Entretien avec les auteurs, 14 février 1977.
2. Notamment dans sa brochure *Opération Fechteler,* Paris, Éd. Jean-Claude, 1953, 116 p.
3. « Le départ de Rémy Roure », *Le Monde,* 13 mai 1952.
4. En marge de la page du livre d'Abel Chatelain (« *Le Monde* » et ses lecteurs, *op. cit.*), consacrée au rapport Fechteler, André Chênebenoit a écrit : « Exact, c'est moi qui l'ai publié sous ma responsabilité » (ouvrage aimablement communiqué par M. Gérard Casano, p. 129).

le directeur du journal, qui avait toujours fait du neutralisme une sorte de domaine réservé, avait-il été bien inspiré en chargeant de cette affaire un homme qui n'était pas spécialement versé dans les questions de politique étrangère?

Des années durant, le « complexe Fechteler » obsédera l'esprit du directeur du *Monde* et de maints rédacteurs. On soulignera avec empressement tout événement, toute information susceptible d'étayer la vraisemblance, sinon l'authenticité du trop célèbre rapport, et c'est souvent qu'on entendra dire à Beuve-Méry : « Vous ne trouvez pas que cela confirmerait le rapport Fechteler? » A la longue, le journal de la rue des Italiens avait fini par se comporter comme s'il en avait été l'auteur...

A l'intérieur de la rédaction, l'émotion fut considérable. Selon certains témoignages, André Chênebenoit paraît avoir envisagé de donner sa démission. Quant à Rémy Roure, c'est le soir même de la publication du document qu'il remet la sienne [1].

« La paix est trop fragile et la solidarité des nations libres trop précieuse pour que devant un document de cette nature, dont l'origine et la caution ne sont, c'est le moins qu'on puisse dire, ni pures ni sûres, l'on ne se sente pas tenu, dans un journal comme *le Monde,* à la plus extrême prudence... » De plus, ajoute-t-il, n'était-ce pas l'occasion de consulter la Société des rédacteurs fondée l'année précédente?

Dans le commentaire qui suit la publication dans le journal de la lettre de démission de Rémy Roure, Beuve-Méry, après avoir rejeté comme une inadmissible ingérence l'éventuelle intervention de la Société des rédacteurs dans cette affaire, rappelle qu'à son retour de Buchenwald le démissionnaire eût pu briguer la direction du journal et qu'il la lui eût volontiers abandonnée.

Il est curieux de noter que Roure, qui avait supporté la campagne neutraliste des années précédentes et qui s'était même rangé avec éclat aux côtés de Beuve-Méry lors de la crise de 1951, ait brutalement démissionné à propos d'un seul article. Il est vrai qu'il était de plus en plus discuté dans le journal, donc mal à l'aise; d'autre part, l'annonce dans les jours suivants de son entrée au *Figaro* affaiblit la portée de son geste.

1. « Précisions », *Le Monde,* 20 mai 1952.

Lors de l'assemblée de la Société des rédacteurs qui se tint le 20 mai, André Chênebenoit démissionna de la présidence en raison du rôle qu'il avait joué dans l'affaire Fechteler [1] et fut remplacé par Jean Schwœbel, qui avait été l'année précédente le promoteur le plus convaincu de cette institution nouvelle.

L'émotion des milieux politiques, de la presse en général, de la rédaction du *Monde* en particulier, était naturellement partagée par les lecteurs. Le directeur du *Monde* reçut à cette occasion plus de 150 lettres, dont 76 le félicitaient pour son courage, tandis que 65 le désapprouvaient avec violence, le plus souvent sous la forme d'un désabonnement. Des deux côtés, la passion était extrême. Pour les premiers, il fallait publier le rapport Fechteler, vrai ou faux, car il exprimait la réalité ; pour les seconds, il ne fallait le publier en *aucun cas,* parce qu'il affaiblissait l'Occident et faisait courir un risque à nos alliances traditionnelles.

Ce fut pour René Courtin, appuyé par Pierre Fromont et Jean Vignal, l'occasion de réaffirmer publiquement pour la dernière fois son désaccord avec Hubert Beuve-Méry. Dans un communiqué de presse du 12 mai 1952, ils « observent que cette publication s'inscrit moins dans la politique de libre information souhaitée par eux que dans une campagne tendancieuse, purement négative et démoralisante, engagée par M. Beuve-Méry depuis plus de trois ans et à laquelle ils n'ont cessé de s'opposer ». Mais ce dernier sursaut d'indignation manquait de vigueur et ne fut suivi d'aucune conséquence pratique.

Ce fut enfin le motif principal de la publication, en octobre 1952, d'une brochure intitulée « *Le Monde* » *auxiliaire du communisme,* par une Association d'études et d'informations politiques internatio-

---

1. Il fut alors nommé président d'honneur. La motion suivante, en date du 23 mai 1952, lui fut envoyée, signée d'un grand nombre de rédacteurs (Archives Chênebenoit).

« Au moment où M. Chênebenoit quitte la présidence de la Société des rédacteurs du *Monde* pour des raisons qui témoignent de la générosité et de la noblesse de ses préoccupations, les rédacteurs du *Monde* tiennent à lui faire savoir que les derniers événements n'ont en rien altéré les sentiments de grande amitié qu'ils lui portent et la reconnaissance qu'ils lui gardent d'avoir été l'artisan premier de la Société consacrant leur droit moral au sein du journal.

» Ils lui demandent en conséquence de bien vouloir accepter la présidence d'honneur de leur Société. »

nales, fondée en 1949 et animée par Georges Albertini [1]. Celui-ci avait été pendant la guerre directeur du cabinet de Marcel Déat au ministère du Travail et secrétaire général de son mouvement, le RNP, et il était devenu, après la guerre et sa sortie de prison, le conseiller de la banque Worms [2]. La brochure fut largement diffusée. Pendant de nombreuses années, le « document Fechteler » continuera de provoquer les gloses des spécialistes. Sous le titre « En Méditerranée avec le Pentagone » [3], l'amiral Castex faisait paraître en 1953 une étude qualifiant de « pas très convaincants les documents émanés des autorités américaines et anglaises, lors de la publication du fameux rapport ». Pour l'amiral Castex, il y a toutes raisons de penser que les lignes directrices du rapport reflétaient assez exactement l'opinion des milieux militaires américains. Quelques années plus tard, le général Beaufre qu'on ne saurait accuser d'hostilité systématique aux États-Unis, puisqu'il avait été successivement chef d'état-major adjoint du SHAPE en 1958 et représentant de la France au Groupe permanent de l'OTAN à Washington en 1960 avant de se faire mettre en disponibilité en 1961 en raison de son désaccord avec le général de Gaulle, n'hésitait pas à invoquer le rapport Fechteler [4] à l'appui de ses assertions sur la politique américaine au Moyen-Orient.

Mais, pour le sujet qui nous occupe, le mot de la fin appartient à *Juvénal* qui, avec quelques-uns de ses confrères, se fait l'écho, le 23 mai 1952, de l'information suivante : « Le bruit court à nouveau qu'il serait question de ressusciter *le Temps*. »

Pour tuer « le Monde » : « le Temps de Paris »

L'épisode fut retentissant. Un lancement à sons de trompe, une concurrence acharnée avec les quotidiens installés, une brutale

1. Supplément du 1er-15 octobre 1952 au *Bulletin* de l'Association (BEIPI), 72 p. Le bulletin est devenu ensuite *Est et Ouest*.
2. A noter que, selon Georges Albertini, la banque Worms n'a jamais financé le BEIPI (lettre à Jean Planchais, 28 juillet 1977, Archives H. B. M.). Il ne précise pas, toutefois, l'origine des ressources du BEIPI.
3. *Revue de défense nationale*, août-septembre 1953.
4. Dans son livre *l'Expédition de Suez*, Paris, Grasset, 1967, p. 32.

déconfiture, après moins de trois mois de parution, et 66 numéros seulement. Tant par l'ampleur des moyens mis en jeu que par la brutalité de l'échec, l'événement n'a pas (au moins jusqu'au *J'informe* de Joseph Fontanet, en 1977) d'équivalent dans l'histoire de la presse depuis la guerre [1].

Toutes les tentatives lancées depuis dix ans pour investir le journal de l'intérieur se sont toujours brisées sur l'intransigeance de Beuve-Méry et sur la solidarité de son équipe et de ses lecteurs. Et dès lors, ses adversaires reviennent naturellement à l'idée déjà ancienne d'une autre offensive : on tâcherait de l'étouffer par la concurrence d'un nouveau journal, on ferait renaître *le Temps* contre lui.

Pendant plusieurs années, ce fut le serpent de mer. On se souvient qu'en 1950 une offensive préparée sous les auspices de la Société d'études économiques et sociales, présidée par Paul Cheminais et elle-même société administratrice de la Société du journal *le Temps,* avait avorté. En 1952, le projet paraît refaire surface. Martial Bonis-Charancle écrit le 20 juillet 1951 à Courtin, après la publication de son communiqué (et peu avant la démission de Beuve-Méry) : « Tout cela ne résout rien et ne nous donne pas le grand journal national et libéral que tant de gens désirent. Aussi vous ne serez pas étonné d'apprendre qu'un nouveau groupe se forme pour reprendre l'initiative que Georges Villiers avait fait échouer l'hiver dernier. Ce sont les Algériens qui sont le plus excités [2]. »

Robert Poulaine, journaliste au *Temps* avant la guerre, travaille, parmi d'autres probablement, à rassembler les fonds ; on a trace, grâce à une lettre de Lorrain Cruse à son ami Beuve-Méry, d'une tournée que Poulaine accomplit au Maroc en mai 1952 pour battre le rappel des bonnes volontés financières [3]. L'Afrique du Nord, décidément, est directement concernée.

Les choses paraissent avancer. Une « Société d'étude et d'exploi-

---

1. Les Archives H. B. M. contiennent sur cette affaire un dossier de presse, des lettres de lecteurs et différentes notes d'information de provenance diverse ; les Archives Ph. Boegner, un précieux mémorandum sur *le Temps de Paris* (67 p. dact.), les procès-verbaux des conseils d'administration et diverses pièces annexes ; les Archives Dhavernas, outre le double des procès-verbaux, de nombreux documents comptables sur les finances et le tirage du journal.
2. Lettre citée (Archives René Courtin).
3. On trouvera ce récit significatif en annexe.

tation de presse quotidienne et juridique » est créée spécialement, et, en avril 1952, Claude Bourdet intitule un article retentissant de *France-Observateur* : « *Le Temps* renaît dans la houille et le lait [1]. » Il y annonce que l'Union des mines et l'industrie laitière, en liaison avec Paul Marchandeau, l'ancien ministre radical d'avant-guerre, s'apprête à lancer un quotidien qui, pour la première fois, se présente comme devant se nommer *le Temps de Paris.* Sur quoi, rien ne va plus : pour des raisons encore obscures, on constate qu'il s'agit une fois de plus d'une « grossesse nerveuse », selon l'expression méchante qui circule dans certains milieux patronaux.

En février 1953, un nouvel avatar du projet, probablement sans rapport direct avec les maîtres d'œuvre du précédent, s'annonce quand Paul Gaultier, membre de l'Institut, publiciste, administrateur de Rhône-Poulenc, proche de Marcel Boussac et intéressé dans ses affaires, dépose le titre *le Temps intercontinental* [2]. Et puis le soufflé retombe une nouvelle fois, et il faut attendre la fin de 1954 pour que l'entreprise tant de fois évoquée soit cette fois lancée pour de bon.

Un beau jour, en novembre de cette année-là, le journaliste Philippe Boegner, ancien directeur de *Paris-Match,* reçoit, par l'intermédiaire d'Alfred Fabre-Luce, une invite d'Antoine Pinay à venir le voir. Boegner n'a jamais rencontré Pinay, mais il éprouve beaucoup d'estime pour lui. Depuis son observatoire de *Paris-Match,* en 1952, il a vu l'homme au petit chapeau devenir en quelques jours une vedette (et son journal y a d'ailleurs été pour quelque chose), et il garde dans l'oreille un mot de Sacha Guitry : « Antoine Pinay, c'est typiquement un homme de bonne volonté. » Bref, il est d'avance fort bien disposé [3].

Arrivé chez Pinay, boulevard Suchet, Boegner s'entend demander s'il juge possible de réaliser, à dessein explicite de couler *le Monde,* un grand organe de presse nouveau « reposant sur les principes de base de l'occidentalisme chrétien ». Comme il advient que Boegner, tout en démontrant la complexité du problème, ne répond pas par la

1. *France-Observateur,* 10 avril 1952.
2. Voir la *Correspondance générale de presse* du 14 avril 1953 et *l'Express* du 30 mai 1953. La *Correspondance* cite sous réserves les noms d'Ernest Mercier et d'Henry de Peyerimhoff comme figurant dans le nouveau groupe.
3. Entretiens Philippe Boegner.

négative, Antoine Pinay, à l'issue d'un second entretien, le met en rapport avec deux industriels de ses amis, Robert André et Georges Morisot, qui se proposent comme les maîtres d'œuvre du projet. Après un déjeuner de travail, l'affaire paraît lancée. Elle va aboutir, non sans bien des débats et bien des tergiversations, seize mois plus tard, à l'apparition du *Temps de Paris.*

D'où vient l'argent ?

Pour prendre la mesure de l'entreprise, il convient de rechercher d'abord quels sont ses bailleurs de fonds. L'inventaire de la répartition des 40 000 actions de 10 000 francs de la Société parisienne de presse, d'information et de publications constituée le 17 février pour éditer *le Temps de Paris* [1] montre bien que, quels qu'aient été les projets de 1952, on ne retrouve guère la houille et le lait en 1956, sinon sous la forme de maigres survivances : Jean Lebreton, importateur de thé, qui souscrit 500 actions, a peut-être quelques liens avec la famille d'Henry de Peyerimhoff, ancien président du Comité des houillères, par l'intermédiaire de la Compagnie coloniale, tandis que Jacques Rouvier (500 actions également) est notamment administrateur des laiteries Amiot, qui est une filiale de Nestlé. Quand on a cité encore les noms de Michel Bouvet, industriel dans le Jura, et de Georges Sierro, secrétaire général administratif d'une société de Saint-Étienne, qui ont souscrit également 500 actions chacun, on en a fini avec les quelques personnalités qui demeurent marginales, regroupant 5 % des actions au total. Quant aux 95 % restants du capital, on voit se dessiner quatre ensembles majeurs à la base de l'entreprise.

Robert André, qui est avec Morisot l'un de ses deux premiers promoteurs, est inscrit pour 6 000 actions (15 %) et représente à lui seul le premier apport majeur en provenance de l'industrie du

---

1. Voir pour les Statuts *les Affiches parisiennes et départementales,* 11 avril 1956, p. 15-17 (l'assemblée générale constitutive a lieu le 3 avril), et pour la liste des actionnaires notamment *l'Écho de l'imprimerie,* « Lettre confidentielle » de Noël Jacquemart, 27 avril 1956.

pétrole. Robert André (1885-1962), fils d'un négociant qui fut le premier importateur en France d'huile minérale de graissage, a fait une bonne partie de sa carrière, à partir de 1929, à la Standard Oil. Il a été longtemps PDG d'Esso Standard France dont il est président d'honneur. Il est administrateur de la Compagnie française des pétroles. Il est surtout président de l'Union des chambres syndicales de l'industrie du pétrole, qui groupe toutes les activités le concernant (recherche, production, raffinage et distribution) : autrement dit, il a figure de numéro 1 de la profession et de son premier porte-parole [1]. Puissance considérable : d'après la Chambre syndicale des agents de change, la capitalisation boursière des 19 valeurs de pétrole et de carburant représente, au 29 mars 1956, près de 21 % de la capitalisation globale des actions françaises à revenu variable cotées au marché officiel.

Mais les liens de Robert André avec la profession suffisent-ils à affirmer que celle-ci soit tout entière engagée dans l'aventure du *Temps de Paris*? Assurément pas. Et l'on sait bien que celui qui s'efforce de démêler le jeu des forces dans le monde bancaire et industriel doit prendre bien garde de ne pas déduire trop vite de l'existence de liens de famille ou de profession la certitude de connivences sans failles et d'une étroite coordination.

C'est ainsi que, dans le cas des pétroles, après que Beuve-Méry a évoqué dans *le Monde* du 19 avril 1956, en termes voilés, un soutien possible de la Standard Oil de France au *Temps de Paris,* Serge Scheer, successeur de Robert André à la tête de cette affaire, s'empresse de dégager sa responsabilité en marquant qu'André a agi à titre personnel et en informant les collaborateurs de la société, dans son bulletin intérieur, « qu'à aucun moment et sous aucune forme, directe ou indirecte, Esso Standard SAF n'a participé à une entreprise de presse quelle qu'elle soit, et

---

1. Voir *Who's who in France*, 2e éd., 1955-1956, et l'opuscule nécrologique *Robert André,* Paris, Guy Chambelland, 1965, 130 p. Un attentif observateur anonyme relève avec malice qu'en 1910, dans sa thèse de doctorat en droit sur *l'Industrie et le Commerce du pétrole en France* (p. 48), Robert André écrivait : « Nous n'épiloguerons pas sur l'illégalité des moyens auxquels la Standard a eu trop souvent recours pour arriver à ses fins. Ces procédés ont déchaîné les critiques les plus âpres contre lesquelles les partisans les plus déchaînés du trust n'ont pu souvent que plaider les circonstances atténuantes... » (Archives H. B. M.).

que les rumeurs répandues à ce sujet sont sans fondement [1] ».

Georges Morisot (1898-1969) est, de fondation, l'autre maître d'œuvre, et probablement le plus dynamique [2]. Lui n'est pas né, comme Robert André, avec une « cuiller d'argent dans la bouche ». D'extraction modeste, ancien ouvrier maçon [3], il a fait sa carrière chez Michelin et c'est par lui que Michelin-Citroën se trouve engagé dans l'affaire : à côté de Morisot, qui possède 2 000 actions du *Temps de Paris,* Robert Puiseux en a souscrit la même quantité. Robert Puiseux, gendre d'Édouard Michelin, est en 1956 à la fois gérant des établissements Michelin et PDG de Citroën [4]. Même s'il a souscrit, comme c'est possible, sur ses fonds personnels, il engage beaucoup plus Citroën et Michelin dans l'aventure que Robert André Esso Standard. Ajoutons qu'à côté de Puiseux et de Morisot, 500 actions ont été souscrites par Antonin Coulaudon, président de la chambre de commerce de Clermont-Ferrand-Issoire, dont Puiseux est premier vice-président, qui vient ainsi renforcer ce qu'on peut appeler le « groupe de Clermont-Ferrand », maître de 4 500 actions, soit 11,25 % du total.

Le troisième ensemble constitutif peut être intitulé « groupe du *Petit Parisien* ». Il se trouve en effet que la famille Dupuy, héritière du grand quotidien de la IIIe République, s'en est vu dépouiller à la Libération en conséquence indirecte de ses violentes querelles intestines, et plus immédiate de l'attitude de Pierre Dupuy pendant la guerre [5]. Quand celui-ci, poursuivi après la Libération, a été acquitté, le 10 juillet 1951, la « Société du *Petit Parisien* » est redevenue propriétaire de ses biens, mais non du journal qui avait

1. « Mise au point », *Informations économiques,* bulletin bimensuel intérieur d'Esso Standard, 20 avril 1956.
2. « Il traînait Robert André derrière lui », dit Henry Dhavernas (entretien).
3. D'après Antoine Pinay, entretien.
4. Interrogé sur ses souvenirs de l'époque, Robert Puiseux a bien voulu nous répondre : « A vrai dire, je n'aime pas beaucoup parler de cette affaire. Ce fut un fiasco. C'est déjà une vieille affaire et je n'en ai gardé aucun dossier. A chercher dans mes souvenirs, je craindrais de médire de mes collaborateurs de l'époque... » (lettre du 10 janvier 1976).
5. Sur ces deux points, voir Francine Amaury, *Histoire du plus grand quotidien de la IIIe République, le « Petit Parisien », 1876-1944,* Paris, PUF, 1972, t. I, p. 238 *sq.,* t. II, p. 1318 *sq.,* avec le texte intégral de la lettre de Pierre Dupuy adressée le 27 janvier 1941 à Mussolini pour lui demander sa protection auprès de Hitler. Une ordonnance du 28 mai 1945 avait mis sous séquestre tous les biens du *Petit Parisien.*

pris sa place à la Libération, *le Parisien libéré* : les neveux de Pierre Dupuy, Jean et Jacques Dupuy, désormais à la tête de la société Excelsior Publications, éditrice notamment du mensuel prospère *Science et Vie,* brouillés avec leur oncle, avaient gardé à la fois des capitaux importants et le vif désir de regagner une place dans un quotidien. C'est Philippe Boegner qui les amène au *Temps de Paris.* Boegner a trouvé, après sa rupture avec Jean Prouvost, et son départ de *Paris-Match* en 1953, un accueil à Excelsior Publications comme directeur de la rédaction de *Science et Vie.* Avec 10 000 titres, Jacques Dupuy sera le plus gros actionnaire de la société éditrice du *Temps de Paris.* 500 actions ont été acquises par Excelsior Publications, 300 par Boegner lui-même, et 200 par Jean de Montulé, membre du conseil d'administration de la société du *Petit Parisien.* Sur ce bord, on possède donc 11 000 actions, soit 27,5 % du capital souscrit.

Le dernier groupe fondateur gravite autour de la banque Worms. La banque elle-même (qui gérera une bonne partie des fonds de la société [1]) n'est pas engagée, mais son homme fort au conseil du journal sera Roger Mouton, détenteur de 6 000 titres. Roger Mouton est le PDG de la Société technique d'études industrielles et commerciales (STEIC) fondée sous un autre nom (Bazy, Cazès, Denivelle, Dhavernas, Favre-Gilly, Meynial et Mouton) en novembre 1946, dans la mouvance de la banque Worms et de l'Union des mines, et constituée sous ce titre en société anonyme en juin 1955. On observe que la STEIC compte parmi ses actionnaires Jacques Chastenet, membre du conseil de surveillance, ce qui ramène indirectement à la revanche du *Temps* d'avant-guerre. 500 actions du *Temps de Paris* sont allées à Henry Dhavernas, ancien inspecteur des finances, qui est l'un des anciens gérants de la STEIC première mouture [2], 500 à Léonce Febvrel, employé de la même STEIC, et 500 à Yves Gautier, ingénieur qui est aussi de l'équipe. A

1. Entretien avec un des dirigeants actuels de la banque, 1975, et procès-verbal du conseil d'administration de la société éditrice (ci-dessous désigné PV CA), séance du 10 avril 1956. Deux autres comptes fonctionnent à la banque Hoskier et à la banque Maurice-Rueff.
2. On note que le frère d'Henry Dhavernas, Marc, a été jusqu'en 1953 administrateur de la banque Beaubien, succursale française d'une banque canadienne de Montréal dont Jacques Rouvier est administrateur. Peut-être faudrait-il rattacher celui-ci au « groupe Worms », qui sera évoqué plus bas.

ce groupe, il faut joindre également avec 2 000 actions chacun Oswen de Kerouartz, ancien membre du conseil de surveillance de la STEIC avant sa transformation en société anonyme, et son frère Yan de Kerouartz, tous deux actionnaires de cette même société [1].

On peut rattacher enfin sans artifice au même cercle Paul Dumont (1 000 actions), distillateur dans l'Oise, membre du comité de direction du Syndicat de la distillerie agricole, influent « betteravier », lié de près par alliance familiale aux deux frères Roger Meynial, administrateur de la STEIC, et Raymond Meynial, associé gérant de la banque Worms [2].

Reste le cas, qui permet de clore la liste, du duc François d'Harcourt, ancien député modéré du Calvados de 1929 à la guerre. François d'Harcourt est, dans son département, le voisin et, semble-t-il, l'ami proche de Gabriel Le Roy Ladurie, qui fit carrière à la banque Worms de 1929 jusqu'à sa mort en 1946, et y fut influent [3]. François d'Harcourt a souscrit 4 000 actions de la société éditrice et, si l'on croit possible de l'inclure dans le « groupe de la banque Worms », on arrive pour celui-ci à un total de 16 500 actions, c'est-à-dire 41,25 % du total.

La composition du conseil d'administration de la Société parisienne de presse, éditrice du *Temps de Paris,* confirme exactement cette répartition quaternaire du pouvoir. Jacques Dupuy, principal actionnaire, en est le président, accompagné pour son groupe par son frère Jean Dupuy, au nom d'Excelsior Publications, et par Philippe Boegner lui-même. Robert André est également administrateur, de même que Georges Morisot et Robert Puiseux pour le « groupe de Clermont-Ferrand », et enfin Roger Mouton, François d'Harcourt et Henry Dhavernas, secrétaire du conseil, pour le « groupe Worms ».

1. Oswen de Kerouartz est également administrateur de la Société pour l'application des procédés spéciaux de construction, filiale de la banque Worms. L'essentiel de ces informations provient de différentes notes anonymes qui sont aux Archives H. B. M. et que divers recoupements permettent de juger bien informées. Les éditions successives du *Who's who* sont également précieuses.
2. Les deux fils de Paul Dumont ont épousé respectivement les filles aînées du premier et du second (*Who's who, 1967-1968*). Un troisième frère, Pierre, est à la même époque administrateur de la banque Morgan à Paris.
3. On note d'autre part que Jacques Le Roy Ladurie, frère de Gabriel, qui fut ministre secrétaire d'État au Ravitaillement et à l'Agriculture sous Vichy, en 1942, fut également député modéré du Calvados de 1952 à 1955 et de 1958 à 1962.

Telles sont donc les forces présentes à la naissance du *Temps de Paris*. Considérables? A vrai dire, moins qu'on aurait pu croire. Assurément des entreprises importantes et prospères y sont représentées directement et indirectement. Cependant, on est frappé de constater dès à présent, et ceci est important pour la suite, qu'une fraction très réduite du patronat est engagée dans l'aventure et que ces diverses organisations — sinon peut-être (et encore) la Chambre syndicale du pétrole — se sont tout à fait gardées en dehors de cet « anti-*Monde* ». Certes, si René Seydoux et Jean Riboud envoient rue des Italiens, le 20 avril 1956, une souscription à 11 abonnements du *Monde* pour la société Schlumberger[1], le geste est celui de personnalités qui se situent à la marge, sur la gauche du monde des affaires. Mais il est plus significatif que Beuve-Méry trouve un informateur bénévole parmi le monde patronal : l'influent Létang, qui pourtant avait tenté naguère en vain d'acheter sa souplesse, lui téléphone régulièrement pour lui transmettre les dernières nouvelles du projet[2]. On dit dans les milieux qui se veulent informés qu'André Boutemy est également très hostile à l'entreprise, que, derrière lui, la sidérurgie tout entière la considère d'un mauvais œil[3]. Et il est significatif aussi qu'aucune personnalité dirigeante du CNPF n'ait donné ni son appui ni sa caution : dès novembre 1955, le même Létang affirmait à Beuve-Méry que l'affaire ne recevrait pas un sou des organisations patronales[4].

1. Jean Riboud à Beuve-Méry : « Cher ami, *le Temps de Paris* est né! Je suis heureux de vous transmettre la lettre par laquelle René Seydoux, président de notre société, a décidé de souscrire 11 abonnements au *Monde* » (Archives H. B. M.).
2. Archives H. B. M.
3. *Aux écoutes,* 6 juillet 1956.
4. Archives H. B. M. Létang précise : « Les frères Dupuy se disputent, Boussac pas en fonds. Pinay bénit, sans plus. Afrique du Nord 160 millions au maximum » (téléphone à B. M., 14 mars 1955). Autre note un peu ultérieure d'H. B. M. sur un coup de téléphone de Létang, le 14 décembre 1955 à 10 h 30 : « Une lettre signée Morisot reçue le vendredi 9 décembre par un groupe patronal qui l'a communiquée le mardi 13 [?] propose une participation d'1/5, soit 200 millions, reconnaît : " Il nous manquera certainement 200 millions pour atteindre le milliard. " Morisot doit donc avoir environ 500 millions. On espère encore 300 et on réclame 200 pour boucler le milliard. »
Au chapitre des bonnes paroles non suivies d'effet, on relira avec intérêt ce témoignage de Roger Duchet, secrétaire général du Centre des indépendants et paysans, qui évoque dans ses Souvenirs la personnalité de Jean Delorme, patron de l'Air liquide : « Il réunissait dans son bel appartement de la Muette hommes politiques, écrivains et femmes du monde. C'est chez lui qu'est né *le Temps de Paris.* »

Les observateurs de tous bords ont, il est vrai, relevé à l'époque que Georges Morisot pourrait paraître représenter au *Temps de Paris* un groupement important dont il est le principal animateur, l'Association de la libre entreprise, créée en 1947 [1] et présidée par Georges Villiers, président du CNPF. Auprès de celui-ci, au comité de direction, on trouve des personnalités importantes du monde patronal, tels André Charon, PDG de la Shell française, Étienne Villey, vice-président délégué du groupe des industries métallurgiques, mécaniques et connexes de la région parisienne, et Jacques Moreau, cogérant de la Librairie Larousse. A son conseil d'administration, on note également, et parmi d'autres, les noms de René Fould, président de la Chambre syndicale des constructeurs de navires, Joseph Calliès, président des machines Bull, Roland Labbé, président de l'Union des industries métallurgiques et minières, Raoul de Vitry, vice-PDG de Péchiney, etc. La liste est impressionnante — mais ici encore il convient de ne pas se hâter d'imaginer tous ceux-là impliqués dans l'affaire du *Temps de Paris*. Ils peuvent donner indirectement du poids à Morisot, mais probablement point davantage, et certes pas leur garantie.

Assurément, il est donc plus utile de rechercher quelle coloration politique les patrons qui lancent *le Temps de Paris,* et les journalistes qu'ils vont charger de le bâtir, confèrent à l'entreprise par leurs personnalités et leur passé personnel.

La première confirmation est celle d'une revanche des vaincus de la Libération. C'est assez clair pour les Dupuy qui ont été alors dépouillés de leur journal. C'est assez clair pour la banque Worms :

Il y avait devant la grande cheminée Robert André, président de la Fédération des pétroles, Georges Villiers, président du CNPF, Claude Outhenin-Chalandre, homme de confiance du trust Unilever, et Antoine Pinay. Robert André avait exposé le budget de son projet de journal, annoncé un conseil de rédaction éblouissant, une présentation originale et un succès foudroyant. J'avais, à la grande indignation de mes interlocuteurs, donné les raisons de mon scepticisme. J'avais raison [...].

« J'ai appris plus tard que Jean Delorme, homme prudent, avait conseillé à tous une participation financière, mais s'était bien gardé de souscrire personnellement une seule action. L'Air liquide était en de très bonnes mains » (*la République épinglée,* Paris, Alain Moreau, 1975, p. 24).

1. *JO* du 16 octobre 1947. L'Association se donne comme but « la mise en commun des efforts en vue de défendre et de préconiser la liberté d'entreprise sur le plan économique et social, avec toutes ses conséquences, par tous les moyens appropriés, dans le cadre des lois en vigueur ». Elle publie un Bulletin trimestriel, *Voici les faits.*

s'il est vrai que l'action de celle-ci en tant qu'institution sous le gouvernement de Pétain est largement mythique [1], il demeure que plusieurs personnages importants de Vichy n'y sont pas moins rattachés, en particulier Jacques Barnaud et Pierre Pucheu. Henry Dhavernas a été d'ailleurs sous l'Occupation chargé de mission au cabinet de Pucheu [2], et la banque Worms a été après la guerre accueillante à plusieurs fonctionnaires « épurés » à la Libération. Il ne paraît pas y avoir cependant, parmi les financiers, de personnages marqués par la collaboration parisienne.

Dans l'équipe des journalistes, en revanche, plusieurs noms importants rappellent le monde du journalisme parisien sous l'Occupation. André Guérin, rédacteur en chef du *Temps de Paris,* que Boegner a débauché à *l'Aurore,* avait rempli un moment les mêmes fonctions auprès de Marcel Déat, à *l'Œuvre,* pendant la guerre. Dominique Canavaggio, rédacteur en chef adjoint, avait appartenu à l'entourage de Pierre Laval. On note aussi que Lapeyronie, chef des services du *Temps de Paris* en Algérie, est l'ancien chef de cabinet de Philippe Henriot, et que Pierre Dominique et Bernard de Fallois, de *Rivarol,* rédigeront souvent les éditoriaux. Est-ce assez pour qu'on parle d'un clan? Non pas. Philippe Boegner, en rassemblant son équipe, a souhaité visiblement cultiver un certain pluralisme. C'est ainsi par exemple qu'Albert Ollivier, gaulliste et grand résistant, signe aussi dans le journal à côté de Max-Pol Fouchet et de Pierre Desgraupes, et que Joël Le Tac, compagnon de la Libération, qui vient de *Paris-Match,* sera l'envoyé spécial en Algérie [3].

Le deuxième caractère majeur relevé par les contemporains est le proaméricanisme. Claude Bourdet interprète à l'époque le refus de la sidérurgie de se mêler à l'entreprise comme le signe d'une opposition à la tendance « petite-européenne », « cédiste » et « atlantiste » qui serait celle du journal [4]. Il se peut. Sur la doctrine

1. Voir à ce propos Robert Aron, *Histoire de Vichy,* Paris, Fayard, 1954, p. 382.
2. *JO,* 9 octobre 1941.
3. *L'Avanti!* de Milan (la presse italienne est spécialement attentive à l'épisode) écrit à ce propos ironiquement : « *Non si e lesinato sugli stipendi per completare la redazione vichysta con autentici resistenti...* » (« Gli " squali " francesi hanno il loro giornale », 7 avril 1956).
4. « Le grand patronat va avoir son quotidien », *France-Observateur,* 8 mai 1956. Bourdet donne, à tort semble-t-il, le nom de Damoy parmi les bailleurs de fonds. A

de l' « occidentalisme chrétien », sur un « atlantisme » qui valut d'entrée de jeu au journal l'hommage de *Time Magazine* [1], nul doute. Mais des attaches matérielles ? Ni les liens, d'ailleurs distendus, de Robert André avec les pétroles d'Esso Standard, ni même l'Association pour la libre entreprise de Morisot, calquée sur un groupement équivalent actif aux États-Unis (où Morisot a beaucoup voyagé), ne permettent ici de rien affirmer. Les rumeurs du moment ont été beaucoup plus loin en attribuant à Mrs. Margaret Biddle, milliardaire américaine, le rôle de mécène ou même d'intermédiaire financier. Dans son *Bulletin confidentiel,* Jacques Bloch-Morhange, évoquant les liens amicaux de Mrs. Biddle et d'Antoine Pinay, écrit qu'elle « figurait en excellente place parmi les bailleurs de fonds du nouveau quotidien », et il ajoute : « On sait que Mrs. Biddle est liée à d'énormes intérêts américains, lesquels s'exercent également sur un certain nombre d'activités marocaines [2]. »

Hubert Beuve-Méry retira un peu plus tard d'une conversation avec l'ambassadeur américain à Paris Douglas Dillon le sentiment qu'une telle influence n'était pas niée. Et, vingt ans après l'événement, Philippe Boegner demeure intrigué par le rôle de Mrs. Biddle [3]. Quant à Antoine Pinay, tout en rappelant qu'elle avait un salon où elle avait à cœur de faire rencontrer des personnalités américaines de passage et des Français de sympathie « occidentale », il affirme qu'elle n'a eu aucun rôle financier au *Temps de Paris* [4]. Dans l'état actuel de la documentation, on ne peut pas en dire plus.

---

noter que son article est démarqué un peu plus tard par *l'Humanité,* 17 avril 1956, qui ajoute seulement cette restriction à propos du *Monde* : « Encore que ce journal défende avec habileté les intérêts généraux de la grande bourgeoisie... »

1. « A New French Daily », *Time,* 30 avril 1956, où l'on parle du *Monde* « étriqué et neutraliste ». Le *New Yorker* est beaucoup plus réservé et ne cache pas sa sympathie pour Beuve-Méry (5 mai 1956), tandis que l'*Economist* de Londres, sous le titre en français « *Le Temps* c'est de l'argent », conclut : « *For the good of journalism, it is to be hoped that the independent* le Monde *will survive this financial struggle* » (21 avril 1956).

2. *Informations et Conjoncture,* 21 avril 1956.

3. Entretiens cités.

4. Entretien Antoine Pinay.

Une stratégie mal assurée

La chronologie de la préparation du nouveau journal se dessine sur un rythme très irrégulier, avec de longues plages d'hésitation suivies de brusques accélérations et de moments de hâte frénétique — le tout s'expliquant par les divergences profondes et inquiétantes des responsables sur les finalités de l'entreprise, et presque sur sa nature même.

A l'issue de ses premières rencontres avec Robert André et Georges Morisot, Philippe Boegner rédige pour eux un premier rapport qui est daté du 10 décembre 1954, dont la lecture est rendue particulièrement intéressante par les événements ultérieurs [1]. Il y envisage d'abord l'attaque frontale, celle à laquelle ses nouveaux amis ont songé naturellement en premier lieu : autrement dit, la création de cet « anti-*Monde* » qui devrait, pour être efficace, « prendre une forme : la résurrection du *Temps* ». Il faudrait « essayer de reconstituer une grande équipe avec les meilleurs éléments du *Temps* passés au *Monde,* expliquer que le *Monde* n'a été qu'une contrefaçon, et tout en étant plus moderne que le *Temps* d'avant-guerre, rester fidèle à sa forme, à son papier, à ses caractères, à son aspect général qui fait sérieux. On n'imagine pas combien le public est attaché à la forme d'un journal ; ne s'y sont pas trompés ceux qui, au lendemain de la Libération, se sont ingéniés à copier servilement les journaux qu'ils venaient de faire interdire par les oukases gouvernementaux. Ainsi *France-Soir* socialisant a hérité de la clientèle de *Paris-Soir* qui ne l'était pas, *le Monde* neutraliste et progressiste a hérité de la clientèle du *Temps* et, fait encore plus frappant, *le Parisien libéré,* organe gaullisant, a aujourd'hui la clientèle banlieusarde et populaire du *Petit Parisien* ».

A supposer même qu'on parvienne à débaucher une partie de l'équipe du *Monde,* venue du *Temps,* chose fort incertaine, il sera extrêmement difficile de reconquérir ses lecteurs, et le journal

1. Mémorandum Boegner, p. 5 à 9.

apparaîtra aux yeux du public comme évidemment subventionné et destiné à le demeurer en permanence. Or, s'il est entendu que l'entreprise n'a pas pour but de faire des bénéfices, « elle ne sera saine que si elle en fait [1] ».

Boegner évoque alors une deuxième solution : un « anti-*Monde* » différent du *Monde*. « Le problème, explique-t-il, est de trouver une formule de journal du soir qui, sans ressembler au *Monde,* lui prendra suffisamment de lecteurs pour le mettre dans une situation financière difficile, de façon à l'amener à la capitulation. » Et tel sera bien le parti qu'on adoptera finalement. Mais, à cette date, Boegner l'exclut formellement et pour deux raisons. D'abord l'adversaire a de la ressource : « *Le Monde* — quelles que soient ses tendances politiques —, dans toutes ses rubriques, même dans sa rubrique sportive, dans sa rubrique théâtrale, est le meilleur journal de la presse française ; d'ailleurs il tire 100 000 de plus que *le Temps* » (ce qui limite, par parenthèse, l'observation antérieure de Boegner sur l'héritage de clientèle) « et il n'est pas prouvé qu'en perdant 30 000 à 40 000 lecteurs il abandonnerait la partie ; peut-être, au contraire, essaierait-il d'agrandir sa clientèle vers la gauche, ce qui ne serait pas un heureux résultat ; il entraînerait fatalement dans ce mouvement une partie de sa clientèle actuelle, qui ne serait pas forcément la moins bourgeoise... »

Autre motif de prudence : en lançant un nouveau grand journal du soir qui ne soit pas seulement *le Temps redivivus,* on s'en prend du même coup à la puissance de *France-Soir,* au groupe Franpar, et à la maison Hachette qui est en outre alliée avec Marcel Dassault dans le plus petit *Paris-Presse.* « Hachette défendra ces deux titres contre toute offensive, même nuancée, avec tous les moyens dont elle dispose. » Or ceux-ci sont redoutables.

Il s'agit donc d'y échapper et c'est ainsi que Boegner en arrive à la solution qu'il préconise : un nouveau journal du matin. « Au lieu de s'attacher à la poursuite de l'anti-*Monde,* il faut peut-être se dire : créons un grand organe de presse, atteignons un tirage important, nous aurons ainsi réalisé le noyau indispensable à toute grande organisation de presse et de diffusion de la pensée française dans de multiples domaines... »

---

1. Cette phrase n'est pas dans le rapport du 10 décembre, mais dans le compte rendu du premier déjeuner avec André et Morisot (Mémorandum Boegner, p. 4).

Boegner souligne au profit de sa thèse le déclin qu'a connu la presse parisienne du matin par rapport à celle d'avant la guerre, en raison du terrain perdu en province au bénéfice des grands quotidiens régionaux. « La presse parisienne du matin est devenue une presse régionale et n'est plus nationale. Or, avec de puissants moyens, on peut envisager la résurrection d'une presse nationale parisienne [1]. »

Dans un premier mouvement, il semble que Robert André et Morisot aient été près d'être convaincus par Boegner, mais, quelques semaines plus tard, l'influence de Pinay, qui fait décidément figure de parrain politique de l'entreprise, les fait changer d'avis. Il se trouve qu'en février 1955 Pinay devient ministre des Affaires étrangères dans le gouvernement d'Edgar Faure. Il se dit alors frappé plus encore que devant par l'influence considérable que trouve *le Monde* à l'étranger, et que lui estime détestable. Il lui reproche particulièrement de tromper sur la marchandise, « d'utiliser l'apparence du *Temps* pour faire autre chose [2] ». Plus que jamais, il souhaite susciter un rival mais, pour plus d'efficacité, l'attaque devra être de plein fouet, le nouveau quotidien devra paraître le soir et, pour que les choses soient très claires, avec l'accord des propriétaires de l'ancien *Temps,* on l'intitulera *le Temps de Paris.* Dans cette direction, Pinay fait pousser les feux et Morisot demande donc à Boegner s'il consentirait à être le général de cette bataille-là. Après vingt-quatre heures de réflexion, et malgré toutes ses réserves initiales, Philippe Boegner décide d'accepter, apportant à Morisot la réponse suivante : « Une opération soir a beaucoup moins de chances de réussite et ne peut être tentée qu'aux conditions suivantes : 1° Il faut trouver une formule toute nouvelle si on désire prendre des lecteurs à la fois au *Monde* (but politique) et à *France-Soir-Paris-Presse* (nécessités commerciales). 2° De toute façon, il faudra des capitaux beaucoup plus importants, non seulement pour triompher mais pour se maintenir le soir [3]. »

Ce jour-là est fixée la stratégie. Mais tout résigné que Boegner se veuille à la faire sienne, tout résolu qu'il se montre à la mettre très énergiquement en œuvre, il n'en demeure pas moins au fond en

1. Mémorandum Boegner, p. 8.
2. Entretien Antoine Pinay.
3. Mémorandum Boegner, p. 12.

désaccord intime avec elle. Par raison, par analyse, mais plus encore par caractère et par formation, Philippe Boegner est de l'école de Jean Prouvost[1]. Il a fait ses classes au flamboyant *Paris-Soir* d'avant-guerre, il a connu ses plus grands succès, avant que l'ombrageux égoïsme de Prouvost ne le congédie, à la tête du *Paris-Match* triomphant des premières années cinquante. Le journalisme pour lequel il est formé, c'est celui des « grands coups », de l'argent facile, des titres retentissants, des photos chocs. Voici qu'à son corps défendant on le ramène vers cette formule de l'anti-*Monde* du soir dont il avait évoqué les dangers dès l'origine : s'il accepte d'y présider, sa spontanéité, son tempérament vont le tirer sans cesse dans l'autre sens. Et cette discordance entre la stratégie qu'on a déterminée et les tendances naturelles de son premier exécutant constitue assurément un très grave handicap de départ. Sur quoi une série d'erreurs tactiques viennent bientôt aggraver les choses.

Sur l'initiative, si l'on en croit Philippe Boegner, d'Antoine Pinay lui-même[2], les promoteurs du *Temps de Paris* s'engagent en effet, durant l'hiver 1955-1956, dans une négociation pour une fusion éventuelle avec *Paris-Presse,* le quotidien du soir qui est le plus frêle enfant du groupe Franpar, où des capitaux de Marcel Dassault sont associés à ceux d'Hachette. Or il est évident, au jugement de Boegner, dès les premiers contacts avec les gens de Franpar et de Dassault qu'ils sont décidés à n'aboutir pas. Et pourtant, du côté du *Temps de Paris,* au lieu de prendre la mesure de cette résolution et de rompre immédiatement en visière, on traîne en longueur, on s'obstine, on insiste — et on fournit du même coup à l'actuel interlocuteur, au futur adversaire, un très bel avantage tactique. On lui procure gratuitement les moyens de jauger exactement les intentions et les ressources de l'entreprise. Plus de secret, plus de surprise. Surtout un temps très précieux est ainsi perdu avant que l'on ne se décide à abandonner les pourparlers. Car on a donné ordre à Boegner de suspendre toute décision quant à l'imprimerie et tout recrutement supplémentaire de collaborateurs. Chacun sait d'autre part dans la profession que le meilleur moment pour le lancement d'un quotidien se situe en février ou en mars, assez tôt pour qu'il puisse prendre

1. Voir Philippe Boegner, *Oui, Patron,* Paris, Julliard, 1976.
2. Mémorandum Boegner, p. 19-20.

racine avant la coupure des vacances. Le mois d'avril constitue l'extrême limite : or c'est le 28 février seulement qu'est signé avec *l'Aurore,* à défaut de mieux, l'accord qui permettra l'installation et l'impression du *Temps de Paris* au 100, rue de Richelieu, dans les locaux du quotidien de Boussac. C'est le 15 mars seulement que le premier « échelon avancé » s'installe rue de Richelieu, et le reste du personnel — 80 % — n'est en place que le 6 avril. On mesure l'inconvénient de tant de hâte et le préjudice subi de cette façon dès avant même la sortie du journal.

Philippe Boegner et Jacques Dupuy ne l'ignorent pas. Car ils apprennent que Franpar est décidé, pour se défendre, à jouer le grand jeu et que *France-Soir* annonce bruyamment, pour le moment exact où sera lancé *le Temps de Paris,* un grand concours doté de 50 millions de prix (c'est un chiffre qu'on n'a jamais atteint dans la presse française). Permission est donnée dans le même temps à *Paris-Presse* de « crever » le budget rédactionnel pour résister plus efficacement. Frappés d'inquiétude, les deux hommes tentent alors un dernier effort pour remettre en cause la stratégie globale et obtenir qu'on revienne *in extremis* au journal du matin — mais c'est en vain.

Antoine Pinay, en effet, rassemblant chez lui pour une nouvelle conférence Robert André, Georges Morisot, Henry Dhavernas, Jacques Dupuy et Philippe Boegner, rejette catégoriquement la proposition nouvelle et il développe, d'après le récit de Boegner, les trois points suivants :

« 1° Un journal du matin n'intéresse pas mes amis ; si donc vous vous orientez vers un journal du matin, ne comptez plus sur nous ;

» 2° Les objectifs politiques d'un journal du soir sont majeurs, les inconvénients commerciaux sont mineurs. On trouve toujours de l'argent ;

» 3° Si le groupe Franpar-Hachette, à travers les Messageries de presse, veut nous faire la guerre, nous nous défendrons au Parlement. Pour une fois, les partis modérés demanderont avec joie une nationalisation, celle des messageries de journaux. »

Placés devant tant d'assurance et tant de fermeté, Dupuy et Boegner choisissent alors de s'incliner [1]. Sur le pas de la porte,

---

1. Mémorandum Boegner, p. 21-23.

Pinay ne leur a-t-il pas répété : « Vous aurez tout l'argent que vous voudrez, il n'y aura jamais de problème d'argent [1]... » Il ne reste donc plus qu'une solution — la fuite en avant : le premier numéro sortira le 17 avril, parce que c'est le jour du mariage du prince Rainier de Monaco avec l'actrice américaine Grace Kelly.

La bataille

Il faut dire que, au moment de cette ultime conférence chez Antoine Pinay, Boegner a déjà engagé, avec des clauses de dédit, un personnel trop nombreux pour songer à arrêter la machine. La garantie financière qu'on lui donne le rassure. Elle flatte sa tendance spontanée : ne pas lésiner, voir grand pour gagner gros [2]. Elle fonde ses ambitions, le pousse à débaucher à prix d'or les journalistes les plus notoires [3]. Elle rejoint aussi sa doctrine : la nécessité de disposer d'assez de réserves pour passer le cap des 12 ou 18 premiers mois, et attendre qu'il soit pris acte de l'existence du nouveau journal et que se gonfle le flux des recettes publicitaires indispensable à l'équilibre du budget à long terme [4].

Quelles sont donc, à cet égard, au moment de la naissance du *Temps de Paris,* les perspectives de financement ? Le premier conseil d'administration de la société, qui se réunit le 3 avril 1956, les établit avec précision. Les frais de premier établissement sont fixés à 117 millions de francs, et les frais de propagande pour le lancement

1. Entretiens Boegner.
2. Jean Prouvost aurait dit plus tard à l'un des commanditaires du journal à propos de Boegner : « Et vous l'avez laissé signer des chèques, malheureux que vous êtes ! » (entretien Dhavernas).
3. A titre d'exemple, on peut noter que Boegner et Guérin reçoivent chacun 700 000 francs par mois, Canavaggio 450 000, les rédacteurs entre 120 000 et 200 000 francs. Comme c'est l'usage dans la profession, on a « racheté l'ancienneté » des journalistes qu'on a débauchés ailleurs. Il en coûtera 8 400 000 francs de licencier Guérin, 4 050 000 Canavaggio, etc. (Archives Dhavernas). *Aux écoutes* du 6 juillet 1956 parle de 800 000 francs par mois accordés à Pierre et à Renée Gosset, avec garantie de 3 ans (chiffres non confirmés aux Archives Dhavernas, mais vraisemblables).
4. Philippe Boegner, *Presse, Argent, Liberté,* Paris, Fayard, 1969, p. 45-46.

à 60 millions. Par la suite, il est prévu un déficit total de
1 575 millions d'ici au 1er avril 1957, c'est-à-dire après déduction des
175 premiers millions, environ 115 millions par mois [1]. Une provi-
sion spéciale est en outre constituée pour les indemnités éventuelles
de licenciement des journalistes engagés par Boegner, dont il a fallu
« racheter l'ancienneté » à grands frais.

La bataille sera sans merci. De cela, la direction du *Temps de
Paris* peut s'assurer dès la veille même du « jour J », lorsqu'elle
constate que tous les confrères (à l'exception du seul *Combat*)
refusent sa publicité : c'est donc en grandes affiches sur fond bleu-
blanc-rouge [2] et en bandes réclames dans les cinémas que sont
dépensés les 60 millions prévus pour le lancement. Dès les premiers
jours, il est évident que les Messageries de presse qui sont dans le fief
d'Hachette montrent beaucoup de mauvaise volonté à diffuser le
journal : certains de ses services choisissent (« comme par hasard »,
dit Boegner amèrement) ce moment précis pour se mettre en grève.
En banlieue, en province, *Le Temps de Paris* est distribué en retard
ou en nombre insuffisant ; dès le 30 avril, le journal se plaint
hautement, dans un appel aux lecteurs, de ce qu'une véritable
« opération de sabotage » serait montée contre lui pour contrarier
sa distribution.

Mais il y a plus grave : le produit est fort médiocre. Comme
Boegner lui-même le reconnaît volontiers dans son mémorandum
ultérieur et comme on s'en convainc aisément à la lecture de sa
collection. Il est techniquement mal présenté : l'impression est
irrégulière, les photos sont très mal venues (il faut dire, autre effet
d'une très malheureuse précipitation, que le laboratoire de développement et de tirage ne sera pas installé à temps, avant la mort du
journal...), et le format tabloïd qui a été adopté, encore très
inhabituel en France, rend ces défauts particulièrement désagréables
à l'œil [3].

1. Mémorandum Boegner, p. 16-17, et PV CA, 3 avril 1956.
2. Ces affiches reprennent un slogan fameux de *l'Œuvre* avant la guerre sur le
thème « Les défaitistes ne lisent pas *le Temps de Paris* » — avec le risque de voir
ajouter en surcharge : « Les autres non plus. »
3. Une page de dessins de Gus, dans le 1er numéro, vante le petit format, et l'on
relève en particulier le croquis d'un grand bourgeois qui, au lit, est à peu près
recouvert par le journal immense qu'il est en train de lire. Son valet de chambre,

Le produit est, surtout, médiocre quant à sa rédaction : « Comme pour tout premier numéro d'un journal », plaide Boegner. Il se peut, mais on se persuade vite à la lecture que cette mauvaise qualité, cette impression de foullis reflètent en réalité d'abord l'ambiguïté du dessein initial. En vérité, on court deux lièvres à la fois. Boegner essaie de faire le soir le journal populaire qu'il aurait voulu lancer le matin. Et, dans le même temps, à côté des photos de vedettes aguichantes, d'attentats algériens spectaculaires, on offre de grands pavés compacts d'éditoriaux qui témoignent seuls de l'intention première de concurrencer *le Monde* directement, cette intention centrale autour de laquelle l'entreprise pourtant avait pris vie. On éprouve à feuilleter les 66 numéros du *Temps de Paris* une impression d'improvisation, de désordre et presque d'amateurisme [1]. A Hubert Beuve-Méry, on prête ce mot (apocryphe), à la lecture du premier numéro : « Je ne critique pas, je respire [2]. » Les témoins, même bien intentionnés, sont frappés par l'atmosphère d'aimable anarchie qui règne à la rédaction — et Simon Arbellot, après l'échec, rappelle que « pendant six heures, sur les boulevards, on vendit en première édition la photo du cardinal Gerlier, devenu archevêque de Paris [3] »...

Quant au contenu politique du *Temps de Paris,* il est bien conforme à la volonté de ses promoteurs, avec deux lignes de force : l'anticommunisme de choc et la défense de l'Algérie française. Il s'agit d'être, comme l'écrit Boegner après coup, « le journal de Robert Lacoste à Paris », et ce parti pris vaut d'ailleurs au journal un succès particulier en Afrique du Nord. Pour un jour « normal » au mois de mai, *le Temps de Paris* vend en Algérie 4 360 exemplaires contre 5 290 pour *France-Soir,* 2 300 pour *le Monde* et *le Figaro,* 1 100 pour *Paris-Presse* [4].

Mais, dans l'ensemble du pays, une fois le premier succès de curiosité passé, la vente du journal retombe lourdement. On a vendu

---

debout à ses côtés, lui dit gravement : « Si Monsieur le permettait, je ferais remarquer à Monsieur que *le Temps de Paris* est plus facile à lire. » Image d'une double clientèle espérée?

1. Le roman historique de Claude Manceron, au titre de mauvais augure (*A peine un printemps, un grand amour sous les Cent-Jours*), est brusquement interrompu...
2. Simon Arbellot, *Écrits de Paris,* juill.-août 1956, p. 50.
3. *Écrits de Paris, ibid.,* p. 52.
4. Mémorandum Boegner, p. 39.

350 000 exemplaires environ le 1er jour, 285 000 le second, 251 000 le troisième, 185 000 le cinquième. Dès la fin d'avril, on est redescendu à 142 000, avec d'énormes « bouillons » [1]. Et dans les milieux de presse, au début de mai, on parle déjà d'échec assuré [2], de « grand coup d'épée dans l'eau », « d'énorme four » [3].

Il est vrai qu'au cours du mois de mai le déclin est ralenti et que la vente paraît se stabiliser autour de 120 000 à 130 000 exemplaires, mais on est loin du chiffre de 400 000 fixé à l'origine comme objectif, et surtout le rapport d'exploitation que le conseil d'administration a, dans son inquiétude, demandé à la fin de mai et qui lui est fourni le 5 juin montre que le déficit s'élève à 220 millions au lieu de 169 prévus, soit un dépassement de plus de 30 % par rapport aux prévisions. Déjà les bailleurs de fonds commencent à se démoraliser, déjà l'entreprise a du plomb dans l'aile. Or c'est alors que le journal blessé reçoit un coup nouveau, et fort rude.

Au début de juin, on apprend en effet brutalement qu'une grave pénurie de papier impose des mesures d'urgence. Un arrêté de Gérard Jaquet, secrétaire d'État à l'Information, en date du 2 juin, précise les restrictions décidées [4].

Rien ici, au premier regard, que de normal et presque familier. Mais, au *Temps de Paris,* on relève avec amertume que le critère choisi favorise les journaux installés aux dépens de leur concurrent nouveau : le nombre de pages dépendra du volume de publicité. Par conséquent, *le Temps de Paris,* qui en a fort peu, ne sera autorisé à paraître que sur 12 pages de son petit format, soit 6 pages du format *France-Soir* (alors qu'il avait débuté sur une base de 32 à 36 pages par numéro), tandis que ce même *France-Soir* pourra prendre ses aises et tirer sur 16 grandes pages.

1. Rapport d'exploitation du 5 juin 1956 (Archives Ph. Boegner). (Les chiffres exacts ne sont connus que pour Paris. Ils sont seulement approximatifs pour la province et pour l'étranger.) Les chiffres donnés sur-le-champ dans des relevés quotidiens sont légèrement supérieurs (Archives Dhavernas), mais il vaut mieux choisir les premiers, corrigés après coup.
2. Voir la longue et pertinente analyse de la lettre ronéotypée *Perspectives,* le 5 mai 1956, « Vers un échec du *Temps de Paris* ».
3. *Information, documentation Philippe Gardy* (lettre hebdomadaire d'information sur la presse), 9 mai 1956.
5. *JO,* 3 juin 1956. L'article 6 prévoit que toute infraction sera sanctionnée par le retrait d'une quantité de papier double de celle du tonnage consommé irrégulièrement.

Le Temps de Paris peut bien pousser des hauts cris, résister à l'injonction, se limiter à 20 pages seulement le 5 juin; il se voit du coup pénalisé par le ministère le 7 juin. Il descend donc jusqu'à 16 pages le 16, obtient une légère dérogation le 26 [1]... Mais à cette date les jeux sont faits, et tout est déjà perdu.

Philippe Boegner a souligné après coup que cette baisse forcée du nombre de pages s'était traduite directement dans une baisse de la vente. La moyenne de la vente sur Paris, qui était de 45 000 au mois de mai, tombe en effet à 38 000 au 5 juin, quand le journal descend à 20 pages, et à 31 000 le 16 juin pour un numéro réduit à 16 pages. A cette date, on n'a vendu que 107 385 exemplaires pour la France entière [2].

Il se peut bien, de fait, que les adversaires et les membres les plus influents du syndicat de la presse parisienne (auquel *le Temps de Paris* ne s'était pas encore affilié) aient vu sans déplaisir les conséquences particulièrement gênantes pour le jeune rival du critère retenu, avec leur accord, par Gérard Jaquet. Et pourtant l'examen de la chronologie montre bien que le climat était déjà grandement dégradé autour du journal dès *avant* l'arrêté Jaquet au vu des médiocres résultats obtenus, de l'importance des bouillons, du large dépassement des déficits prévus. En vérité, pour les bailleurs de fonds, la crise du papier va être le prétexte, non le motif, d'arrêter les frais [3].

C'est aux alentours du 15 juin seulement que Boegner prend conscience de cette résolution et de sa prochaine déréliction. C'est à ce moment, en effet, qu'il fait part de son inquiétude à Robert André et à Morisot, et qu'il leur propose une solution de rechange. Par une pente naturelle, il retourne à son idée initiale : sauver le journal en transférant sa parution au matin. D'après son propre récit, « il répète ce qu'il n'a pas cessé de dire, à savoir que ce fut une grave erreur d'avoir voulu à tout prix faire un journal du soir et de

---

1. Échange de lettres avec le ministère (Archives Ph. Boegner), et Mémorandum Boegner, p. 47-48.
2. Pour ce dernier chiffre, Archives Dhavernas. L'ultime fiche quotidienne conservée porte la date du 20 juin, avec 107 675 exemplaires. On note que les indications fournies pour Paris par Philippe Boegner ne concordent pas exactement, ici encore, avec ceux des Archives Dhavernas, qui traduisent une concomitance moins nette avec la diminution du nombre de pages.
3. C'est d'ailleurs la conviction de Gérard Jaquet lui-même (entretien).

s'être attaqué ainsi au groupe le plus puissant, Franpar-Hachette. Il parle des prévisions pour la rentrée, de la nécessité de penser, avant tout, commercialement. On s'occupera des questions politiques lorsque le succès sera venu ».

Il supplie un intermédiaire « de dire au président Pinay qu'un arrêt du *Temps de Paris* serait la pire des solutions ». Et il insiste : « Il vaut mieux un succès sur n'importe quel terrain que de s'accrocher désespérément au soir. »

Or voilà précisément un langage auquel Antoine Pinay, qui semble avoir critiqué le « produit » dès la parution même du journal [1] et qui voit se dérober l'instrument politique qu'il avait souhaité se forger, est destiné à être tout à fait insensible. La réponse vient sèchement et sans délai. A 17 heures le même jour, Boegner la reçoit de la bouche de Morisot. Lui-même et ses amis sont absolument hostiles, explique-t-il, au plan de Boegner. Et il ajoute que Pinay lui a dit : « Ce que vous avez de mieux à faire, c'est d'arrêter tout, en prenant comme prétexte les restrictions de papier. » Dès cet instant, Boegner « a le sentiment que le *Temps de Paris* est condamné, que son arrêt de mort a été signé au cours de l'entretien chez le président Pinay [2] ». Juste impression : Pinay confirme aujourd'hui qu'en effet il avait constaté que « Philippe Boegner était un prodigue ; il dépensait un argent fou, il engageait à prix d'or des journalistes qui n'avaient rien à faire »... Bref, « il valait mieux ne pas s'obstiner [3] »...

1. Dans sa « lettre » du 18 avril, Paul Dehême écrivait déjà : « Si j'en crois quelques propos saisis au vol, Pinay n'est pas très satisfait du nouveau-né dont il est le parrain politique. Il aurait souhaité un vrai *Temps,* analogue à celui d'avant-guerre, pour battre le *Monde* sur son propre terrain. Il peste contre ces gens qui " voient trop grand " et qui ont réalisé quelque chose d'hybride, propre — si le tir n'est pas rectifié — à ne porter qu'un mince préjudice à l'adversaire qu'il faudrait exterminer, sans avoir même la possibilité de gêner sensiblement cette forteresse qu'est *France-Soir.* »
2. Mémorandum Boegner, p. 52-53.
3. Entretien Pinay cité. Antoine Pinay ajoute qu'il avait été partisan, dès le début, d'un hebdomadaire, les promoteurs n'ayant pas assez d'argent pour un quotidien. Sur ce point, il ne semble pas que sa mémoire soit fidèle.

L'agonie du rival

Boegner peut bien encore se débattre, envoyer quelques jours plus tard à Morisot une nouvelle note qui rappelle pourquoi on ne peut espérer gagner la « bataille du soir » sans un nouvel et considérable apport financier : ce sont là des efforts bien inutiles. Car la « crédibilité » du journal est morte. On s'en aperçoit dès la séance du conseil du 20 juin. Deux actionnaires, Léonce Febvrel et Jean Rouvier, signifient ce jour-là qu'ils quittent un navire qui prend eau et revendent chacun au pair leurs 500 actions à la Société financière d'étude, de participation et de gestion des Dupuy. Ce jour-là, la pudeur ouatée du procès-verbal du conseil d'administration ne suffit pas à masquer l'affrontement des amertumes. L'accueil fait au programme Boegner de parution le matin est de glace. « M. Morisot constate qu'au mois d'avril la direction générale estimait difficile mais possible de réussir une expérience de journal du soir. Or, deux mois après le lancement, les techniciens professent que cette expérience doit être définitivement écartée, bien qu'aucun fait particulièrement nouveau ne semble être intervenu. Ce changement d'opinion est à l'origine de la surprise ou de l'hésitation des commanditaires qui se trouvent placés devant une situation nouvelle au moment où les résultats financiers obligent à faire un appel de capital supplémentaire. Le conseil estime avec M. Morisot que ce changement de perspectives peut être fort délicat à expliquer aux personnalités qui ont donné ou promis leur concours en faveur d'un quotidien du soir [1]. »

L'issue ne tarde pas. Aux conseils des 28 et 29 juin, des évidences se dégagent. Les nouveaux groupes qu'on cherche à solliciter accueillent les avances qu'on leur fait avec beaucoup de condescendance. A Hachette, on propose le retour à une solution de fusion avec *Paris-Presse*; mais le président Meunier du Houssoy, goûtant les joies de la victoire, rejette hautement toute idée d'accord à 50/50.

---

1. Procès-verbal du conseil d'administration (PV CA), 20 juin (quelques modifications de la main de Boegner sur son exemplaire).

Il évoque seulement, avec un manque d'enthousiasme marqué, la possibilité d'une entente à trois avec le groupe Dassault (représenté par le général Corniglion-Molinier), mais dans des conditions très dures : Hachette et Dassault seraient chacun à la tête de 40 % du *Temps de Paris,* ne laissant que 20 % aux premiers propriétaires... Jacques Dupuy est le seul à vouloir accepter, et le conseil estime contre lui, non sans raisons, qu'un tel accord « consacrerait en réalité non pas une fusion mais une absorption du *Temps de Paris* par *Paris-Presse* [...] sans aucune compensation pour les efforts financiers précédemment accomplis [et] avec l'obligation de participer à une concurrence aux pertes futures éventuelles [1] »...

De la même façon, le conseil reçoit très mal une autre proposition, transmise celle-ci par Philippe Boegner et qui provient d'un « groupe très important de la place, dont l'activité commerciale entraîne la distribution de budgets de publicité fort substantiels ». Il s'agit du groupe Perrier [2]. Il proposerait « une avance de publicité de 150 millions pour les trois mois à venir, en contrepartie d'une option sur 51 % des titres à lever en octobre, et en cas de levée de cette option engagement de souscrire des contrats de publicité de 60 millions par mois ». Sur quoi le conseil observe amèrement « que cette formule laisserait à la charge de la société actuelle un déficit de plus de 100 millions pour les trois mois à venir avec la perte de la majorité en octobre et une responsabilité de 49 % dans le déficit ultérieur. Aucune garantie ne lui serait juridiquement fournie sur la ligne politique [3] »...

De ces « contacts exploratoires », comme prévisible, il ne sortira donc rien — et rien non plus en juillet d'une dernière et vague tentative de rapprochement avec Marcel Boussac [4].

Ce 29 juin, en vérité, tout se dissout. Jacques Dupuy, qui tient seul pour *Paris-Presse* à tout prix et à tout risque, tire les conséquences de sa solitude en démissionnant de la présidence (où Roger Mouton se dévoue pour le remplacer). Robert André et Morisot marquent alors que « le malaise né des difficultés actuelles

1. PV CA, 28 juin 1956.
2. Entretiens Boegner.
3. PV CA, 28 juin, et sur l'identité des groupes, demeurée ici anonyme, entretiens Boegner.
4. PV CA, 11 et 19 juillet.

du journal » rend impossible à leurs yeux qu'ils aillent solliciter même les concours déjà promis. Car ils sont désormais persuadés très visiblement que cet argent frais irait s'engloutir bien en vain dans un gouffre sans fond. Il est vrai que, selon d'autres sources, André ne serait pas venu à cette conviction sans avoir demandé, le 28 juin, 100 à 150 millions aux organisations patronales et se les être vu refuser [1].

Quoi qu'il en soit, la décision logique est alors prise que, sauf fait nouveau — et on n'en peut plus guère espérer —, la parution sera arrêtée le 3 juillet, « date à laquelle le public sera informé que l'insuffisance de papier oblige à une cessation de publication [2] »...

Ainsi sera fait. Le journal ne publiera jamais les commentaires sur le Tour de France pour lequel à grands frais il avait engagé Louison Bobet [3].

Les leçons d'un fiasco

Tel est donc le fiasco. Et, décidément, le plus surprenant n'est pas que l'on ait tâché de lancer à Paris un grand journal du soir, sérieux et informé, de droite ou du centre droit, tant est évidemment considérable le poids politique et financier de cette partie de l'opinion qui pouvait le souhaiter puis s'y reconnaître. Le plus étonnant est qu'on n'y soit pas parvenu. Et, comme souvent il advient, cet échec-là renseigne mieux que bien des réussites.

Le récit de cette tentative malheureuse conduit à un premier faisceau d'explications, d'évidence immédiate, qui se rattachent toutes à la description qu'on peut faire des maîtres d'œuvre du journal, du groupe des hommes d'affaires qui l'imaginent, qui le

1. Note Beuve-Méry sur le coup de téléphone de Létang, 29 juin (Archives H. B. M.).
2. PV CA, 29 juin.
3. Mémorandum Boegner, p. 51. Le contrat de Bobet était de 1 250 000 francs (Archives Dhavernas). Dans les mois qui suivent, l'affaire du *Temps de Paris* est liquidée dignement, les créanciers sont réglés et les indemnités de licenciement intégralement versées.

définissent, qui le financent, qui choisissent son directeur. Trois traits majeurs caractérisant ces « entrepreneurs » se sont, à mesure qu'avançait l'analyse, imposés comme essentiels : à savoir leur incompétence, leur hétérogénéité, et finalement leur faible représentativité.

Leur *incompétence* — faut-il dire leur naïveté? On relève à ce propos, après la disparition, dans le jeune hebdomadaire « socialisant » *Demain,* ces remarques qui sonnent juste : « Des hommes comme Morisot et Puiseux croyaient réaliser rapidement à la fois une opération politique et une opération commerciale. Quelques semaines après le lancement, comme un personnage de la presse s'étonnait qu'ils se fussent embarqués dans cette " galère ", Puiseux répondit que, d'après ce que lui avait dit Morisot, " l'affaire serait équilibrée au bout de six mois ". " Mais, fit remarquer l'interlocuteur, vous qui êtes un grand industriel, avez-vous déjà vu une industrie qui équilibre au bout de six mois? — Je croyais que dans la presse c'était possible " [1]. » La conversation est peut-être controuvée, mais, à bien des signes, on devine sa vraisemblance. « Pour Robert André, raconte Henry Dhavernas, c'était comme faire un puits de pétrole : on nomme un responsable technique, on " met le paquet ", on trouve une nappe, on construit un derrick, on récolte les bénéfices [2]... » Et peut-être aussi faut-il faire la part de l'attrait d'un joujou nouveau, du plaisir d'aller au marbre, de goûter une atmosphère inconnue...

Deuxième trait : l'*hétérogénéité* du groupe fondateur. Que celle-ci se révèle surtout sur la fin, quand la déroute est en vue, rien de plus naturel. Mais il l'est moins que la divergence sur les conceptions et les finalités — entre Morisot et Dupuy, par exemple — ait été si longtemps masquée par une sorte d'optimisme artificiel né d'un échauffement collectif et de réciproques assurances. En vérité, la collégialité a montré tous ses inconvénients en permettant de grands flottements. Il a manqué un patron qui décide d'engager dans l'affaire non seulement et avec d'autres sa fortune, mais en même temps et tout seul son prestige personnel et sa réputation d'entrepreneur efficace : ni Prouvost, ni Boussac, ni même Smadja...

---

1. *Demain,* 5 juillet 1956 (anonyme).
2. Entretien Dhavernas cité.

Les promoteurs sont plusieurs, mais ils ne sont pas nombreux et en somme — c'est ici le troisième trait — *d'assez médiocre représentativité* par rapport au monde patronal. Une très petite fraction des milieux d'affaires s'engage dans cette entreprise, fraction non proprement marginale mais limitée à quelques individus et une ou deux firmes qui ne représentent et n'entraînent au fond rien d'autre qu'eux-mêmes : ni d'autres entreprises voisines, ni moins encore les organisations patronales. Avant le lancement, ils ont sûrement reçu de bonnes paroles à la ronde et quelques promesses, mais point davantage (et d'ailleurs ceux-là mêmes parmi les auteurs de ces promesses qui, par panache, étaient prêts *in extremis* et sans espoir à les tenir à la fin de juin ne furent pas tous sollicités, faute d'être assez nombreux pour renverser le courant défaitiste).

Seules ces faiblesses originelles et rédhibitoires du groupe fondateur peuvent expliquer l'erreur majeure de la stratégie qui est dès la naissance un germe de mort et qui, après coup, saute aux yeux : la distorsion entre le but initial clair et net, et l'objectif nouveau qui se définit progressivement pendant la préparation.

L'erreur se manifeste avec éclat dans le choix de Philippe Boegner, homme du magazine, de la photo, du rythme hebdomadaire, l'homme d'un certain journalisme populaire de qualité. Lui-même explique bien d'entrée de jeu quelle est sa tendance, son goût, sa conviction professionnelle. On l'engage pourtant tout en le tirant de force vers l'anti-*Monde,* mais naturellement il freine des quatre fers, on se retrouve à mi-chemin et, à mesure que le temps passe, que les difficultés s'amoncellent, Boegner cherche le salut dans un retour à ses premières conceptions, de plus en plus loin de l'objectif initial : fatal glissement.

Ainsi s'explique ce produit hybride [1], qui est offert finalement au lecteur. La rédaction qui est en définitive fort composite tire chaque jour davantage à hue et à dia, et on ne sent plus de ligne ferme. Quand on voit, pour ne prendre qu'un exemple, le numéro du 26 avril 1956 proposer en dernière page, à côté d'une sérieuse polémique avec Beuve-Méry au sujet de l'origine du *Monde,* une grande photo de l'actrice américaine Kim Novak, sous le titre « La

---

1. Sur la lucidité de Boegner à ce propos, voir son Mémorandum, p. 61.

bombe de Cannes », avec une légende qui nous enseigne qu'elle
« est décidée à séduire Jean Cocteau » et qu'elle « apprend le
français dans l'espoir de tourner un film avec lui », on éprouve
quelque ahurissement à se rappeler qu'il s'agissait au départ de
prendre des lecteurs au *Monde*...

Ce détournement stratégique aboutit à cet étonnant résultat que
le Monde qu'on voulait tuer peut ne pas bouger d'un pouce [1], classer
avec satisfaction un abondant courrier de lecteurs l'encourageant à
persévérer et l'assurant de sa fidélité [2], vérifier la solidité de son
équipe dont malgré les très chiches salaires deux membres seulement
ont cédé à l'appel des sirènes [3] et jouer finalement les simples
spectateurs devant la bataille. Car, depuis son balcon, il voit *France-
Soir,* Franpar, Hachette se porter en première ligne et se charger de
régler rudement, à grands débours, son compte à l'adversaire : tous
les bons connaisseurs de la presse du moment affirment qu'avec le
riche concours de *France-Soir,* l'augmentation « spontanée » des
rémunérations destinées à prévenir les débauchages, les grands noms
recrutés, il s'est dépensé de ce côté-là plus de 700 millions, c'est-à-
dire presque autant que les 800 millions engloutis dans *le Temps de
Paris* [4].

Ainsi décrit, expliqué à partir des faiblesses du groupe fondateur,
le désastre du *Temps de Paris* trouve assurément sa logique. Mais ne
fait-on pas du même coup à un niveau plus profond surgir une
autre interrogation? Autrement dit, ne convient-il pas pour finir de
se demander pourquoi les milieux d'affaires n'ont pas pu susciter
d'autres hommes plus logiques et plus efficaces, et capables de
conduire une telle entreprise au succès?

1. Beuve-Méry se borne à publier, le 19 avril, un bref article en première page,
intitulé « Presse... d'industrie? », où il exprime le vœu que « les grands journaux
capables d'exercer une influence sur l'opinion publique ne soient pas les succédanés
et comme les sous-produits d'entreprises industrielles qui pourraient trouver là, en
échange de subsides qui n'ont rien de commun avec la publicité commerciale et
moins encore avec les fondations désintéressées, l'occasion ou le moyen d'ina-
vouables combinaisons... ».
2. Archives H. B. M.
3. Georges Penchenier et Nicolas Vichney.
4. Exactement 793 430 658 francs, d'après le chiffre global établi par l'administrateur Bellot (Archives Ph. Boegner), si l'on exclut l'existence de toute comptabilité
parallèle.

Peut-être la réponse se confond-elle avec cette observation confirmée qu'en semblable domaine l'argent, tout indispensable qu'il soit, est fort loin de suffire — et qu'aussitôt que les grandes sociétés ou les groupements patronaux s'éloignent des finalités corporatives immédiates qui peuvent les rassembler, ou bien encore, en politique générale, du réflexe élémentaire qui les unit contre l'extrême gauche révolutionnaire, leur cohésion s'affaiblit et leurs objectifs se dispersent.

Dès lors, il y a du jeu dans la machine; dès lors, le « pouvoir patronal » mord mal sur la réalité qu'il veut, trop loin de sa base, modifier. Il y a du jeu, naturellement, dans les rapports avec les journalistes recrutés, qui en profitent pour assouplir les contraintes, pour élargir les bornes où l'on cherchait à enserrer leurs initiatives. Heureuse liberté pour les journalistes eux-mêmes et pour le pluralisme démocratique — même si, dans le cas du *Temps de Paris*, cette liberté a exaspéré les contradictions avec les buts initiaux et précipité la déconfiture.

Du jeu aussi de l'autre côté dans les relations avec le pouvoir politique. Le gouvernement à sa place témoigne de sa latitude d'action dès lors que le secrétaire d'État à l'Information choisit de favoriser, au début du mois de juin, les adversaires du *Temps de Paris* dont plusieurs ne sont d'ailleurs pas moins « capitalistes » que lui. Mais ce sont surtout les rapports d'Antoine Pinay avec l'entreprise malheureuse qui retiennent ici l'attention. Dès l'origine, offrant son discret parrainage, il est, en face des bailleurs de fonds, en position psychologiquement dominante, comme le prouve assez toute l'atmosphère des premières rencontres. Sans toutefois qu'il soit capable, plus que les hommes d'affaires, d'imposer jusqu'au bout ses conceptions. Certes, il infléchit le programme d'action, contribue à la définition d'une stratégie, mais non sans garder, de gré ou de force (probablement de gré et de force), une distance qui est pour lui de conséquence ambiguë.

Cette distance seule explique qu'il se voie tôt déçu par l'instrument qu'il voulait se forger et qui répond si mal à ses espoirs. Mais elle seule aussi fait comprendre qu'il se trouve si peu engagé dans cet échec et que, politiquement au moins (moralement c'est une autre affaire), il se sente les mains si libres pour laisser parler sa prudence et son réalisme, prendre acte tranquillement de l'échec, marquer clairement qu'il ne veut plus rien avoir à faire avec le journal, retirer explicitement son parrainage officieux et, depuis l'Aventin, conseiller un rapide suicide. L'entreprise a déçu le politique qui n'avait pu ni souhaité la guider. Sa déconfiture ne l'a pas sérieusement compromis, et cette distance aussi bien que cette liberté rappellent opportunément et tout à la fois la complexité du jeu et des mutuelles influences, l'autonomie relative et inégale des divers acteurs et les garanties que confère, cahin-caha, à l'initiative des individus et des groupes, le polycentrisme des décisions et des choix.

Guy Mollet contre « le Monde »

Rien ne serait plus faux que d'imaginer une vaste conspiration de tous les ennemis du *Monde,* de tous ceux qu'il dérangeait, et de voir dans les diverses tentatives que nous avons relatées — les charges furieuses et désordonnées de Courtin, l'équipée sans gloire du *Temps de Paris* — les vagues d'assaut successives d'un adversaire unique commandé par un quartier général occulte. Les hommes indépendants heurtent suffisamment d'intérêts contradictoires pour qu'il soit inutile, voire absurde, d'imaginer entre ces derniers une connivence, que tout par ailleurs dément. A plus forte raison quand il s'agit d'un président du Conseil socialiste, comme Guy Mollet, qui, chronologiquement, paraît prendre à l'automne 1956 le relais du *Temps de Paris* pour ébranler *le Monde.*

Au départ, une banale affaire financière. Depuis le 1ᵉʳ novembre 1951, soit depuis cinq ans, *le Monde* est vendu 18 francs, soit 3 francs de plus que la plupart de ses confrères de la presse quotidienne, mais 2 francs de moins cependant que deux organes spécialisés, *l'Équipe* et *l'Information,* qui étaient directement passés à 20 francs depuis longtemps. Ce prix plutôt incommode — au point que certains acheteurs abandonnaient spontanément la différence de 2 francs à leur marchand de journaux — avait été fixé afin de ménager le plus possible certaines catégories de lecteurs aux revenus modestes, tels que les étudiants et les retraités. Au surplus, un prix supérieur à la moyenne des quotidiens correspondait à une ancienne tradition. Dans un aide-mémoire adressé au président du Conseil Guy Mollet [1], Hubert Beuve-Méry, pourtant soucieux en général d'éviter tout rapprochement entre le Monde et le Temps, souligne qu'en 1914 ce dernier était vendu 15 centimes, alors que les autres quotidiens n'en coûtaient que 5. En 1939, l'écart a diminué : 0,75 franc contre 0,50 franc pour les autres. Mieux : l'autorisation de publier le Monde, qui lui a été personnellement délivrée en date du 30 novembre 1944 par le ministre de l'Information, stipule que le nouveau quotidien sera vendu 3 francs contre 2 francs seulement à ses confrères. En somme, le dépassement des normes n'a cessé de se réduire depuis cette époque. Il se justifie essentiellement par sa vocation de journal de qualité, qui entretient de nombreux correspondants à l'étranger, et qui n'a jamais recouru à certaines facilités commerciales telles que concours, photographies, bandes dessinées, etc. La qualité et l'austérité se paient. L'indépendance aussi. Telle sera, depuis sa fondation jusqu'à nos jours, la position constante du journal. C'est dans ces conditions qu'au début de l'année 1956 la décision est prise par la direction du journal de porter son prix de vente de 18 à 20 francs, pour tenir compte de l'augmentation des prix de revient et des charges intervenue depuis 1951. Au mois de mai, Paul Ramadier, ministre des Affaires économiques et financières, qui, parmi les membres du gouvernement, se montrera dans cette affaire, avec Gérard Jaquet, le plus compréhensif à l'égard du Monde, l'y a explicitement encouragé. Pourtant, l'application de la décision sera différée, en raison de la concurrence que tente de lui faire le Temps de Paris au cours de sa brève existence. Rien, à l'automne, ne s'oppose plus à une augmentation, que justifie au contraire le début d'emballement des prix qui caractérisera les deux années suivantes.

Rien — sauf le gouvernement. Informé le 27 septembre 1956 par Hubert Beuve-Méry de son intention d'appliquer la hausse à partir du 1er octobre [2], Paul Ramadier, sensible aux arguments exposés, lui oppose néanmoins un refus. Entre-temps, en effet, est intervenu, en date du 19 juillet, un arrêté signé de lui, bloquant, sauf dérogations particulières, l'ensemble des prix et des marges commerciales. Dans

1. En date du 25 avril 1957 (Archives H. B. M.).
2. Note récapitulative en date du 27 septembre 1956 (Archives H. B. M.).

ces conditions, une augmentation du prix du *Monde* entraînerait une réaction en chaîne dans la presse qui ne manquerait pas de se répercuter sur l'indice des 213 articles, et sur l'ensemble de l'économie nationale. Du reste, il s'agit d'un problème important, dont Ramadier dit qu'il entretiendra le président du Conseil. De son côté, la direction du *Monde* interviendra auprès de ce dernier.

L'indice des 213 articles, établi sur la base de l'année 1949, est un indice mensuel de l'ensemble des prix de la consommation à Paris. Il ne constitue pas à proprement parler un indice des prix de détail, mais un indicateur du coût de la vie pondéré suivant la répartition des dépenses à l'intérieur d'un budget familial type. Depuis la loi du 10 juillet 1952, votée sous le gouvernement Pinay, qui établit une échelle mobile entre les prix et le montant du salaire minimum interprofessionnel garanti (le SMIG), l'indice des 213 articles est devenu un enjeu économique et politique de première importance. Chaque fois, en effet, qu'une augmentation égale ou supérieure à 5 % de l'indice mensuel des prix aura été constatée, le SMIG sera automatiquement augmenté dans les mêmes proportions. Et, comme le niveau du SMIG sert à son tour de base à toute la hiérarchie des salaires, aux prix des loyers, aux allocations familiales, etc., le gouvernement, en période inflationniste, a les yeux fixés constamment sur le seuil fatidique des 5 %. La tentation est grande de manipuler l'indice pour éviter l'augmentation, et les gouvernements n'y résisteront guère, notamment le gouvernement Mollet : détaxation de certains produits compris dans la liste des 213 articles, substitution à l'augmentation du SMIG de primes non incorporables... Grâce à cette malhonnête manipulation, l'indice reste fixe, alors que l'ensemble des prix s'envole.

Le Monde obtient de ses confrères du Syndicat de la presse parisienne l'engagement de ne pas s'appuyer sur une éventuelle augmentation du prix du *Monde* pour augmenter leur propre prix de vente. Fort de cet engagement notifié aux pouvoirs publics [1] le 26 octobre, *le Monde* croit pouvoir considérer que le principal

---

1. Engagement notifié par Henri Massot, président du Syndicat de la presse parisienne, à Gérard Jaquet, secrétaire d'État à la présidence du Conseil chargé de l'information le 26 octobre 1956 (Archives H. B. M.). Le 27 octobre, André Catrice, gérant du *Monde*, écrivait à Gérard Jaquet dans le même sens.

obstacle opposé par le gouvernement à son projet a disparu, que l'autorisation lui est virtuellement accordée et il décide d'appliquer à partir du 29 octobre le nouveau tarif. La réaction des services économiques est particulièrement vive : à deux reprises, les 5 et 6 novembre, ils font procéder, pour majoration illicite, à des « saisies fictives » de l'ensemble des exemplaires tirés quotidiennement, et dressent procès-verbal à un certain nombre de revendeurs dans les kiosques. Parallèlement, il est prévu de retirer au *Monde* toute publicité d'État. Enfin, les responsables du journal sont passibles d'une amende de 10 millions et d'un emprisonnement de deux ans ! Il y a là plus que de la rigueur financière : un acharnement qui pourrait, à terme, conduire à l'étranglement du journal. L'intimidation produit ses effets, et, le 9 novembre, *le Monde* est obligé, tout en élevant une vigoureuse protestation, de faire machine arrière. Le journal revient à son prix antérieur de 18 francs, et les abonnements sont ramenés à leur taux initial. Renonçant à l'épreuve de force, *le Monde* reprend le problème à zéro, et adresse le 29 novembre au ministère des Affaires économiques et financières une nouvelle demande de dérogation.

L'affaire n'en est pas moins désormais publique et prend un tour politique. Et d'abord, l'arrêté de blocage des prix du 19 juillet s'applique-t-il aux journaux ? Les responsables du *Monde* le contestent, faisant valoir qu'il s'agit d'une marchandise tout à fait particulière, au même titre que l'abonnement au téléphone ou la redevance pour la télévision. En 1947, lors d'une précédente phase de blocage et même de baisse autoritaire des prix, une exception formelle n'avait-elle pas été consentie par le gouvernement en faveur des quotidiens [1] ? C'est aussi le point de vue d'André de Laubadère, professeur à la faculté de droit de Paris, dans la consultation qui lui a été demandée par la direction du journal. C'est de la liberté de la presse qu'il s'agit, estime-t-il : « Et c'est évidemment une manière de l'entraver que de maintenir, par voie d'autorité, le prix de vente d'un journal à un niveau où il ne peut survivre sans avoir recours à des moyens qui risquent d'aliéner son indépendance [2]. »

Et le juriste de se demander s'il ne s'agit pas d'un véritable abus

---

1. Lettre d'André Catrice précédemment citée.
2. « Stricte application de la loi ou abus de pouvoir ? », *Le Monde*, 20 novembre 1956.

de pouvoir. Est-ce le seul souci de rigueur financière qui explique l'intransigeance de l'exécutif à l'égard du *Monde*? Sans revenir sur les précédents de *l'Équipe* et de *l'Information,* on constate qu'à la fin de l'année 1956 plusieurs journaux, tels que *la Vie française, le Figaro agricole, Ici-Paris, Juvénal, Guérir,* vont pouvoir augmenter leurs prix sans s'attirer les foudres officielles. Mieux : le gouvernement lui-même donne le mauvais exemple en autorisant à partir du 1ᵉʳ janvier 1957 l'augmentation de certains tarifs de la SNCF...

Force est donc de conclure que l'animosité du gouvernement socialiste contre un journal s'opposant à sa politique avait joué un rôle décisif et qu'il s'agissait bien de tenter de le mettre au pas. Selon la presse de l'époque [1], Guy Mollet aurait abordé la question au Conseil des ministres, recommandant la fermeté à l'égard du *Monde.* L'opposition de ce dernier à sa politique algérienne — mais non à l'expédition de Suez que *le Monde,* au début, accueille favorablement — était d'autant plus mal supportée qu'elle ne provenait pas d'un journal systématiquement classé à gauche comme *France-Observateur* ou *Témoignage chrétien.* L'opposition au « social-molletisme » était d'autant plus dangereuse qu'elle provenait de « milieux bourgeois » ou modérés. Tel était bien le point de vue d'Hubert Beuve-Méry lui-même qui n'avait pas hésité à comparer l'attitude de Guy Mollet envers *le Monde* aux procédés utilisés par le colonel Perón pour se débarrasser du grand journal libéral argentin *La Prensa* [2]. Dans une première version du projet d'aide-mémoire destiné à Guy Mollet [3], il écrivait :

« Quand on sait à quelles attaques *le Monde* a été en butte depuis huit ans de la part de puissantes coalitions capitalistes, qu'il est le seul quotidien français qui publie régulièrement ses comptes et que le personnel de la rédaction est de loin le principal porteur de parts de la société, on est surpris que le gouvernement français le plus acharné contre lui soit à direction socialiste. »

---

1. Notamment *le Canard enchaîné* du 31 novembre 1956.
2. « Quand la France est gouvernée », *Le Monde* du 8 novembre 1956. Selon la même source, seuls MM. Mitterrand et Defferre auraient protesté. Quant à Gérard Jaquet, il aurait dit à un responsable du journal : « Appelez-le *le Monde de Paris,* et augmentez votre prix! » (entretien avec André Fontaine).
3. 25 avril 1957. Cette conclusion ne figure plus dans la lettre adressée à Guy Mollet.

Justement, le bilan du journal pour 1956[1] faisait apparaître un compte très faiblement bénéficiaire : 500 000 francs environ pour des recettes s'élevant à un peu plus d'un milliard. Fidèle à sa sage habitude, Hubert Beuve-Méry avait commencé de crier avant d'avoir eu vraiment mal. En amputant les recettes de 3 à 4 millions par mois, le veto du gouvernement ne menaçait *le Monde* qu'à moyen terme. Mais c'est bien l'indépendance du journal que le socialiste Guy Mollet compromettait sciemment. Face à ces menaces, les réactions de la presse française furent assez faibles. Si de nombreux hebdomadaires, tels *le Canard enchaîné, Témoignage chrétien, l'Express, France-Observateur, Juvénal* et même *Rivarol* condamnèrent l'attitude du gouvernement, la plupart des quotidiens se firent assez discrets, beaucoup plus qu'ils ne l'avaient été en 1951[2]. L'intimidation gouvernementale portait-elle ses fruits? L'indignation fut beaucoup plus grande à l'étranger, où la plupart des grands journaux firent une place importante à l'affaire. Ainsi l'*Economist* de Londres, tirant la moralité de l'affaire, interrogeait : « Un gouvernement socialiste peut-il réussir là où l'argent a échoué[3]? »

Mais ce furent surtout les lecteurs du journal qui se manifestèrent avec une détermination renforcée par la conviction que la gravité des événements extérieurs que la France était en train de vivre rendait l'existence d'un journal comme *le Monde* encore plus indispensable. Au cours du mois de novembre 1956, c'est-à-dire dans les semaines qui suivirent l'offensive gouvernementale, le journal ne reçut pas moins de 2 147 lettres d'encouragement, dont 1 504 s'accompagnaient de chèques. Il est vrai que, soucieux d'indépendance à l'égard de tous les pouvoirs, qu'ils soient financiers, gouvernementaux ou syndicaux, Hubert Beuve-Méry ne l'était pas moins vis-à-vis de ses lecteurs eux-mêmes. Aussi, tout en remerciant ses correspondants de leur sympathie agissante, ne fit-il rien pour développer ces initiatives, pas plus qu'il n'encouragea le projet, renaissant à cette occasion, de comités régionaux de lecteurs du *Monde*. Il estimait sans doute que de telles institutions apporteraient un soutien financier trop aléatoire pour équilibrer le risque de

1. *Le Monde,* 5 mai 1957.
2. Signalons aussi une protestation solennelle de la Ligue des Droits de l'homme, en date du 18 novembre 1956.
3. *The Economist,* 11 novembre 1956.

sujétion politique ou intellectuelle qu'il comportait. La lettre qu'il adresse à Robert Escarpit le 27 novembre est à cet égard significative [1] :

« Aucune société d'amis ne pourrait fournir durablement les 3 ou 4 millions *par mois* que représente le seul passage à 20 francs. Reste donc à savoir si notre Mollet national — et même national-socialiste — pourra maintenir indéfiniment son veto.

» Merci en tout cas d'être prêt à vous mobiliser. Les abonnements et les souscriptions sont évidemment les bienvenus, mais là encore *le Monde* ne peut guère se mettre sur le pied du *Populaire* ou de l'*AF.* »

On ne saurait plus aimablement décourager des initiatives qui risqueraient, en prétendant sauver le journal, de le dénaturer. Et pourtant, les suggestions originales de la part des lecteurs ne manquent pas, qui toutes se proposent de déjouer les manœuvres gouvernementales et de tourner le blocage des prix...

Il faudra attendre le mois d'avril 1957 pour que le problème trouve une solution. A la fin du mois, Hubert Beuve-Méry, à l'appui de sa demande de dérogation au blocage des prix, est reçu à sa requête par Guy Mollet, à l'hôtel Matignon. Ce dernier a-t-il jugé qu'un nouveau refus de sa part apparaîtrait par trop discriminatoire à l'égard de ce journal opposant? Toujours est-il qu'il cède. A partir du 8 mai 1957, *le Monde* peut enfin porter à 20 francs son prix de vente au numéro. La raison, ou le prétexte invoqué par Guy Mollet pour justifier un changement d'attitude ne manque pas de piment : c'est la parution — qui sera encore plus fragile et éphémère que *le Temps de Paris* — d'un nouveau concurrent : *les Débats de ce temps,* « qui a pu fixer son prix à 20 francs, en raison de son caractère de publication nouvelle [2] ».

1. Archives H. B. M.
2. Lettre de Guy Mollet, président du Conseil, au directeur général du *Monde,* 30 avril 1957 (Archives H. B. M.).
Le titre du nouveau journal modéré du soir qui se risquait dans l'arène constituait un gros clin d'œil à l'histoire de la presse de droite. Il était animé par Raymond Millet. « Bien gris et terne » (*Histoire générale de la presse française, op. cit.,* t. IV, p. 431), ce quotidien, dont les ressources sont obscures, n'atteignit pas, à son lancement, les 90 000 exemplaires, tomba bientôt à 25 000 et ne vécut que du 11 avril au 25 mai 1957.

COMBATS POUR L'INDÉPENDANCE

Tout est bien qui finit bien : une première offensive patronale avait fait différer une augmentation de prix devenue nécessaire; une seconde, menée avec encore moins d'efficacité que la première, permettra enfin de l'obtenir.

La IVe République aura été, pour *le Monde*, le temps des épreuves. Les deux bourrasques de 1956 sont les dernières qui aient menacé l'indépendance ou la vie même du journal. Le retour du général de Gaulle au pouvoir coïncide a peu près avec la fin des temps difficiles et l'installation dans l'aisance et dans la sécurité.

CHAPITRE VI

Le tête-à-tête avec de Gaulle

Une exception : Mendès France

De tous les hommes politiques qui se sont succédé à la tête du pays cependant que Beuve-Méry se trouvait aux commandes de son journal, deux d'entre eux et deux seulement ont, à un moment donné, bénéficié de sa part d'un appui déclaré. Il s'agit du général de Gaulle en 1944-1946 et lors de son retour au pouvoir, et de Pierre Mendès France. Mendès France, le seul homme d'État de la IVe République qui ait paru capable de tirer le régime de l'ornière et de lui rendre une ambition. A peine est-il investi, le 19 juin 1954, de l'écrasante responsabilité de rechercher un dénouement honorable à la guerre d'Indochine, que Sirius salue cet avènement [1]. « Un homme qui s'est magnifiquement distingué en refusant d'être ministre dans des gouvernements dont il réprouvait la politique sur des points essentiels... » C'est l'occasion pour le directeur du *Monde* de résumer l'ensemble de ses griefs à l'égard des gouvernements successifs de la IVe.

« Il a été constamment écrit dans ce journal que la guerre d'Indochine était une folie, que l'alliance atlantique ne pouvait être saine et forte que si nous savions tenir aux Américains le franc langage de l'amitié et non celui du serviteur à gages, que l'Allemagne devait être progressivement réintégrée à l'Europe avec tous les droits d'un peuple libre, sans devenir pour autant le fer

---

1. *Le Monde*, 19 juin 1954 (encadré, page 1).

d'une lance pointée vers l'Est, que l'application des mêmes méthodes, le renouvellement obstiné des mêmes erreurs nous conduiraient fatalement en Afrique aux mêmes tragiques déboires qu'en Asie, enfin qu'il était vain de souhaiter ou de prétendre quoi que ce soit aussi longtemps que des féodalités de toute nature feraient prévaloir au Parlement l'intérêt des clientèles sur celui de la nation. »

C'est aussi, d'une phrase, assigner au nouveau gouvernement quelques grands objectifs de salut public : décolonisation, construction d'une Europe pacifique et autonome, réforme des mœurs et des institutions politiques. Ces orientations coïncident avec le programme de Pierre Mendès France, auquel Sirius se plaît à reconnaître des atouts personnels indispensables : la clairvoyance intellectuelle, la moralité politique, l'énergie de l'homme d'action. Pendant les sept mois de la tentative, *le Monde* continuera de souligner ces qualités qui contrastent avec l'immobilisme et le laisser-aller de ses prédécesseurs. D'un tel homme, dans un contexte aussi difficile et bientôt aussi hostile, on attend beaucoup, trop peut-être. Le 18 août 1954, à la veille du débat de ratification du traité de la CED à l'Assemblée nationale, Sirius rend de nouveau un hommage appuyé au président du Conseil : « Que nos ultras des deux camps y songent avant de supprimer cette chance tout à coup offerte à la France sous la forme d'un véritable chef de gouvernement, et qu'on n'attendait plus. »

La présence de Mendès France à la tête du gouvernement vaut bien quelques concessions et un effort particulier de compréhension. C'est pourquoi Sirius se résigne à la procédure décidée par celui-ci qui vise à éviter l'adoption ou le rejet de la CED à une trop faible majorité. Le titre de l'article, conforme au génie sceptique du personnage, est significatif : « A la recherche du moindre mal. » Patience récompensée! Le jusqu'au-boutisme des « cédistes » a permis le rejet d'un traité dont « l'acceptation [paraissait] bien être de l'ordre des catastrophes ». Le 1er septembre, Sirius s'en réjouit discrètement. D'autant plus discrètement que l'essentiel reste à faire : écarter le danger principal qui reste le réarmement de l'Allemagne. De la part de l'homme qui a su en repérer le germe dans le pacte Atlantique lui-même, on ne saurait s'attendre à moins. Le rejet de la CED, c'est-à-dire du principe même de l'intégration militaire à l'échelle européenne, pourrait bien constituer une victoire à la Pyrrhus, qui ouvrirait la route à une vraie défaite : le réarmement de l'Allemagne, dont la CED n'était que l'habillage. Dès le 18 août, Sirius s'inquiétait : « Il est paradoxal que la querelle la plus violente porte sur les modalités du réarmement de l'Allemagne et non sur le principe même de ce réarmement. »

Beuve-Méry a raison : comme il arrive souvent dans les débats trop longtemps attendus et trop de fois différés, l'ardeur des protagonistes s'épuise dans les escarmouches préliminaires, les à-côtés formels : quand on en arrive à l'essentiel, la soif d'en découdre est déjà étanchée, et la discussion tourne court. De fait, le réarmement de l'Allemagne va être accepté à la fin de l'année dans une quasi-indifférence — qui n'est pas, on s'en doute, celle de Beuve-Méry : quatre « Sirius » en deux mois [1] sont là pour en témoigner. A cette occasion, il n'hésite pas à lâcher Mendès France, d'autant plus critiquable qu'il a été précédemment plus valeureux — et que ses adversaires eux-mêmes spéculent sur ses mérites : « Les adversaires de M. Mendès France attendent de lui qu'il mène à son terme l'entreprise qu'eux-mêmes n'ont pas su ou pas osé poursuivre jusqu'au bout. Après quoi, bien entendu, ils l'abattront. » Derechef, le pronostic est exact, il ne faudra pas plus de six semaines pour le vérifier. La politique est bien ce que dit le cardinal de Retz : l'art de choisir entre de grands inconvénients. « Quel est le pire? s'interroge Sirius. Mendès France a perdu une partie de son autorité. Il n'est maintenu en survie artificielle que par la volonté d'adversaires qui y trouvent encore leur intérêt. » Tant pis pour Mendès! Le 24 décembre, Sirius, au terme d'une méditation soigneusement balancée, se prononce pour le refus du réarmement allemand : « On peut parfaitement, dans la confusion actuelle, estimer que, face aux Russes, la soumission aux exigences américaines est en tout cas le moindre mal, et voter oui. Si j'étais, ce qu'à Dieu ne plaise, représentant du peuple français, je voterais " non ", évidemment sans grand espoir. »

Et, de fait, l'Assemblée finit par voter les accords de Bonn et de Paris qui ouvrent la porte au réarmement de l'Allemagne. Cet

1. 4 novembre; 19-20 décembre; 24 décembre 1954; 1er janvier 1955.

exemple, presque parfait, d'une rhétorique de la lucidité dont Sirius a fourni tant d'exemples tout au long de sa carrière journalistique ne débouche pas sur un franc découragement, mais sur les jeux paradoxaux du pessimisme et de l'homéopathie. Le mal peut encore empirer, constate Sirius le 1er janvier 1955, la dépendance de la France à l'égard de ses protecteurs s'aggraver, l'affairisme prospérer, la corruption de la presse se développer. Le moment sera bientôt venu où les Allemands seront en mesure « d'engager notre sort, celui de l'Europe et de la paix en même temps que le leur ». Au moins, la réconciliation franco-allemande sera-t-elle possible. Pourquoi alors ne pas attendre de notre nouvel allié ce que nous n'avons pas été capables d'obtenir par nous-mêmes, à savoir le redressement de l'alliance atlantique? Étrange spéculation, on le voit : comme la plupart de ses contemporains, Beuve-Méry a considérablement majoré les effets futurs du réarmement de l'Allemagne. Mais il ne s'est pas trompé sur les graves conséquences pour le régime de l'échec de Mendès France dans son effort pour réformer le fonctionnement du régime parlementaire. Une chance a été manquée, qui ne se représentera pas.

C'est pourquoi la chute de la IVe République ne surprendra pas le Monde ni son directeur. Non, de toute évidence, pour Beuve-Méry, la IVe République n'a pas été assassinée, elle s'est bel et bien suicidée [1].

Un moindre mal : de Gaulle

C'est dans cette incapacité de l' « agonisante » à porter remède à ses maux, à vouloir vraiment sa guérison, qu'il faut sans doute chercher la raison principale du ralliement de Beuve-Méry à de Gaulle en mai 1958, ralliement qui a beaucoup étonné à l'époque, et qui peut paraître encore plus surprenant à qui connaît la suite. Voici enfin, sinon face à face, du moins dans le même champ

1. Voir le titre du recueil d'articles publiés sous le nom de Sirius en 1958 : le Suicide de la IVe République, Paris, Éd. du Cerf.

historique deux hommes que tout a concouru à éloigner, y compris leurs ressemblances, qui sont profondes — si profondes qu'elles ne sont pas le simple fait du hasard.

En dehors d'une vision fugitive, lors de la première conférence de presse donnée rue Saint-Dominique, le 29 octobre 1944, par le général, les deux hommes ne se connaissent guère. Ils ne se sont rencontrés qu'une fois, en janvier 1945, peu après la naissance du journal. De Gaulle, nous l'avons vu, avait été l'initiateur; c'est lui qui avait désiré que fût comblé au plus vite le vide quasi institutionnel créé par l'interdiction faite au *Temps* de reparaître. Mais son voyage à Moscou l'avait empêché de recevoir le nouveau directeur. Au cours de l'audience de janvier 1945, Beuve-Méry fait une demande surprenante : ne pourrait-il pas être reçu une fois par semaine aux côtés de deux fonctionnaires de l'information qui voient régulièrement le général pour raisons de service? « Bah! ce sont des fonctionnaires, vous vous débrouillerez bien tout seul [1]. » Si la réponse de De Gaulle est conforme à son personnage, la requête de Beuve-Méry peut étonner davantage. Dans la bouche d'un autre, elle pourrait apparaître comme une offre pour « venir aux ordres », et renouer avec une tradition de dépendance à l'égard du pouvoir qui avait été autrefois celle du *Temps*. Rien de tel, naturellement, chez un homme aussi farouchement jaloux de son indépendance que Beuve-Méry, mais, en revanche, le sentiment très fort d'exercer, à la tête du journal, une sorte de « service public », une magistrature d'un type particulier, comparable peut-être à la situation du directeur de la BBC vis-à-vis des pouvoirs publics en Grande-Bretagne. « Les futurs associés du *Monde* devaient donc se considérer comme les exécutants d'une mission que l'État leur avait confiée », précise-t-il le 24 mai 1956 dans sa conférence au théâtre des Ambassadeurs [2], ajoutant que les circonstances de la Libération permettaient de créer un « organe affranchi de toute sujétion politique, économique ou financière. » Sentiment renforcé par la conscience d'être chargé d'une mission particulière au sein de la presse, en raison du mandat

1. *Onze ans de règne, 1958-1969*, Paris, Flammarion, 1974, p. 7.
2. Publiée en brochure, déjà citée, sous le titre *Du « Temps » au « Monde », ou la presse et l'argent*, p. 14-15.

personnel qui lui a été donné dans l'autorisation de paraître. D'où cet étonnant dialogue, rapporté par Beuve-Méry lors de la deuxième rencontre du directeur du *Monde* avec le général de Gaulle, le 18 septembre 1958 [1].

DE GAULLE : Ah! *Le Monde*... je vois le talent, le succès, le tirage. On le lit, je le lis et je m'amuse beaucoup. Vous en savez des choses... C'est très divertissant les journaux...

B.-M. : Mon général, ce n'est pas tout à fait le but que nous poursuivons en faisant ce journal avec les difficultés que vous savez, mais après tout, les rois de France avaient leurs bouffons, qui parfois rendaient service tout en les amusant. [...]

Cependant, si un jour *le Monde* cessait de vous amuser, si vous le considériez comme un obstacle à la politique que vous estimeriez indispensable pour le salut du pays, il vous suffirait de me le dire. Ou plutôt de me l'écrire. Je devrais en tirer les conséquences.

DE GAULLE : Vous dites cela, mais vous savez bien que je suis pour la liberté de la presse.

B.-M. : Sans doute, et c'est grâce à vous qu'on doit de pouvoir lire *le Monde* aujourd'hui en Algérie. Mais, à l'origine du journal, il y a eu expropriation pour raison d'État, et je ne me suis jamais considéré que comme libre gestionnaire d'une sorte de service d'intérêt public. Je répète qu'une lettre de vous...

DE GAULLE : Eh bien! cela vous honore. N'empêche que sans moi, monsieur Beuve-Méry, aujourd'hui vous seriez pendu.

1. Cette entrevue, rapportée dans *Onze ans de règne, op. cit.*, p. 10-11, a une histoire. On sait que Beuve-Méry ne fréquentait guère le personnel politique, et qu'il n'abusait guère des rendez-vous avec le président, surtout depuis la rebuffade de 1945... C'est Georges Pompidou, pour le cabinet du général, et Pierre Viansson-Ponté, entré au *Monde* quelques mois plus tôt pour y diriger le service politique, qui décidèrent, d'un commun accord, de persuader leurs patrons respectifs que l' « autre » désirait le rencontrer. Il ne restait plus à Hubert Beuve-Méry qu'à demander une audience, qui fut naturellement accordée (entretien avec Pierre Viansson-Ponté, 27 avril 1977).
A noter qu'un homme comme André Chênebenoit récusait la conception d'une mission spéciale qui aurait été attribuée au journal : « Est-ce à dire que *le Monde* n'est pas un journal comme les autres et qu'il a, de ce fait, des responsabilités spéciales en tant que service public? J'ai déjà dit que je ne le croyais pas! Il y a peut-être seulement ce fait qu'on attend de lui plus de rigueur et en même temps plus de mesure, et que même ceux qui ne l'aiment pas — ils sont nombreux — ne mettent pas en doute sa bonne foi » (brouillon d'une conférence sur la responsabilité de la presse, rédigé vers 1959) (Archives Chênebenoit).

S'il ne se sont vus que trois ou quatre fois au cours de vingt-cinq années de vie publique, les deux hommes ont eu naturellement à compter l'un avec l'autre. Pendant l'année 1945, où de Gaulle a été aux affaires, *le Monde* a adopté à son égard une attitude nettement favorable. Il est vrai que l'on baigne, au moins dans les premiers mois, dans une atmosphère de bonne volonté et de ferveur nationale. La guerre n'est pas terminée, et de Gaulle est encore tout auréolé du prestige de premier résistant de France. Aux yeux de Beuve-Méry, la libération de Strasbourg et le refus opposé aux Alliés de la laisser retomber, à peine libérée, entre les mains de l'ennemi compteront toujours parmi les plus beaux titres de gloire du général[1]. Quant à sa politique extérieure, elle a été accueillie avec faveur par le nouveau journal; ses adversaires n'ont jamais manqué de souligner que la parution de son premier numéro a coïncidé avec l'annonce du traité d'alliance et d'assistance mutuelle de vingt ans entre la France et l'URSS, que le général de Gaulle a signé à Moscou[2] : événement salué, rue des Italiens comme ailleurs, comme un éclatant succès pour la diplomatie gaullienne. Avec la création du RPF, le ton change. Sirius, qui s'exprime surtout dans l'hebdomadaire *Une semaine dans le monde,* constate qu'en dépit des protestations du général « le rassemblement qu'il provoque autour de lui s'opère incontestablement dans une atmosphère préfasciste[3] »; le mépris quasi universel qu'il affiche pour les hommes le rend insuffisamment exigeant dans le choix de ses collaborateurs, trop souvent des aventuriers ou des médiocres. Et puis, il y a quelque outrecuidance à s'attribuer le mérite de tout l'actif du bilan des années passées et à rejeter tout le passif sur les autres : alors que, depuis son départ, on a su révéler les scandales, réduire les dépenses militaires... et éliminer les communistes du gouvernement. Et pourtant Beuve-Méry figure parmi les rares observateurs politiques à estimer dès 1947 possible et peut-être même inévitable le retour de De Gaulle aux affaires : « Il se peut que les circonstances imposent quelque jour le retour du général de Gaulle.

---

1. Voir son article, « Quelle union? », du 24 novembre 1964, à l'occasion du vingtième anniversaire de la libération de la ville.
2. Voir, par exemple, Guy Hostert, *le Journal « le Monde » et le Marxisme,* Paris, La Pensée universelle, 1973.
3. *Une semaine dans le monde,* 5 janvier 1948.

Il est souhaitable que ce retour ne soit pas sans conditions [1]. »
C'est déjà la position qui sera la sienne en 1958 [2].

Il est vrai que si Beuve-Méry paraît avoir assez tôt tenu le retour
de De Gaulle pour un moindre mal, ce dernier en 1951, nous l'avons
vu, a fini par considérer du même œil le maintien du directeur du
Monde à son poste... On ne saurait dire en tout cas que les
événements de mai 1958 ont pris Beuve-Méry au dépourvu.
Quelques jours auparavant, du 25 avril au 2 mai 1958, il consacre à
l'ensemble de la situation française une série d'articles sans
indulgence. Installé « au chevet de l'agonisante », le docteur Sirius
ne laisse guère d'espoir à la famille : épuisée par la victoire de 1918,
incapable de comprendre que les méthodes de colonisation du
XIXe siècle sont aujourd'hui révolues et que la souveraineté française sur l'Algérie ne peut se prolonger sous sa forme actuelle,
impuissante à secouer le joug que fait peser sur elle le protecteur
américain, dominée à l'intérieur par des féodalités économiques qui
ne prennent même plus la peine de dissimuler les consignes qu'ils
adressent aux représentants de la souveraineté nationale, la France,
en dépit des atouts de sa jeunesse, apparaît comme une nation
prostrée et incapable de réagir. Au fond, ce dont elle a le plus grand
besoin, c'est d'une réforme intellectuelle et morale, d'une poignée
d'hommes qui cherchent « en tâtonnant à reconstruire une échelle
de valeurs et à retrouver un style de vie ». Le nouveau Cluny que
Beuve-Méry appelle de ses vœux, n'est-ce pas encore un avatar de
cet Uriage qui reste la référence suprême dans les moments de doute
et d'épreuves nationales? Mais tout cela est bien lointain. Alors,
l'appel au sauveur? A l'idée d'un recours au général de Gaulle,
Beuve-Méry, à la différence de l'ensemble de la classe politique de
l'époque, ne se voile pas la face d'horreur. Après tout, il a, dans le
passé, « magnifiquement incarné la révolte de la conscience française devant le fait hitlérien. Oui, mais au-delà? ». L'en prierait-on
et l'accepterait-il, quelle chance aurait-il de mieux réussir qu'il y a
douze ans l'entreprise de redressement national? Et pourtant...
Beuve-Méry conçoit fort bien que seul le prestige du général de

---

1. *Une semaine dans le monde,* 1er novembre 1947.
2. Le 26 septembre 1958, à la veille du référendum décisif sur la nouvelle
Constitution, Beuve-Méry accorde à de Gaulle un oui « conditionnel et provisoire ».

Gaulle peut permettre d'atténuer le traumatisme national que constituerait une remise en cause, devenue inévitable, des positions de la France en Algérie : « Peut-être un destin cruellement ironique appellera-t-il le libérateur de 1944 à limiter en les entérinant nos échecs en Afrique du Nord, comme le vainqueur de Verdun fut chargé de limiter et de réparer le désastre de 1940. »

C'est pourquoi, avant même que le général Salan ne lance, du haut du balcon du gouvernement général, son fameux « Vive le général de Gaulle! » qui donne à la rébellion son second souffle, Sirius dans le Monde daté du 15 mai 1958[1] paraît considérer le recours à l'homme du 18 juin, à la tête d'un gouvernement de véritable salut public, comme à la fois probable et nécessaire — à condition qu'il condamne d'abord le geste des émeutiers. Ce que, le 15 à 18 heures, le général se refuse à faire. La déception de Sirius est vive; il n'est pas loin de considérer la solution de Gaulle comme désormais impossible : « Le général de Gaulle devait parler. En parlant comme il l'a fait, il a multiplié les risques et compromis l'espoir de salut que beaucoup, pressés par la nécessité, voulaient encore mettre en lui[2]. »

Mais les événements commandent. Au cours de la seconde quinzaine de mai, la République continue de s'enfoncer doucement et sans gloire. En dépit, ou à cause, des ambiguïtés qu'il a entretenues, de Gaulle reste bien la seule solution. C'est ce que constate Sirius, à la veille du débat d'investiture de celui-ci : « Aujourd'hui, dans l'immédiat, quelque réserve que l'on puisse faire pour le présent, et plus encore pour l'avenir, le général de Gaulle apparaît comme le moindre mal, la moins mauvaise chance[3]. »

C'est pourquoi, tout en accumulant les réserves sur le passé et les mises en garde pour l'avenir, Sirius, au lendemain du vote de l'Assemblée nationale, s'indigne du vote de ces « républicains » qui « ont refusé la confiance tout en souhaitant un succès[4] ». Certes, comme plusieurs l'ont fait remarquer, le vote n'était guère libre, et c'était une raison supplémentaire pour refuser leur consentement.

---

1. « Folies », Le Monde, 15 mai 1958.
2. « Paroles malheureuses », Le Monde, 17 mai 1958.
3. « L'amère vérité », Le Monde, 29 mai 1958.
4. « Quitte ou double », Le Monde, 3 juin 1958.

Mais, observe l'éditorialiste, « ils s'indignent parce qu'ils ne disposent plus d'une faculté de choix que les erreurs, les fautes quotidiennes du Parlement ont puissamment contribué à leur enlever [1] ». Et d'assimiler leur attitude à ces « pauvres astuces qui ont dégradé et finalement perdu la IVe République ». Ces républicains qui font la fine bouche et qui s'installent déjà pour l'Histoire dans la posture des 80 opposants à Pétain le 10 juillet 1940, ce sont les socialistes pour moitié, c'est François Mitterrand, et surtout c'est un des rares hommes politiques français pour lesquels Beuve-Méry éprouve, nous l'avons vu, une réelle estime, Pierre Mendès France. Il pense probablement à ce dernier, lorsqu'il écrit : « Ils affirment ou laissent entendre enfin que si le général de Gaulle réussissait à sauver ce qui peut encore l'être, ils se rapprocheraient aussitôt de lui. »

La prise de position de Beuve-Méry en faveur de De Gaulle ne fit pas, loin de là, l'unanimité dans le journal.

Certes, beaucoup de rédacteurs, la majorité peut-être, finirent, avec plus de résignation que d'enthousiasme, par raisonner de la même façon. Mais d'autres réagirent en « vieux républicains », selon leur propre expression, et désapprouvèrent nettement l'orientation donnée au journal par son directeur : ce fut notamment le cas de quatre des sept rédacteurs du service politique, Raymond Barrillon, Georges Mamy, Alain Guichard et Claude Ezratty qui devait plus tard engager une carrière politique aux côtés de François Mitterrand sous le nom de Claude Estier. Dans une lettre adressée à leur directeur le 29 mai 1958, ils déploraient que les prises de position du *Monde* s'écartent de ce qu'ils attendaient de lui en pareilles circonstances : « Fidèlement attachés depuis de longues années à notre journal, qui a livré, à maintes reprises, des luttes difficiles, engagés avec lui de façon très personnelle, nous sommes trop directement concernés par les positions du *Monde* pour laisser ignorer le grave problème de conscience qui se trouve ainsi posé pour nous [2]. »

C'était la première fois que dans une question de politique intérieure, particulièrement grave il est vrai, le directeur imposait à

1. « Quitte ou double », *Le Monde,* 3 juin 1958.
2. Documents aimablement communiqués par Georges Mamy.

ses journalistes une orientation qui les divisait. Pendant des mois, et même des années, aussi longtemps que la recherche par de Gaulle d'une solution au problème algérien parut à Beuve-Méry requérir de sa part un soutien critique à l'action entreprise, les mêmes journalistes eurent le sentiment de ne pas disposer d'une liberté d'appréciation égale à celle dont ils avaient joui dans le passé. Dans une pétition rédigée à la même époque, ils écrivaient, parlant d'eux-mêmes : « Ils continueront à assurer complètement, loyalement mais strictement leur tâche d'informateurs tant que cela leur paraîtrait possible. Mais ils tiennent à faire connaître qu'ils ne sauraient être engagés par des positions prises en dehors d'eux en des heures particulièrement graves pour un régime auquel ils demeurent attachés. »

Claude Estier fut sur le moment le seul à pousser jusqu'au bout les conséquences de ce désaccord : « Le 2 juin, seul, j'allais remettre ma démission à Beuve-Méry, qui me reçut cordialement, me disant même que, s'il avait eu mon âge, il aurait probablement agi comme moi, mais ajoutant qu'il ne se sentait pas le droit d'entraîner *le Monde* dans l'aventure que représentait, selon lui, l'opposition à de Gaulle [1]. »

La prise de position du directeur du *Monde* créa une profonde sensation dans la « classe politique » française. Autant le soutien à de Gaulle de la presse modérée ou conservatrice parut aller de soi, autant le ralliement d'un homme connu pour son indépendance d'esprit et sa vigilance à l'égard de régimes autoritaires étonna, à l'extérieur comme à l'intérieur du journal. Mais c'est surtout l'intervention de Sirius en faveur du « oui » au référendum constitutionnel du 28 septembre 1958 qui surprend par sa netteté. Tout au long en effet de la IVᵉ République, nous l'avons vu, il était resté d'une grande discrétion dans le domaine intérieur, se réservant d'intervenir en politique étrangère, notamment dans l'affaire du neutralisme. Même son soutien à Mendès France était fortement lié à des problèmes extérieurs : il s'agissait d'abord de se tirer du guêpier indochinois, puis de l'imbroglio de la CED. En se prononçant nettement en faveur du projet de constitution, Sirius donnait l'impression d'innover. Pas totalement, en réalité, puisque,

---

1. Claude Estier, *La Plume au poing*, Paris, Stock, 1977, p. 138.

à l'automne 1946, il s'était prononcé en faveur du projet qui allait devenir, à la minorité de faveur, la Constitution de la IVᵉ République. Avec la mémoire impitoyable et la rancune qu'on lui connaît, de Gaulle ne manquera pas, douze ans après, d'y revenir : « Il y a quinze ans, je croyais, comme aujourd'hui, que les institutions de la France devaient être réformées, transformées, et que cela ne pouvait se faire qu'autour de moi. Quand vous avez pris un chemin différent, j'ai su que vous n'étiez pas des miens. Peut-être d'ailleurs, n'en avez-vous jamais été [1]... »

L'entretien a lieu huit jours avant la prise de position de Sirius en faveur du oui. Et Beuve-Méry saura rappeler à l'occasion au général qu'il n'a pas toujours été l'esprit négateur qu'il l'a accusé d'être : « Pas toujours, mon général, vous savez que je n'ai pas toujours dit " non " [2]. »

Pourquoi « oui » [3] ? Parce que le général de Gaulle, qui n'est pas le principal responsable des conditions dans lesquelles il a accédé au pouvoir, est sans doute le mieux placé pour faire entendre raison à l'armée et organiser en Afrique les évolutions nécessaires ; du reste, il n'est pas du bois dont on fait les dictateurs. Enfin, la France ne peut se passer d'un pouvoir organisé. A défaut du « oui » enthousiaste et définitif que Beuve eût souhaité donner, c'est un « oui conditionnel et provisoire », mais un « oui » tout de même qu'il accorde au nouveau régime. A travers les raisons énumérées, il est clair que Sirius ne se dissimule pas le caractère plébiscitaire du référendum. Dans la rédaction, qui probablement penchait dans sa majorité pour une réponse négative, cette prise de position du directeur ne laisse pas de poser un problème.

Il y a là une faille ; la première sans doute dans le consensus implicite qui a existé dès l'origine entre Beuve-Méry et la plus grande partie de son équipe ; certes, dans le passé, nous avons déjà rencontré des dissensions, mais elles étaient individuelles, ou nettement minoritaires. Cette fois-ci, il en va autrement. Le

---

1. *Onze ans de règne, op. cit.*, p. 10. Compte rendu par Beuve-Méry de son entretien du 18 septembre 1958 avec de Gaulle.
2. *Ibid.*, p. 13. Compte rendu par H. Beuve-Méry de son bref échange avec de Gaulle du 21 juin 1960, lors de la réception annuelle du président du Conseil constitutionnel.
3. « L'option », *Le Monde*, 26 septembre 1958.

caractère personnel du choix est évident; la signature l'atteste :
« Sirius » n'engage pas le journal au même titre que Beuve-Méry.
Mais le public est-il vraiment sensible à ces subtiles nuances? Le
directeur du *Monde* était coutumier de ces décisions singulières et
n'avait guère l'habitude de consulter ses collaborateurs en pareil cas.
Autres temps, autres mœurs : à l'occasion des élections législatives
de 1978, la prise de position, assortie de nuances, de Jacques Fauvet
en faveur de l'opposition a été précédée de la consultation de tous
les services. En 1958, en tout cas, les communistes voient dans la
prise de position de Sirius le symbole du ralliement de la bourgeoisie au nouveau régime [1].

L'approbation et le soutien, provisoire et conditionnel, vont durer
aussi longtemps que la guerre d'Algérie. En janvier 1959, Sirius
qualifie d' « imposante » l'œuvre accomplie au cours des sept mois
précédents [2]. Non seulement l'armée est rentrée dans l'obéissance,
des options généreuses ont été offertes à l'Afrique Noire, mais les
libertés ont été maintenues ou même rétablies — c'est le cas de la
liberté de la presse. En dépit de certaines tendances autoritaires qui
se manifestent dans les ordonnances, la France peut naviguer au
plus près « entre la crainte et l'espoir, les yeux fixés sur le barreur ».
A l'occasion des deux référendums « algériens » du général, celui du
8 janvier 1961 sur l'autodétermination et celui du 8 avril 1962 sur
les accords d'Évian, Sirius conseille naturellement le oui. Mais c'est
avec une impatience croissante, puisque, au début 1961, il constate
que « la confiance est profondément ébranlée » et qu'elle ne peut
être renouvelée à de Gaulle « qu'à court terme » : c'est le titre
de l'article du 4 janvier 1961; quant à celui du 8 avril 1962, il
s'intitule significativement « Dans la nasse ». Comment en effet
refuser d'approuver les accords d'Évian? Mais comment accepter,
de gaieté de cœur, que, grâce à ce « piège à capter les suffrages »,
cette « machine à violer les consciences » qu'est devenue entre les

---

1. Voir, par exemple, l'étude critique d'Aimé Guedj et Jacques Girault, « *Le
Monde* »... *humanisme, objectivité et politique*. Paris, Editions sociales, 1970, p. 179 :
« *Véritable adhésion à l'ambiguïté politique, ultime sursaut d'une position de classe,
lucidité des limites de ce choix,* telles sont les caractéristiques fondamentales de
l'option du directeur du *Monde*. »
2. « De la dictature temporaire au régime semi-présidentiel », *Le Monde*, 8 janvier
1959.

mains de De Gaulle la procédure du référendum, cette approbation ait valeur de plébiscite?

Sur ce point, les réflexes de Beuve-Méry s'identifient à ceux de l'ensemble de la classe politique. Aussi longtemps que la situation algérienne et le péril dans lequel s'est trouvée la démocratie ont paru l'exiger, il se résigne de plus ou moins bonne grâce au caractère personnel et plébiscitaire du régime. C'est toujours la doctrine du moindre mal : entre un général autoritaire, mais paternaliste, au demeurant respectueux des libertés publiques, et des colonels doctrinaires, ambitieux et, pour tout dire, fascisants, comment hésiter un instant? Mais, depuis longtemps, le ressort de la confiance est cassé. Le 14 juillet 1961, Sirius constate : « Mise à part l'attente toujours angoissée d'une solution relativement honorable et équitable en Algérie, le général de Gaulle pourrait bien ne tirer sa force que de la peur d'un vide qu'il a provisoirement comblé [1]. »

C'est pourquoi l'année suivante, marquée, avec la fin de la guerre d'Algérie, par le grand règlement de comptes entre de Gaulle et les partis à l'occasion du référendum sur l'élection du président de la République au suffrage universel (28 octobre 1962), Sirius se range résolument dans le camp des non. Certes, de Gaulle n'est pas un dictateur; mais son référendum est inconstitutionnel, et sa prétention à liquider tout intermédiaire entre le peuple et lui est devenue insupportable. A l'instar de la majorité des observateurs de l'époque, Sirius multiplie les prévisions pessimistes [2] : « Tout permet de croire, estime-t-il, qu'une loi arrachée dans de telles conditions resterait inappliquée. » Puis, sur le plan politique, au-delà des mesures d'assainissement à court terme (Algérie, finances, politique étrangère), l'échec est patent à ses yeux : de Gaulle n'a pas réussi à adapter la République aux exigences de l'époque. Suit un tableau apocalyptique de l'avenir : « Le " moi " disparu, restera-t-il autre chose qu'un peuple divisé et désemparé, des institutions en ruine, une armée écœurée ou révoltée, l'état de fait substitué à l'état de droit, une espèce de " terre brûlée ", propre à devenir le champ clos des factions et le cimetière des libertés perdues? »

Dans ces conditions, il est désormais impossible à Sirius de maintenir plus longtemps son « oui » conditionnel et provisoire.

1. « Grand jeu?... »
2. « En toute conscience... », Le Monde, 26 octobre 1958.

Dès ce moment, il entre, et son journal avec lui, dans une opposition résolue qui ne se démentira pas, quitte à s'atténuer un peu, dans le cas personnel de Beuve-Méry, en mai 1968.

Il serait facile aujourd'hui d'ironiser sur toutes les Cassandre du gaullisme triomphant. De 1962 à 1969, Beuve-Méry a joué ce rôle dans la presse avec talent et autorité. Au Parlement, François Mitterrand fera de même dans le registre qui est le sien. Et Pierre Mendès France aussi, qui, à chaque tournant de régime, a cru pouvoir prophétiser des catastrophes. Convenons qu'elles ne se sont pas produites. Il ne s'agit pas seulement d'une erreur de pronostic. Il faut bien comprendre que, pendant près de onze ans, l'opposition de gauche, au surplus désunie, était trop faible, et manquait trop de crédit pour tenter autre chose, et, par exemple, avancer des contre-propositions. Le contre-gouvernement de François Mitterrand sombra vite dans le ridicule, et le programme commun de la gauche ne naîtra que sous Pompidou. Il ne restait guère comme ressource, aux républicains d'opposition, qu'à adopter le ton de Brutus sous la tyrannie de César, c'est-à-dire le registre de la vertu offensée et de l'objurgation pathétique.

Jusqu'alors, les interventions de Sirius, à l'occasion notamment de consultations électorales, prenaient la forme convenue d'éditoriaux d'un directeur de journal face à un grand événement national. Et la dramatisation de la vie publique pendant le quadriennat « algérien » du général suffisait à elle seule à expliquer la multiplication de ces interventions directoriales par rapport à leur rareté sous la IVe République. A partir de 1962 jusqu'en 1967, le régime entre dans ses années heureuses : désormais en paix avec le reste du monde, la France se tourne vers la croissance économique, tandis que le général de Gaulle, adossé à une majorité solide, inaugure une politique extérieure de présence et de prestige.

Deux solitaires

Commence alors, à l'occasion des conférences de presse du général, un inégal et étrange dialogue indirect, entre solitaires, où de Gaulle, par la voie des ondes, s'adresse au monde, tandis que *le*

Monde, par la voix de Sirius, répond à de Gaulle... Un cérémonial se met en place, rarement transgressé : tandis que l'ensemble de la presse nationale et internationale se réunit pour entendre le chef de l'État, en une improvisation soigneusement mise au point, brosser le tableau de la situation française et étrangère, répondre aux questions, souvent les esquiver et parfois les susciter, Beuve-Méry, lui, écoute de son bureau. La réponse — faut-il dire le « corrigé »? — paraîtra le lendemain dans *le Monde*. Bien sûr, les deux interventions ne se situent pas sur le même plan, quel que soit le prestige que le directeur du *Monde* a conféré à la place qu'il occupe. Une chose est de gouverner la France, autre chose de gouverner... *le Monde*. On peut comparer Beuve-Méry à de Gaulle; il serait oiseux de comparer de Gaulle à Beuve-Méry. Et pourtant, ce dernier ne craint pas de se mesurer directement à son illustre cible. Sur dix-sept conférences de presse données par de Gaulle en « onze ans de règne », quinze ont donné lieu à un commentaire critique de Sirius. C'est, selon l'expression de Bruno Rémond [1], une véritable fonction d' « interpellation » que ce dernier exerce. De la part d'un journaliste regardé comme le premier de France, il n'y a rien là d'anormal ou d'extraordinaire. Pourquoi alors ces interventions, conformes à sa fonction, ont-elles donné et donnent-elles encore l'impression, au moins du point de vue de Sirius, d'un combat singulier, en quinze reprises, sur les cimes de la politique, et presque d'une affaire personnelle? C'est que, au désaccord politique de fond qui oppose Sirius à de Gaulle, s'ajoute une incompatibilité d'humeur fondée sur les ressemblances beaucoup plus que sur les contrastes.

Non qu'ils aient adopté, à l'égard de leur personnage public, la même attitude. Le personnage de De Gaulle apparaît comme le fruit d'une volonté délibérée et inflexible; il se veut délibérément le serviteur obstiné d'une certaine idée de la France, et parfois comme un défi aux pesanteurs historiques. Beuve-Méry, au contraire, souligne avec coquetterie, sinon avec complaisance, la série des hasards qui ont, par touches successives, construit son personnage. De Gaulle

---

1. Bruno Rémond, *Les Éditoriaux de Sirius dans « le Monde »* : *morale et politique*, mémoire présenté à l'Institut d'études politiques de Paris, sous la direction de Jean Touchard, 1970 (396 p. dact.). Nous avons fait plus d'un emprunt à cette excellente étude.

donne toujours le sentiment d'avoir forcé la main au destin, Beuve-Méry suggère en toutes circonstances que c'est le destin qui a forcé la sienne. A l'entendre, c'est un peu par hasard qu'il s'est trouvé à Prague, puis à Uriage, puis à la tête du *Monde*; en 1951, c'est le sursaut de ses amis et collaborateurs qui l'a contraint à revenir sur sa démission. Pour le premier, la forme la plus haute de l'obligation morale consiste à répondre aux exigences de son démon intérieur; pour le second, à faire son devoir d'état. Qu'on ne s'y trompe pas : il y a autant d'orgueil, sinon plus, dans le sentiment d'avoir été choisi par le destin que dans l'impérieux désir de le forcer. Ailleurs, que de similitudes! Une fois attelés à leur tâche, même obstination, même intransigeance; investis du pouvoir, même refus hautain de le partager. Dans la confrontation, leurs concurrents ne font pas le poids, qu'ils s'appellent Giraud ou Courtin. Chez ces solitaires, le mutisme public, fruit d'une longue rumination privée, ne signifie pas absence, mais réserve; on commande par le silence autant que par la parole; qui sait se taire à bon escient paraît entretenir avec l'événement, quand il arrive, une éloquente et subtile connivence. Au reste, l'un et l'autre ont bâti leur carrière et leur personnage sur leur capacité à dire non, sur une puissance de refus massive et entêtée, dédaigneuse des entraînements populaires et des arrangements. C'est leur solitude qui a attiré sur eux les regards. C'est pourquoi ces autoritaires ne sont pas des tatillons; ils savent que l'autorité s'épuise à se disperser dans les recommandations de détail et les controverses subalternes; convaincus que, pour être servis ou, ce qui revient au même, pour en donner l'apparence, il leur faut faire confiance à leurs subordonnés, ils acceptent de couvrir de leur nom tout ce que le quotidien comporte d'inévitable et de parrainer pour le public des initiatives où ils n'ont pas eu de part. Beaucoup des dévouements qu'ils ont suscités s'expliquent par le sentiment, chez leurs collaborateurs, de disposer, du fait du pouvoir personnel dont ils dépendent, d'une liberté d'action que les infinies prudences de l'irresponsabilité collective ont toujours interdite. Notre siècle répugne aux liens d'homme à homme, qu'ils jugent dégradants; et il est vrai que Beuve-Méry, comme de Gaulle, est l'homme d'un autre siècle, le nostalgique d'une autre sociabilité. Chez l'un comme chez l'autre, la référence à un âge d'or médiéval, explicite ou non, est rarement absente. Ni l'un ni l'autre n'ont jamais accepté de s'agréger à une classe ou à un parti; ils sont, à tous les sens du terme, les hommes d'un ordre; c'est-à-dire d'une fidélité, ou, pour employer le terme gaullien, d'un compagnonnage. A son échelle, qui est modeste, Uriage est un compagnonnage fondé sur la commune appartenance à un tiers ordre laïque.

Alors, des conservateurs, et même des réactionnaires, ces hommes qui ont profondément marqué leur époque en s'inspirant des valeurs d'une autre? Non pas, mais des traditionalistes, assez convaincus de leurs principes pour aller, quand il le faut, à contre-courant et refuser sans complexe l'idolâtrie de la modernité. Dédaigneux des procédés ordinaires de la publicité politique, qu'ils jugent grossiers et dérisoires, ils n'en sont pas moins, l'un et l'autre, imbus des prérogatives et des responsabilités du chef, de l'obligation pour celui-ci de tenir son rang et de préserver son personnage, au besoin d'en renforcer le prestige au moyen de la distance, du secret. De Gaulle a usé avec bonheur de la dramatisation; Beuve n'a pas dédaigné, dans l'exercice quotidien de ses fonctions, le recours à une certaine liturgie. Naturellement peu enclins à l'amabilité profes- sionnelle du politicien, ils savent pourtant se mettre en frais. Au demeurant ils ont le goût de séduire et y parviennent d'autant mieux qu'ils s'y appliquent avec discernement. Le moyen, pour l'élu, de résister à une considération aussi distinguée? De mœurs austères, et de penchants plutôt misogynes, ils sont pourtant sensibles au charme des femmes, qu'ils traitent avec une galanterie attentive.

Leurs idées politiques ne sont pas simples. Quelques convictions de base inébranlables, honneur, fidélité, indépendance, amour du travail bien fait ne permettent pas de les rattacher à une famille politique précise. A une tradition tout au plus : celle de Péguy, qu'ils ont admiré. D'ailleurs, comment parler d'opinions chez des hommes qui ont consacré leur vie à peser sur celles des autres? Ils n'aiment guère la gauche, avec sa revendication querelleuse, son intellectua- lisme abstrait, son optimisme jobard. Cela suffirait à faire d'eux des hommes de droite, s'ils n'avaient trouvé la place déjà prise. Et par qui, grands dieux! Par des hommes lâches et hypocrites, obéissants et conformistes, prosternés devant l'argent et devant la puissance; prenant leur myopie pour du réalisme et confondant leur tendance à capituler avec l'aptitude à s'adapter. C'est pourquoi, comme Mauriac auquel l'un et l'autre s'apparentent, ils incorporent une étrange bâtardise. Comme lui, ils auraient pu être des démocrates-chrétiens, le cœur à gauche, la raison à droite. Il n'en est rien. Leur grandeur est d'avoir brisé leurs affinités naturelles et violemment rejeté ces fidélités que l'on dit fondamentales. Pour un homme public, général, politique ou journaliste, on n'accède pas à la vérité de son personnage et à la plénitude de son talent sans devoir, d'une certaine manière et à un certain moment, trahir les siens. Ils ont pu de longues années subjuguer la bourgeoisie ; elle ne les a jamais adoptés. Leur préférence naturelle d'aristocrates de l'esprit et de traditionalistes politiques va au peuple : non pas le peuple réel, gâté par la publicité, et trompé par la démagogie, mais le peuple généreux, fidèle, qui croit à la parole donnée, et qui est pour la patrie le seul rempart véritable. Il paraît que de Gaulle rêvait de gouverner avec la CGT ; une CGT miraculeusement débarrassée, bien sûr, de l'influence communiste. Peut-être Beuve-Méry a-t-il parfois rêvé de faire un journal populaire, si le mot n'avait désigné la bassesse et la médiocrité. Au total, de Gaulle et Beuve-Méry sont des moralistes, qui trouvent dans l'optimisme de l'homme moyen une narcissique et insupportable prétention. Pessimistes donc, comme tous les moralistes :

Cher Monsieur,

J'ai lu — relu —
les pages que vous
réunissez dans « Le Suicide
de la IVᵉ République ».
J'y reconnais l'ampleur
de la critique et
l'étendue du talent.
Peut-être, après tout,
« Rien ne vaut-il rien ». Mais dans
ce cas, qu'importe
que cette chose-ci
et celle-là meurent,
et nous tous ?
Veuillez croire, cher
Monsieur, à mes sentiments
les plus distingués.

Cette étonnante lettre, où chacun, à sa guise, trouvera connivence ou ironie, a été écrite par de Gaulle à Beuve-Méry le 6 août 1958, pour le remercier de l'envoi de son livre, *le Suicide de la IVe République :* elle aurait pu l'avoir été par son destinataire. Pessimistes, donc. Mais non découragés. Après tout, si « rien ne vaut rien », si « rien n'est » comme dit un personnage de *la Ville* de Claudel, à quoi bon ne rien faire? Catholiques de culture et de sentiment plutôt que de religion; libéraux par résignation plutôt que par conviction; trop sceptiques pour être tentés par l'autoritarisme, ils aiment l'humanité de loin, comme Alceste, et la détestent de près; toujours fatalistes et pourtant inquiets de l'avenir; leur aspiration romantique vers autre chose, qu'ils cachent comme une faiblesse, prend parfois sa revanche, quand à la nuit tombée, dans la pénombre du cabinet, on les entend murmurer d'un air las des histoires cocasses ou des secrets d'apocalypse.

Lucidité réciproque des deux hommes : à de Gaulle qui l'exécute le 21 juin 1960 [1] : « Et puis, vous êtes comme Mephisto... Mais oui, rappelez-vous, quand Mephisto dit à Faust : *Ich bin der Geist, der stets verneint!* » Beuve-Méry réplique à chaque conférence de presse du général par touches successives, de plus en plus aiguës, qui finissent par dessiner un portrait complet de celui-ci. Avec l'âge, les traits du personnage se sont adoucis. Le fameux « mépris de fer » du passé n'a pas disparu; mais il s'est nuancé de bonhomie, de paternalisme et d'un humour [2] dont sont en général incapables les dictateurs. Ce n'est pas Hitler, ni Staline ni Pinochet qui se seraient comparés à Tintin. Cela n'enlève rien à l'orgueil [3] de l'homme, sa tendance à l'autosatisfaction, cet égocentrisme qui finit par compromettre les causes dont il aurait pu être « le juste champion [4] ». Car Beuve-Méry se méfie des manifestations répétées d'un nationalisme dans lequel il décèle des influences maurrassiennes et de cette « poursuite effrénée de la grandeur et de la puissance [5] ». Un mauvais esprit dirait qu'il n'est pas de trop de tout ce contexte césarien pour expliquer que le directeur du *Monde* ait pu, tout au

1. *Onze ans de règne, op. cit.,* p. 13. « Je suis l'esprit qui toujours dit non. »
2. « A court terme », *Le Monde,* 4 janvier 1961.
3. « Dans la nasse... », *Le Monde,* 6 avril 1962.
4. « Un destin... », *Le Monde,* 11 septembre 1965.
5. « Entre deux tentations », *Le Monde,* 18 avril 1964.

long de la Ve République, passer condamnation sans appel de la politique étrangère dont il s'était fait sous la IVe le champion solitaire.

D'aucuns ont parfois suggéré que Beuve-Méry avait inconsciemment reproché à de Gaulle de l'avoir privé de l'emploi de Cassandre qui avait été le sien sous la IVe. Les choses sont certainement encore plus complexes. N'oublions pas d'abord que, dans sa majorité, la rédaction du *Monde* était hostile au général, et que son directeur ne pouvait pas ne pas en tenir compte. En second lieu, la plupart des hommes d'opposition qui, après 1958, conservèrent à de Gaulle sympathie personnelle et confiance politique étaient obligés de le faire *intuitivement* et, en quelque sorte, *contre leurs principes.* Leurs principes leur suggéraient qu'un régime aussi individualisé, dépendant de la volonté d'un seul, et pour tout dire si contraire aux canons de la démocratie, ne *pouvait pas* accomplir les tâches que les démocrates considéraient justement comme prioritaires : terminer la guerre d'Algérie, restaurer l'autorité de l'État, assainir les finances, rétablir dans le monde le crédit de la France. Ainsi pensaient, dans leur immense majorité, les hommes de gauche, avec pour eux la logique et la morale... Ceux qui raisonnaient autrement, tels l'équipe de *France-Observateur* autour de Martinet, Jean Daniel à *l'Express,* Jean-Marie Domenach à *Esprit,* Eugène Descamps à la CFDT, se trouvèrent avoir raison ; cela n'empêchait pas qu'on leur en tînt rigueur, au nom justement d'une morale et d'une logique qui n'ont jamais fait bon ménage avec les ruses et les ironies de l'histoire. Au fur et à mesure que les années passaient, les raisons d'argumenter contre de Gaulle se multipliaient même chez ceux qui, comme Beuve-Méry, avaient, par réalisme, parié en 1958 pour de Gaulle. Au fur et à mesure que les périls s'éloignaient, la dialectique politique et les exigences démocratiques reprenaient le dessus.

Il est vrai qu'après la démission de De Gaulle en 1969, et surtout sa mort l'année suivante, la sérénité revint, avec le souvenir des meilleurs côtés de son action. « Après tout, concluait Beuve-Méry dans un article destiné au public anglais [1], Louis XIV et Napoléon, quels que fussent leurs titres de gloire, ont laissé la France exsangue,

1. *The Times,* 11 novembre 1970.

ruinée, mutilée. Charles de Gaulle n'aurait pas trop à se plaindre de cette orgueilleuse comparaison. »

Il ne s'agit pourtant pas de ramener les critiques de Beuve-Méry envers de Gaulle à de simples questions personnelles ; elles portent en fait sur tous les grands problèmes de la période, et spécialement sur trois qui sont les institutions, l'Algérie et la politique étrangère.

Les institutions : de la résignation au refus

De longue date, nous l'avons vu, Beuve-Méry a diagnostiqué et dénoncé l'impuissance des régimes parlementaires face aux bouleversements du siècle. S'il s'est résigné en 1958 au nouveau régime, c'est que décidément l'ancien ne lui paraissait plus viable. Ce n'est pas pour autant que la nouvelle Constitution l'enthousiasme. « Faite par un homme et pour un homme [1] », elle comporte un aspect plébiscitaire évident. Et pourtant Sirius l'accuse en même temps d'accroître à l'excès le rôle des notables au détriment du suffrage universel. Mais les circonstances commandent, et son oui est un consentement à de Gaulle plutôt qu'à ses institutions. Paradoxalement, le non à la Constitution s'efface devant le oui au plébiscite... Mais, dans les années suivantes, la position s'inverse : le caractère plébiscitaire du régime s'accentue, en violation de la Constitution. A deux reprises, à la veille de la consultation du 28 octobre 1962 sur l'élection du président de la République au suffrage universel [2] et de celle du 28 avril 1969 sur la régionalisation [3], Sirius proteste contre l'inconstitutionnalité du recours au référendum et l'institutionnalisation de la procédure plébiscitaire comme moyen normal de gouvernement. Face à un chantage, la seule attitude digne est le refus de discuter plus avant.

Certes, Sirius se garde bien d'assimiler le régime à une tyrannie et son chef à un dictateur. De Gaulle n'en a ni le goût, ni le tempérament.

1. « L'option », Le Monde, 26 septembre 1968.
2. « Casse-cou ! », Le Monde, 22 septembre 1962.
3. « Du référendum au plébiscite et du plébiscite au chantage », Le Monde, 12 avril 1969.

A l'égard de la presse notamment, il est plus libéral que la IVᵉ République. N'empêche : « Si l'on admet que tout dans un pays doit dépendre d'un seul homme, et que les libertés soient davantage fondées sur une concession, une tolérance toujours révocables que sur un état de droit, *la dictature plus ou moins totalitaire est déjà en germe* [1]. » Que faire alors? Pas question de revenir à la IVᵉ, mais rééquilibrer les pouvoirs en précisant et en contrôlant le recours au référendum, en revalorisant le rôle de contrôle de l'Assemblée nationale, et surtout en instituant une Cour suprême chargée de juger de la constitutionnalité des lois et des ordonnances. Il s'agit donc d'instituer une fonction d'arbitrage. Sirius tient beaucoup à cette idée, il y revient à plusieurs reprises [2]. Il est cependant significatif qu'il hésite quand il s'agit du droit de dissolution : faut-il le limiter ou le supprimer? Selon la réponse que l'on donne à cette question, c'est toute la nature du régime qui s'en trouve affectée. C'est qu'en dépit de sa formation juridique Beuve-Méry n'a cessé de réagir en politique, en historien et en moraliste : *Quid leges sine moribus?* Plus que ses lois, ce sont les mœurs du régime qui sont de plus en plus inacceptables.

Quatre ans durant, le péril que courait la République du fait de l'aventure algérienne avait quelque peu tempéré le scrupule légal : toujours la politique du moindre mal. Et l'on peut dire que, de 1958 à 1962, Sirius a apporté à la politique algérienne de De Gaulle un appui continu et nuancé.

L'Algérie : un soutien sourcilleux

Cette guerre, celui-ci l'avait trouvée en héritage quand il avait accédé au pouvoir. C'est même elle qui l'avait ramené; il avait obtenu carte blanche des fractions les plus opposées de l'opinion, puisque, par la plume de son directeur, *le Monde,* considéré par

1. « L'homme de la nation », *Le Monde,* 2-3 février 1964. C'est nous qui soulignons.
2. « La victoire du général-président », *Le Monde,* 27 novembre 1962; « Après la bataille », *Le Monde,* 17 juin 1969.

Jacques Soustelle comme un « des quatre grands de la contre-propagande française [1] », s'était retrouvé avec lui — et avec 80 % du peuple français — pour lui faire confiance. Sous la IVe, les accrochages avec le pouvoir n'avaient pas manqué, dès lors que, pour prendre nettement position sur le fond, le journal avait contribué, à partir de 1956, à lever le voile sur les procédés de la « pacification » et refusé de participer au mouvement d'autocensure patriotique qui avait gagné une grande partie de la presse française.

Le strict exercice de son métier avait valu au *Monde* et à ses collaborateurs, aux beaux temps du national-molletisme, bien des ennuis ; en avril 1956, Henri Marrou, historien de saint Augustin et des Pères de l'Église, faisait l'objet d'une perquisition pour avoir publié une « libre opinion » sur l'effet de démoralisation de la nation produit par la guerre d'Algérie avec son cortège de tortures et sa Gestapo à la française. Quelques mois plus tard, c'était le refus par le gouvernement Guy Mollet de l'augmentation du prix du journal : à terme, l'étranglement ! A la fin de la même année, le journal publiait en date du 14 décembre 1957 avec une longueur d'avance sur le gouvernement le « rapport de synthèse de la commission de sauvegarde des droits et des libertés individuelles », dit « rapport Béteille », du nom de son président. L'affaire illustre parfaitement les méthodes du gouvernement de l'époque et le rôle de harcèlement joué par un journal comme *le Monde*. C'est sous la pression de la campagne sur les tortures en Algérie que le gouvernement Guy Mollet avait décidé la création de cette commission, chargée, à titre permanent, d'enquêter sur tous les abus auxquels pouvait donner lieu la guerre d'Algérie. Exclusivement composée de personnalités modérées, la commission remit son rapport le 14 septembre à Maurice Bourgès-Maunoury, le nouveau président du Conseil. Le 12 novembre, Félix Gaillard, qui avait à son tour succédé à Bourgès-Maunoury, réitérait la promesse. Sans résultat. C'est dans ces conditions que *le Monde* qui, selon toute vraisemblance [2], se l'était procuré par l'intermédiaire du gouverneur général Delavignette, membre de la commission, démissionnaire depuis le 30 septembre, publiait dans son numéro daté du

---

1. Aux côtés de *l'Express, France-Observateur* et *Témoignage chrétien*. L'expression a été prononcée au cours d'un débat à l'Assemblée nationale en mars 1957.
2. Témoignage de Jean Lacouture.

14 décembre 1957 le rapport Béteille. Informé de ce fait quelques heures avant la sortie du journal, le gouvernement, après avoir envisagé de le faire saisir, décidait en catastrophe de rendre public le rapport, afin de ne pas donner l'impression d'avoir été placé devant le fait accompli... Telles étaient les médiocres astuces auxquelles se complaisaient les gouvernements de la IVᵉ finissante. Amputé des huit rapports annexes, beaucoup plus accablants [1], expurgé des noms d'officiers responsables d' « incidents » comme l'asphyxie de 41 suspects enfermés dans des caves à vin à Aïn-Isser (Oranie), assorti en compensation du résumé d'une brochure du cabinet de Robert Lacoste sur les atrocités des fellaghas, le rapport, en dépit de ses prudences et de ses insuffisances, avait le très grand mérite d'apporter confirmation officielle de la réalité de la torture en Algérie.

Pour émouvoir l'opinion et lui faire prendre conscience de la réalité, la publication des rapports émanant de commissions d'enquête à l'objectivité incontestable s'avérait donc le procédé le plus sûr. L'étonnant, c'est qu'il se soit trouvé si peu de journaux pour le faire et tant de gens pour s'en scandaliser. Déjà, au mois d'août 1957, *le Monde* avait publié le rapport de la commission internationale contre le régime concentrationnaire. Il allait récidiver sous la Vᵉ République, avec la publication dans le numéro daté du 5 janvier 1960 d'un rapport de la Croix-Rouge internationale sur les camps d'internement en Algérie, analysant 82 rapports particuliers établis par les enquêteurs, dans les différents centres accueillant des détenus (centres militaires d'internement, centres de transit et de triage, centres d'hébergement, prisons, hôpitaux). Tout en constatant une amélioration par rapport à leur dernière visite (fin 1958), les délégués de la Croix-Rouge décrivent la persistance des mauvaises conditions d'hébergement, des mauvais traitements, des tortures, des exécutions sommaires : de quoi réduire à néant la déclaration d'André Malraux, affirmant en 1958 qu'il n'y avait plus désormais de torture en Algérie.

Les rapports de la Croix-Rouge ne sont pas destinés à être publiés. Le 7 janvier 1960, Sirius reconnaissait que celle-ci n'était pour

1. Notamment ceux du gouverneur général Delavignette et de Mᵉ Maurice Garçon.

231

rien dans la divulgation du rapport et assumait sans ambages cette « indiscrétion grave » (c'est le titre de l'article) : « Il est grave que l'analyse d'un rapport confidentiel de la Croix-Rouge internationale soit rendue publique. Mais la responsabilité de la Croix-Rouge n'est pas en cause, et des faits regrettables ou navrants, maintes fois signalés, et toujours niés ou contestés, deviennent aussi incontestables. »

A cette occasion, *le Monde* fut saisi en Algérie, et la presse « nationale », une nouvelle fois, ne se fit pas faute de dénoncer son « défaitisme ».

Et pourtant, quand on examine sur une longue durée la position du journal à propos de l'Algérie, on ne peut qu'être frappé par sa modération et sa prudence. Autant la « sale guerre » d'Indochine était vite apparue ruineuse et condamnable, autant le problème algérien, dans sa complexité, suscitait la réserve et la nuance. Il fallait tout le fanatisme borné de tant de partisans de l'Algérie française pour assimiler le refus de la torture au refus de la présence française et pour identifier tout esprit critique à l'esprit d'abandon. A ce compte, mais à ce compte-là seulement, *le Monde* faisait partie des « bradeurs ». Même en matière de tortures, le journal avait pris son temps.

« *Le Monde* n'agit pas à la légère. J'ai attendu six mois et multiplié les démarches auprès des instances compétentes et finalement de M. Guy Mollet lui-même avant d'entrouvrir une première fois le dossier des détenus en Algérie », écrit Beuve-Méry le 28 janvier 1959 à un lecteur [1].

Certes, l'ensemble de la rédaction avait assez rapidement penché pour une solution pacifique. Les plus avancés étaient les « hommes de terrain » comme Philippe Herreman et Alain Jacob. Ils faisaient de fréquents voyages outre-Méditerranée et en avaient rapporté la conviction que l'indépendance de l'Algérie était la seule solution. Quant à Jean Lacouture, chef du service outre-mer de 1957 à 1964, il a expliqué lui-même la position centriste qu'il occupait au journal dans la question algérienne : « Je reflétais assez bien l'attitude

---

1. Réponse au général de Reboul qui avait protesté dans une lettre au directeur du *Monde,* à propos des informations données sur les travaux de la commission de sauvegarde (Archives H. B. M.).

générale du journal. Ma position se situait, mettons, entre celle de Beuve-Méry, Fauvet et Gauthier d'une part, celle d'Herremann et de Jacob de l'autre. En fait il y avait une sorte de " consensus à géométrie variable " auquel ont eu part des hommes comme Pierre Viansson-Ponté (à partir de 1958), Jean Planchais, Mannoni, Pierre-Henri Simon dont les articles contre la torture ont beaucoup compté, et Maurice Duverger qui écrivait des éditoriaux percutants. Dans l'affaire algérienne, le Monde était vraiment une démocratie [1]. »

Pour Lacouture comme pour beaucoup d'autres à l'intérieur de la rédaction, la guerre d'Algérie ne possédait pas la belle netteté manichéenne de la guerre d'Indochine. Impossible tout de même d'ignorer la présence de plus d'un million de pieds-noirs, la profondeur des liens économiques entre les deux contrées, et surtout peut-être, par voie de conséquence, la gravité du traumatisme intérieur que risquait d'engendrer un abandon total. D'où l'ambiguïté politique des campagnes contre la torture. « J'ai pris part à des campagnes contre les méthodes de la guerre plutôt que pour la solution à dégager », note encore Lacouture [2].

Telle sera longtemps aussi la position de Beuve-Méry. Tandis que, chez un Fauvet, la condamnation de la guerre d'Algérie devient d'autant plus sévère qu'elle est menée par un gouvernement qui a rompu avec la forme parlementaire de la démocratie; tandis que chez un Gauthier domine la rage d'informer et de relever en journaliste le défi du gouvernement qui occulte l'information — et dissimule les vérités gênantes —, pour le directeur du Monde, c'est le réflexe moral qui est déterminant : on ne torture pas. Longtemps il s'est refusé à s'engager au-delà. A Gilbert Mathieu, qui, au retour d'un voyage d'information qu'il a fait là-bas en 1955, lui confie ses conclusions sur la gravité de la situation, il répond [3] : « Je pense comme vous, mais je n'en parlerai pas... Je l'ai fait une fois, sur l'Indochine, je ne recommencerai pas. »

1. Un sang d'encre, Paris, Stock, 1974. Voir surtout le chapitre 7, « L'Algérie à tâtons », p. 177-200. Informations complétées par un entretien avec l'auteur du 4 octobre 1977.
2. Ibid., p. 180.
3. Entretien avec Gilbert Mathieu, 28 février 1978.

233

Il recommencera, naturellement : d'abord, comme nous l'avons vu, en faisant la lumière sur les méthodes de la « pacification », et ensuite, à partir du retour de De Gaulle, à propos de sa politique algérienne, à laquelle il va donner une approbation critique. Constatant en 1958 que, « à la faveur de la guérilla et du terrorisme, une sorte de fascisme s'est solidement implanté en Algérie [1] », il mesure l'enjeu de la bataille qui se prépare entre de Gaulle et ceux qui l'ont ramené au pouvoir. Pour ceux-ci, en effet, il s'agit tout simplement d'intégrer la métropole à l'Algérie, non l'inverse, et d'étendre à la France le néo-fascisme colonial. Tandis que ce cancer s'installait, la politique française, toujours brûlante, n'a cessé de prendre du « retard sur l'événement [2] ». Il est vrai que, sur ce plan, de Gaulle n'a pas mieux réussi que la IVe, toujours « en retard d'une générosité », tandis que le FLN est toujours « prompt à une nouvelle surenchère [3] »... « Hélas! Hélas! Hélas! la réalité, c'est que le temps n'a cessé de jouer contre nous », déplore-t-il encore à quelques mois du cessez-le-feu [4]. Il est vrai qu'en multipliant les affirmations divergentes, les propos ambigus qui semblent directement inviter aux interprétations les plus opposées [5], de Gaulle n'a que trop pris son temps. C'est le principal reproche qu'il lui adresse; car, sur le fond, il est en somme d'accord avec lui à chaque étape. D'abord pour estimer que, même rebaptisée intégration, l'assimilation des peuples coloniaux, politique généreuse entre toutes, est depuis longtemps impossible [6] : « A qui fera-t-on croire qu'un Malgache ou un Sénégalais peut être citoyen français exactement au même titre qu'un Normand ou un Auvergnat? », se demande Sirius dès 1954, dans un article intitulé « Le mythe de l'Union française ». A plus forte raison quand la guerre aura fait son œuvre, en creusant entre les deux communautés un fossé bientôt infranchissable. Alors, quelle solution? A un moment, Sirius paraît avoir envisagé le partage de l'Algérie comme une issue possible, doulou-

---

1. « L'option », *Le Monde*, 26 septembre 1958.
2. *Ibid.*
3. « Devant la porte... », *Le Monde*, 6-7 novembre 1960.
4. « Des réalités et des mots », *Le Monde*, 7 septembre 1961.
5. « S'il est temps encore... », *Le Monde*, 25 août 1959.
6. « Le mythe de l'Union française », *Le Monde*, 6 janvier 1954; voir aussi « Simples réflexions pour les ci-devant », *Le Monde*, 27-28 avril 1958.

LE TÊTE-A-TÊTE AVEC DE GAULLE

reuse certes, mais réaliste — à l'israélienne en somme, ou à la chypriote, avec ce que cela suppose de tensions et de sacrifices [1]. Solution bien vite écartée devant l'évolution rapide de la situation. Comme beaucoup de Français de bonne volonté, Sirius paraît estimer que la solution du problème algérien devra tenir compte de deux réalités fondamentales et en partie antagonistes : le caractère universel de la décolonisation; la profondeur et la permanence des liens entre la France et l'Algérie, incarnées par la communauté française d'outre-Méditerranée. Voici sous le titre « Espoir... » le double commentaire au nouvel appel au cessez-le-feu et à la négociation lancé par de Gaulle le 14 juin 1960 : « On objecte que tout accord avec le FLN débouche plus tôt ou plus tard sur l'indépendance, et cela est vrai. Mais quand l'Afrique tout entière s'affranchit de tutelles européennes, croit-on que la seule Algérie puisse rester en dehors de cette gigantesque révolution, et qu'un million de Français pourront indéfiniment imposer leur loi à 9 millions de musulmans en pleine poussée démographique [2]? »

En même temps : « Puissent le général de Gaulle et M. Ferhat 'Abbās ouvrir devant les deux peuples la voie d'un avenir, qui, pour le meilleur ou pour le pire, restera en toute hypothèse largement commun! »

Personne en effet n'imaginait que l'indépendance pourrait aussi rapidement dissocier les liens entre les deux pays. Il est vrai que personne non plus n'envisageait sérieusement le rapatriement brutal d'un million de Français de souche européenne : à l'époque, l'OAS n'existait pas encore...

C'est pourquoi l'idée fédéraliste d'un ensemble maghrébin relié à la France est celle qui revient le plus souvent sous sa plume [3]; elle est conforme à la « troisième voie », ouverte « avec un exceptionnel courage [4] », le 16 septembre 1959 par le général de Gaulle dans

1. « Simples réflexions pour les ci-devant », *ibid.*; « Faux-semblants », *Le Monde*, 6-7 novembre 1960. Mais il en parle le 22 décembre de la même année (« Confronter, négocier, faire alliance ») comme d'une « source permanente de conflits ».
2. *Le Monde*, 21 juin 1960.
3. « Simples réflexions pour les ci-devant », *Le Monde*, 27-28 avril 1958; « Pourquoi? », *Le Monde*, 18 septembre 1959; « Faux-semblants », *Le Monde*, 21 janvier 1960.
4. « Pourquoi? », *ibid.*

235

son fameux discours sur l'autodétermination. Écartant la francisa-
tion au même titre que l'indépendance pure et simple, c'est une
solution fédérale qui est préconisée. Fidèle à son idée, Sirius sou-
haiterait la voir élargie à la Tunisie et au Maroc.

En tout cas, au-delà de la recherche tâtonnante d'une solution
particulière, Sirius se prononce nettement en faveur d'une négociation politique avec ceux qui se battent. Mais, à la différence de
beaucoup d'hommes de gauche, il estime que de Gaulle est le mieux
placé pour faire la paix en Algérie. Son choix initial de 1958 avait
été largement déterminé par l'existence du problème algérien ; la
suite des événements le confirmera dans cette opinion ; naturellement, lors du putsch des généraux (avril 1961), il ne voit pas d'autre
solution, pour les forces populaires, que de « faire bloc derrière le
général de Gaulle [1] ». Il est trop facile de dire après coup que de
Gaulle a perdu du temps ou qu'il n'a été en cette affaire que le
greffier de la nécessité. Bien au contraire ; commentant l'accord du
cessez-le-feu du 18 mars 1962, il constate : « Une étape est franchie,
qui aurait dû l'être plus tôt, mais qui pourrait ne pas l'être encore
sans la volonté du chef de l'État [2]. »

Une étape est franchie... pour Beuve-Méry aussi qui, avec la
conclusion des accords d'Évian, paraît s'être senti délié de l'espèce
de pacte moral qu'il a conclu avec de Gaulle en approuvant son
retour au pouvoir, et qui ne trouve plus de raisons pressantes et
impérieuses pour différer ou tempérer ses critiques. Déjà, à la veille
du référendum du 6 avril portant approbation des accords d'Évian,
Sirius paraît hésiter entre le vote favorable et une abstention qui
signifierait le refus par des Français qui se sentent « pris dans la
nasse » de la carte forcée qu'impose le général de Gaulle [3].

1. « L'aventure », *Le Monde*, 24 avril 1961.
2. « Au-delà de la guerre », *Le Monde*, 20 mars 1962.
3. « Dans la nasse... », *Le Monde*, 5 avril 1962 : « Ainsi, un nombre accru
d'abstentions ou de votes nuls manifesterait soit la protestation de ceux qui
approuvent les décisions prises à Évian, mais repoussent tout ce dont elles pourraient
être le prétexte, soit l'aggravation du désintéressement politique. » Mais c'est pour
ajouter aussitôt « qu'en politique le mieux peut être l'ennemi du bien ou du moins
mal, qu'une majorité de votes nuls ou d'abstentions aurait pratiquement le même
effet qu'une majorité de votes négatifs »... Sirius aurait pu ajouter qu'un des enjeux
du référendum est la liquidation politique de l'OAS par de Gaulle qui, à travers le
vote massif en faveur du oui, réussit à faire la démonstration de son isolement.

La politique étrangère : une sévérité inattendue

Commence alors, avec le succès de De Gaulle, sur la coalition de l'ensemble des partis politiques (sauf l'UNR), dite « cartel des non », à l'automne 1962, une nouvelle période, dominée par les initiatives de politique étrangère, et l'entrée du *Monde* et de son directeur dans une opposition délibérée. Il en va de la diplomatie de De Gaulle comme de sa politique algérienne : Sirius, *grosso modo* d'accord avec les orientations générales, en critique les méthodes d'autant plus qu'elles finissent par dénaturer le fond. Au prisme déformant du nationalisme et de la volonté de puissance, les orientations les plus louables se trouvent détournées de leur signification originelle.

C'est le cas par exemple pour ce qui concerne la reconquête par de Gaulle de l'autonomie de décision de la France. Comment Sirius pourrait-il la critiquer, lui qui pendant des années a combattu l'inféodation économique, monétaire, politique, militaire aux États-Unis d'Amérique? Le voici pourtant qui en 1965 dénonce comme « nationaliste » la « poursuite obstinée d'une souveraineté chaque jour plus illusoire [1] » et qui affirme même « qu'avec ou sans bombe il ne peut plus y avoir, à l'échelle d'un pays comme la France, de politique réellement indépendante [2] ».

Mieux : on le voit mettre en doute l'opportunité de la lutte contre l'emprise américaine en Europe : « Ce dessein légitime — qui fut le nôtre (à quel prix!) quand il semblait encore réalisable — correspond-il aujourd'hui encore à l'événement [3]? »

Le monde, explique-t-il, évolue si vite que toute stabilisation politique dans l'hémisphère nord passe par une concertation avec les États-Unis et l'Union soviétique. Nous voici bien loin du rêve neutraliste d'une tierce puissance mondiale, dont la France aurait pris la tête et qui pourrait, à l'occasion, jouer le rôle d'arbitre entre les deux Grands.

1. « Espoir quand même... », *Le Monde,* 4 décembre 1965.
2. « Les moyens de la puissance », *Le Monde,* 31 juillet 1963.
3. « Avec sérénité... », *Le Monde,* 6 février 1965.

« *Quand il semblait encore réalisable* »... Peut-on sérieusement considérer que la France des lendemains de la guerre, affaiblie, à l'économie fragile, à la démographie à peine convalescente, tout entière plongée dans les aventures coloniales, dans le contexte du stalinisme et de la guerre froide, pouvait raisonnablement s'engager dans la voie neutraliste, alors que la France en pleine expansion des années soixante, libérée du fardeau algérien, et bénéficiaire de la détente internationale, en eût été incapable? Nous avons déjà souligné ce paradoxe : Sirius, véritable Don Quichotte du neutralisme sous la IVᵉ, se résigne discrètement à l'atlantisme quand de Gaulle, revenu au pouvoir, paraît ouvrir la voie à ses espérances.

D'où son ton extrêmement embarrassé et peu convaincant quand il expose les raisons de son changement de position, comme en témoignent les réflexions suivantes :

« La vraie question est en définitive de savoir jusqu'à quel point l'Europe peut aujourd'hui se passer de l'Amérique. Une neutralité positive pouvait se concevoir au lendemain de la guerre. Elle a été longtemps, et non sans risques, préconisée par ce journal. Il y fallait plusieurs conditions et notamment le consentement et la garantie de deux grandes puissances de l'Est et de l'Ouest, ainsi que la renonciation à toute guerre coloniale. Depuis, par heurs et malheurs, le partage du monde en deux camps rivaux n'a cessé de s'affirmer [...].

» Mieux vaudrait sans doute en prendre son parti [...]. Un atlantisme réellement bipolaire est-il si chimérique [1]? »

Il serait évidemment facile de prendre le contre-pied de ces affirmations et de soutenir que l'atlantisme était, pour la France, une conséquence à peu près inévitable de la guerre froide, tandis que le « neutralisme » gaulliste a été en grande partie rendu possible par la détente. Comment expliquer ce revirement? Pour une fois semblable aux hommes de gauche, Sirius paraît avoir été profon-

---

1. « Sentiments et réalités », *Le Monde,* 16 janvier 1963. De cet embarras de Sirius, on trouvera encore la trace dans l'article déjà cité du 31 juillet 1963, « Les moyens de la puissance », où l'auteur est obligé de convenir que la situation économique de la France est meilleure que dans le passé. Il n'en conclut pas moins que le neutralisme de naguère est aujourd'hui impossible. Voir encore : « Entre deux tentations », *Le Monde,* 18 avril 1964; « Un destin... », *Le Monde,* 11 septembre 1965; « Le vieil homme et la mer », *Le Monde,* 14 avril 1966, où Sirius constate l'inversion des positions intervenue entre de Gaulle et lui à propos des États-Unis.

dément irrité par les méthodes gaulliennes, le ton « inutilement abrupt [1] » des prises de position du général, le nationalisme croissant qui se fait jour derrière la volonté affirmée d'indépendance nationale, et la disproportion énorme entre les objectifs poursuivis et les moyens que la France est en état de mettre en œuvre. « Il surestime trop volontiers les moyens de sa puissance [2]. »

Et notamment ceux que procurent à la France l'armement nucléaire que Sirius n'a cessé de condamner du triple point de vue de la morale, du coût et de l'efficacité. « La France sera-t-elle plus grande lorsqu'elle aura réussi à faire exploser une bombe du type Hiroshima ? », demande-t-il le 27 août 1959 [3] en se référant à l'opinion de Dominique Halévy qui avait estimé une semaine plus tôt dans le journal qu'elle cesserait d'être « innocente » pour « devenir solidaire, et par conséquent complice, de toutes les abominations atomiques ».

Certes, reconnaît Sirius, les dépenses engagées sous la Ve République pour la construction de l'arme nucléaire n'ont jamais excédé les possibilités financières de la France. Mais en sera-t-il toujours ainsi, quand il lui faudra s'adapter à toutes les innovations, donc aux dépenses nouvelles qu'implique un armement atomique à jour et en état de marche [4] ? Et surtout, cet armement nucléaire est inefficace. Comment la force de frappe française peut-elle être vraiment dissuasive, s'interroge Sirius [5], puisque, « comme l'insecte qui meurt d'avoir utilisé son dard, la France ne pourrait se servir de ses bombes qu'en acceptant sa propre destruction ». Pis : un tel armement peut être dangereux, et « attirer la foudre sans paratonnerre efficace [6] ». La suite logique de ce raisonnement est simple : désormais, la troisième voie est impossible pour la France, et, puisqu'il ne saurait être question de se rallier au camp soviétique, elle est condamnée à accepter l'alliance américaine et à subir « l'équi-

1. « Avec l'Angleterre...? », *Le Monde*, 17 mai 1962.
2. « Tel qu'en lui-même... », *Le Monde*, 30-31 octobre 1966.
3. « Il faut que la France épouse son temps », *Le Monde*, 27 août 1959.
4. « Entre deux tentations », *Le Monde*, 18 avril 1964.
5. « Les faits demeurent... », *Le Monde*, 1er octobre 1963 ; voir aussi « Le nouveau pari », *Le Monde*, 3 décembre 1965.
6. « Entre deux tentations », *Le Monde*, 18 avril 1964 ; voir aussi : « Gott in Frankreich », *Le Monde*, 25 juillet 1964.

libre de la terreur » qui conditionne la coexistence pacifique [1].

Un des corollaires de cette évolution, c'est le ralliement à une conception supranationale de l'Europe, qui n'est évidemment pas celle de De Gaulle et qui était loin de s'affirmer aussi nettement dans le passé. Certes, les convictions européennes de Beuve-Méry, nous l'avons vu, sont anciennes et datent de l'avant-guerre. Mais, à l'époque du neutralisme et de la querelle de la CED, l'impératif de lutte contre l'hégémonie américaine et le réarmement allemand ont rejeté ces convictions à l'arrière-plan. Sous de Gaulle, elles réapparaissent avec netteté. Et d'opposer par exemple à la volonté de suprématie européenne du général de Gaulle « la modeste application dont Robert Schuman a su donner l'exemple [2] ». Il s'agit en somme d'équilibrer le poids des États-Unis au sein du monde occidental, de créer une « troisième force européenne, ou mieux encore, eurafricaine [3] » qui devrait se donner « des institutions communautaires de caractère supranational [4] ». On ne saurait prendre le plus exact contre-pied des positions gaulliennes; désormais, l'opposition est trop flagrante, trop systématique, trop nouvelle aussi pour être le simple fait du hasard.

Peut-on, à travers ces onze années d'affrontement avec de Gaulle, pendant lesquelles le souci, fût-il inconscient, de se poser en s'opposant n'a pas été pour rien dans la manière dont Beuve-Méry a formulé ses orientations, se faire une idée plus précise de l'évolution de ses propres idées? Sur deux points tout au moins elles sont restées inchangées : il s'agit de la conception générale du xxᵉ siècle comme ère des révolutions; il s'agit d'autre part de l'Allemagne, son obsession.

On trouve souvent, sous la plume de Beuve-Méry-Sirius, l'expression de « révolution du xxᵉ siècle » pour désigner les bouleversements majeurs de notre époque [5], et cela depuis l'avant-guerre [6]. A

---

1. « La bombe », *Le Monde*, 2 décembre 1964.
2. « Espoir quand même », *Le Monde*, 5-6 décembre 1965.
3. « Il faut que la France épouse son temps », *Le Monde*, 27 août 1959.
4. « Quelle union? », *Le Monde*, 24 novembre 1964.
5. Par exemple : « Au chevet de l'agonisante », *Le Monde*, 25 avril 1958 et 2 mai 1958; « Il faut que la France épouse son temps », *Le Monde*, 27 août 1959; « Refaire l'État », *Le Monde*, 27 avril 1961; « Des réalités et des mots », *Le Monde*, 2 novembre 1960.
6. Longue définition dans l'article « Hitler à Vienne », paru dans *Politique* en novembre 1938 et repris dans *Réflexions politiques, op. cit.*, p. 67 *sq.*

la considérer de près, à travers les diverses manifestations qu'il en signale, la révolution du xxe siècle selon Beuve-Méry est un monstre plutôt multiforme, qui prend tantôt la forme du communisme, tantôt celle du nazisme, tantôt celle de la décolonisation. Dans tous les cas, il s'agit d'un phénomène profond et pratiquement inéluctable, qui affecte l'ensemble des pays de l'Europe occidentale et précipite dans la crise les valeurs sur lesquelles leur civilisation reposait. Épouser son temps, c'est prendre acte de cette formidable révolution, non pour l'épouser aveuglément, mais pour tenir compte de son existence et de ses racines profondes qui l'ont provoquée. Mais laissons la parole à Beuve-Méry [1].

« Inaugurée à Moscou en 1917, cette révolution, qu'elle prenne la forme du communisme international, des communismes nationaux, des fascismes, ou qu'elle modifie déjà plus ou moins profondément la structure et l'aspect des démocraties restées parlementaires et bourgeoises, n'a cessé de s'étendre à travers le monde [...], [elle] provoque une relève du tiers état par les masses devenues un des éléments essentiels du pouvoir politique. Ces masses n'ayant par définition ni forme ni visage, la dictature, le parti unique, la propagande obsessionnelle, la répression brutale ou raffinée, s'appliquent à les façonner.

» Une autre donnée de cette révolution est la revendication de l'indépendance par les peuples colonisés, dernière application de ce fameux principe des nationalités dont l'Europe s'est faite pendant un siècle le champion souvent hypocrite. »

Quoi qu'on pense de cette conception, on conviendra qu'elle éclaire d'un jour très remarquable les orientations du *Monde* sous Beuve-Méry, et sans doute au-delà. En particulier, ce fameux pessimisme du directeur du *Monde*.

Tel est en somme Beuve-Méry, libéral obsédé par le déclin du parlementarisme, démocrate fasciné par la montée des totalitarismes : son attitude, faite de résignation à l'inévitable, sera souvent regardée par ses adversaires comme une sorte de complicité inconsciente avec les phénomènes qu'il dénonce. En ce sens, *le Monde* appartient bien à la génération qui l'a vu naître, cet après-guerre qui a cru dur comme fer au « sens de l'histoire », au

---

1. « Il faut que la France épouse son temps », *Le Monde*, 27 août 1959.

confluent de la doctrine marxiste et de la réflexion chrétienne. Aujourd'hui encore, dans la psychomachie des rédacteurs du journal, une série de grandes forces sombres et collectives, qui ont nom Argent, Jeunesse, Communisme, Religion, continuent de jouer leur rôle décisif et implacable dans l'histoire des hommes. Sur ce point, notons-le dès maintenant, la continuité du journal est évidente.

On pourrait en dire autant de l'autre préoccupation fondamentale de Beuve-Méry, c'est-à-dire le problème allemand. Déjà visible dans son livre de 1939, *Vers la plus grande Allemagne,* dans lequel il décrit la création sur les bords du Danube d'une « Mitteleuropa » dominée par le Reich, l' « obsession allemande » n'a pas été supprimée, ni même diminuée par l'écroulement de l'hitlérisme. Certes, il est bon de le signaler, cette tendance ne se traduit par aucune volonté de revanche, aucune germanophobie. Au contraire, il félicite Caillaux d'avoir été le seul homme d'État français, peut-être, à avoir « soupçonné que la rivalité franco-allemande pouvait être une sorte de suicide européen [1] ». Cependant, la méfiance reste intacte. Un des aspects les plus inquiétants du nationalisme gaullien, c'est qu'il peut fournir demain à l'Allemagne un précédent et une sorte de justification [2]. Mieux encore : quand il s'agit de définir en 1964 les trois problèmes qui dominent l'avenir du monde, quel est celui que Sirius place en tête, avant même la dissémination des armes nucléaires et l'écart grandissant entre pays développés et pays sous-développés? « Le réarmement accéléré et la volonté de réunification de l'Allemagne [3]. » Et l'on ne compte pas les occasions où Sirius désigne le problème allemand comme celui dont dépend l'avenir de l'Europe et, pour une part, la sécurité du monde. Tout se passe comme si, pour Beuve-Méry et ses successeurs, les États-Unis, l'Union soviétique, la Chine, voire la France, avec leurs idéologies respectives et leur puissance propre, existaient à l'état de *données* alors que l'Allemagne, elle, se présentait toujours à l'état de *problème*. A cet égard, *le Monde,* d'hier à aujourd'hui, apparaît comme l'héritier d'une longue tradition historique et diplomatique, qui fait de la question allemande le cœur même de la politique française.

Quant aux constantes caractérielles de l'homme Beuve-Méry, au-

1. « Au chevet de l'agonisante », *Le Monde,* 25 avril 1958.
2. « Les faits demeurent », *Le Monde,* 1er octobre 1963.
3. « La bombe », *Le Monde,* 2 décembre 1964.

delà des thèmes que nous avons repérés chemin faisant, c'est avant tout à travers le style qu'elles apparaissent le plus nettement. Le style de Beuve-Méry ne jouit pas en général de la flatteuse réputation qui s'attache à l'homme, à son caractère, à ses analyses. D'ordinaire, on le trouve lourd et embarrassé ; et il faut avouer qu'il abuse des phrases longues, contournées, hérissées de subordonnées. A le lire, on n'a pas le sentiment qu'il ait jamais sacrifié quelque nuance de la pensée à l'un de ces petits bonheurs de plume dont s'enchantent les journalistes, à défaut de leurs lecteurs. Style austère donc, soucieux de correction et de précision. Mais non dépourvu à l'occasion d'images bien venues, de formules frappantes. C'est peut-être dans les tournures de style que se révèlent le plus aisément les traits de caractère. Les points de suspension que Sirius affectionne, notamment dans les titres d'article [1], sont comme l'écho visuel des bougonnements ou des sonorités sourdes dont il émaille la fin de ses phrases. Grand consommateur de points d'interrogation, peut-être eût-il eu besoin que fût créé pour lui un point de scepticisme, ou même un point d'indéfinition. Comme si l'article qu'il s'apprête à livrer au public lui semblait une concession, entachée d'un brin de frivolité, au goût de ses contemporains pour le discours, voire le bavardage ; comme s'il avait une manière de haussement d'épaules, de mouvement de pudeur, au moment de livrer au public cela à quoi l'on tient plus qu'on ne veut l'avouer. Non moins caractéristiques de Sirius sont les formules nombreuses, et inlassablement martelées, qui expriment le doute et l'expectative. Au long des articles et des années, on recense à foison les « à quoi bon ? », les « fallait-il ? », les « jusqu'où ? », les « jusqu'à quand ? », les « pourquoi ? », les « après ? », qui marquent les distances de l'auteur vis-à-vis de son sujet.

Est-il besoin de le signaler, de Gaulle est une des principales victimes de ces clausules de style, qui indiquent de la part de Sirius une impatience croissante devant l'entêtement du général, ses outrances, sa persévérance dans l'erreur. Il ne faudra pas moins que les événements de 1968 pour voir Beuve-Méry retrouver à son égard un peu de la compréhension et de l'indulgence qu'il lui avait si longtemps refusées.

1. Il suffit de renvoyer aux articles cités ci-dessus en note !

CHAPITRE VII

Bilan du premier âge

L'échéance du quart de siècle

Beuve-Méry, disent ses proches, aime les chiffres ronds. Il n'y avait pas d'autres raisons à sa décision de faire coïncider, à un jour près, son départ des fonctions de directeur-gérant avec le vingt-cinquième anniversaire du journal. Le premier numéro du *Monde* est en effet daté du 19 décembre 1944. Le dernier à porter en manchette le nom de Beuve-Méry comme directeur est celui des dimanche 21 et lundi 22 décembre 1969. Dès le lendemain, c'est le nom de Jacques Fauvet qui s'inscrit à sa place. Mais le nom de Beuve-Méry ne disparaît pas pour autant, puisqu'il continue d'y figurer avec le titre de fondateur que lui a décerné l'assemblée générale extraordinaire de la SARL *le Monde,* en date du 21 mai 1969. Décision préparée longtemps à l'avance. Beuve-Méry, c'est lui-même qui l'affirme, a été hanté par l'image des grands vieillards abusifs de l'histoire contemporaine récente : Churchill, Pie XII, Pétain, ou encore un Prouvost dans le domaine de la presse : potentats devenus incapables de prendre le moment voulu les décisions nécessaires, y compris celle de se retirer à temps. « Il fallait donc créer artificiellement une échéance : ce fut celle du quart de siècle. Et puis, quel échec pour moi, si au bout de vingt-cinq années j'étais resté indispensable à la vie du journal! »

Quant au choix de Jacques Fauvet comme successeur, tout indique qu'il se fit sans grands débats. Certes, les grands féodaux du journal, comme André Fontaine, Bernard Lauzanne, quelques autres encore, furent consultés. Mais depuis longtemps, spécialement depuis qu'en janvier 1963 Beuve-Méry avait fait choix de Fauvet comme rédacteur en chef à l'occasion du départ pour la retraite de Chênebenoit, il paraissait entendu par tous qu'un jour ou l'autre celui-ci serait appelé à succéder à celui-là. Fauvet, journaliste dans l'âme, travailleur acharné, habité par l'ambition d'accéder aux plus hauts sommets de la carrière, avait été un remarquable chef du service politique, place à laquelle il s'était affirmé comme un des meilleurs connaisseurs de la vie politique française.

Certes, d'autres auraient été dignes du fauteuil directorial. Mais, à l'époque, André Fontaine paraissait confiné à la politique étrangère, cependant que Bernard Lauzanne avait contre lui le handicap de ne guère écrire. Les noms de personnalités extérieures à la rédaction avaient parfois été envisagés, notamment celui de Jean Boissonnat, brillant chroniqueur économique de *la Croix,* qui venait d'être porté à la tête d'un nouveau mensuel, *l'Expansion.* D'origines modestes, catholique de conviction et social d'orientation, il avait le signalement idéal pour succéder à Beuve-Méry. Mais les habitudes acquises, le poids des hommes en place, grâce à la Société des rédacteurs, interdisaient d'emblée pareille solution. Avec toutes ses qualités, la démocratie économique est guettée par un danger : celui de rendre difficile l'innovation, et l'introduction d'éléments allogènes.

Jean-Jacques Servan-Schreiber peut-être... Ce jeune polytechnicien de vingt-quatre ans avait conquis « à la hussarde » la sympathie de Beuve-Méry en se ralliant brusquement, au terme d'une longue conversation, aux thèses neutralistes que celui-ci commençait à défendre. Entré en 1948 au journal, il le quitta avec éclat en 1950 : à la suite d'un voyage aux États-Unis, il s'était rallié à l'atlantisme et à l'intervention américaine en Corée [1] qu'il alla défendre, sans grand retentissement, dans les colonnes de *Paris-Presse.* En janvier 1953, Beuve-Méry, au vif mécontentement de ses collaborateurs, permit à l'enfant prodigue de faire sa rentrée dans le journal à titre de chroniqueur extérieur. Jusqu'au lancement de *l'Express,* l'année suivante, il devait donner au journal de brillantes et fréquentes chroniques de politique étrangère, plus réservées à

---

1. Dont pourtant il avait cru pouvoir, d'outre-Atlantique, câbler l'improbabilité quelques heures avant qu'elle ne se produisît.

l'égard des États-Unis et qui sur bien des points anticipaient ce qui allait être la diplomatie de Pierre Mendès France. Hubert Beuve-Méry ne s'en est jamais caché : n'eût été une certaine légèreté, une trop grande impatience à parvenir et à jouer les premiers rôles, Jean-Jacques Servan-Schreiber eût pu, par son savoir-faire, son intelligence, son talent, devenir un successeur.

Le courage et la force de Beuve-Méry furent de savoir partir au sommet de sa gloire de journaliste avant que les effets des transformations survenues depuis un quart de siècle, en partie sous sa propre influence, ne viennent gravement troubler le consensus qui s'était créé entre son journal et lui : consensus toujours fragile et toujours sujet à remises en cause. Il avait fallu, à l'origine, réaliser l'amalgame entre les anciens du *Temps* et les nouveaux du *Monde*, gagner la confiance des uns et des autres, mettre leurs orientations et leurs talents divers au service d'une même idée de l'information. C'est ce qui fut fait de 1944 à 1952, au prix de quelques départs. Peu nombreux en vérité : Bonis-Charancle, Rémy Roure. La première grande crise que traversa le journal, celle de 1951, permit de vérifier la cohésion, et de la renforcer en faisant de Beuve, en partie à son corps défendant, le chef de file de la résistance. C'est pourquoi, lorsque en 1956 se présenta la deuxième épreuve, sous la forme d'un journal concurrent, débordant de moyens matériels et d'ambitions, à défaut de capacité, la rédaction ne broncha pas, non plus d'ailleurs que les lecteurs, force discrète dont l'existence ne se manifeste qu'en de rares occasions.

Deux ans plus tard, la première fissure apparaissait. Nous avons déjà vu en quelles circonstances, et au nom de quels motifs, le directeur du *Monde* décida, non sans hésitations ni réflexion, d'apporter au général de Gaulle un soutien d'autant plus précieux qu'il était imprévu. Beuve-Méry estima en l'occurrence que les préférences partisanes, voire les préventions personnelles, devaient s'effacer devant l'urgence du danger et l'impossibilité d'imaginer d'autre solution que celle que représentait le général de Gaulle. Avec la fin de la guerre d'Algérie, et le retour, si l'on peut dire, de Beuve-Méry à l'opposition, le malaise se dissipe. Certes, il arrivera à plus d'un collaborateur du journal de ressentir un certain agacement devant l'espèce de « combat des chefs » que son directeur poursuit, au gré des conférences de presse, contre le

général de Gaulle. Mais le désaccord porte surtout sur la forme ;
sur le fond, le consensus demeure et même se renforce. Il est certain
d'autre part que les traits de son caractère qui ont le plus contribué
à dessiner la personnalité atrabilaire qu'on lui attribue généralement
se sont renforcés avec le poids des années : en politique intérieure,
un scepticisme qui confine à l'indifférence ; en matière culturelle, un
classicisme dans les goûts qui incline vers le conservatisme. Beuve-
Méry, qui aime le théâtre et qui y va volontiers, confie aux environs
de 1968 à l'un de ses interlocuteurs [1] qu'il ne comprend plus rien au
théâtre contemporain — non plus d'ailleurs qu'au cinéma : la projection de *la Chinoise* de Godard l'a plongé dans la perplexité. Et
surtout, au fur et à mesure que le succès croissant du journal, à
partir de 1963 particulièrement, incitait à multiplier le recrutement
de jeunes journalistes, la distance s'accroissait insensiblement entre
le directeur et une partie de sa rédaction. A la fin, prisonnier de son
personnage et de sa légende, il intimidait plus qu'il ne l'eût souhaité.
En principe grande ouverte à quiconque désirait lui parler, sa porte
n'était en réalité franchie que par un certain nombre de familiers,
toujours les mêmes. Beaucoup des nouveaux arrivants, à partir des
années soixante, n'ont eu avec lui, au cours de leur carrière
professionnelle, que deux ou trois contacts, dont l'un au moment de
l'embauche, parfois plus tard, après que le service intéressé eut pris
la décision. A ce moment-là, le lien personnel, si fortement ressenti
entre le directeur et son personnel aux temps héroïques du journal,
tend à disparaître. Il est vrai qu'en plus de la différence d'âges et
de mentalités les dimensions nouvelles prises par *le Monde* sont
pour beaucoup dans cet éloignement. La plupart des associations
humaines arrivées à maturité conservent en leur sein, entretenu par
les fondateurs, le mythe d'un âge d'or de l'entreprise, fait de
pauvreté, d'exiguïté et de chaleur humaine. Au *Monde,* les plus
anciens journalistes évoquent avec attendrissement, parfois avec
nostalgie, l'âge héroïque de la Vache Enragée. Le journal n'occupait
alors que deux étages de l'immeuble de la rue des Italiens. Tout le
monde se connaissait, se rencontrait dans les bureaux, les couloirs,
la cantine. Progressivement, le journal a colonisé l'immeuble, a
débordé sur un autre, rue du Helder. Chacun des services, chacun

---

1. Entretien Bernard Lauzanne.

des étages, est devenu à soi seul une petite willaya. Le célèbre premier étage est devenu l'empire exclusif de la direction, de l'*establishment* : c'est Manhattan au sein de New York, c'est le *old stock* anglo-saxon au cœur du creuset américain. Dans son livre, « *Le Monde* » *et le Pouvoir* (1977), Philippe Simonnot, qui fut licencié sous l'accusation d'avoir subtilisé un document confidentiel à un haut fonctionnaire du ministère de l'Économie et des Finances, a souligné ce poids du « premier étage » qui se retrouve d'ailleurs chaque jour à la première page du *Monde*.

Mai 68 : « le Monde » saisi par la jeunesse

Mai 68 fut pour *le Monde* une surprise, au même titre que pour les autres observateurs de la société française. Certes, mieux que d'autres, il avait vaguement perçu que des changements étaient en cours dans les mentalités. En témoigne la place importante prise par la rubrique universitaire sous l'impulsion de Bertrand Girod de l'Ain, de Frédéric Gaussen, de Guy Herzlich : il est vrai qu'avec l'accroissement du nombre des étudiants et des enseignants les universitaires ont cessé de constituer une clientèle marginale. En témoigne également l'attention croissante portée à l'apparition de courants politiques nouveaux. Du 31 mars au 3 avril 1968, Michel Legris consacre une série de trois articles aux « prochinois » (qu'on n'appelle pas encore les « maos ») en France. La conclusion est particulièrement intéressante et perspicace : « Si l'on peut être sceptique sur les chances que les " prochinois " ont dans l'immédiat de libérer l' " impulsion révolutionnaire " au sein des masses françaises, on doit en revanche s'interroger sur ce que leur idéologie peut avoir de séduisant pour la fraction la plus généreuse de la jeunesse, chez qui, comme il est naturel, la révolte vibre à fleur de peau. »

Le 15 mars 1968, Pierre Viansson-Ponté publie, sous le titre « Quand la France s'ennuie », un article destiné à rester célèbre. Il évoque très bien l'état de morosité et d'apathie dans lequel le pays se trouve alors plongé. Mais on ne saurait exactement considérer ce texte comme une anticipation. Bien au contraire, il oppose la lutte des étudiants en Espagne, en Italie, en Belgique, en Algérie, au Japon, en Amérique, en Égypte, en Allemagne, à ce qui se passe en France où les étudiants « se préoccupent de savoir si les filles de Nanterre et d'Antony peuvent accéder librement aux chambres des garçons, conception malgré tout limitée des droits de l'homme ».

D'évidence, le journal n'a pas encore pris le tournant juvéniste qui au cours des années suivantes contribuera à son prestige. Pourtant, dès le début des « événements » de mai, il accorde aux étudiants une place considérable. Décrivant le « rêve de Nanterre », Frédéric Gaussen et Guy Herzlich découvrent non sans étonnement que, loin d'être isolés pour cause d'utopie ou de névrose, « les rêveurs de Nanterre parlent un langage que les autres semblent comprendre », cependant que Jacques Fauvet, dénonçant les responsabilités gouvernementales, constate l'influence soudaine d'un « noyau d'étudiants plus nihilistes que révolutionnaires ». Quant à Beuve-Méry, ou plus exactement Sirius, il reste silencieux jusqu'au 26 mai. La raison en est simple : il est parti le 15 mai pour Tananarive d'où il ne rentre, difficilement, que le 23[1]. La décision du directeur du *Monde* de confirmer, en dépit des circonstances, son voyage à l'étranger, peut surprendre : il a sous-estimé la gravité de la situation, et n'a pas été touché par l'ébranlement psychologique, la mutation brusque des structures mentales qui se sont opérés chez tant d'individus, jeunes en majorité, à ce moment-là. Il est vrai que de son côté le général de Gaulle est parti le 14 mai pour la Roumanie, où il s'enchante de l'efficacité du système de sélection universitaire pratiqué en pays socialiste...

Avec le recul du temps, ces absences prennent figure de symbole. Comme, de son côté, André Catrice séjourne à Londres, ce sont les deux autres cogérants, Jacques Fauvet et Jacques Sauvageot, récemment désignés, le 15 mars 1968, à l'occasion de la modifica-

---

1. Il s'agissait pour lui de régler un conflit surgi avec le gouvernement malgache à propos d'un reportage de Philippe Decraene : à la suite de la publication de celui-ci, le gouvernement avait interdit pour trois mois *le Monde* à Madagascar. Ce que voyant, Hubert Beuve-Méry avait pris sur lui de prolonger cette interdiction par trois autres mois de boycottage volontaire. Le directeur du *Monde* avait profité de son séjour là-bas pour donner quelques conférences à l'École de journalistes de Tananarive. Bloqué par la grève générale, il réussit à s'embarquer sur un appareil venant de la Réunion et à gagner Bruxelles.

tion des Statuts, qui prennent en main le journal. Période difficile :
il faut assurer l'information alors que les communications sont
coupées, que le téléphone ne fonctionne pas. En fait, l'information
est dans la rue, dans les usines, les bureaux. Bon nombre de
journalistes appartenant à d'autres rubriques se font reporters, et
reviennent impressionnés par les scènes auxquelles ils ont assisté.
Alors que de nombreux quotidiens ne réussissent pas à paraître, *le
Monde* devient le plus grand, le mieux informé des journaux qui
participent au « mouvement ». A sa façon à lui, est-il besoin de le
dire? Le tirage qui, à la veille des « événements », oscillait entre
410 000 et 420 000 exemplaires bondit à 637 621 le 15 mai pour
retomber, les jours suivants, au-dessous de la normale, en raison des
grèves qui paralysent la distribution en province. Mais, dès que la
circulation est rétablie, *le Monde* connaît le mois le plus faste de son
histoire avec des tirages qui varient de 600 000 à 800 000 exemplaires.
A défaut d'autres raisons, il faudrait beaucoup d'ingratitude à ses
rédacteurs pour conserver de cette folle période un souvenir
uniformément mauvais. Quant aux plus jeunes, recrutés au cours
des cinq années précédentes, qui avaient vu déjà une nette
progression des ventes, ils constituent dans le journal une véritable
« génération de mai » renforcée par une partie des plus anciens, qui
ont des fils et des filles de vingt ans...

Il ne faudrait pas en conclure qu'au cours de cette période agitée
le Monde ait modifié son mode de gouvernement et sa conception
de l'information. Lors d'une réunion extraordinaire du comité
d'entreprise qui se tient au début de la grève, les nouveaux cogérants
précisent sans ambages que, dans la période troublée qui s'annonce,
la rédaction n'acceptera aucune espèce de censure, externe ou
interne, et que, si celle-ci venait à se produire, ils préféreraient
suspendre la parution [1]. Les ouvriers syndiqués de la Fédération du
Livre, qui tentent d'imposer, comme leurs collègues du *Figaro,* de
l'Aurore et de *France-Soir,* un calicot proclamant sur la façade de
l'immeuble : « Les ouvriers en grève assurent l'information »,
s'entendent répondre que, jusqu'à nouvel ordre, ce sont les
journalistes qui s'en chargent [2].

1. Entretien Jacques Sauvageot, 4 mars 1977.
2. *Ibid.*

Un des moins enthousiastes pour le mouvement en cours est certainement Hubert Beuve-Méry lui-même. A son retour de Madagascar, il trouve sa rédaction en pleine effervescence et ne peut que constater le décalage qui le sépare d'elle [1]. Il se rend à la Sorbonne, à l'Odéon : le désordre qui y règne, l'utopie anarchiste qui s'y donne libre cours le heurtent ; il trouve que décidément les choses sont allées trop loin. C'est pourquoi, dans sa première intervention depuis le début de la crise, qui se produit, selon la tradition, après le discours du général de Gaulle sur la participation (24 mai), il approuve le programme de celui-ci : « Nécessité d'une mutation de la société, participation de chacun aux activités qui le concernent, rétablissement de l'ordre public et des conditions de vie élémentaires du pays, réforme des structures, adaptation de l'Université aux nécessités modernes de la nation ainsi qu'au rôle et à l'emploi des jeunes, arrêt d'une dégradation qui ouvrirait bientôt la voie à une de ces guerres civiles dont quelque dictature est le couronnement le plus normal, le général de Gaulle a tracé là — sommairement — un programme qui ne peut être que celui de tout gouvernement digne de ce nom. On doit, sur ce point, lui donner raison [2]. »

Le désaccord, car il en subsiste un, ne porte donc pas sur les objectifs, mais sur les moyens, et notamment cette procédure de référendum à laquelle de Gaulle a pensé recourir, avant de se raviser. Mais, dans l'ensemble, Sirius se situe à contre-courant, puisqu'on le voit en mai 68 se rapprocher du général au moment précis où chacun songe à l'abandonner. Non sans lui conseiller de savoir se retirer à temps, c'est-à-dire à courte échéance...

On ne saurait dire d'ailleurs que le retour de Beuve-Méry ait, en dehors de ses interventions personnelles, modifié le ton du journal, qui publie sous la signature d'Edgar Morin une analyse très favorable au mouvement, l'une des plus pénétrantes aussi (5 et 6 juin) ; cependant que, quelques jours plus tard (9 et 12 juin), Paul Ricœur, professeur de philosophie à Nanterre et futur doyen de cette université, explique comment « rebâtir l'université » : « Il faut faire du

---

1. Il existe pourtant une minorité de journalistes, beaucoup plus réservés, qui se réjouissent du retour du « patron ».
2. « L'impossible mutation », *Le Monde*, 26-27 mai 1968.

réformisme et rester révolutionnaire. » C'est pourtant dans *le Monde* du 12 juin que paraissaient deux articles qui, aux yeux de beaucoup d'acteurs, semblèrent sonner le glas du mouvement de mai. L'un, sous la signature de Bertrand Girod de l'Ain, chef de la rubrique universitaire, décrivait le « bateau ivre » qu'était devenue la Sorbonne aux mains des agitateurs de tous bords : il révélait en particulier l'existence des « katangais », petit groupe comprenant d'anciens mercenaires faisant régner leur loi par l'intimidation et la menace physique. Parmi les acteurs du mouvement, cet article provoqua la stupeur. Qui pourtant aurait pu prétendre que les faits rapportés étaient faux et qu'ils devaient rester cachés? Le second, que son auteur avait choisi de signer Beuve-Méry, et non du classique pseudonyme de Sirius, marquant clairement par là qu'il engageait son autorité de directeur du *Monde,* dénonçait en encadré de première page.[1] l'irresponsabilité d'une révolution pour l'instant sans autre but que de « casser la baraque », et un nihilisme qui risquait de s'achever en tragédie : d'où l'appel à la masse des étudiants pour qu'ils signifient aux plus exaltés que, « sans rien abandonner de leurs justes exigences, ils ne les suivront pas n'importe où ». A dire vrai, nombreux étaient désormais, y compris parmi les partisans du « mouvement », ceux qui pensaient tout bas ce que Beuve-Méry disait tout haut; mais on sait aussi qu'en pareille circonstance le plus lucide ou le plus prompt à avouer tient facilement le rôle de bouc émissaire. En tout cas, la répartition des rôles telle qu'elle s'était opérée à l'intérieur du journal ne devait pas, pour cette fois, être favorable au directeur : un directeur qui reconnaissait spontanément qu'il ne comprenait plus les jeunes. Peut-être quelques années plus tôt n'eût-il pas davantage « compris »; du moins eût-il sans doute pris la précaution de ne le point reconnaître. Sans doute est-ce dans ce contexte que Beuve-Méry, constatant que l'annonce de son intention de partir soulevait chez ses collaborateurs moins de protestations que dans le passé, laissa mûrir dans son esprit la résolution de quitter effectivement la direction du journal à l'occasion du vingt-cinquième anniversaire de celui-ci.

1. « Oui ou non », *Le Monde,* 12 juin 1968.

Les étapes du succès

En cette fin d'année 1969 qui voit Beuve-Méry quitter ses fonctions directoriales (ses fonctions directoriales, mais non les lieux puisqu'il conserve au cinquième étage de la rue des Italiens un secrétariat et un bureau auquel il se rend ponctuellement chaque jour), jamais la puissance et l'autorité du journal n'avaient été aussi grandes.

Matériellement d'abord, *le Monde* est passé petit à petit de l'austérité à l'aisance, puis de l'aisance à la prospérité. Cette évolution se lit sur la pente, presque continuellement ascendante, du tirage et de la diffusion. Tirage et diffusion (voir les graphiques en annexe) ont en effet connu trois phases. Après une première année où l'on a volontairement diminué de moitié le tirage pour faire face à la crise du papier sans descendre en dessous d'une quantité minimale d'informations, le tirage se stabilise à partir de 1946 aux environs de 150 000 exemplaires, chiffre qui ne variera guère pendant dix ans, jusqu'à la fin de 1955. Le point le plus bas est atteint en 1952, aux lendemains de la crise de 1951 : le tirage n'est plus que de 144 000 exemplaires, et la diffusion de 114 000. Au cours de cette décennie, le journal, en raison de ses positions en politique étrangère et coloniale, s'est progressivement aliéné le potentiel de clientèle conservatrice qu'aurait pu lui valoir sa réputation de successeur du *Temps*; mais il n'a pas encore réussi à attirer à lui l'ensemble du public de gauche : en ces années de guerre froide, le manichéisme règne en maître dans chacun des deux camps, l'effort vers l'objectivité est spontanément assimilé à de la complaisance pour le camp adverse. Idéologiquement, le journal est déjà installé au créneau qui reste le sien dans les années suivantes ; mais les circonstances politiques l'empêchent de tirer les bénéfices sociologiques de cette position. *Le Monde* est déjà un journal intellectuel, le plus prisé de l'*intelligentsia* depuis le perte de tonus du *Combat* de la Libération ; mais il n'est pas encore devenu l'expression sociale par excellence des classes moyennes éclairées. La deuxième phase, de 1956 à 1964 inclus, est une phase d'expansion, encore lente, mais qui contraste nettement avec la stagnation précédente. A la fin de l'année 1964, le tirage atteint 260 000 exemplaires, soit 100 000 de plus qu'au cours de la période précédente : l'accroissement annuel moyen est légèrement supérieur à 10 000 exemplaires, en dépit d'une petite régression pendant l'année 1959.

Ces années correspondent *grosso modo* à la phase algérienne de la décolonisation, pendant laquelle se fait sentir chez les opposants le besoin d'une large information répudiant l'autocensure que pratiquent tant de journaux, pour des raisons prétendument patriotiques. Si, pour *le Monde,* la IVe République évoque dans son ensemble la lutte contre l'atlantisme et la « sale guerre » d'Indochine, la fin de la période [1] et les débuts de la Ve République sont caractérisés par la dénonciation des méthodes de la « pacification » en Algérie. Le journal y gagne une audience nouvelle chez les étudiants, à un moment où leur nombre commence à grandir de façon substantielle.

Enfin, les cinq dernières années du règne de Beuve-Méry (1964-1969) voient le tirage et la vente du *Monde* s'accroître de manière tumultueuse : 260 000 exemplaires tirés en moyenne en 1964, 479 000 en 1969. Presque le double! Au cours de la seule année 1968, le tirage augmente de près de 90 000 exemplaires et les ventes de 60 000. Nous avons déjà signalé l'importance des événements de mai dans l'essor du journal; mais il faut remarquer qu'il avait commencé avant. En revanche, après la forte poussée de 1968, au cours de laquelle le journal engrange d'un seul coup la valeur de trois années de croissance moyenne, on enregistre une période de stagnation de trois années, comme si le palier atteint correspondait à la capacité maximale d'absorption du moment; les années 1973 et 1974 connaîtront un nouveau bond en avant; depuis, le tirage et la vente stagnent ou marquent même un léger fléchissement. Beuve-Méry fut par excellence l'homme de la traversée du désert, mais, à la différence de Moïse, il réussit à atteindre la Terre promise. Françoise Giroud [2], insistant sur la nécessité pour le directeur d'un journal d'être à la fois journaliste et chef d'entreprise, note : « C'est ce que Beuve-Méry, qui a fondé *le Monde,* a été par exemple. Ça le

1. Sur les années 1956-1958, on lira la chronique de Michel Winock, *La République se meurt* (Paris, Éd. Seuil, 1978), qui évoque heureusement le rôle joué par *le Monde* dans la vie et la formation intellectuelle d'un étudiant militant de l'époque.
2. *Si je mens...*, Paris, Stock, 1972, p. 164.

rend fou quand on lui dit qu'il a été un bon commerçant, mais c'est vrai. »

Quant au public du journal, il a beaucoup changé de nature au fur et à mesure de son accroissement quantitatif. Nous n'avons malheureusement pas de données chiffrées sérieuses avant les premières enquêtes du Centre d'étude des supports de publicité (CESP) (1957-1958). Quelques indications sont néanmoins à tirer d'une enquête commandée en 1954 par le journal lui-même auprès d'un institut spécialisé [1]. De ce sondage, il ressort que 45,5 % des lecteurs du *Monde* sont constitués par des cadres, des commerçants et des industriels, et 20,5 % par des membres des professions libérales : au total, les deux tiers des lecteurs appartiennent aux couches les plus aisées de la population, justifiant la réputation de « journal de la bourgeoisie » faite au *Monde* par les communistes. En revanche les employés et fonctionnaires ne représentent que 18,2 % des lecteurs, les retraités 9,3 % et les ouvriers 6,5 %. Il n'y a que 0,2 ouvriers sur 1 000 à lire *le Monde* alors que chez les cadres, les commerçants et les industriels, ils sont 32 pour 1 000.

A partir de 1958, il est possible, grâce aux enquêtes régulières du CESP, de suivre l'évolution de la composition socioprofessionnelle des lecteurs. De 1958 à 1969, si toutes les catégories, en valeur absolue, sont en hausse, on note cependant un certain « rééquilibrage » en faveur des plus modestes. La catégorie des petits patrons régresse de 8 à 5,5 % : il est vrai qu'elle est elle-même en recul dans la population française. Celle des milieux d'affaires et des cadres supérieurs passe de 50 à 29,5 % : régression relative d'autant plus significative qu'elle contraste avec l'extension de cette catégorie au sein de la population française active. Cela ne signifie nullement que les cadres lisent moins *le Monde* que précédemment ; mais bien que d'autres catégories sont venues en plus grand nombre se joindre à eux, notamment au cours de la période troublée 1968-1969. L'année suivante, les milieux d'affaires et les cadres supérieurs

---

1. Études de marchés et de sondages Dorset et Cie : étude auprès des lecteurs du journal *le Monde*. Malheureusement, il ne porte que sur le département de la Seine, qui représentait à l'époque 40 % des lecteurs du journal. D'où l'absence des agriculteurs, qui, de toute manière, n'ont jamais représenté qu'un très faible pourcentage de lecteurs. Ce sondage a été utilisé par Abel Chatelain dans son précieux ouvrage « *Le Monde* » *et ses lecteurs, op. cit.* Nous nous appuyons sur son exposé.

retrouvent une place plus large, soit 43 % des lecteurs. Les nouveaux lecteurs conquis entre 1964 et 1969 se répartissent en deux catégories principales : la fraction la plus aisée de la classe laborieuse, employés et contremaîtres, qui représentent 16,5 % des lecteurs du *Monde* pour les années 1968-1969 [1], d'autre part, les « inactifs », en forte progression (13,5 % en 1968-1969 contre 4 % en 1958) : derrière ces inactifs, il faut savoir découvrir... les étudiants et les jeunes!

Confirmation de ce rajeunissement du public du *Monde* : les jeunes de 15 à 24 ans, qui ne représentaient que 17 % des lecteurs en 1958, sont 30,5 % dix ans plus tard; il est vrai qu'ils régressent de 3 points l'année suivante : on y trouvera une preuve supplémentaire du rôle de journal officieux du mouvement de mai joué par *le Monde* en 1968-1969. Enfin, le niveau d'instruction des lecteurs du *Monde* n'a cessé de s'élever : assurément, c'est la même tendance que l'on rencontre dans l'ensemble de la population; néanmoins, cette élévation du niveau d'instruction concerne tout particulièrement l'enseignement supérieur : 39 % des lecteurs de 1968 avaient fait des études supérieures; ils sont 48 % en 1968. Là encore, les étudiants ont notablement influencé les statistiques. Ces chiffres confirment que *le Monde* est, de loin, le journal le plus intellectuel de France. A titre de comparaison, en 1973, les lecteurs du *Monde* qui avaient un niveau d'instruction supérieur avaient encore progressé : ils étaient désormais 52 % contre 31,6 % au *Figaro* et 10,6 % à *France-Soir*.

Quant à la répartition géographique des lecteurs, elle était en 1969, l'année du départ d'Hubert Beuve-Méry, la suivante pour le territoire français : sur 1 090 000 lecteurs [2], 501 000, soit 46 %, habitaient la région parisienne; il y en avait en outre 112 000 (10,3 %) dans le Sud-Est et 104 000 (9,5 %) dans la région méditerranéenne. Plus significatif est sans doute le taux de pénétration du journal dans les différentes régions, c'est-à-dire le nombre de lecteurs du *Monde* pour 1 000 habitants de la région considérée. Ce taux était en 1969 de 76 °/₀₀ dans la région parisienne, de 30 °/₀₀ dans la région méditerranéenne et de 28 °/₀₀ dans le Sud-Ouest; il variait

---

1. La comparaison avec la décennie précédente est difficile, car, en 1958, les employés étaient classés avec des cadres moyens dans les tableaux du CESP, mais le sens de l'évolution n'est pas douteux.
2. Enquête du CESP.

entre 22 et 23 °/₀₀ dans l'Est, y compris l'est du Bassin parisien, 21 °/₀₀ dans le Sud-Ouest, 17 °/₀₀ dans le Nord. La région la plus « déficitaire » était l'Ouest, du Bassin parisien à la Bretagne. Il est vrai qu'il s'y heurtait à la puissante citadelle d'*Ouest-France,* le plus diffusé et sans doute le mieux fait des quotidiens régionaux. En 1969, *le Monde* était encore précédé, du point de vue de la diffusion, par trois quotidiens parisiens : *France-Soir, le Parisien libéré, le Figaro,* et par trois quotidiens régionaux : *Ouest-France, le Progrès, la Voix du Nord.* En 1978, il se situait à la troisième place derrière *Ouest-France* et *France-Soir.*

Tel était en 1969 le bilan matériel. Un bilan particulièrement positif, surtout si on le compare aux prévisions pessimistes — d'un pessimisme méthodologique — que le directeur-gérant se sentait tenu de faire à la fin de chaque exercice annuel. Le succès était venu. On n'ira pas jusqu'à dire qu'il n'avait pas été recherché — du moins n'avait-il jamais été la priorité absolue. Peut-être même était-ce là la cause profonde de la réussite auprès d'un nombre croissant de lecteurs, qui s'enchantaient de trouver en lui l'exact contre-pied des recettes les plus éprouvées du succès : recherche du sensationnel, recours à l'image et aux gros titres, exploitation du fait divers, préférence donnée à la distraction sur la documentation.

Le creuset de la rue des Italiens

Dans les premiers temps du journal, la rédaction ne comprenait qu'un nombre limité de personnes. Les locaux s'étendaient sur deux étages de l'ancien immeuble du *Temps*; les journalistes étaient, pour la plupart, tenus de partager à trois ou à quatre la même pièce. En 1954 encore, l'ensemble du service étranger est regroupé dans trois bureaux [1] : André Fontaine, Claude Julien, Jean Knecht occupent le premier; on trouve dans le second André Pierre, Jean Schwœbel et Amber Bousoglou; en vertu d'on ne sait quel privilège, Édouard Sablier règne seul dans le troisième, tout petit il est vrai. Entre les hommes d'un même service ou de deux services différents, les

1. Entretien du 11 février 1977 avec Amber Bousoglou.

communications sont faciles et les échanges permanents. Ainsi est né dans cette maison, sur laquelle plane encore l'ombre solennelle d'Adrien Hébrard, ce climat de familiarité et de connivence entre des hommes qui pour les plus anciens vivent depuis trente ans la même aventure. Depuis que le journal a envahi progressivement les six étages de l'immeuble, que le nombre des collaborateurs a doublé puis triplé, il découvre cette plaie des institutions modernes : l'imperméabilité des services, la viscosité de l'information interne, ce qui n'est pas un mince paradoxe pour des hommes dont la fonction est justement d'informer.

Pendant près de vingt ans, jusqu'au « décollage » des années 1962-1964, la maison respira cet air de pauvreté et exhala ce parfum d'austérité qui, au-delà des mesures d'une prudente gestion fondée sur le principe intangible de l'indépendance de l'entreprise, sont conformes au tempérament de son « patron ». Exiguïté des locaux, certes, mais aussi vétusté du matériel. Les appareils téléphoniques, avec leur combiné en forme de corne qui évoque les temps héroïques de Graham Bell, apparaissent comme des concessions, sans doute inévitables, mais soigneusement mesurées, à la modernité. Dans les débuts du journal, les machines à écrire sont rares, et la plupart des articles sont écrits au porte-plume. Quant aux rotatives héritées du *Temps,* elles ne sont guère jeunes. En dépit d'une tenace légende, entretenue par les dénonciateurs indignés de la « spoliation » de 1944, elles sont même à bout de souffle. On les changea en 1962 : à ce moment, l'argent commençait d'être moins rare. Quelques années plus tard, les nouvelles installations se révélant insuffisantes, on mit en chantier, à Saint-Denis, une nouvelle imprimerie, qui fut inaugurée le 24 septembre 1970 : elle doublait la capacité de production du journal. On avait vu très grand, trop grand peut-être, puisque le plein-emploi de ces machines et du personnel qui y est attaché est devenu un problème préoccupant pour l'actuelle administration du journal.

Il n'est pas jusqu'à la fameuse habitude de tenir debout la conférence matinale des chefs de service qui ne témoigne d'un parti pris d'austérité et d'une saine défiance envers les charmes amollissants de la station assise. L'origine de cette coutume paraît remonter à Uriage où le capitaine Dunoyer de Segonzac en usait ainsi avec ses collaborateurs : tradition, comme on voit, quelque peu militaire.

Toujours présent au journal, Beuve-Méry n'a jamais beaucoup partagé la vie de ses collaborateurs. Nous avons déjà dit qu'une certaine distance, une certaine manière de rester étranger à l'existence quotidienne la plus prosaïque du journal, faisaient partie de son mode de gouvernement. Lui-même reconnaît qu'il intimidait le personnel.

Ses amitiés les plus solides, les plus durables ont été nouées pendant la guerre ou dans l'immédiat avant-guerre, à *Temps présent* où il avait été quelques semaines rédacteur en chef avant de devenir directeur du *Monde*[1]. Comment ici ne pas dire un mot des célèbres « déjeuners du mardi » qui ont longtemps défrayé la chronique et donné lieu à des interprétations fantasmagoriques? Parce que le mardi était jour de « bouclage » à *Temps présent*, l'habitude s'était prise et s'était conservée d'un déjeuner réunissant au « Petit Riche », au coin de la rue Le Peletier, les principaux collaborateurs de l'hebdomadaire. Outre Beuve-Méry, qui était resté membre de la Société des éditeurs du *Temps présent,* se retrouvaient là un certain nombre de personnalités importantes de la presse catholique avancée : Georges Hourdin, chrétien convaincu et militant, au robuste optimisme, qui avait pris la direction de l'important hebdomadaire *la Vie catholique illustrée*[2] aux côtés d'Ella Sauvageot. Administratrice de la Société des éditions du *Temps présent,* Ella Sauvageot était gérante de la société éditrice de *la Vie catholique illustrée*; elle contrôlait également l'hebdomadaire catholique *Radio-cinéma-télévision* et se trouvait ainsi à la tête d'un important groupe de presse. Corse d'origine, c'était une catholique convertie, intelligente, vive, passionnée. La différence de tempéraments n'empêcha pas la naissance d'une solide amitié avec Beuve-Méry. De caractère généreux, d'opinions avancées, elle l'encouragea dans ses combats pour le neutralisme et contre le colonialisme. Elle disparut tragiquement dans un incendie de forêt, en Corse, pendant l'été 1962. Son fils, Jacques Sauvageot, entra au *Monde* en 1958. Dix ans plus tard, il en est devenu gérant aux côtés de Jacques Fauvet.

1. Maurice Neyme, *Un hebdomadaire politique d'inspiration chrétienne,* « *Temps présent* » *(1937-1947),* Université de Lyon, Faculté de droit et de sciences économiques, 1970, p. 173 (thèse pour le doctorat en science politique, multigraphiée, 270 p.).
2. Devenu depuis *la Vie.* Georges Hourdin évoque ces déjeuners dans son livre, *Dieu en liberté,* Paris, Stock, 1973, 396 p.

Parmi les commensaux du « Petit Riche », on trouvait encore Dubois-Dumée, directeur gérant de *l'Actualité religieuse dans le monde,* codirecteur de *Témoignage chrétien,* et membre de la direction de *la Vie catholique illustrée;* Stanislas Fumet, ancien directeur de *Temps présent,* philosophe d'inspiration aristotélicienne qui était en même temps un esprit profondément religieux et mystique; et le père Boisselot, un dominicain dont l'influence intellectuelle a été très forte à la veille et aux lendemains de la guerre. Il avait appartenu à la rédaction de *Temps présent,* ainsi qu'à celle de *la Quinzaine,* organe des chrétiens progressistes. Il participait aux côtés du père Bernadot, ainsi que de deux autres dominicains influents, les pères Maydieu et Avril, à la direction du groupe d'édition et de presse du Cerf qui publiait notamment des revues catholiques d'inspiration avancée : *la Vie intellectuelle, la Vie spirituelle, l'Actualité religieuse dans le monde.* Fréquentaient aussi le « Petit Riche » d'autres anciens de *Temps présent,* comme André Frossard et André Fontaine, aujourd'hui rédacteur en chef du *Monde.*

Des journalistes et publicistes de droite, que l'on qualifiait généralement d' « intégristes » comme Jean de Fabrègues, directeur de *la France catholique,* et surtout Jean Madiran, ont voulu voir dans ce réseau de relations au sein des milieux catholiques de gauche touchant à la presse et à l'édition l'origine d'un véritable complot crypto-communiste dirigé contre l'Église et la société française elle-même. Madiran n'a pas consacré moins de deux livres[1] à la dénonciation, dans le plus pur style contre-révolutionnaire, de la conspiration du « Petit Riche ». Quelques lignes permettront d'en

---

1. *Ils ne savent pas ce qu'ils font,* Paris, Nouvelles Éditions latines, 1955, 186 p.; *Ils ne savent pas ce qu'ils disent,* Paris, Nouvelles Éditions latines, 1955, 186 p. Ces deux ouvrages qui mettent en cause d'autres personnages et d'autres organes de presse, comme *Témoignage chrétien* et *Esprit,* ont pour but essentiel de tenter de prouver que Beuve-Méry, Mme Sauvageot, le père Boisselot étaient de dangereux crypto-communistes en milieu catholique. Ils constituent deux épisodes de la véritable « chasse aux sorcières » dont furent victimes tous les catholiques progressistes ou tout simplement libéraux à la fin du pontificat de Pie XII. Ils témoignent notamment que la virulence des attaques contre *le Monde,* accusé de « progressisme » et de complaisance à l'égard du communisme, a été permanente.

Jean Madiran était le pseudonyme de Jean Arfel, directeur de la revue mensuelle *Itinéraires.*

juger. Après avoir pris soin de démentir qu'il s'agisse là d'un « épisode galant du journalisme parisien », Jean Madiran conclut : « Le déjeuner hebdomadaire de M. Beuve-Méry avec Mme Sauvageot et ses collaborateurs atteste que le directeur prosoviétique du *Monde* est aussi le directeur de conscience politique de la presse catholique de grand tirage plus haut citée. Il s'agit là d'une mainmise organisée sur l'opinion catholique [1]. »

Ce que nous savons de Beuve-Méry, et notamment son insurmontable répugnance pour la manœuvre, que nous avons vue s'exprimer tout au long de la crise de 1951, suffirait, s'il en était besoin, pour ôter toute vraisemblance à ce genre d'insinuation [2].

Si Jean Madiran avait été plus informé, il aurait pu ajouter, pour étayer la thèse du complot, qu'un autre rituel hebdomadaire dans la vie de Beuve-Méry était le déjeuner du vendredi, pris en tête à tête [3] avec son vieil ami Alfred Michelin, qu'il avait connu aux temps lointains des *Nouvelles Religieuses* du père Janvier. Michelin était devenu l'éminence grise de *la Croix,* l'un des meilleurs connaisseurs des réalités du monde catholique, partisan d'une sage et prudente évolution. Beuve est également resté lié toute sa vie avec le père Fraisse, jésuite lyonnais à l'influence discrète, mais profonde, qu'il avait connu à Lyon en 1941 et qui devait subir, à la fin du pontificat de Pie XII, les tracasseries qui s'abattaient alors sur tous les « non-alignés ». Décidément, cet agnostique tourmenté qu'est Beuve-Méry aura, sa vie durant, été entouré de religieux et de catholiques engagés dans une certaine direction : celle d'un catholicisme résolument fidèle à l'institution ecclésiale en même temps qu'à une généreuse inspiration évangélique.

Moins généreuse est en général l'attitude du « patron » lorsqu'il s'agit de rémunérer ses collaborateurs ou de rembourser des notes de frais. Sur ce point, les anecdotes abondent. On raconte encore que Jean Schwœbel, amené à acheter une pelisse lors d'un reportage en Union soviétique, s'entend dire lorsqu'il tente à son retour d'en

---

1. *Ils ne savent pas ce qu'ils font, op. cit.,* p. 15.
2. En 1978, les fameux déjeuners du « Petit Riche » continuaient de se tenir chaque semaine autour de Beuve-Méry, Hourdin, Fumet ; de nouveaux convives sont venus remplacer les morts. C'est notamment le cas de Michel Houssin, qui assure la direction de *la Vie* depuis la retraite d'Hourdin, du père Bro, d'André Mandouze...
3. L'historien lyonnais André Latreille, chroniqueur au *Monde,* se joignait parfois à eux.

obtenir le remboursement : « Cela vous tiendra lieu d'augmentation pour l'année en cours. »

Beaucoup des nouveaux collaborateurs de l'époque confient n'avoir connu les conditions financières de leur engagement qu'au bout d'un mois, en prenant connaissance de leur première fiche de paie.

Pierre Viansson-Ponté, venu de *l'Express,* est entré au *Monde* comme chef du service politique, en mai 1958. Las de Jean-Jacques Servan-Schreiber, réticent devant la transformation du grand hebdomadaire de gauche en une copie française de *Time,* il a sauté le pas, après un bref séjour aux *Échos.* Dans l'aventure, il a subi une diminution de moitié de son salaire [1].

C'est qu'Hubert Beuve-Méry qui, dans les débuts du journal, considère encore l'achat d'une automobile par l'un de ses collaborateurs comme une dépense somptuaire et ostentatoire, ne tient pas *le Monde* pour un journal comme les autres, ni ses journalistes pour de simples salariés. Ils sont les moines-soldats d'une austère bataille pour la vérité et l'indépendance, les templiers d'un ordre spirituel. Là encore Uriage reparaît. Et Jacques Guérif définit sans nul doute le type idéal du journaliste maison, selon le cœur de son directeur, lorsqu'il s'écrie : « Le journalisme était pour moi une entreprise autant spirituelle que professionnelle [2]. » Si Guérif a démissionné en juillet 1951, c'est par solidarité avec Beuve-Méry. Il n'envisageait pas de continuer à faire un journal dont son directeur aurait été éliminé pour délit de non-conformisme. Contraint alors de trouver rapidement un nouvel emploi, il entre à l'UNESCO [3] sans attendre la fin de la crise survenue dans des conditions qui lui auraient pourtant permis de rester.

Ce n'est pas pour des raisons idéologiques que Jean-Marc Théolleyre (« Théo » pour les rédacteurs) a quitté *le Monde* de mars 1957 à octobre 1959 [4]. C'est parce que le salaire qu'il y reçoit lui paraît insuffisant, compte tenu de ses charges de famille. Après un

1. Entretien avec Pierre Viansson-Ponté, 27 avril 1977.
2. Entretien avec Jacques Guérif, 16 décembre 1977.
3. Sur la proposition de Jean Chevalier, ancien dominicain devenu rédacteur en chef de *Une semaine dans le monde.* Lors de la disparition de cet hebdomadaire, il devient chef de cabinet de Torrès-Bodet, secrétaire général de l'UNESCO.
4. Entretien avec Jean-Marc Théolleyre, 16 juin 1977.

passage au *Figaro littéraire*, puis à *Paris-Jour* lors des débuts de ce quotidien, il rentre au bercail où il retrouve sa chronique judiciaire. Bertrand Poirot-Delpech qui l'assumait depuis son départ devient titulaire de la chronique théâtrale devenue vacante depuis le décès de Robert Kemp.

Certes, Beuve-Méry ne pouvait ignorer la modicité des salaires distribués dans la maison. Mais il estimait que la plus-value que constituait pour tout journaliste le privilège de voir sa signature apparaître dans les colonnes du journal compensait le retard des salaires maison sur le reste de la presse parisienne. Pas question, bien sûr, de monnayer cette signature auprès des puissances d'argent, comme c'était jadis la tradition du *Temps*. Mais les journalistes du *Monde*, à qui l'on allait plus tard déconseiller toute participation à un autre organe de presse [1], pouvaient en revanche écrire des livres ou donner des conférences...

Ce qui est certain, c'est que cette parcimonie, imposée par les circonstances, était loin de faire l'unanimité dans la rédaction. Nous avons déjà vu Edmond Delage traiter le « patron » d'affameur...

Non que la direction du journal se soit désintéressée du sort matériel de ses collaborateurs, bien au contraire. On se souvient que la cause immédiate de la démission de Beuve-Méry en août 1951 fut une note publique de Courtin qui, en portant atteinte à la réputation du journal, risquait de compromettre son équilibre financier et de le placer dans l'impossibilité de constituer les provisions nécessaires à un éventuel licenciement collectif du personnel. Beuve-Méry n'hésitait pas à envisager le sabordage collectif du journal plutôt que d'encourir l'opprobre de ne pouvoir, ultérieurement, faire face aux obligations financières de cet éventuel licenciement collectif...

Une des tâches les plus difficiles et les plus urgentes du directeur du *Monde* à partir de 1945 consiste, selon sa propre expression, à « réaliser l'amalgame » entre les anciens et les nouveaux.

Les anciens, ce sont les ex-journalistes du *Temps*, qui estiment, non sans raison, n'avoir point démérité, et qui, lors du lancement du *Monde*, constituent l'armature de base de la rédaction. Parmi

---

1. Témoignage de Jacques Guérif qui avait été sollicité d'écrire dans le tout jeune *France-Observateur* de Claude Bourdet.

les plus marquants, Martial Bonis-Charancle, administrateur du journal, dont, d'emblée, la mésentente avec Hubert Beuve-Méry est patente. C'est à l'insu de ce dernier qu'il a accepté que la première échéance du loyer fût assurée par une subvention du ministère de l'Information. Lorsque Beuve s'en apercevra, il la fera immédiatement rembourser [1]. Bonis-Charancle est de loin celui qui symbolise le mieux la persistance dans la rédaction de l'esprit du *Temps,* accompagnée d'un ressentiment diffus à l'égard des nouveaux occupants.

Au contraire, André Chênebenoit, un ancien lui aussi, devenu rédacteur en chef du journal, est l'exemple même d'une adaptation réussie. Ce fils d'un sénateur de la IIIe République, protestant libéral au style un peu nonchalant, est pour Hubert Beuve-Méry un second discret, mais précieux. Nous avons vu que, lors de la crise de 1951, « Chêne » résista à la tentation de jouer les premiers rôles en refusant de succéder au directeur démissionnaire; ce refus constitua un élément décisif pour la solution de la crise. Il en fut de même pour un autre ancien du *Temps,* l'académicien Émile Henriot, auteur hebdomadaire d'un feuilleton littéraire qui révélait des goûts classiques et même traditionalistes, mais qui ne manquait ni de talent ni d'influence. Il était secondé par un ancien mécanicien-dentiste venu tard au journalisme, Robert Coiplet, auteur d'un courrier littéraire dans la tradition des « échotiers » d'avant-guerre. Lui-même n'avait pas travaillé au *Temps,* mais avait, sous le régime de Vichy, été un moment chargé de sa censure, ce qui était une manière un peu particulière de participer à sa rédaction. Dire qu'il n'était guère « beuve-méryste » est pour ceux qui l'ont connu incontestablement une litote.

C'est au contraire le respect que lui valaient son attitude pendant la guerre, la perte d'un fils tué par les Allemands, et enfin sa déportation, qui firent de Rémy Roure un personnage important dans le journal. Hubert Beuve-Méry a maintes fois rapporté avoir proposé à Roure, à son retour de déportation, après la victoire, la place de directeur. Celui-ci, fatigué, usé par toutes les épreuves qu'il avait subies, avait décliné cette offre. En 1951, il s'était rangé dans le camp beuve-méryste. Mais, depuis longtemps, ses tendances modé-

1. Témoignage d'Hubert Beuve-Méry.

rées, son atlantisme s'accommodaient mal des orientations du journal. Son activité diminuait en volume, ses articles en qualité. Il se réfugiait dans le bougonnement. L'affaire Fechteler fit déborder la coupe.

Des hommes comme Edmond Delage ou André Duboscq, eux aussi anciens du *Temps,* partagent cette réticence; ou encore cet Angel Marvaux, responsable de la rubrique Amérique latine, qui ressemble à un fonctionnaire de Gogol ou de Tchekhov; chaque matin, il enfile ses manchettes de lustrine, et change de veste quand il est appelé par le patron... Quant à Olivier Merlin, avant de prendre la place importante et originale qu'on lui connaît dans le domaine de la danse et des sports, il a occupé avec efficacité le poste de secrétaire de rédaction. Petit-neveu d'un ancien gouverneur général de l'Indochine, il n'appréciait que médiocrement les orientations données à cette rubrique par Jacques Guérif et des reporters comme Blanchet, Favrel ou Guillain.

Parmi tous les anciens du *Temps,* une place particulière doit être faite à Robert Gauthier qui terminera sa carrière au *Monde* comme rédacteur en chef adjoint. Aujourd'hui encore, son souvenir est resté très vivant [1]. De l'avis de beaucoup, la place obscure, mais considérable, qu'il a tenue dans le journal est demeurée vacante. « L'homme des virgules », le « bouffeur de trombones » est avant tout un passionné de l'information complète et rigoureuse. C'est lui qui a appris à des générations de journalistes à vérifier sans cesse l'information, à la recouper, à veiller à l'exactitude des références historiques... ou à l'orthographe. Ce véritable soutier du *Monde,* bourreau de travail et passionné du détail, conçoit la tâche du journaliste comme un affrontement sportif avec l'autorité gouvernementale acharnée à cacher ou à travestir l'information.

Au service des informations générales, il mène ses collaborateurs avec une énergie et une exigence redoutables. André Fontaine se souvient qu'à ses débuts au journal, ayant commis une erreur sur la date d'ouverture de la chasse, il s'entendit interpeller par Gauthier : « C'est bon, je vous couvre. La prochaine fois je vous fiche à la porte. » Gauthier n'était pas un intellectuel, mais, au sens le plus

1. Nombreux témoignages : André Fontaine, Jean Planchais, Jean Lacouture, Pierre Viansson-Ponté, Bertrand Poirot-Delpech.

266

rigoureux du terme, un journaliste. Seulement, il restait un peu limité dans ses horizons; c'est pourquoi il se vit préférer Jacques Fauvet quand il fallut remplacer Chênebenoit comme rédacteur en chef du journal. Il en souffrit [1]. A la place qu'il s'était faite et qu'il avait choisie, il avait marqué le Monde d'une empreinte profonde et durable.

Face à la troupe solide, aguerrie, et très conservatrice des anciens rédacteurs du Temps, voici le groupe juvénile et piaffant des nouveaux arrivants apparus avec le Monde ou dans les mois qui suivent sa création : ceux qu'on appelle parfois ironiquement les boy-scouts de Beuve-Méry. Le hasard des relations et des rencontres personnelles, et les circonstances particulières de la Libération sont à la base de ce recrutement. Les amitiés forgées dans les camps de prisonniers ont fourni leur contingent. Ainsi Jacques Fauvet, qui était avant la guerre journaliste à l'Est républicain, a été le compagnon de captivité de Robert Gauthier. L'équipe du quotidien lorrain étant dissociée au lendemain de la guerre, Jacques Fauvet est disponible. Robert Gauthier lui propose d'écrire deux articles sur la libération de son camp par les Russes. « Les articles ne déplurent pas à Beuve-Méry [2] », commente Fauvet qui ignorait alors que son engagement au Monde allait le conduire, un quart de siècle plus tard, jusqu'au bureau directorial où l'avaient précédé Adrien Hébrard et Beuve-Méry lui-même. Ils déplurent en revanche à l'Humanité, qui, mécontente de voir évoquer les meurtres et les vols dont les Russes s'étaient rendus coupables, s'écria : « Goebbels a parlé... » Depuis, les relations entre les communistes et le directeur du Monde se sont faites plus courtoises.

Ce sont également d'anciens prisonniers qui vont se retrouver au journal, en la personne d'Henri Fesquet et de Bernard Lauzanne qui entre-temps a fait un détour par l'information radiodiffusée. En principe, aucun critère politique ne préside au recrutement des rédacteurs. Le plus souvent, les responsables du journal ignorent

1. Voir le témoignage de Michel Legris dans « Le Monde » tel qu'il est, Paris, Plon, 1976, p. 203-204.
2. A rapprocher de cette notation de Jean Daniel : « Le Monde me demanda une série sur le Mexique. Jacques Fauvet, pour m'inviter à une collaboration plus régulière, me téléphona que " même Claude Julien n'avait aucune objection à m'opposer ". Au Monde, les compliments sont toujours négatifs » (Le Temps qui reste, Paris, Stock, 1973, p. 176).

tout des engagements politiques de leurs collaborateurs, lorsque ceux-ci conservent un caractère privé. Mais, en fait, le jeu des relations personnelles combiné aux mécanismes subtils de l'autosélection donnent au personnel nouvellement recruté une incontestable homogénéité. Le portrait-robot du nouveau rédacteur du *Monde,* dans les années 1945-1946, se présente sous les traits d'un jeune bourgeois de province, de famille catholique; il est orienté à gauche, mais modérément, et se reconnaît volontiers dans les tendances les plus sociales du MRP. Jacques Fauvet, l'actuel directeur, dit lui-même qu'il était alors de « sensibilité MRP[1] »; il connaissait bien ce milieu démocrate-chrétien, récemment auréolé du prestige de la Résistance; André Colin, secrétaire général du mouvement, lui avait même proposé d'être son candidat dans les Pyrénées-Orientales, ce qui, compte tenu de la couleur politique du département, ne pouvait guère passer pour un cadeau. Il s'en détacha vers 1949-1950, en raison de l'obstination du parti de Georges Bidault à se faire le champion de la guerre d'Indochine. Comme les liens d'avant-guerre, dont certains se sont conservés, entre Hubert Beuve-Méry et le milieu démocrate-chrétien sont connus, l'image d'un journal de « sensibilité MRP » résista longtemps au démenti de l'événement. Malgré les campagnes neutralistes, malgré les positions anticolonialistes du journal, c'est encore celle qu'a conservée le général de Gaulle en 1956. « Il y aura toujours un Bidault pour trahir et un Fauvet pour l'expliquer » : la formule à l'emporte-pièce qu'il emploie lors d'une audience accordée à l'actuel directeur du *Monde*[2] traduit toute son amertume à l'égard d'un parti qui se proclamait naguère le « parti de la fidélité », en même temps qu'une certaine méconnaissance des positions réelles du journal.

Étrange décalage entre les représentations politiques et la réalité, qui traduit un phénomène de rémanence. Quand il est effectivement proche du MRP, *le Monde* passe pour un nouvel avatar du *Temps*; quand il adopte des positions neutralistes et anticolonialistes, il est considéré comme MRP. Beuve-Méry et Fauvet ne sont pas des cas isolés. Guérif qui a fait un stage à Uriage, où il a aperçu Beuve-

1. Entretien du 14 février 1977.
2. Lors de la seule entrevue de Jacques Fauvet avec le général de Gaulle (même source).

Méry pour la première fois, a été jusqu'en mai 1945 chef du secrétariat particulier de Francisque Gay avant d'entrer au *Monde*. André Fontaine a été en 1946-1947 secrétaire de rédaction de *Temps présent* qui, sous la direction de Stanislas Fumet, traduit à la Libération une des formes de la sensibilité démocrate-chrétienne.

Combien également ont été marqués par leur passage à la JEC, comme Jean Planchais, que son père, ancien sillonniste, et voisin de Beuve-Méry en sa maison de Mortagne, a présenté à celui-ci en 1939. Voici, arrivé un peu plus tard, en pleine crise de l'été 1951, Bertrand Poirot-Delpech qui va faire dans le journal une brillante carrière de chroniqueur : sa mère a travaillé avec la femme de Jean Planchais dans des œuvres catholiques; c'est de cette manière qu'il est entré au journal. Recruté l'année suivante, Gilbert Mathieu vient d'un mouvement catholique de gauche, le MLP, qui deviendra quelques années plus tard l'une des composantes du PSU. Plus tard encore, en 1958, c'est la filière catholique et l'amitié qui unit de longue date Hubert Beuve-Méry à Ella Sauvageot du groupe de *la Vie catholique illustrée* qui explique l'entrée de son fils Jacques au journal.

Ce ne sont là que quelques cas, pris parmi les plus significatifs. A cette liste de collaborateurs réguliers vient s'ajouter celle des grandes signatures, titulaires de rubriques, chroniqueurs, collaborateurs exceptionnels. Au confluent de la démocratie chrétienne et de la biographie propre de Beuve-Méry apparaît cette espèce particulière et indéfinissable que sont les intellectuels catholiques lyonnais : André Latreille, auteur d'un solide, classique et sévère feuilleton historique, Jean Lacroix, grand professeur de khâgne, philosophe personnaliste à la curiosité universelle, féru de dialogue avec les communistes.

On pourra lire aussi dans le journal des articles d'Étienne Borne, l'intellectuel du MRP, et, comme on l'a déjà dit, d'Étienne Gilson, qui fut comme Beuve-Méry lui-même un chrétien démocrate illuminé par la grâce neutraliste.

N'imaginons tout de même pas que cette dominante catholique et MRP fût écrasante dans la vie du journal. Comme on l'a souligné, elle fut le fruit d'affinités et non d'une volonté de recrutement sélectif. Elle n'a jamais été incompatible avec d'autres orientations : Édouard Sablier et Maurice Ferro, par exemple, sont des gaullistes bon teint. Elle laisse subsister à la tête du journal des hommes d'orientations philosophiques toutes différentes, tels Robert Gauthier et Bernard Lauzanne, chef du service des informations générales, l'un et l'autre rigoureusement laïques, ou encore André Chênebenoit, rédacteur en chef, agnostique d'origine protestante. On remarquera que le recrutement ultérieur n'a cessé de corriger la dominante de départ, jusqu'aujourd'hui où, toujours perceptible, elle a cessé d'être vraiment significative. Il est même frappant que, chaque fois que la rédaction s'est enrichie de nouveaux talents, tels Jean-Jacques Servan-Schreiber ou Pierre Viansson-Ponté, elle les a recherchés dans d'autres familles que la sienne. S'il a existé dans le journal des formes d'ostracisme, elles semblent avoir moins reposé sur les orientations des rédacteurs que sur leur ancienneté. Entre la promotion de 1944-1946 et ceux qui sont arrivés par la suite, il a toujours existé une invisible et subtile ligne de démarcation que, au bout de vingt ans de présence au journal, certaines de ses actuelles vedettes ne sont pas parvenues à franchir complètement. Il n'en reste pas moins que des orientations ouvertement communistes ou d'extrême droite auraient été difficilement compatibles avec l'appartenance au journal. Selon la formule consacrée, Beuve-Méry a toujours eu pour principe de « couper les deux bouts de l'omelette », et d'éviter les convictions par trop dogmatiques.

Comment était-on engagé? De la façon la plus simple possible. Le plus souvent, sans contrat, sans consignes, sans conditions financières explicites. Beuve-Méry paraît avoir toujours pensé que pour un journaliste les qualités intellectuelles et humaines l'emportaient sur l'expérience professionnelle, ou plus exactement que cette dernière ne pouvait s'épanouir que sur un terreau humain fertile. Le manque de pratique du novice n'est pas pour l'effaroucher. La scène de l'engagement, maintes fois décrite en des termes presque identiques [1], est là pour en témoigner.

Ainsi Guérif est présenté, grâce à la recommandation d'Émile Henriot dont il avait fait la connaissance par le truchement de son professeur Gaston Berger, pour s'occuper de la rubrique « livres ». Trois semaines après, il est convoqué par le directeur qui, tout à trac, lui propose la rubrique coloniale.

1. Entretien déjà cité avec Jacques Guérif.

— Mais je n'y connais rien! s'écrie Guérif. Et Beuve :
— C'est justement ce que je cherche!

Peut-être en effet valait-il mieux, pour juger sainement des colonies, n'en avoir pas été trop longtemps spécialiste dans l'avant-guerre...

Parfois, le hasard joue le premier rôle. Pierre Drouin, licencié en droit, a été conseiller juridique au ministère des Prisonniers et Déportés, quand Frenay en était le titulaire. Il apprend par un ami que le journal cherche un juriste et s'adresse à André Chênebenoit. Trop tard! le poste est déjà pourvu. Mais le jeune postulant ne s'intéresserait-il pas au journalisme social? C'est ainsi que ce juriste dont le violon d'Ingres est la musique de jazz (il signera longtemps sous le nom de Philidor des critiques de disque) va progressivement se spécialiser dans le domaine économique et social auquel il n'avait jamais songé auparavant.

Beuve-Méry parie sur des hommes, non sur des diplômes : voici encore deux cas qui montrent que, au lieu de la sélection soigneuse que l'on imaginerait volontiers dans un journal d'élite, le hasard joue le premier rôle dans le recrutement. C'est Robert Escarpit qui parle [1]. En décembre 1944, sur le point de partir pour le Mexique, il rencontre un ami place de l'Opéra.

— Je travaille dans un nouveau journal. Ils cherchent justement un correspondant pour l'Amérique latine. Tu ferais tout à fait l'affaire.
— Tu crois?
— Bien sûr. Viens, c'est à deux pas.

Dix minutes plus tard, j'étais en présence du directeur, un homme silencieux à la lèvre amère où pendait un mégot pensif. Il me posa deux ou trois questions, m'écouta d'un air désabusé puis laissa tomber :

— Bien, envoyez-nous des papiers. On verra ce qu'ils valent.

Je compris à son expression qu'ils ne vaudraient jamais grand-chose. En sortant, je notai que le journal s'appelait *le Monde* et le directeur Hubert Beuve-Méry.

Trente-quatre ans plus tard, Escarpit écrit toujours dans *le Monde*.

---

1. *Paramémoires d'un Gaulois,* Paris, Flammarion, 1968, p. 152.

Officier de marine en instance de démobilisation, Maurice Ferro brigue, sans aucune expérience de journaliste, une place de correspondant du *Monde* au Proche-Orient. Certes, il a été, avant la guerre, avocat aux tribunaux mixtes d'Égypte. Deux jours plus tard, il est engagé, et s'apprête à partir pour Beyrouth : « ... il me tendit mes lettres de créance, me souhaitant bonne chance sans autre commentaire, ne me donnant aucune directive; non pour que le débutant que j'étais se noyât, mais, j'en ai la profonde conviction, pour me laisser seul juge de ma mission nouvelle afin de mieux me juger, et, j'en suis persuadé, pour me donner foi en moi-même [1]. »

Dans l'attachement profond, fervent, parfois inconditionnel que beaucoup de ses collaborateurs ont porté à Beuve-Méry, il y a sans aucun doute le sentiment qu'il leur faisait d'emblée une confiance totale. Citons encore le témoignage d'Édouard Sablier [2]. Il s'est présenté à Beuve-Méry muni de trois recommandations. Par malchance, aucun des trois signataires n'est connu du directeur du *Monde*. Déçu, le jeune homme se lève.

— Non, restez!

— Alors, je voudrais que vous me preniez comme spécialiste du secteur le plus important pour la France.

— L'Allemagne?

— Non, le Proche-Orient!

Le jour même de son engagement, le 2 novembre 1945, il est conduit dans son bureau, qui fut jadis celui de Tardieu. Dix minutes plus tard, Beuve-Méry lui demande de rédiger son premier « bulletin de l'étranger » sur la Palestine.

En revanche, les témoignages de satisfaction sont aussi rares que les critiques. Quand on fait confiance à quelqu'un, on ne s'étonne pas de le voir bien faire. Amber Bousoglou, arrivée au journal le 30 septembre 1954, un peu par hasard, pour effectuer un remplacement à mi-temps, s'inquiète deux mois et demi plus tard de sa situation auprès d'André Fontaine :

« Si vous ne faisiez pas l'affaire, vous ne seriez déjà plus là [3]! »

---

1. « Le Caire-Washington-Paris : un certain *Monde* et une certaine presse », document inédit cité (Archives H. B. M.).
2. Entretien du 29 juin 1976.
3. Entretien Amber Bousoglou.

Tel est le style maison, avare de paroles et de jugements[1]. Au total, des procédures de recrutement beaucoup moins élitistes et sélectionnistes qu'on aurait pu l'imaginer. Apparente humilité qui cache sans doute une grande confiance en soi. C'est le Monde, et lui seul, qui formera ses rédacteurs. Il Mondo fara da se...

La polysynodie

Outre son combat permanent en faveur de l'indépendance de la presse, le Monde avait apporté une contribution essentielle au droit et au rapport de propriété dans le journalisme, grâce à l'institution d'une Société de rédacteurs associée à la gestion du journal. Nous avons vu comment, en 1951, la naissance de cette Société constitua non seulement un renfort inespéré au parti de la résistance, mais exprima soudain la volonté du groupe des journalistes d'exister en tant que tel, de voir reconnu son droit matériel et moral à participer aux décisions engageant la vie du journal et d'être associé à sa propriété elle-même. La solution de la crise lui donna satisfaction. Il fallut attendre près de dix-sept ans pour qu'un nouveau pas en avant soit fait, le 15 mars 1968, avec la modification d'un certain nombre d'articles des Statuts de la SARL le Monde fondée en 1944. Précédée de six années de négociations entre la Société de rédacteurs et les gérants, la nouvelle étape aboutissait à consacrer et à compléter l'importante innovation de 1951, en soustrayant complètement la propriété du journal à la logique capitaliste.

Les Statuts de 1944, et notamment l'article 11, avaient été conçus de telle manière que la propriété du journal, qui avait été attribuée à un certain nombre de personnes pour des raisons morales et non financières, ne pût échoir, au gré des successions ou des cessions, à des personnes étrangères à l'entreprise ou décidées à la dénaturer. En « dépatrimonialisant » les parts des fondateurs, Hubert Beuve-

---

1. Même sentiment chez Jean-Marie Dupont, à propos du recrutement des journalistes « universitaires » (entretien).

Méry et ses associés, hantés par le précédent du *Temps* et de nombre d'autres journaux d'avant-guerre, avaient voulu empêcher que les hasards de l'héritage, les mécanismes purement financiers du rachat des parts n'aboutissent à donner le contrôle à des puissances d'argent ou à des groupes de pression étrangers. Comme l'écrit Jean Schwœbel [1] : « Ils [les Statuts] manifestaient sans le moindre doute possible que les associés d'origine avaient voulu se considérer comme les garants d'une mission et non comme de simples apporteurs de capitaux. » Pour ce faire, l'article 11 stipulait que toute transmission héréditaire, toute cession amiable des parts de fondateurs était subordonnée à l'agrément des membres de la SARL, à la majorité simple des personnes physiques et à la majorité des trois quarts des parts. Au contraire, la cession de parts entre associés s'effectuait librement. En outre, en cas de refus par la SARL d'une transaction projetée par l'un de ses membres, les autres bénéficiaient d'un droit de préemption sur les parts en litige. Tout était fait pour décourager l'intrusion de personnes étrangères ; mais, jusqu'en 1951, le pouvoir des porteurs de parts de fondateurs était total : on restait dans la logique d'un capitalisme moralisé, mais d'un capitalisme tout de même, puisque le capital pouvait en principe disposer librement de l'entreprise après consultation des travailleurs de celle-ci. D'autre part, les Statuts menaient en quelque sorte l'entreprise à l'extinction au fur et à mesure de la disparition de ses fondateurs.

C'est pour pallier ces inconvénients que fut étudiée et adoptée la réforme de 1968. Elle prévoyait de porter le capital social de la SARL *le Monde* à 200 000 francs divisés en 1 000 parts de 200 francs chacune. Il y avait désormais trois types de parts :

● les *parts A*, au nombre de 400, détenues par les fondateurs ou des membres cooptés ;

● les *parts B* détenues par trois sociétés :

– société des rédacteurs, 400 parts ;

– société des cadres (fondée en novembre 1967), 50 parts ;

– société des employés (fondée en décembre 1967), 40 parts ;

● les *parts C* attribuées ès qualités aux gérants, 110 parts, se

---

1. *La Presse, le Pouvoir et l'Argent, op. cit.*, p. 107. Ce livre est l'une des sources essentielles de ce développement.

décomposant ainsi : Jacques Fauvet, rédacteur en chef, 70 parts; Jacques Sauvageot, directeur administratif, 40 parts.

On constate que, par rapport à 1951, la part des fondateurs ou cooptés passait de 72 à 40 %, tandis que celle du personnel progressait de 28 à 49 %. Entre les deux groupes, ainsi que le souhaitait Beuve-Méry, les deux gérants conservaient une situation d'arbitre. Comme le notait le rapport Lindon sur les sociétés de rédacteurs [1], « l'exemplarité du système ne réside pas tant dans l'octroi d'une part de la propriété aux collaborateurs du journal que dans le fait que les rédacteurs ont constitué un recours contre un danger réel (la toute-puissance, en droit, des anciens associés en 1951) ou éventuel (l'entrée de représentants des ·· intérêts '' dans la société) ».

Aux membres de l'équipe fondatrice : Hubert Beuve-Méry, André Catrice, Jean Schloesing, Gérard de Broissia, Jean Vignal, Suzanne Forfer, déjà renforcée du doyen Georges Vedel, venaient s'ajouter cinq nouvelles personnes : Claude Cheysson, diplomate, neveu de Funck-Brentano, Jean-Jacques Beuve-Méry, fils d'Hubert, appartenant aux services juridiques du Marché commun, Paul Ricœur, professeur de philosophie à Nanterre, Paul Reuter, professeur de droit international à la faculté de droit de Paris, François Michel, président du conseil d'administration des Éditions du Cerf. On le voit : les équilibres politiques, confessionnels, institutionnels étaient respectés. Un peu plus tard, René Parès, directeur à la SNCF, acquerra les parts détenues par Jean Vignal à la mort de ce dernier. A la mort d'André Catrice (5 août 1972), les parts qu'il détenait seront réparties entre Paule Grall, présidente de la Fédération des femmes chefs de famille, Eugène Descamps, ancien secrétaire général de la CFTC puis de la CFDT, devenu professeur à l'université de Nanterre, Michel Houssin, directeur général du groupe de la Vie catholique illustrée, dont André Catrice était l'administrateur : en un mot, un groupe de personnalités représentatives de l'establishment catholique et protestant, de nuance libérale ou socialement avancée.

Bien entendu, la désignation de nouveaux gérants, Jacques Fauvet et Jacques Sauvageot, comme coadjuteurs d'Hubert Beuve-Méry et

1. *Rapport sur les problèmes posés par les sociétés de rédacteurs,* 1970.

275

d'André Catrice, annonçait à échéance non précisée une double succession, qui ne faisait désormais de doute pour personne : à l'occasion d'une modification des statuts, on préfigurait l'avenir du journal du point de vue des institutions, mais aussi des personnes.

De nouvelles précautions supplémentaires étaient prises pour éviter, soit le rachat de parts du journal par des personnes extérieures, soit une trop forte prépondérance de l'un des associés. Si, comme dans les précédents Statuts, les parts A (fondateurs) continuaient à pouvoir être librement cédées à un autre associé, en revanche un porteur de parts A ne pouvait posséder plus de 25 % d'entre elles (soit plus de 10 % du capital total) sans l'autorisation expresse de la majorité en nombre des associés, représentant au moins les trois quarts du capital social (article 11). De même, on se prémunissait contre la tentation d'une dissolution arbitraire de la société en vue d'une répartition de l'actif, en prévoyant que celui-ci serait affecté dans une proportion de 80 % à la fondation d'une œuvre culturelle. Les 20 % restants seraient répartis, à raison des quatre cinquièmes, entre les porteurs de parts B2 [1] ; dans cette hypothèse, il ne resterait aux associés fondateurs cooptés et aux gérants et à la Société des rédacteurs porteurs de parts B1 que 4 % de l'actif à se partager : de quoi décourager efficacement toute tentative de coup d'État tendant à la dissolution prématurée de la société pour des motifs financiers. Ces nombreuses précautions (aussi bien est-il impossible d'entrer dans le détail des dispositions prévues) tendaient toutes vers le même objectif : donner au personnel du journal, sinon la propriété pleine et entière de celui-ci, du moins le contrôle, le droit d'usage et d'initiative qui s'attachent généralement à la propriété juridique.

Ces mesures étaient complétées par deux autres dispositions, dont la première seulement prenait un caractère statutaire : la constitution, sous la présidence du président de la Société des rédacteurs, d'un *conseil de surveillance* comprenant de droit les anciens gérants de la société, les représentants légaux des sociétés de personnel et un représentant des porteurs de parts A. Ce conseil, dont les réunions

1. Les parts B2 sont constituées par les parts B de la société des cadres, de la Société des employés (en totalité) et de la Société des rédacteurs dans la proportion de 320 sur 400. Les 80 autres parts de la Société des rédacteurs sont appelées B1, et sont assimilées, pour la répartition éventuelle des actifs, aux parts A et C.

étaient trimestrielles, avait pour objet de « donner aux gérants son avis sur la politique financière de la société » (article 20). Il a eu notamment à délibérer des nouveaux investissements déjà effectués ou à effectuer par le journal pour faire face à sa croissance ou introduire des innovations technologiques (photocomposition). La seconde disposition était la création d'un *comité de rédaction* : présidé par le directeur, et réuni tous les deux mois, il rassemble les chefs de service avec les représentants du conseil d'administration de la Société des rédacteurs pour discuter librement, et de façon consultative, de toutes les questions qui concernent la rédaction. Commentant le nouveau dispositif qui venait d'être mis en place, Beuve-Méry écrivait qu'un des objectifs était d' « accentuer toujours davantage le caractère communautaire d'une société qui ne s'est jamais proposé l'appropriation d'éventuels bénéfices, mais s'est toujours efforcée d'être en même temps qu'une entreprise privée une sorte de service public, d'institut de libre information et de libre réflexion [1] ».

Jamais peut-être autant qu'à la veille de son départ Beuve-Méry n'avait tellement souligné, pour achever d'en convaincre ses collaborateurs, que *le Monde* n'était pas un journal comme les autres, et que depuis sa création il exerçait dans la société française une fonction, une mission, ne craignait-il pas de dire — qu'il s'était donnée à lui-même, mais qui n'avait de sens que pour autant qu'elle était reconnue comme telle par les autres.

Le Monde était-il devenu, à la fin du règne de Beuve-Méry, une sorte de démocratie égalitaire et autogestionnaire? Ce serait mal connaître celui-ci que d'imaginer qu'il eût pu s'accommoder d'un pareil régime. Examinant la situation de la presse française en 1965 [2], un journal spécialisé allemand estimait que bien que *le Monde* possédât théoriquement une structure démocratique, avec participation du syndicat des rédacteurs à l'administration et à la direction, la forte personnalité de Beuve-Méry était parvenue à imposer un régime d'autorité, car il considérait comme son droit naturel de déterminer dans les circonstances importantes le contenu

1. « Une étape », *Le Monde,* 17-18 mars 1968.
2. Il s'agit du journal allemand pour la presse et la publicité *ZV + ZV,* dans son numéro du 6 août 1965. Résumé dans l'*Écho de la presse et de la publicité,* 5 octobre 1965.

et les tendances du journal. C'est bien ainsi qu'il nous est apparu lors du retour de De Gaulle àu pouvoir ou même en 1968. Le jugement est donc exact, à condition d'ajouter que si, à l'occasion, Beuve-Méry pouvait gouverner fort, dans la vie quotidienne, il gouvernait le moins possible, et en tout cas fort discrètement. Ayant assis son autorité sur la distance, le silence et la litote, à la différence de la plupart des patrons de presse qui penchent plutôt pour le harcèlement et les « coups de gueule », il s'accommodait tant bien que mal d'une évolution qu'il n'avait ni souhaitée ni empêchée : celle qui privilégiait la délibération collective et qui conduisait le directeur à se transformer de guide inspiré en arbitre permanent. Dans les dernières années du règne de Beuve, on vit plutôt se développer une structure de double pouvoir qu'une véritable collaboration entre les divers réseaux qui s'étaient mis en place. C'est seulement avec l'arrivée de Jacques Fauvet au bureau directorial que les réformes de la dernière période prirent toute leur signification.

Épilogue : dix ans après
Du *Monde* de Beuve-Méry
au *Monde* de Fauvet

En mars 1976 parut aux Éditions Plon un livre de Michel Legris, « *Le Monde* » *tel qu'il est,* qui souleva immédiatement une émotion considérable. L'auteur avait appartenu à la rédaction du journal pendant seize ans, l'avait quittée en 1972 en invoquant la clause de conscience. Un procès s'en était suivi, qui n'était pas encore terminé lors de la parution du livre. Rédigé sur un ton violent, qui ne cherchait nullement à dissimuler l'ampleur de l'amour déçu et du ressentiment, il accusait *le Monde* d'avoir changé de nature depuis le départ d'Hubert Beuve-Méry. Le « prière d'insérer » résumait bien le propos de l'auteur :

« *Le Monde* aujourd'hui n'est plus ce qu'il était à l'époque d'Hubert Beuve-Méry. C'est une doléance que formulent aujourd'hui des lecteurs de plus en plus nombreux. Ils perçoivent que l'objectivité, la rigueur, ont fait place dans les colonnes à une insidieuse propagande... Par quelles méthodes dans la présentation des nouvelles et dans les commentaires s'exerce-t-elle? En raison de quelle fascination collective le quotidien de la rue des Italiens inspire-t-il la déférence, sinon la crainte? »

La réplique du journal à Legris prit la forme d'un communiqué « aux lecteurs » paru dans le numéro du 24 mars, sous la triple signature d'Hubert Beuve-Méry, le fondateur, de Jacques Fauvet, directeur en titre, et de Jean-Marie Dupont, président de la Société des rédacteurs. En voici le texte :

« La publication d'un ouvrage d'un ancien collaborateur du *Monde* donne un nouvel aliment à la campagne permanente menée dans certains milieux pour discréditer un journal dont l'indépendance, aujourd'hui comme hier, ne fait évidemment pas l'affaire de tous.

» Le fondateur, le directeur et les rédacteurs du *Monde* tiennent à manifester, dans la diversité d'opinions qui a toujours été la marque du journal, leur solidarité profonde face à la dernière en date des offensives qui ont, depuis sa création, jalonné l'existence du *Monde*. Les analyses, même tendancieuses, les polémiques, même outrancières, peuvent trouver ici ou là leur raison ou leur prix. Les injures, elles, n'avilissent que leurs auteurs. »

En page 17 du même numéro, Jean Planchais, une des principales autorités morales du journal, reprenait, dans son compte rendu du livre de Michel Legris, les mêmes arguments : « Michel Legris ne présente pas *le Monde* " tel qu'il est ", mais tel qu'avec d'autres il le hait » ; loin d'être la première, l'offensive de Legris prenait place, selon lui, dans une longue série : « [Michel Legris] oublie combien d'entreprises de sape préparées à grands frais, combien de pamphlets, combien d'articles, combien d'attaques ne cessent depuis bientôt trente-deux ans de harceler un quotidien qui ne doit qu'à ses lecteurs de vivre et, ce dont ses adversaires ne se consolent pas, de vivre libre. »

La fin d'un tabou

La vivacité des répliques, le caractère solennel et institutionnel des communiqués — où l'auteur du pamphlet n'était même pas jugé digne d'être nommé —, manifestaient beaucoup de susceptibilité et une certaine vulnérabilité de la part d'un organe de presse que son prestige, sa puissance, sa prospérité paraissaient mettre à l'abri des offensives de ses ennemis. C'est ce malaise que traduisait Pierre Nora, dans *le Nouvel Observateur* du 12 avril [1], en se demandant s'il fallait automatiquement assimiler toute critique du *Monde* à un complot contre son indépendance et si vraiment « ... nul ne pourrait s'exprimer sur cette institution si représentative de l'idéolo-

1. « Si le sel perd sa saveur... », 12 avril 1976.

gie nationale et dont l'analyse est indispensable à l'intelligence de toute notre histoire depuis la guerre, sans que *le Monde* le discrédite à l'avance, soit en brandissant le marteau-pilon du silence ou de la calomnie, soit en sonnant le tocsin de la liberté en danger? »...

De son côté, Jean-Marie Domenach, directeur d'*Esprit,* tout en prenant ses distances à l'égard des outrances et des injures qu'il relevait dans le livre de Michel Legris, s'efforçait d'évaluer, dans la livraison d'avril de cette revue [1], le « glissement » du journal, et concluait que, si les informations qu'il donnait étaient presque toujours véridiques, elles étaient assez souvent présentées de façon tendancieuse. Inconvénient d'autant plus fâcheux qu'elles n'en bénéficiaient pas moins de la réputation d'objectivité du journal.

« Le mal, c'est le monopole. Qu'un journal soit devenu le *compendium* de la culture française, le moniteur de l'intelligence et de la politique française, que rien ne compte vraiment qui n'y soit paru, voilà une situation malsaine en régime de liberté, et malsaine pour *le Monde* lui-même. »

C'est ainsi que dans cette atmosphère nouvelle, où les échos allaient s'amplifiant, le sentiment se répandit parmi le public intéressé que, plutôt que le contenu même du livre de Legris, jugé par plusieurs inférieur à ses ambitions, c'est son existence même qui constituait l'événement et la nouveauté. En revanche, la réaction immédiate du journal fut de dénier toute originalité à l'offensive : « dernière en date », selon le communiqué, de toute une série d'attaques. Or, avant même que l'on s'interroge ici sur les fondements de la thèse centrale du pamphlet — celle d'une rupture fondamentale intervenue dans la ligne du journal aux alentours de 1969 —, le lecteur qui nous aura suivis jusqu'à ce point considérera peut-être que l'histoire du premier âge du *Monde* apporte quelques éléments de réflexion sur la nature, spécifique ou non, de l'assaut de Legris. Était-il donc légitime d'assimiler, comme fit solennellement *le Monde,* la philippique de cet ancien collaborateur, homme seul, aux attaques de jadis, et, par exemple, pour ne citer que les plus marquantes, aux offensives communistes des premiers mois, en 1945, aux entreprises de Courtin, ensuite, de l'intérieur, ou à la tentative du *Temps de Paris,* un peu plus tard?

1. « *Le Monde* en question », avril 1976, p. 764-778.

Nous savons bien que depuis sa création le journal a été soumis aux feux croisés de la droite et de l'extrême gauche. Certes. Mais la musique était tout autre, car, loin de prétendre déceler un glissement, une rupture, la trahison insidieuse ou brutale d'une tradition, l'une et l'autre lui reprochaient au contraire, chacun depuis sa place et symétriquement, de persévérer dans ses erreurs de toujours.

La droite traditionnelle et les milieux gouvernementaux, pour leur part, ont constamment été d'autant plus acerbes à l'égard du *Monde* qu'ils ne le jugeaient pas à l'origine comme un adversaire naturel. Au contraire, ils ont toujours estimé que les positions dont ils lui font grief sont, en définitive, contraires à sa vocation profonde.

Significatif est le ton employé par les confrères conservateurs du *Monde* qui se sont érigés en censeurs. Les débats d'opinion, les polémiques mêmes sont une chose naturelle entre journaux d'opinions différentes, et *le Monde* ne s'est jamais privé de critiquer *le Figaro* avec une ironie ou une condescendance qui ne pouvaient manquer d'irriter les rédacteurs de ce dernier. Les passes d'armes, parfois fort vives et fort gaillardes, entre Pierre Brisson, directeur du *Figaro*, et Hubert Beuve-Méry, directeur du *Monde,* sont restées dans les mémoires et appartiennent à l'histoire de la presse. Mais le fait remarquable est ailleurs : tandis que *le Monde* n'a jamais contesté au *Figaro* le droit de défendre les positions qu'il prenait, quitte à les critiquer sévèrement, *le Figaro* a souvent donné l'impression, à travers anathèmes et objurgations, d'en appeler d'un *Monde* mal orienté à un *Monde* mieux orienté. Le ton fut souvent celui qu'on emploie à l'égard d'un fils de famille qui fait des bêtises; bêtises provisoires, on l'espère. « Pas ça, ou pas vous », semblait-il lui dire. Seul peut-être, Raymond Aron a paru se résigner à l'inévitable et a parlé du *Monde* avec un mélange de causticité et de découragement.

De la même façon, les gouvernements successifs de la IVe, puis de la Ve République, ne se sont jamais tout à fait résignés à voir *le Monde* refuser la succession du *Temps* en politique extérieure, c'est-à-dire refuser de se faire l'interprète et le défenseur de l'action officielle de la France au-dehors. Dans des contextes fort différents, Georges Bidault, Guy Mollet, le général de Gaulle, ont ressenti aussi amèrement le ton frondeur du journal à l'égard du pouvoir (la vérité invitant à ajouter que le dernier d'entre eux fut sans doute le seul à n'avoir pas rêvé à des mesures de rétorsion).

Voyez enfin le domaine économique et financier : les pages du journal sont, dans ce secteur, parmi les meilleures de la presse quotidienne non spécialisée, en sorte que leur lecture s'impose aux milieux concernés. C'est pourquoi les gens d'affaires, la Bourse, la Banque ont été si souvent déconcertés et scandalisés par les positions du journal. Comment accorder une telle importance au rôle de la finance tout en lui restant si obstinément hostile? Il est vrai qu'ici, dans les premières années du journal, la tradition du *Temps,* faite de compréhension à l'égard du grand capital, et libérale d'inspiration, a été dans une certaine mesure continuée par des hommes comme Marcel Tardy, chef du service économique jusqu'en 1961, et par René Courtin lui-même, fort attaché au libéralisme économique. Mais, avec l'influence grandissante de Gilbert Mathieu, la rubrique économique devient franchement critique à l'égard des autorités économiques et bancaires; le fait économique ou financier cesse d'être examiné en lui-même; il est systématiquement relié à ses incidences sociales, et les milieux d'affaires ont pu ajouter, dans la même ligne, ce grief aux précédents.

Fondamentalement et au-delà des thèmes d'actualité, la principale critique adressée au *Monde* par les milieux modérés et conservateurs concerne sa complaisance supposée à l'égard du communisme et de l'Union soviétique. Ici encore, il suffit de rappeler la belle époque du « neutralisme » pour ne pas douter d'une continuité dans la critique. Si l'on renonce en général à faire du journal un auxiliaire conscient du communisme, on s'en remet depuis toujours à des explications de type caractériel — absence de virilité, masochisme, intellectualisme défaitiste... Mais observons bien que le thème même du défaitisme du *Monde,* si souvent répandu par la droite, souligne assez l'ambiguïté des critiques de celle-ci : car le défaitisme est une disposition psychologique que l'on prête aux partenaires et non pas, bien évidemment, aux adversaires...

Voilà pour la droite. En face, du côté des communistes, la critique permanente prend l'exact contre-pied de la précédente — mais la continuité n'est pas moindre. Pour eux, le *Monde* ne peut être considéré comme faisant partie de la famille, même à titre de cousin éloigné; le *Monde* est un organe de la bourgeoisie.

Lors de la fête de *l'Humanité,* le 9 septembre 1978, à une militante qui s'est plainte d'avoir dû recourir à « un autre titre que *l'Huma* » pour comprendre un rapport de Georges Marchais, Roland Leroy, directeur du quotidien communiste, répond : « Le journal dont cette militante préfère taire le nom, moi je le nommerai, c'est *le Monde,* et *le Monde* c'est un instrument de la bourgeoisie et de l'idéologie dominante [1] ! »

Au demeurant, cette attitude n'exclut pas les nuances : il s'agit de la « grande bourgeoisie » quand le journal se montre particulière-ment critique à l'égard du PC ou des démocraties populaires, mais, quand les positions se rapprochent, le journal devient tout naturelle-ment le représentant de la « bourgeoisie éclairée », celle avec laquelle des alliances sont concevables. D'où l'étrange ambivalence des rapports des communistes avec *le Monde,* le tri permanent qu'ils font dans les nouvelles et les commentaires fournis. Les uns et les autres leur conviennent-ils? Ils n'hésiteront pas à invoquer le sérieux du *Monde* et sa réputation à l'appui de leur cause; leur sont-ils défavorables, et c'est la nature foncièrement bourgeoise du journal qui est alors mise en avant, avec des pincettes. « De toute la presse bourgeoise, *le Monde* est à la fois le moins et le plus bourgeois qui soit », écrivent de façon significative Aimé Guedj et Jacques Girault, tous deux communistes, dans la préface de leur livre sévère consacré au *Monde* [2]. Cet étrange va-et-vient, qui permet à l'un des partenaires d'attribuer à l'autre une personnalité différente, au gré de ses besoins, et qui dure, à peu près inchangé, depuis trois décennies, loin de briser la continuité des attitudes, en assure, sur le long terme, la permanence profonde. Aux sautes d'humeur de *l'Humanité, le Monde* répond sur un ton las, légèrement excédé, interrompu quelquefois par une volée de bois vert : dans l'ensemble, les rédacteurs du *Monde* se sont philosophiquement résignés au double visage qu'on leur fait au parti communiste.

Tout cela, dira-t-on, renforce clairement la thèse du fameux communiqué, selon quoi le changement n'est qu'apparence, et tout est recommencement. Seulement on ne peut pas s'en tenir là. A la lumière de l'histoire, il est clair que la nouveauté de 1976 existe,

---

1. *Le Monde,* 12 septembre 1978 (encadré).
2. « *Le Monde* »... *humanisme, objectivité et politique, op. cit.,* p. 8.

mais qu'elle est ailleurs. En butte aux critiques constantes de la droite et des communistes, *le Monde* a bénéficié jusqu'à cette date, après le bref flottement de 1945, d'un véritable privilège d'immunité parmi l'*intelligentsia* de gauche. Certes, çà et là, des critiques avaient dès avant 1976 commencé de s'élever. Ainsi Paul Thibaud, analysant dans *Esprit,* en 1972[1], les suppléments que *le Monde* consacre périodiquement à tel département français (la Réunion...), à telle république africaine (la Tunisie...), avait fait remarquer que dans leur conformisme et leur platitude ces suppléments avaient pour principale fonction de constituer de merveilleux supports publicitaires auxquels les annonceurs locaux avaient bien du mal à résister : « L'atmosphère ouatée du supplément n'est évidemment pas étrangère à l'abondance de publicité qu'il contient. » Cependant, pour l'essentiel, la fronde d'une partie des fidèles lecteurs du journal restait orale : soit qu'ils craignissent d'être assimilés aux ennemis traditionnels du *Monde,* soit qu'il ne se trouvât guère d'organes de presse de gauche disposés à braver la colère de son prestigieux confrère.

C'est ce tabou que brise le pamphlet de Legris, et tel est l'événement. Car, dans le cas d'un tabou, c'est la première offense qui est mortelle. La hardiesse, comme la pusillanimité, est communicative. Une fois les premiers coups portés, des griefs longuement retenus s'exprimèrent de concert, donnant aux responsables du *Monde,* selon leur pente ordinaire, l'impression d'une opération concertée — impression que la diversité des points de vue aurait dû suffire à infirmer.

---

1. « Les pages roses du *Monde* ou la douceur de vivre », *Esprit,* juill.-août 1972, p. 102-104. La tradition ambiguë des suppléments s'est continuée jusqu'à nos jours. Elle diminue la crédibilité du journal en matière de morale politique. Ainsi, à l'occasion du voyage du président de la République française au Brésil, *le Monde* du 5 octobre 1978 titrait avec raison qu'à la veille de son départ « M. Giscard d'Estaing s'est abstenu de tout commentaire sur la question des droits de l'homme ». L'article de Patrick Jarreau opposait cette attitude à celle de M. Jimmy Carter dont les critiques sur le sujet avaient indisposé ses hôtes brésiliens. Le lendemain, 6 octobre 1978, *le Monde* consacrait un supplément de 16 pages — dont la moitié de publicité spécialisée — au Brésil, mais, sur la question des droits de l'homme, le journal « imitait de Giscard le silence prudent »...

Un changement d'échelle

Reste la question de fond : *le Monde* avait-il, en changeant de directeur, en passant de son premier à son deuxième âge, changé de nature profonde? A la réponse affirmative de Legris s'opposait la solennelle dénégation du communiqué, réaffirmée, un an plus tard, à l'occasion du dix millième numéro du journal par Jacques Fauvet, proclamant [1] : « Le monde a changé; *le Monde,* lui, n'a changé ni d'esprit ni de vocation. »

Nous n'espérons pas épuiser ici un problème quasi métaphysique : une réponse définitive supposerait une rigoureuse analyse de contenu sur une période, celle des dix dernières années, débordant le cadre de cette étude. Mais nous décevrions probablement le lecteur de 1979 si nous ne rassemblions pas pour finir, au terme de notre parcours, les éléments partiels de réponse que peut apporter une meilleure connaissance des origines et du premier âge du journal, confronté à celui d'aujourd'hui.

Qui fait la chasse aux nouveautés part forcément du plus évident, du plus immédiat : à savoir le changement d'épaisseur du journal.

On est presque tenté de se demander, dans un premier mouvement, ce qu'il peut y avoir de commun entre le journal des débuts, limité d'abord à un austère recto-verso, puis à 4 pages, puis à 12 ou même 18, et les 48 pages d'aujourd'hui, dont le contenu représente quotidiennement, en nombre de mots, la valeur d'un livre de 250 à 300 pages (700 000 à 800 000 signes).

Certes, la place continue de manquer à chaque rubrique : c'est la loi de Parkinson qui se vérifie. L'information est essentiellement élastique et tend spontanément à occuper toute la place qui lui est accordée. Au *Monde* comme ailleurs, les conférences de rédaction ont toujours pour objectif principal et prioritaire de répartir au mieux la pénurie. Mais enfin les chefs de service, surtout les plus anciens, constatent volontiers qu'en gagnant en espace leur rubrique a changé

---

1. « Le souci de l'indépendance », *Le Monde,* 25 mars 1977.

de nature. On pourrait en dire autant des exigences des lecteurs, dont les appétits vont croissant au fur et à mesure que les nourritures qui leur sont offertes sont plus abondantes et plus variées. Longtemps, le slogan publicitaire du journal fut : « *Le Monde, on ne le parcourt pas, on le lit.* » Aujourd'hui, la plupart des lecteurs, faute de temps, se contentent de le parcourir ou de n'en lire attentivement qu'une partie. Cela ne les empêche pas de se montrer souvent insatisfaits du volume d'information qui est offert dans leur rubrique favorite. Paradoxalement, l'abondance d'une rubrique peut faire paraître plus arbitraire la sélection des nouvelles qu'elle contient. Faut-il un exemple? Longtemps, syndicalistes et spécialistes des problèmes sociaux se plaignirent du relatif sous-développement de la rubrique sociale dans *le Monde*, et qu'il y fût rarement rendu compte, en particulier, du déroulement des grèves. Aujourd'hui, cette rubrique s'est étoffée : de nombreux conflits du travail font l'objet de reportages; les résultats les plus significatifs des élections professionnelles y figurent. Or, cela accroît en réalité l'insatisfaction des acteurs et des spécialistes; pourquoi, pensent-ils, telle grève, telle consultation, et non telle autre? Que cache ce choix? Dans un pays où les grèves sont plus souvent des appels à l'arbitrage de l'opinion publique et à l'intervention de l'État que de véritables épreuves de force, on peut mesurer, compte tenu du rôle d'entraînement joué par *le Monde* à l'égard d'autres médias, la responsabilité qui est la sienne d'attirer l'attention sur un conflit plutôt que sur un autre. Si bien qu'à examiner les choses de près, on peut penser que *le Monde* provoquerait moins de frustrations s'il était plus succinct. Une partie de la légende d'un « âge d'or » du *Monde* qui se situerait dans les années cinquante et soixante tient peut-être à cela. Et pourtant on ne peut nier que, en s'alourdissant, l'instrument de travail quotidien s'est amélioré dans le sens même que souhaitaient ses fondateurs.

L'accroissement de la taille du journal et, conjointement, du nombre de ses rédacteurs fait qu'il est de plus en plus difficile d'en parler globalement. A l'intérieur de la rédaction, les dissonances, naturellement, n'ont jamais manqué : qu'on se rappelle celles qui, dans les premières années, se produisaient entre les anciens du *Temps* et la « promotion de la Libération ». Seulement, les choses étaient, dans les débuts, relativement simples. Si la campagne neutraliste des années 1948-1952 fit tant de bruit, c'est que cette prise de position en flèche se détachait sur un fond d'informations plus limitées, plus neutres, plus homogènes peut-être. Aujourd'hui, l'abondance des articles, le nombre et la diversité des rédacteurs interdisent dans bien des cas de porter des jugements globaux. Il est assez aisé, à condition de sélectionner des exemples, de suggérer, au choix, que le Monde est prosocialiste, procommuniste, ou encore gauchiste, voire subtilement conservateur. D'une rubrique à l'autre, ou même à l'intérieur d'une même rubrique, d'un rédacteur à l'autre, le ton et les points de vue varient plus sensiblement qu'autrefois. Mais, naturellement, cette remarque d'ensemble ne dispense pas d'examiner de plus près tel ou tel argument à quoi les tenants de la thèse d'un changement profond dans la nature du journal depuis dix ans s'attachent volontiers : ainsi son engagement de plus en plus marqué en faveur de la gauche.

Le Monde n'a cessé de se prononcer plus nettement et plus clairement en faveur de la gauche, notamment à la veille des consultations électorales. On dirait volontiers qu'autrefois le Monde était contre le pouvoir, tandis qu'aujourd'hui il est pour l'opposition [1]. Peut-être, en apportant son soutien à la seconde, a-t-il affaibli le poids de ses critiques envers le premier. Mais comment oublier que cette évolution, loin d'avoir commencé avec l'arrivée de Jacques Fauvet, avait été largement amorcée par Beuve-Méry en face de De Gaulle?

Ce qui est vrai, c'est que les sympathies de plus en plus marquées à gauche chez la grande majorité des rédacteurs du journal ont trouvé dans la bipolarisation de plus en plus accentuée du régime politique de la France motif à s'exprimer nettement.

Toute sa vie, le Monde a pris parti au moment des choix politiques essentiels qui se posaient au pays. Interrogé à la télévision par Jean-Louis Servan-Schreiber, Jacques Fauvet était tout à fait fondé à le rappeler aux plus jeunes de ses lecteurs [2].

---

1. « Autrefois, le Monde exerçait la fonction critique. Maintenant il assume un rôle d'opposition », écrit Jean Lacouture, op. cit., p. 108.
2. Jean-Louis Servan-Schreiber, Questionnaire pour demain, Paris, Ramsay, 1977, 322 p., p. 95-120 (entretien avec Jacques Fauvet).

Trois dérapages : Cambodge, Chine, Portugal

Demeure cependant toute la question de ce qui se passe dans l'intervalle de ces grands choix appelant des prises de position solennelles.

La plupart des critiques publics ou privés se sont attachés spécialement, comme fait Legris lui-même dans son livre, à trois cas de figure précis, et récents, que l'actualité a portés au premier plan : le Cambodge, la Chine et le Portugal. Examinons-les donc, en cherchant ce que peut apporter d'éclairage neuf, pour comprendre l'attitude controversée du journal, la connaissance de son passé.

Le Cambodge d'abord. Rappelons qu'après la victoire des Khmers rouges, en avril 1975, l'expulsion brutale par les forces révolutionnaires victorieuses des quatre-vingt-quinze centièmes de la population de Phnom Penh (y compris les malades des hôpitaux) trouva sous la plume de l'envoyé spécial du *Monde,* Patrice de Beer, un des derniers Français restés sur place, d'étonnantes circonstances atténuantes : il alla jusqu'à remarquer que si de nombreux malades avaient trouvé la mort au cours de cet exode forcé, nombre d'entre eux « seraient morts de toute façon dans la pourriture ». Comment ne pas trouver sinistre ce « de toute façon »? Parallèlement, un « bulletin de l'étranger », s'interrogeant sur les raisons qui avaient poussé le nouveau pouvoir à vider la capitale de ses habitants, admettait « comme naturel » que « l'énorme masse des réfugiés [ait été] renvoyée dans les zones rurales ». Était-ce vraiment si « naturel » [1]? Une polémique s'ensuivit avec *l'Aurore* [2]. De façon plus générale, Patrice de Beer opposait un doute systématique aux rumeurs effrayantes qui avaient commencé de filtrer vers l'extérieur au sujet des massacres qui avaient suivi le 17 avril 1975. Les nouvelles ultérieures allaient montrer que ces rumeurs n'étaient que trop fondées.

---

1. *Le Monde,* 9 mai 1975. De son côté, Michel Legris (*op. cit.,* p. 132-143) critique les témoignages de Patrice de Beer dans *le Monde* des 9 et 10 mai.
2. *L'Aurore,* 15 mai 1975. Réponse du *Monde* le 16 mai 1975.

Comment donc expliquer ce provisoire aveuglement — semblable à celui des services secrets qui ne sélectionnent parmi les renseignements reçus que ceux qui sont conformes à un schéma préétabli? En l'espèce, *le Monde* se trouvait victime de la fonction de contre-information qu'il avait si souvent et si utilement exercée dans les affaires coloniales; l'attitude d'hostilité aux guerres coloniales adoptée par *le Monde* sous la IVᵉ République a largement préparé le « tiers-mondisme » de la période suivante.

En Indochine, la propagande américaine et une grande partie de la presse française avaient si souvent présenté les événements d'une manière erronée ou incomplète que le témoignage des partisans de l'Occident, ou de réfugiés supposés tels, était nécessairement suspect. Supputant les raisons du verrouillage complet du pays, Patrice de Beer écrivait : « Pourquoi cette attitude? Sûrement pas, comme tente de le faire croire l'administration américaine qui se raccroche à sa théorie du " bain de sang ", pour cacher des horreurs que de sadiques hommes en noir seraient en train de perpétrer. » C'était s'avancer beaucoup. Trop. Le refus du nouveau pouvoir de montrer au monde extérieur ce qui se passait au Cambodge aboutissait à un quasi-acquittement au bénéfice du doute, cependant que l'origine américaine d'informations alarmantes les faisait rejeter, au bénéfice du doute également : le redresseur de torts, sur la lancée d'un très honorable passé, avait cette fois étouffé le reporter [1]...

Après le Cambodge, la Chine : depuis le déclenchement de la révolution culturelle jusqu'aux années 1974-1975, la Chine de Mao bénéficia dans l'*intelligentsia* de gauche, on s'en souvient peut-être encore, d'une extraordinaire faveur qui se reflétait souvent dans les colonnes du *Monde*. Grâce aux articles de son correspondant à Pékin, Alain Bouc, le journal donna à l'idéologie maoïste de considérables aliments. Son conformisme gouvernemental ne pouvait que faire sensation dans les colonnes d'un quotidien qui a bâti sa réputation sur son esprit critique et son refus des pouvoirs installés. Certes, dans plusieurs pays francophones, l'importance des

---

1. Une présentation beaucoup plus critique des réalités cambodgiennes sera donnée les 17 et 18 février 1976, par un collaborateur extérieur, François Ponchaud, sous le titre « Le Cambodge, neuf mois après ».

ventes locales du journal a pu parfois inciter les correspondants à une certaine prudence. Mais tel n'était pas le cas en Chine.

En l'occurrence, les opinions maoïstes du correspondant du *Monde* à Pékin ne sont pas seules en cause. Un homme comme Henri Fesquet, chroniqueur religieux, et pilier du journal, revient de Chine littéralement illuminé par le maoïsme [1]. « La société chinoise, écrit-il, n'est pas répressive. Il est exact de la comparer à une sorte de couvent où chacun n'existe qu'en fonction d'une règle. » Quant à l'autorité, elle n'est qu'un « service », « le peuple d'esclaves est devenu roi ». « Chaste, austère, travailleur, respectueux d'autrui, le Chinois d'aujourd'hui risque de nous irriter... parce qu'il nous fait honte. » Assurément, concluait Fesquet, il est regrettable que cette libération spectaculaire se soit accompagnée d'une certaine répression religieuse. Mais il faut en prendre son parti : « Au reste, le marxisme est en quelque sorte un surgeon de souche chrétienne. »

L'ensemble de ces réactions, jugements et commentaires, laisse d'abord, en vérité, et surtout avec le recul, perplexe, et même abasourdi. Mais ne trouvera-t-on pas une clef de compréhension dans l'observation simple que voici? Si le régime maoïste a exercé pendant longtemps une telle séduction au *Monde,* c'est au fond qu'il était de nature à satisfaire un double courant de sensibilité, fort ancienne et fort vivace rue des Italiens : d'une part, l'aspiration à un ordre social, harmonieux, fortement imprégné à l'origine de morale chrétienne; d'autre part, la sympathie pour les peuples du tiers monde en lutte pour leur émancipation et leur dignité, sympathie qui s'est exprimée par une information de plus en plus abondante, en réaction contre les silences ou les mensonges de la presse conservatrice. Nul doute qu'ici encore la sympathie ait nui à l'esprit critique et ait fait perdre au journal une partie de sa réputation d'objectivité; mais on ne saurait nier, plus que devant, la continuité de l'inspiration.

Pourra-t-on en dire autant des comportements du journal à l'occasion de cette grande affaire portugaise qui passionna et divisa l'opinion publique française tout au long de l'année 1975? L'en-

---

1. « La Chine dans un mouchoir, un peuple profondément humain », *Le Monde,* 16-17 novembre 1975.

thousiasme de la gauche française pour la « révolution des œillets » se retrouva naturellement dans les colonnes du *Monde,* que l'on n'avait jamais vu aussi compréhensif à l'égard d'un régime militaire, à l'exception de celui de Lin Piao, à la fin de la révolution culturelle chinoise. La conjonction des militaires du Conseil de la révolution, des communistes et des gauchistes, y suscita des commentaires favorables, cependant que les éléments plus modérés, regroupés autour du parti socialiste de Mario Soarès, et les militaires plus soucieux de pluralisme dans le processus révolutionnaire (tel Melo Antunes) y étaient traités de manière nettement plus réservée par José Rebelo et surtout Dominique Pouchin, respectivement correspondant et envoyé spécial du *Monde* à Lisbonne. Nulle question de leur reprocher leurs préférences, mais seulement de se demander si elles ne se sont pas souvent interposées entre leur regard et la réalité. On doit convenir que l'ensemble des informations et des commentaires consacrés par *le Monde* à l'affaire portugaise ne préparait guère le lecteur à une bonne intelligence des événements qui allaient suivre : en minimisant les tentatives d'Alvaro Cunhal et du parti communiste qu'il dirigeait pour noyauter les administrations et les institutions, en refusant d'admettre que son modèle restait celui de la démocratie populaire de l'époque stalinienne et qu'à ce titre il représentait un vrai danger pour les libertés, les rédacteurs du *Monde* ne pouvaient guère donner des émeutes populaires et anticommunistes du nord du pays d'autres images que celles d'un mouvement fanatique, obscurantiste et contre-révolutionnaire — vision pour le moins simplifiée et incomplète.

Le malaise suscité par les positions du *Monde* dans l'affaire portugaise connut son apogée avec le fameux « bulletin de l'étranger » du 21 juin 1975, paru sous le titre « Révolution et liberté », puis la justification qu'en donna Jacques Fauvet le 1er juillet pour répondre aux commentaires de Raymond Aron dans *le Figaro* du 23 juin et d'Edgar Morin dans *le Nouvel Observateur* du 30 juin. L'anonymat du « bulletin de l'étranger », dont on sait qu'il fait l'objet de la part de la direction, depuis la naissance du journal, d'une attention particulière, confère toujours à son contenu le caractère et la dignité d'une prise de position plus collective que ne saurait le faire un article signé par l'un de ses collaborateurs.

Jusqu'alors, le principe de la liberté de la presse n'avait jamais été remis en question par *le Monde*. Bien au contraire, il en avait toujours fait un de ses chevaux de bataille, estimant sans doute, comme Marx lui-même, qu'elle est la condition de toutes les autres libertés. Or le rédacteur du « bulletin de l'étranger » du 21 juin n'hésitait pas à écrire que le « retard culturel d'un pays, un long passé de dictature et d'obscurantisme rendent difficile l'application immédiate et sans nuance d'une liberté d'expression qui a souvent tendance à s'exercer au profit des nostalgies du passé encore installées dans l' " appareil ". Au Portugal, la " liberté de presse " dont se réclament les socialistes n'a pas deux ans et ses " utilisateurs " [1] ne sont pas sans arrière-pensée ». Sans doute, l'auteur de l'article ajoutait-il : « L'expérience montre aussi que ni la vérité, ni l'information qui la sert envers et contre tout ne sauraient être mises bien longtemps au service d'une cause sans se dégrader en propagande. Or, en matière de presse plus qu'en aucun autre domaine, il est plus difficile de reconquérir une liberté perdue que de défendre celle qui existe. » Mais la conclusion revenait à la proposition initiale : « La vraie question n'est-elle pas alors de savoir si, en permettant à tous d'user de la liberté d'expression, on ne permet pas en fait à quelques-uns d'en abuser ? »

On ne pouvait guère interpréter cet article autrement que comme une discrète approbation à une éventuelle limitation de la liberté de la presse dans la situation que connaissait alors le Portugal. Or, subordonner la liberté de la presse à une plus grande maturité politique du peuple portugais, n'était-ce pas, précisément, rendre celle-ci impossible ? Certes, Jacques Fauvet, dans sa défense de l'article incriminé, s'attachait à limiter la portée du propos en opposant à la « légitimité révolutionnaire » du Portugal de 1975 la « légitimité démocratique » qui régnait en France et qui continuerait d'y régner en cas d'arrivée de la gauche au pouvoir. Mais l'opposition, considérée comme inévitable, entre révolution et démocratie, ne laissait pas, en soi, d'inquiéter. De plus, l'argument n'était guère convaincant. Un pouvoir qui s'attaque arbitrairement aux libertés publiques ne manque jamais de se réclamer d'une autre légitimité, la légitimité révolutionnaire, justement. Avant Lénine,

1. Ces guillemets sont de l'auteur de l'article.

293

Mussolini en avait usé de la sorte. De tels propos justifiaient l'expression de « symbiose molle » entre principe libéral et principe progressiste qu'avait employée Edgar Morin. Ils révélaient, dans un journal fortement attaché aux libertés, de soudaines intermittences du libéralisme et une certaine compréhension de la raison d'État dès lors que ce dernier paraissait au service de la justice sociale. Dans l'affaire portugaise, *le Monde* se trouva en état de divorce avec le socialisme démocratique et bien près des positions du socialisme autoritaire [1]...

Ici plus que dans les cas précédents, une certaine fidélité paraît difficile à démontrer par rapport au *Monde* ancien... Emportés par leur élan, passionnément soucieux de ne pas perdre le contact avec la jeunesse nouvelle, Jacques Fauvet et son équipe ont perdu la mesure juste des choses. Encore faut-il bien marquer que c'est là moins l'effet d'une nouveauté radicale que l'exaspération de tendances anciennes.

Il s'agit de la nature même d'un certain idéalisme moral qui n'a pas cessé d'inspirer le journal. Bien que, dans sa dénonciation des abus du capitalisme, *le Monde* rencontre souvent la critique marxiste, on ne saurait dire pourtant que, de façon générale, il s'inspire des mêmes sources. Les marxistes prétendent parler au nom de la science ; *le Monde* invoque de préférence le sentiment inné de la justice. Écoutons encore Jacques Fauvet [2] : « D'origines et de tendances diverses, les rédacteurs et les responsables de ce journal ont entre eux un minimum d'idées communes. Avant tout, la passion de la justice. » Et d'ajouter, un peu plus loin : « En servant la justice, c'est aussi la liberté que l'on défend. » On dira peut-être que dans le cas portugais on pourrait changer la maxime, si l'on suivait le fameux bulletin, et traduire : « Pour servir la justice, il faut

1. Il est intéressant de noter que, sur la phrase la plus litigieuse (« La vraie question... »), la justification de Jacques Fauvet face à Jean-Louis Servan-Schreiber, dans *Questionnaire..., op. cit.,* est embarrassée :
« Isolée comme ça, elle peut choquer en effet, bien que je me rappelle le fameux mot d'André Malraux : " Pas de libertés aux ennemis de la liberté. "
» C'est évidemment une maxime dangereuse, puisqu'elle peut conduire au totalitarisme. Mais je suis d'accord avec cette phrase dans la mesure où elle s'inscrit dans une continuité, dans un raisonnement. D'ailleurs, c'est un petit peu ce qui se passe chez nous aussi. On ne peut pas dire que, sur un certain plan, la liberté de la presse soit totale » (p. 106).
2. « Le souci de l'indépendance », *Le Monde,* 25 mars 1977.

parfois sacrifier quelque liberté. » Mais l'essentiel, c'est l'enchaînement des idées, et la hiérarchie des valeurs : pour la pensée libérale orthodoxe, la justice ne saurait être qu'un produit de la liberté. Pour le directeur du *Monde,* l'ordre des priorités est inversé. En écrivant cela, Fauvet a-t-il innové par rapport à Beuve-Méry? La réponse doit être nuancée. Si l'on se réfère à la position du *Monde* sur un axe hypothétique où l'on serait situé d'autant plus à gauche que l'on donnerait plus nettement la priorité à l'égalité sur la liberté, il faut répondre positivement. *Le Monde* se situe nettement plus à gauche que dans le passé. Mais il est bon de se souvenir également des diatribes de Beuve-Méry lui-même contre l'aveugle égoïsme d'un certain libéralisme, notamment à l'époque d'Uriage. Il écrivait par exemple en 1943 : « Puisque l'objectif final est le succès d'une révolution vraiment humaine, quel crédit pouvons-nous accorder à l'impérialisme et au matérialisme américains [1] ? », et n'hésitait pas à renvoyer dos à dos capitalisme libéral et communisme totalitaire. A cet égard, la continuité d'inspiration, sinon de comportement, est évidente. Il est vrai que l'exagération d'une tendance peut la dénaturer entièrement. Toute la question est de savoir si, en affirmant, comme il l'a fait parfois, de *façon univoque* la dépendance de la liberté par rapport à la justice, *le Monde* du deuxième âge n'a pas remis en cause le fragile équilibre entre ces valeurs, que *le Monde* du premier âge avait tenté de préserver. On en discutera longtemps.

Le fonds chrétien démocrate

Le moralisme du *Monde*... Il est temps d'élargir la réflexion, par-delà les cas d'espèces, en s'interrogeant sur d'autres constances et d'autres évolutions.

Notons d'abord que le journal, depuis toujours, fait mauvais ménage avec l'humour, cette distance par rapport à soi-même, par rapport aux leçons que l'on donne et aux certitudes péremp-

---

1. « Témoignage d'un Français occupé », *Réflexions politiques, op. cit.,* p. 143.

toires. La denrée a toujours été rare au *Monde* — au point que sa rédaction a eu l'extraordinaire idée d'ouvrir par moments une rubrique précisément intitulée « Humour », comme si l'on voulait en être quitte avec deux colonnes.

Mais à ce chapitre il faut rattacher plus important : la question de l'influence du catholicisme.

Assurément, la dominante chrétienne démocrate, nettement marquée dans le recrutement de la Libération, dans le droit-fil de la formation et des amitiés du fondateur, s'est beaucoup effacée. Aujourd'hui, la majorité des journalistes est sans doute agnostique. Mais ne peut-on pas aussi considérer que cette progressive « laïcisation » des esprits est conforme à la démarche même du milieu catholique social et libéral auquel *le Monde* appartenait à l'origine, aux côtés d'autres institutions françaises comme la CFTC, devenue en 1964 CFDT? La réussite sociale, culturelle, voire politique de ce milieu, est l'un des fils conducteurs à suivre, à travers l'écheveau de notre société, et l'un des facteurs importants du renouvellement des élites dans la France de l'après-guerre. On pourra, selon les inclinations personnelles, juger hypocrite un cheminement qui a conduit les élites catholiques sociales et libérales à estomper progressivement leurs origines pour mieux se fondre dans l'ensemble de la société, ou au contraire saluer la vitalité d'un milieu capable de changer profondément et souvent inconsciemment de présupposés à mesure que la nécessité d'évoluer se faisait clairement sentir.

Pour aller au plus concret, voyez l'installation même du journal : dans les meubles du protestantisme bourgeois le jansénisme du *Monde* s'est aisément trouvé à l'aise. Aujourd'hui encore le visiteur qui pénètre dans l'immeuble du numéro 5 de la rue des Italiens est frappé par le côté « comme il faut » du décor comme des occupants : rien dans ces bureaux un peu tristes, parfaitement dépourvus de fantaisie, qui évoque, même de loin, le luxe confortable des magazines américains, le décor « design » de leurs homologues français, le désordre ostentatoire des hebdomadaires parisiens, ou le dénuement romantique des revues intellectuelles. Ni luxe, ni pauvreté sordide, mais la grisaille de locaux impersonnels, sans imagination, avec, çà et là, une pièce de musée : ainsi le bureau austère et solennel qui fut celui des directeurs du *Temps* avant de l'être de ceux du *Monde,* où la cheminée s'orne d'une pendule et de. vases remontant au grand Adrien Hébrard. Ici, on déteste le débraillé; chez les plus anciens, les plus titrés, le costume reste sombre, la cravate fonctionnelle et la Légion d'honneur discrète. Chez les plus jeunes, le vêtement, plus décontracté, fuit spontanément la vulgarité aussi bien que la recherche. Le langage, qui ne recule plus devant le mot crû quand il est le mot propre, conserve on ne sait quoi de retenu, de soigné, même quand il se donne les allures du laisser-aller. La voix — est-ce là encore l'héritage de Beuve? — se contente d'un faible volume. Le style murmuré des conversations, propre à la maison, dénote l'assurance, et non, comme on pourrait croire, la timidité : l'étranger se trouve tenu de tendre l'oreille, et de se résigner à l'irréparable si, d'aventure, quelque chose lui échappe. Ce style un peu guindé serait assurément protestant s'il n'était catholique; mais d'un catholicisme particulier, épuré du mauvais goût méditerranéen, et teinté de discrétion anglo-saxonne; en somme un catholicisme janséniste et volontiers gallican. En sortant de là, on a envie de parler des « messieurs du *Monde* » comme à propos des solitaires, on parlait des « messieurs de Port-Royal ».

Catholicisme de province? Quelquefois, quand on remonte aux origines. Beaucoup moins aujourd'hui? Certes, mais qu'on ne s'y trompe pas : *le Monde* est parisien parce que Paris ne pouvait ignorer *le Monde,* parce que l'esprit parisien, faute de conquérir *le Monde,* a décidé que l'air du *Monde* ferait partie de l'air de Paris.

Catholicisme pauvre? Nous savons bien, ayant revécu longuement dans ces pages les débuts du journal, que ce fut longtemps le cas, par obligation, par prudence, par passion de l'indépendance, et aussi par conformité au tempérament même du fondateur. S'il est loisible de rapprocher le moralisme catholique et rigoriste du *Monde* d'un certain puritanisme protestant, ils ne s'opposent pas moins sur une question essentielle : la question de l'argent. Convaincu que la fortune est une tare et non une bénédiction, *le Monde* est héritier de la tradition catholique et non protestante.

La prospérité, il est vrai, est venue, nourrie par la hausse des tirages et de la publicité, et avec elle, forcément, une certaine évolution psychologique de l'équipe — que n'obsèdent plus les fins de mois. Les salaires sont désormais à même d'assurer un niveau de vie fort confortable aux journalistes. Ce changement-là, par rapport aux débuts, n'est pas de mince portée.

Beuve-Méry, naturellement, depuis sa thébaïde du cinquième étage s'en inquiète souvent — d'un point de vue moral, probablement, parce qu'il craint toujours l'hydre de la corruption intestine des valeurs; d'un point de vue financier en tout cas : il redoute, suivant une image qui lui est familière, que le bateau, agrandi, plus rapide et plus majestueux, chargé de voiles, offre aussi une plus dangereuse prise au vent lorsque se lèvera la tempête. Certes, lorsque le *J'informe* de Joseph Fontanet a paru rééditer contre *le Monde,* en 1977, après vingt ans, l'aventure du *Temps de Paris,* la feuille nouvelle n'a pas pu, par un étrange bégaiement de l'histoire, dépasser de plus de 11 numéros la durée du quotidien de Philippe Boegner. Mais *le Matin de Paris* semble bien avoir pris au *Monde* quelques milliers de lecteurs en province...

Il y aurait du pharisaïsme à déplorer la disparition d'un certain misérabilisme, jadis inévitable, mais qui pourrait être aujourd'hui franchement délétère pour l'entreprise elle-même, dans notre société telle qu'elle est devenue. Et il existe en tout cas un fort mauvais procès : celui qu'on entend souvent faire, à droite, dans des milieux qui admettent mal que, du haut d'une puissance matérielle désormais installée, le journal ait continué de lancer l'anathème contre les égoïsmes sociaux et les injustices de toutes sortes. La fidélité à ses origines et à ses convictions devrait-elle être le monopole de ceux qui ont échoué? Ajoutons que sur ces bords-là, sans trop le dire, on exprime aussi sous cette forme le dépit que la prospérité, en renforçant les assises de l'entreprise, l'ait mis du coup mieux à l'abri — en dépit des inquiétudes possibles que l'on a dites — des menaces, des tentations internes et des tentatives externes, sinon toujours des crises de la croissance et des risques de la puissance.

Le Parlement, la nation

Un autre fil continu dans la vie du journal, c'est son attachement au ·parlementarisme. Mieux : ici, l'héritage du *Temps,* comme organe officieux de la république parlementaire bourgeoise, a été accepté sans discussion. Hubert Beuve-Méry, nous le savons, n'a jamais manifesté beaucoup de goût pour la politique intérieure avec ses combinaisons mesquines et hasardeuses. Il a toujours laissé cette tâche à ses spécialistes — dont certains venus du *Temps* comme André Ballet — et surtout à Jacques Fauvet, chef du service politique pendant dix ans (1948-1958) avant de devenir rédacteur en chef adjoint. Auteur d'un livre de référence sur les partis politiques, Jacques Fauvet n'a jamais, sous la IVᵉ République, ménagé ses critiques à des institutions souvent inadaptées et à des hommes politiques sans caractère. Mais son attachement au système parlementaire est inébranlable ; il ne pardonnera jamais à de Gaulle d'avoir en quelque sorte décentré la vie politique française et d'avoir fait du Palais-Bourbon un musée, un théâtre d'ombres. Après lui, Raymond Barrillon se réclame de la même tradition ; il poursuit d'une·aversion tenace et systématique les institutions de la Vᵉ République ; il fouaille la classe politique pour sa mollesse et sa capitulation devant le pouvoir personnel. Quand la gauche manifeste son unité, il se réjouit. Quand elle se divise, il ne cache pas sa réprobation et morigène avec sévérité tous ceux, communistes, socialistes ou radicaux, qui au fil des jours sont coupables à ses yeux de manquements à l'Union de la gauche. D'une façon générale, tout ce qui peut paraître une entrave à l'épanouissement de la vie parlementaire est mal vu de l'équipe politique du journal, qu'il s'agisse de l'élection du président de la République au suffrage universel, de l'institution des suppléants éventuels aux députés, ou de la représentation proportionnelle. Dans ce concert, Maurice Duverger, prestigieux collaborateur du journal, extérieur mais régulier, apporte l'autorité de l'expert en droit constitutionnel et en science politique. Il introduit aussi une note de non-conformisme. Lui-même très attaché au système parlementaire, il en met au jour sans indulgence les défauts. Très tôt, avant même la chute du régime, il a fait campagne pour des remèdes tels que le renforcement du pouvoir exécutif, la réintroduction du principe majoritaire dans les mécanismes électoraux. Le plus gaulliste des adversaires de la majorité en place n'est pourtant pas le seul dans les colonnes du journal à exprimer un point de vue différent de la rédaction ; le Monde a toujours pris soin d'équilibrer son hostilité au système politique de la Ve République par la généreuse hospitalité qu'il accorde à ses partisans : c'est ainsi que, depuis qu'il n'est plus ministre, Michel Debré peut passer pour un collaborateur irrégulier, mais fidèle, du journal. Et pourtant si la IVe République renaissait de ses cendres, de tous les grands organes de presse, le Monde serait sans doute, avec l'Humanité, celui qui s'y résignerait le plus aisément, non sans multiplier les mises en garde.

La troisième des grandes constantes qu'il convient de mettre en évidence, du premier au deuxième âge du Monde, c'est ce que l'on serait tenté d'appeler, si le mot ne prenait trop souvent une signification péjorative, un certain nationalisme. Assurément, ses dirigeants et ses rédacteurs se sont toujours défiés de l'exaltation du sentiment national quand il sert à la droite d'arme d'intimidation, lorsqu'il incite à l'aventure guerrière ou colonialiste ; le journal, d'autre part, a souvent affiché de fermes convictions européennes ; mais celles-ci sont en général assorties de tant de précautions, d'aménagements ou de conditions préalables, qu'elles évoquent souvent (aux périodes sans de Gaulle en tout cas...) l'européisme à la mode gaullienne.

Au vrai, les journalistes du Monde ont souvent donné l'impression de transposer à hauteur de la nation la farouche volonté d'indépendance qui les animait en faveur de leur propre maison. Le souci de faire pièce au gaullisme a pu atténuer, voire dissimuler, ces tendances ; elles ont toujours reparu sous la forme d'une réserve, confinant parfois à l'hostilité, à l'égard des nations étrangères qui pourraient directement limiter cette indépendance : au premier chef, les États-Unis et l'Allemagne fédérale.

Point n'est besoin de redire ici tout ce qu'a représenté, dans la vie du journal, la campagne neutraliste, directement dirigée contre les dangers de l'atlantisme et les empiétements américains : on mesurera l'étendue de cette vigilance au fait qu'un des rares articles qu'ait publiés Beuve-Méry dans son journal sans le signer de son nom ou de son pseudonyme ait été consacré aux méfaits du Coca-Cola [1]... Cette dénonciation de l'impérialisme américain sous ses formes militaires, économiques, financières, culturelles, nul après lui ne s'y est consacré avec autant d'ardeur et d'intransigeance que Claude Julien, qui a été chef du service étranger avant de prendre la direction du *Monde diplomatique,* auquel il a donné une orientation résolument favorable aux luttes des peuples du tiers monde et hostile à l'impérialisme américain [2].

La continuité n'est pas moindre du côté de l'Allemagne. L'ex-ennemi héréditaire a toujours été, au *Monde,* l'objet d'une attention sourcilleuse. Longtemps, son réarmement, dont Sirius avait su apercevoir l'amorce à travers la signature du pacte Atlantique, a été considéré comme un risque de première envergure. Et les analyses chaleureuses et nuancées d'Alfred Grosser ne suffisent pas toujours à apaiser les colères que *le Monde* suscite outre-Rhin. Récemment, la publication à la première page du journal (2 septembre 1977) d'un article de Jean Genet qui exprimait compréhension et solidarité à l'égard de la Fraction Armée rouge, autrement dit la « bande à Baader », a rallumé la polémique et suscité beaucoup d'émotion chez nos voisins — comme l'a fait l'ensemble des commentaires très sévères consacrés par le journal aux méthodes de la répression du terrorisme de gauche en Allemagne et aux atteintes à la démocratie qu'y constituent les interdictions professionnelles à critère politique.

Considérons la durée : c'est là seulement l'exagération d'une tendance ancienne ; on est passé insensiblement de la vigilance à la hargne.

Certes, les réactions du *Monde* à l'égard des États-Unis et de l'Allemagne sont principalement inspirées par le souci de l'intérêt national. Mais, portant sur deux pays qui symbolisent le capitalisme triomphant, elles renforcent la réputation progressiste du journal ; ses ennemis parlent volontiers de connivence, au moins objective, avec

---

1. « Coca-Cola, essence de l'Amérique », *Le Monde,* 27 mai 1950 (à propos de l'article de la revue américaine *Time* faisant l'éloge de cette boisson industrielle).
2. Claude Julien est l'auteur d'un livre important et contesté sur les États-Unis, *le Nouveau Nouveau Monde,* Paris, Julliard, 1960, 2 vol.

l'Union soviétique, dans les affaires de politique étrangère. Cette accusation n'est pas plus fondée aujourd'hui qu'elle ne l'était hier; au fond de leur cœur, les rédacteurs sont restés fidèles à l'orientation neutraliste des débuts, tout en tenant compte des évolutions intervenues depuis sur la scène mondiale. On peut dire que l'ensemble des interventions d'André Fontaine témoigne de cet état d'esprit.

Il ne serait pas non plus juste de confondre le souci du journal de tenir une balance aussi égale que possible entre les deux superpuissances avec le jugement porté sur le régime intérieur de ces pays. Pour lui, à tort ou à raison, l'Union soviétique sur le plan géopolitique est une chose. Le communisme russe en est une autre. Et le communisme français une troisième. Certes, la rédaction parisienne ne nourrit pas une sympathie exagérée pour certains contestataires soviétiques (l'exemple le plus patent est Soljénitsyne, qui a été souvent maltraité dans les colonnes du journal), mais les correspondants des pays de l'Est donnent à cette contestation une place importante et lui marquent souvent une réelle sympathie. Par-delà les péripéties, la ligne n'a guère varié.

Permanence d'un style

Il reste pour finir à évoquer le plus impalpable — mais qui n'est pas le moins important : la question du *ton* même du journal, et de son style. S'il fallait résumer les choses, à cet égard, au moyen d'un seul adjectif, on dirait volontiers que *le Monde,* depuis ses origines jusqu'aujourd'hui, a figure d'abord de journal intellectuel.

« Intellectuel » en un sens discutable mais convenu, il l'est par la difficulté de sa lecture, le refus systématique de l'anecdote insipide comme de la démagogie grossière, par le niveau d'abstraction de nombreux articles. Ce n'est pas la moindre de ses performances, en vérité assez admirable, que d'être progressivement parvenu à faire du plus ardu des quotidiens parisiens le plus lu d'entre eux et d'avoir donné à environ 1 300 000 Français le goût, et bientôt le besoin, de nourritures aussi austères. A l'échelle américaine, il faudrait imaginer le *New York Times* tiré à 2 millions d'exemplaires alors qu'à l'exception du dimanche, où il atteint près d'1,5 million d'exemplaires, son tirage moyen est de 860 000.

Intellectuel, *le Monde* l'est surtout par la place qu'il a donnée depuis ses origines aux idées et aux débats idéologiques. Les chroniques régulières consacrées à la philosophie, aux sciences humaines, à la biologie, aux sciences exactes, le placent souvent au niveau de la revue mensuelle plutôt que des quotidiens d'information. Depuis 1977, le journal est allé beaucoup plus loin encore et il a paru tenté de faire un hebdomadaire quotidien. Les « grilles du temps », à travers lesquelles on a vu se profiler quelques-unes des figures notables de la pensée française, et la page 2 consacrée aux « idées » (à la vérité fort diverse et composite), en témoignent.

Ainsi est mise au jour une intéressante ambivalence d'attitude à l'égard de l'événement. L'essence même du journalisme, c'est l'information. Dans le premier numéro du *Monde* le 19 décembre 1944, on pouvait lire en guise de manifeste :

« Sa première ambition est d'assurer au lecteur des informations claires, vraies et, dans toute la mesure du possible, rapides, complètes... »

Qui donc, un tiers de siècle plus tard, aurait pu contester que ce programme ait été, pour une large part, réalisé? Si *le Monde* a pu s'assurer très vite et conserver toujours la première place dans la presse française, et l'une des toutes premières dans la presse mondiale, c'est bien, quoi qu'on en ait dit parfois, et en dépit d'un certain nombre de défaillances qui ont alimenté la polémique récente, par le volume et par la qualité de ses informations. Avant même le brio de ses chroniqueurs ou la pénétration de ses commentateurs, ce que le public recherche et trouve en général dans le journal de la rue des Italiens, c'est un instrument de référence. Qu'il s'agisse d'une réunion de chefs d'État, d'un grand débat parlementaire, d'un procès important[1], d'une séance de réception à l'Académie française ou d'une manifestation de rue, c'est du *Monde* que la classe politique ou les milieux intellectuels tirent l'essentiel de leur information. Redoutable hommage, inquiétant monopole : combien de dossiers de travail, dans les ministères, les bureaux... ou les salles de

---

1. A certaines audiences, il est arrivé aux magistrats de convenir que le compte rendu du *Monde* ferait foi (témoignage de Bertrand Poirot-Delpech).

rédaction sont principalement composés de coupures du *Monde* ! Si
Jacques Fauvet, dans l'article anniversaire déjà cité, estime contra-
dictoire la formule de Camus qui définit le journaliste comme l' « historien de l'instant », il n'en est pas moins avéré que, dans bien des
cas, le journaliste du *Monde* est le premier documentaliste de l'historien, de l'économiste, du sociologue, sans parler de l'homme d'action.
La conservation du journal, le découpage et le classement des articles
dont la lecture est fréquemment remise à plus tard, sont considérés
par la plupart des intellectuels français comme une sorte de devoir
d'état.

Et cependant, dans le même temps, les journalistes du *Monde,* en
intellectuels qu'ils sont, cherchent sans cesse à échapper à la
tyrannie de l'événement. A défaut de pouvoir faire une « histoire de
l'instant », ils en esquissent la philosophie. Non seulement, comme
la plupart de leurs confrères, ils contestent l'existence du fait à l'état
brut, mais encore on les sent soucieux, face à l'événement, d'en
raboter l'originalité radicale, de le mettre en perspective en le
replaçant dans une longue série de causes et de conséquences. Ils
préfèrent le « temps long » au « temps court », la structure à la
conjoncture, le sériel au singulier.

« De fait, écrit Rodger Kamenetz, lucide observateur anglo-
saxon, la tendance profonde du *Monde,* à la différence de la plupart
des journaux, est d'*oblitérer* le présent, soit en sondant les obscurités
du passé, soit en scrutant les obscurités de l'avenir [1]. »

De son côté, Jean-François Revel fait ironiquement remarquer la
tendance du *Monde* à imaginer des séries totalement factices pour
donner à l'événement une normalité inattendue [2] : « *Le Monde* a

1. Dans le spirituel pastiche que la revue parisienne en langue anglaise *Paris Metro*
a donné du *Monde* dans son numéro du 28 septembre 1977 : « Making light of the
world's weightiest paper. » Imaginant la façon dont les premières pages du *Monde*
rendraient compte de la fin de notre planète, les auteurs du numéro ont suggéré
comment les rédacteurs du quotidien français réussiraient à noyer l'événement sous
un déluge de conditionnels et de commentaires diplomatiques oiseux.
2. *La Nouvelle Censure, un exemple de mise en place de la mentalité totalitaire,*
Paris, Laffont, 1977, p. 69. Ce livre pamphlétaire de Jean-François Revel, à propos de
l'accueil fait à son précédent ouvrage, *la Tentation totalitaire,* s'efforce de démonter
les procédés d'une « censure élargie » qui tendrait non à interdire la diffusion des
œuvres, mais à dissuader de les lire, et contient un chapitre sur *le Monde*. Il s'inscrit
dans la série des remises en cause de l'objectivité du journal qui a commencé en 1976
avec le livre de Michel Legris.

toujours eu le chic pour trouver des surtitres, pour créer des pseudo-catégories destinées à conférer une sorte de dignité sérielle à des événements parfois totalement singuliers et atypiques, les indigestions dans la Cordillère des Andes ou les assassinats d'archevêques dans les Deux-Sèvres. »

Même observation enfin de Michel Legris [1], qui dans son pamphlet cite le numéro du 14 juin 1975 où le double attentat aux domiciles de Bernard Cabanes et d'André Bergeron, l'agression de membres de la CFT contre des distributeurs de tracts cégétistes et... le suicide d'un militant d'extrême gauche à Pau sont rangés sous cet étrange titre commun : « Les tentations de la violence... »

Le lundi 28 août 1978 (numéro daté du 29), *le Monde* rendait compte de l'élection d'un nouveau pape survenue le samedi dans la soirée sous le titre : « Jean-Paul Ier a reconduit le cardinal Villot comme secrétaire d'État. » Jean-Paul Ier, encore inconnu dans le précédent numéro, était donc déjà devenu le sujet de l'action, tandis que le maintien à son poste du cardinal Villot constituait le *prédicat...* Mieux : dans l'article qui suivait, les deux premiers paragraphes (16 lignes) étaient consacrés à la reconduction des principaux collaborateurs du nouveau pape ; et c'est seulement au troisième paragraphe qu'était annoncée l'élection du cardinal Albino Luciani. Sans doute le nouveau souverain pontife a-t-il été élu au jour et à l'heure le plus inopportuns pour un quotidien du soir ne paraissant pas le dimanche ; sans doute les journaux ne peuvent-ils pas ignorer dans leur rédaction l'existence de la télévision et de la radio qui défraîchissent l'actualité en quelques heures et parfois en quelques minutes ; mais enfin, la volonté de considérer le fait, non en lui-même, mais comme un simple véhicule de significations est évidente. En prenant un recul, si faible soit-il, par rapport au fait brut, *le Monde* « lisse la courbe » de l'actualité, pour employer le jargon des statisticiens, comme si l'événement, dans son étrangeté foncière, commettait, au royaume de l'intelligible, un crime de lèse-causalité.

Personne, à vrai dire, n'ose faire grief ouvertement au *Monde* de son goût pour l'interprétation : goût qu'il partage d'ailleurs avec une grande partie de la presse. En revanche, il lui est reproché de

1. *Op. cit.*, p. 25-28.

divers côtés de mêler systématiquement l'information et le commentaire. La critique n'est pas nouvelle, répétons-le. Est-elle fondée? Pas toujours, loin de là; assez souvent néanmoins pour qu'on la prenne en considération. Certains procédés sont bien connus et relèvent de la technique de la mise en pages. Le maniement des titres, et surtout des surtitres, le rapprochement qui se veut significatif entre des nouvelles tout à fait indépendantes, les encadrés pervers, les rappels historiques qu'on n'attendait pas, les « crochets » perfidement objectifs, tout cela constitue un code particulier qui fait la joie des initiés et la fureur des intéressés. Il y a bien souvent à faire un décryptage du *Monde* qui n'est pas sans rappeler celui qu'exige *le Canard enchaîné*, ou les journaux soumis à la censure. Comme si, dans les combats qu'il mène, *le Monde* affectait par coquetterie d'en être réduit à la guérilla. Les partisans admirent la subtilité; les adversaires crient à l'hypocrisie.

Dans le style même des rédacteurs se retrouvent, venus du fond même du passé, des tics d'expression, des tournures interrogatives ou conditionnelles en apparence anodines, des balancements interminables, toute une série de fausses fenêtres, de sentiers qui serpentent, de ruelles qui se terminent en impasse, de pentes douces débouchant sans crier gare sur des précipices..., l'ensemble contribuant à l'unité du journal, et constituant, parallèlement au texte, une véritable *sottoconversazione*. Les articles du *Monde* se lisent à plusieurs niveaux. *Le Monde* tel qu'on l'écrit est un langage original où le non-dit, le suggéré, le sous-entendu, comptent et pèsent. A cette règle, il y a naturellement des exceptions; un certain nombre de chroniqueurs et de reporters, parmi les plus brillants, chez qui l'écriture est un plaisir avant d'être un procédé, un Poirot-Delpech, un Lacouture, un Guillebaud, ont édifié leur réputation en marge du style maison : le leur, plus riant, plus orné, est aussi plus direct. Mais là n'est pas l'essentiel. L'essentiel, c'est l'existence, rue des Italiens, d'un pouvoir d'opinion qui s'est développé parallèlement au pouvoir d'information. Grâce à la qualité de cette information, mieux : grâce au monopole de qualité qu'on lui reconnaît, il s'est opéré un transfert d'autorité, et *le Monde* s'est progressivement vu investir d'un véritable magistère moral qui confère une autorité considérable, parfois exorbitante, à la moindre de ses opinions. Les auteurs et les éditeurs le savent bien : bon ou mauvais, l'article du

Monde donne le ton à une bonne partie de la presse; les hommes politiques n'en sont pas moins conscients, qui guettent avec inquiétude l'accueil que fera *le Monde* à leurs paroles et à leurs actions, la dimension qu'il leur créera. Dans la vie des organisations françaises, on a connu souvent ce phénomène : un incident interne, une querelle sans lendemain, un mot malheureux considérés sur le coup comme insignifiants prennent soudain figure et noblesse d'événement dès lors que *le Monde* les a authentifiés et comme promus. Redoutable privilège : tel le roi Midas qui transformait en or tout ce qu'il touchait, *le Monde* crée, même à son corps défendant, du significatif avec tout ce qu'il aborde. Parce qu'il est une puissance dans l'opinion, *le Monde* se trouve dans des relations de pouvoir avec toutes les institutions de la société, et cela, parfois, au détriment de sa latitude d'action comme informateur [1].

Sirius encore et toujours?

Tant de traits durables, tant de données d'aujourd'hui qui étaient en germe dans l'histoire ancienne du journal... Certains dérapages que nous avons évoqués, où la passion l'emportait sur le sang-froid et le désir de modeler l'événement sur le souci de le décrire, pourraient bien, replacés dans la durée, n'apparaître que comme des accidents conjoncturels. A l'automne 1978, *le Monde* a donné l'impression d'opérer, sur quelques-uns des sujets les plus controversés, une véritable correction de tir, et un retour à une conception plus... classique de l'information. Dans la trame quotidienne de ses commentaires politiques, il a pris à l'égard des formations de la gauche un recul critique qui a été remarqué. L'échec de la gauche aux élections de mars 1978 a fait retomber l'espoir; les règlements de comptes entre socialistes et communistes ont fait retomber l'intérêt; la circonspection est à l'ordre du jour.

---

1. On lira sur ce point les réflexions de Philippe Simonnot, « *Le Monde* » *et le Pouvoir*, Paris, Les Presses d'aujourd'hui, 1977, 224 p.

Le Monde, d'autre part, prend visiblement ses distances envers le « tiers-mondisme ». A l'égard du Cambodge, et aussi du Vietnam, le ton s'est fait beaucoup plus dur, au fur et à mesure que parvenaient des informations sur les dimensions de la barbarie dans un cas, sur l'ampleur de la répression dans l'autre.

Le numéro du 5 octobre 1978 a titré — trois colonnes à la une — sur « la violation des droits de l'homme au Vietnam » [1]. Le même jour, le Bulletin de l'étranger, sous le titre « Crimes de paix », était d'une grande sévérité pour les nouveaux régimes : « Ce qui est vrai du Vietnam l'est du Laos, et, bien sûr, du Cambodge. Entre le génocide khmer et la répression vietnamienne, il existe certes une énorme différence de degrés. Mais l'inspiration, hélas! est de même nature. »

Dans un autre pays, la Chine, le souci de s'en tenir à l'information la plus large possible est très clair depuis l'installation à Pékin comme correspondant d'un journaliste confirmé, Alain Jacob, que ses réserves formelles à l'égard du maoïsme ne rendent pas aveugle sur les conditions dans lesquelles se déroule actuellement la « démaoïsation ».

Il n'est pas jusqu'au domaine allemand où l'on ne note un changement de ton, pour le moins un souci plus attentif d'équilibre [3].

Il est vrai que la modification de la conjoncture intellectuelle ẽt politique d'ensemble a joué un rôle important dans ce « recentrage » du journal; ce n'est pas seulement rue des Italiens que l'on vit parfois dans le déchirement la fin des illusions lyriques. Mais il est un point, en tout cas, où son originalité continue d'éclater. C'est la tentative de vivre collectivement et solidairement cette aventure de presse qu'a été le journal depuis sa création. Nulle part ailleurs,

1. L'article de son envoyé spécial Roland-Pierre Paringaux a valu au journal de vives protestations de l'ambassade du Vietnam en France, de l'Association d'amitié franco-vietnamienne, et même de Laurent Schwartz, connu pour son action en faveur des droits de l'homme (*le Monde,* 11 octobre 1978).

2. Voir également dans *le Monde* des 15-16 octobre le compte rendu par Paul-Jean Franceschini du livre d'un autre collaborateur du journal, Jean Lacouture, *Survive le peuple cambodgien!* (sous le titre « L'autogénocide cambodgien »).

3. Voir dans *le Monde* du 25 octobre 1978 l'article de Jean Cosson, « La répression du terrorisme et le droit en Allemagne fédérale ».

sauf peut-être à *Libération,* n'existe à l'intérieur de la rédaction et de toute l'entreprise un débat démocratique de cette ampleur et de cette qualité. Le 17 octobre 1978, *le Monde* a annoncé que la Société des rédacteurs, réunie le 15, s'était prononcée par 312 mandats contre 292 en faveur de la reconduction pour une durée de trois ans de Jacques Fauvet en qualité de directeur-gérant. Ce fut là une exceptionnelle manifestation de pluralisme et un remarquable effort de participation dans une profession où l'autoritarisme du « patron » est souvent considéré comme inévitable. Un quart de siècle après la mobilisation des journalistes en faveur de leur directeur affrontant une partie de ses associés (1951), bien du chemin a été parcouru dans le sens de l'autonomie et de la responsabilité de la rédaction.

Un homme tel que Beuve-Méry aurait-il accepté facilement une évolution dont il avait vécu les débuts avec un double sentiment de satisfaction et d'inquiétude? On peut bien en douter. Mais elle découle directement des choix majeurs de jadis auxquels il a présidé et qu'il a souvent conduits. Et nous venons de voir qu'elle est restée, en définitive, dans la ligne d'une conception de l'information qui a été fixée dès les premiers numéros du journal.

En ce sens comme en beaucoup d'autres, règne toujours au *Monde* et domine le point de vue de Sirius, astre extérieur au système solaire, mais cependant proche et aisément reconnu, qui, comme l'oiseau de Minerve, ne se lève que le soir, quand tout est clos — regard étranger, ironique et pénétrant sous lequel, bon gré mal gré, nous sommes condamnés à vivre.

Annexes

1. « Le Monde » n'est pas « le Temps »

> *Dans les débuts du journal, les milieux officiels eurent du mal à se résigner à ce que* le Monde *ne se comporte pas comme le successeur du* Temps, *c'est-à-dire un porte-parole officieux du gouvernement français. Ces quelques documents en témoignent.*

a) *Lettre adressée le 24 juillet 1945 à Hubert Beuve-Méry par Raymond Offroy, chef du Service d'information et de presse, ministère des Affaires étrangères (Archives H. B. M.).*

Mon Cher Ami,

Vous n'ignorez pas l'intérêt que nous avons à ménager en ce moment les susceptibilités du maréchal Tchang Kaï-chek et du gouvernement chinois. Les négociations actuelles franco-chinoises sont délicates, et le sort de l'Indochine en dépend.

Or, dans le numéro du 19 juillet, *le Monde* a publié un éditorial consacré à Tchang Kaï-chek et à l'unité chinoise, dans lequel le maréchal Tchang Kaï-chek était vivement pris à partie et sévèrement critiqué. L'ambassade de Chine n'a pas manqué d'attribuer cet article à M. Duboscq et s'est plainte de sa publication, peu après les manifestations amicales du « Double Sept ».

Je saisis cette occasion pour vous prier de bien vouloir reconsidérer la question de la collaboration de M. Duboscq, fatalement appelé à heurter les sentiments des Chinois. Le maintien de cet ancien agent japonais à la rubrique Extrême-Orient du journal français ayant la plus grande autorité en matière de politique étrangère est en effet considéré par le gouvernement de Tchong-k'ing comme laissant croire que nous n'aurions pas très sincèrement l'intention d'arriver à une complète unité de vues avec lui.

Croyez, je vous prie, mon Cher Ami, à mes sentiments les plus amicalement dévoués.

> *André Duboscq est resté au journal.*

b) *Lettre adressée le 23 octobre 1948 à Raymond Offroy par Hubert Beuve-Méry (Archives H. B. M.).*

Mon Cher Ami,

Vous ne m'avez pas dit hier soir quand j'ai eu le plaisir de vous rencontrer que vous veniez de qualifier de « ridicule » devant une assemblée de journalistes, dont bon nombre d'étrangers, une information du *Monde*. Même si cette information, reprise de l'Agence AFP, qui n'est pas, me semble-t-il, sans lien avec vos services, vous a paru telle, je m'étonne que vous ayez employé publiquement un langage aussi discourtois.

Si je pouvais compter à l'avenir sur un moyen plus... diplomatique de faire entendre aux incrédules que *le Monde* n'a pas su mériter les confidences du Service de presse, je vous en serais personnellement très reconnaissant.

c) *Lettre adressée le 29 novembre 1949 à Hubert Beuve-Méry par Robert Schuman, alors ministre des Affaires étrangères (Archives H. B. M.).*

Mon Cher Directeur,

Je vous remercie de votre lettre d'hier et des préoccupations que vous cause notre désaccord sur le problème atlantique.

Les risques que comporte le système de défense commun ne peuvent être niés. Aucune politique n'est dépourvue d'aléas. Ce que je regrette, c'est que nous donnions parfois l'impression de considérer comme inéluctables, et d'accepter en conséquence d'avance, des conséquences que nous devons nous efforcer d'éviter. Nous armons ainsi nos adversaires inutilement, parce qu'en tout état de cause il s'agit d'éventualités lointaines et, à mon avis, fort incertaines.

Tout ce que nous faisons s'accomplit dans des circonstances données. Si, dans l'évolution ultérieure des situations, des faits nouveaux se produisent, nous en tiendrons compte. Si nous voulons dès le début porter en compte toutes les hypothèses possibles, nous n'oserons jamais rien entreprendre.

Enfin, ce qui compte, ce sont les déclarations des instances responsables qui engagent leurs pays, et non pas les opinions des techniciens ou des journaux qui peuvent librement s'exprimer sans hypothéquer l'avenir. Cette réflexion vaut pour les trop nombreux parlementaires, militaires ou autres voyageurs qui nous viennent d'outre-mer. Tout cela n'est pas décisif. Ce qui compte, ce sont les positions prises, en toute clarté, par les gouvernements eux-mêmes.

Tel est, en toute franchise, mon point de vue. Vous voyez qu'il n'y perce aucune amertume. Le prestige du *Monde* est considérable et fort légitime ; je m'en réjouis, parce que notre journalisme français en a besoin. Toutefois, ce qui me gêne, c'est que nous voyons parfois subsister la croyance que vos articles de fond reflètent l'opinion du Quai d'Orsay, ce qui risque de faire apparaître des contradictions, un flottement, ou même une duplicité dans nos attitudes officielles. Bien entendu, cette considération ne saurait vous imposer une restriction quelconque dans vos propres prises de position.

Ceci dit, je suis convaincu que des contacts dont vous serez seul à apprécier l'opportunité seraient susceptibles de prévenir des malentendus ou des désaccords, d'en atténuer au moins l'importance. Mes collaborateurs et moi-même seront toujours à votre disposition à cet effet.

Veuillez croire, cher Monsieur le Directeur, à mes sentiments cordialement dévoués.

d) *Note du 5 mai 1952 de Wladimir d'Ormesson, ambassadeur de France près le Saint-Siège, à Robert Schuman, ministre des Affaires étrangères. Direction « Europe », au sujet du journal* le Monde, *n° 38/EU (Archives H. B. M.).*

L'édition dominicale de l'*Osservatore Romano*, qui est en général très bien faite et extrêmement lue en Italie, a publié dans son dernier numéro (1er juin 1952), sous le titre « La fin d'un faux », l'article ci-joint qui a trait aux documents **Fechteler** et au journal *le Monde*.

La dernière phrase de cet article est ainsi conçue : « Il est évident que la publication des prétendues déclarations de Fechteler ne pouvait que faire le jeu de Moscou. C'est à cela que tendait évidemment l'action du *Monde*. »

Ce jugement sottement sommaire est, certes, injurieux. Mais il est significatif. Il définit la réputation que *le Monde* a fini par se créer par ses tendances et sa légèreté.

Il est à craindre qu'une telle opinion ne reflète pas seulement ce qu'on pense dans les salles de rédaction de l'*Osservatore Romano*. *Le Monde* est jugé avec la même sévérité par les hautes sphères du Vatican. Hier même, l'un des deux prélats français de la secrétairerie d'État me disait confidentiellement le tort que ce journal nous causait au Saint-Siège, non seulement en raison de certaines de ses tendances politiques, mais aussi parce qu'il ne semble manquer aucune occasion, sur le plan religieux, de desservir ici notre cause. Ce prélat — excellent esprit et excellent Français — me confiait qu'il avait constamment des difficultés à ce sujet.

De son côté, Mgr Montini me parlait tout récemment de l'incident Fechteler et marquait sa surprise qu'un organe de l'importance du *Monde* pût user de tels procédés. Il ajoutait que cette situation était grave du fait que *le Monde* ayant pris la place du *Temps,* ce journal était considéré comme le quotidien français le plus abondamment informé et le plus représentatif de la politique française...

Il est certain que, malgré les changements survenus après la Libération, nul à l'étranger ne consentait à admettre que *le Monde* ne fût pas, lui aussi, un journal semi-officieux. Que de fois n'ai-je pas eu à m'élever contre cette conviction, aussi bien dans les milieux du Vatican que dans les cercles diplomatiques romains. Je sentais parfaitement, d'ailleurs, que mes assurances, si elles étaient courtoisement reçues, ne convainquaient personne. L'existence d'un grand organe reflétant la politique générale du gouvernement semble à ce point naturelle que nul ne la met en doute. C'est sa non-existence à laquelle l'on ne croit pas.

Ce sentiment est somme toute compréhensible. La liberté de la presse a beau être l'une des conditions essentielles d'un régime démocratique, il est légitime, il est même nécessaire qu'il se trouve, dans un pays, un organe d'une valeur intellectuelle incontestable qui, tout en disposant de son droit d'appréciation et de critique, reste accordé aux principes généraux qui inspirent la politique extérieure d'une nation. Cette politique extérieure est, en effet, beaucoup moins le fait des hommes ou des partis que celui des lois d'équilibre auxquelles le sort de cette nation est lié. Instinctivement, l'étranger cherche donc dans la diversité des opinions émises par la presse ce « son de cloche » traditionnel qui lui permet de mieux « faire le point ».

Or, dans la condition misérable de l'actuelle presse française, où l'on compte sur les doigts de la même main (et encore...) les journaux dignes de ce nom, *le Monde* est, sans conteste, celui qui offre aux lecteurs étrangers l'information la plus substantielle. C'est donc vers lui que l'on se tourne pour savoir ce que « pense la France ». Et personne aujourd'hui n'y comprend plus rien...

Cette situation ne laisse pas d'être grave, beaucoup plus grave qu'on ne l'imagine. Il se peut qu'en France les commentaires trop souvent tendancieux du *Monde* n'aient qu'une importance relative. Nul ne les prend au tragique, parce que nul sans doute ne les prend au sérieux. Il n'en est pas ainsi hors des frontières. Ce manque de cohésion ou de discipline nationales, cette voix qu'on croit autorisée et qui ne l'est pas ou cette absence même de voix autorisée sont tour à tour un objet d'incompréhension, de malentendus pernicieux et de scandale.

En définitive, le tort que nous cause la substitution camouflée du *Monde* au *Temps* est incontestable. Il serait désirable qu'on en tirât les conclusions.

2. Une tentative de débauchage

> *Dans une longue lettre du 3 octobre 1972, Jean Couvreur, qui fut longtemps rédacteur au service des informations générales, raconte au « patron » l'étrange démarche dont il fut l'objet au cours de l'année 1950. Jean Couvreur avait été avant la guerre rédacteur aux informations départementales du* Matin *dont Roger Lutigneaux était chef de service adjoint. Celui-ci, brillant intellectuel socialisant, mais très anticommuniste, était également critique littéraire de radio à Paris PTT. Il conserve ce poste à la radio de Vichy, puis après la guerre à la Radiodiffusion française (RDF). Un jour de 1950, il demande à Couvreur de le revoir pour une affaire urgente et confidentielle.*

Il arriva à l'heure dire, muni d'une serviette de cuir noir (je la revois encore), d'où il tira une grosse chemise de carton, posant la main dessus, pour me faire bien entendre que c'était là l'enjeu, le sujet, que notre conversation se déroulerait autour de cette enveloppe cartonnée.

Avant d'engager la conversation, il se tourna vers moi et, me regardant bien en face :

— Je vous demande, me dit-il, le secret absolu. Promettez-moi sur l'honneur de ne rien divulguer de ce que nous allons dire. La chose est trop grave et met en jeu trop de responsabilités. La moindre indiscrétion, en ce moment, pourrait avoir des effets catastrophiques.

Je revois la scène comme si les choses dataient d'hier. La moleskine crevette des banquettes du « Napo »; les tables de marbre ardoise sur lesquelles nous posions nos coudes; les lunettes cerclées d'écaille de Lutigneaux, la grosse émeraude de sa cravate; son éternelle cigarette, son sourire légèrement crispé, toujours protecteur, et j'entends sa voix, rude et comme enrouée, faisant effort pour marteler les consonnes.

Je donnai ma parole, de plus en plus intrigué par tant de solennité, à mille lieues de supposer le véritable objet de notre rencontre. Tout de suite, il me lança :

— Vous savez que *le Monde* change de mains.

Chose étrange, et, bien que je m'attendisse à une tout autre nouvelle, je ne marquai aucun étonnement.

Pourquoi, d'ailleurs, me serais-je étonné? A cette époque (1950), j'avais vingt-cinq ans de métier, ayant débuté en 1925 (à vingt et un ans) à *la Presse*. Or, depuis ce temps lointain, je n'avais pour ainsi dire pas cessé de voir les journaux auxquels je collaborais — ainsi, d'ailleurs, que bien d'autres — « changer de mains ». J'avais vu *la Presse* (la vieille *Presse* fondée, un siècle

317

plus tôt, par Girardin, dans les mêmes locaux, 142, rue Montmartre) passer des mains de Caille aux mains de Simonatti; *le Quotidien* passer des mains de Pierre Bertrand et de Dumay aux mains du richissime Hennessy; *le Petit Journal* passer des mains des héritiers de Loucheur à celles de Lucien Vogel, puis du colonel de la Rocque; *l'Ami du peuple* des mains de Coty-Spoturno à celles de Mandel et de Michelson, etc. Et chaque fois, j'avais été, nous avions été « cédés », mes camarades de la rédaction et moi, aux nouveaux acquéreurs avec le fonds, l'immeuble, les meubles, comme un vulgaire cheptel avec les murs de la ferme. (Mais voyez donc ce qui s'est passé, il y a trois, quatre mois à peine, à *Paris-Normandie,* et rappelez-vous le papier de Viansson-Ponté dans le *Monde*.)

J'avais d'autant moins sujet de m'étonner que le climat, au *Monde* même, donnait un fond de crédibilité à la nouvelle. Le départ, quelques mois plus tôt, de Courtin et de Funck-Brentano avait révélé l'existence de graves dissentiments au comité de direction; la situation matérielle s'avérait difficile, de l'avis même du directeur général. Les propos de ce dernier, en appelant à l'esprit de sacrifice de tous, rappelaient que la bataille était loin d'être gagnée. Enfin, il y avait ces bruits, plus ou moins contrôlables, qui circulaient sous le manteau. « On savait que... On disait que... le *Monde* pourrait trouver... d'un jour à l'autre... tous les concours qu'il voudrait, à condition de passer par certaines exigences... » Oui, tout cela, qui donnait le champ libre aux imaginations, rendait plausible l'hypothèse d'un prochain changement de mains.

Je ne m'étonnais donc ni de la nouvelle, ni même du ton péremptoire sur lequel elle m'était donnée. Lutigneaux ne disait pas : le *Monde* va changer ou doit changer de mains, mais à l'indicatif présent et affirmatif : change de mains. Donc, résultat acquis, chose faite.

Il poursuivit :

— Vous devez être content de la nouvelle que je vous apprends. Enfin, la situation va changer pour vous et vos camarades, pour les lecteurs, pour tous. Cela ne pouvait plus durer. Il n'était plus possible qu'un grand journal comme le vôtre continuât à vivre ainsi, à la petite semaine; il était incroyable que le *Monde* exigeât de ses rédacteurs un travail de haute qualité contre un salaire de famine. Car vous étiez tous très mal payés.

Je lui fis observer que nous étions payés aux taux fixés par le barème, et même un peu au-dessus, et que, si nous ne roulions pas sur l'or, nous n'en étions pas réduits pour cela à la mendicité. D'autre part, le métier de journaliste ne fut jamais de ceux où l'on peut espérer faire fortune. Je crois, et il est peut-être ridicule, insensé de croire cela, oui, je crois qu'il doit entrer, dans le choix de ce noble et difficile métier, un certain esprit de sacrifice et de renoncement; je crois que le rédacteur, l'écrivain de presse trouve, dans l'exercice même de son travail, des joies auxquelles l'affairiste de journal ne saurait prétendre. Écrire dans le *Monde,* par exemple, entrer en commerce avec un public cultivé, laisser aller sa plume librement, vivre quotidiennement dans la société de gens appelés Beuve-Méry, Fauvet, Viansson, Fontaine, Lauzanne, Claude Julien, Schwœbel, Planchais, Lacouture, etc. —, une chance que bien d'autres hommes n'ont pas une fois dans leur vie —, oui, tout cela donnait, selon moi, des joies qui compensaient, dans une certaine mesure, la modicité du salaire perçu.

Je ne sais pas si Lutigneaux fut sensible à mes raisons. Visiblement, il ne m'écoutait guère, répondant seulement par des hochements de tête polis et distraits, impatient de poursuivre sa critique du journal, qu'il estimait mal conduit, économiquement et politiquement, et me demandant à brûle-pourpoint :

— Combien gagnez-vous?

J'articulai un chiffre. Il sursauta.

— Mais c'est le double, le triple que vous devriez avoir, *que vous aurez.*

Avec une violence qui n'était pas dans ses habitudes et à laquelle je ne m'attendais nullement, il se lançait, ensuite, dans une longue diatribe contre le directeur du *Monde,* l'accusant de mener une « action antinationale », par ambition personnelle et par calcul, pour se faire bien voir d'une certaine partie de l'opinion et mériter les subsides que lui versaient l'Union soviétique, Hô Chi-minh et les révolutionnaires algériens, ces derniers ayant souscrit, prétendait-il, « 30 000 abonnements pour que *le Monde* soutienne leur mouvement » — qui allait devenir, quelques années plus tard, le FLN.

— Il faut en finir, me dit-il, avec cet homme et ses campagnes de trahison. Il faut se débarrasser de ce Beuve-Méry, le remplacer, lui et son état-major progressiste, par une direction animée d'un esprit vraiment national, je ne dis pas nationaliste, je dis national. Vous-même, vous devez vous sentir mal à l'aise, étouffer dans ce journal qui ne réussit que parce qu'il s'est paré des dépouilles du *Temps.*

Je crois que tout y est passé, tout ce que j'avais déjà lu ou entendu dire contre *le Monde* et son directeur général, et les millions de Prague, et les millions de l'oncle Jo, et les millions de l'oncle Hô, et de prétendues entrevues secrètes avec Ferhat ' Abbâs, avec les chefs du Néo-Destour, etc. Sans doute, il m'eût été facile de répliquer qu'il y avait aussi les millions des grosses compagnies, des grands comptoirs d'Asie, d'Afrique, des honnêtes trafiquants de piastres et de dinars, des planteurs d'agrumes, d'alfas et d'hévéas, des bons Français subitement inquiets pour le sort de la France (et de leur fric) et qui, cherchant désespérément un organe pour les soutenir, tournaient des yeux intéressés du côté de la rue des Italiens.

Il était plus politique de me taire.

Persuadé, en arrivant au « Napolitain », que Lutigneaux ne m'avait fait venir que pour m'offrir quelque chose à la RDF, j'étais abasourdi par cette tornade. Mais au nom de qui, au nom de quoi parlait-il, et pourquoi faisait-il de moi le dépositaire de projets qui, désormais, ne faisaient plus de doute à mes yeux? Il ouvrit son dossier et, me montrant une liste de noms :

— Je suis, me dit-il, le représentant d'un groupe très important, disposant de ressources financières puissantes, composé de personnalités de premier plan, hommes politiques, intellectuels, économistes, tous républicains et démocrates éprouvés. Nous ne voulons ni de la tutelle des gens de droite, ni de l'assujettissement à Moscou. Nous voulons rendre au *Monde* la place qu'occupait fort honorablement *le Temps* avant la guerre, avec, cependant, un

319

tirage moins élevé. L'opinion attendait un grand journal républicain, et c'est une feuille crypto-communiste qu'on lui sert!

Sur les listes qu'il me montrait — à titre absolument confidentiel, insistait-il —, je pouvais lire, en effet, des noms plus ou moins connus d'hommes politiques, de journalistes, d'écrivains, de personnalités du monde des affaires, ainsi que des raisons sociales de banques, de compagnies, d'entreprises, la grosse artillerie de l'argent. (On devait en retrouver une partie quelques mois plus tard, lors de la grande offensive de 1951 contre *le Monde*.) A première vue, et si tout ce qu'il me disait était vrai, il s'agissait bien d'un front commun, solidement étayé par de puissants capitaux.

— Vous comprenez, poursuivait Lutigneaux, qu'avec la nouvelle direction *le Monde* disposera enfin d'une trésorerie digne d'un grand journal. On ne rechignera plus ni sur les appointements, ni sur les frais, ni sur le train de vie. La période des vaches maigres est passée. Votre situation, à vous et à vos camarades, va changer. Il y aura des promotions, et les appointements seront au moins doublés. A part quelques rédacteurs, dans l'entourage immédiat de Beuve-Méry, nous garderons toute l'équipe rédactionnelle en son entier.

— Et vous-même? demandai-je.

— J'occuperai moi-même un poste de direction.

— Il y a tout de même certaines choses qui m'étonnent, Lutigneaux. Vous présentez, en effet, l'affaire comme faite. Ne prenez-vous pas vos désirs pour des réalités?

Mais non. Pas du tout! Il avait bien les pieds sur terre, et c'est du ton le plus assuré, le plus ferme qu'il me déclara avoir obtenu toutes les garanties désirables. Du côté des « associés », des porteurs d'actions, d'abord, aucun problème. Tout le monde était d'accord pour changer la direction du journal. Quant aux concours politiques, économiques, financiers déjà énumérés, on pouvait les considérer comme acquis.

Il garda quelque temps le silence, puis, me regardant en face :

— Reste, me dit-il, la rédaction. C'est ça le point épineux. Généralement, les rédactions ne font pas de difficultés quand un journal change de mains. Mais il peut y avoir des exceptions. Il se peut que tout n'aille pas comme sur des roulettes. Nous savons que cette rédaction du *Monde* est flottante, mal organisée, mais nous ne connaissons pas les gens personnellement. C'est pourquoi, mon cher ami, j'ai pensé à vous, certain à l'avance que vous ne refuseriez pas votre concours.

— Ah! que faudrait-il faire?

— Rien de très difficile. Il s'agirait d'annoncer simplement, adroitement à vos camarades que *le Monde* va changer de direction; qu'ils n'ont pas à s'inquiéter, qu'ils conserveront tous leur place, à l'exception d'un petit nombre de cryptos gravitant dans l'orbe de l'actuel patron; qu'il y aura de l'avancement, de substantielles augmentations, et qu'à part cela le journal ne subira pas de modification importante. La ligne politique sera simplement redressée, dans le bon sens, dans le sens national. Pour enlever le morceau, je crois que vous n'auriez qu'à dire : « Moi le premier, je marche, sans hésiter. » Vous voyez, il ne s'agit pas de tenir des meetings, d'appeler vos camarades à la révolte, ni de vous promener dans les couloirs du *Monde* avec des pancartes subversives. Jouissant de l'estime et de l'amitié de vos confrères, vous auriez vite fait de les retourner, de les convaincre, surtout qu'ils ne se sentent pas tous très à l'aise sur la galère progressiste, et qu'ils ont des raisons d'être inquiets pour leur propre avenir.

Là-dessus, l'émissaire du groupe X... tira encore de son dossier quelques feuilles. C'était la liste, je crois assez complète, des rédacteurs du journal. Certains noms étaient cochés d'un trait, accompagnés d'un signe ou d'une brève appréciation, mais la plupart n'avaient rien.

— Parmi ces journalistes, reprit-il, il en est deux sur lesquels nous savons pouvoir compter. Les voici... Vous voyez que nous avons des intelligences dans la place.

Son index s'arrêta sur deux noms, deux noms que j'ai voulu oublier depuis, que j'ai complètement oubliés depuis longtemps.

— C'est avec ces amis que vous devrez vous entendre. Mais, sachez-le bien, c'est vous qui dirigez les opérations. Vous êtes chargé de l'affaire. Eux ne font que vous épauler. Ce sont des gens sûrs, très sûrs...

Il ajouta :

— Ai-je besoin de dire que vous occuperez un poste important dans la nouvelle équipe? On a pensé à vous comme chef du service des reportages, ou rédacteur en chef adjoint.

Tout cela me faisait l'effet d'un coup de massue sur la tête. Je cherchais à y voir clair, à retrouver mes esprits. On préparait fort activement, et avec des moyens dont nous n'avions pas tout le détail sous les yeux, une opération anti-Beuve-Méry, anti-*Monde,* et c'est sur moi que l'on comptait pour prendre la tête du commando de choc.

— Naturellement, dis-je, vous me donnez dix à quinze jours pour me retourner?

Il bondit sur sa banquette :

— Pas du tout. Il me faut votre réponse aujourd'hui même, et c'est un oui, naturellement, que j'attends de vous, car vous ne pouvez pas me refuser votre concours. Je veux dire un oui de principe. Pour le reste, nous mettrons tout cela au point ultérieurement, par contrat.

Je haussai les épaules.

— Ce n'est pas sérieux, Lutigneaux. Vous me mettez en présence, tout à fait inopinément, d'une situation révolutionnaire, c'est bien le mot, puisqu'il s'agit d'une révolution contre Beuve-Méry. Vous me demandez de jouer là-dedans un rôle des plus actifs et vous ne me laissez même pas le temps de voir, de peser mes chances.

Il fallait à tout prix, en effet, que je gagne du temps, que je voie ce qu'il y avait de sérieux, de fondé, dans ce brutal lâcher de nouvelles.

Enquête faite, Couvreur s'aperçoit que deux rédacteurs du journal étaient effectivement dans le complot. Quant à lui, il répond à Lutigneaux par un non catégorique et indigné qui paraît avoir mis fin à cette tentative. Mais, nous le savons, ce ne sera pas la dernière (Archives H. B. M.).

3. La crise de 1951

a) *Le 18 juillet 1951, l'Agence parisienne d'informations publiait cette « Note sur la direction du journal* le Monde *communiquée par MM. René Courtin et Christian Funck-Brentano ».*

Associés dans la société du journal *le Monde* à égalité de parts avec M. Beuve-Méry, MM. Courtin et Funck-Brentano ont fait partie du comité de direction de sa fondation au 31 décembre 1949.

A cette date, n'ayant pas le moyen de s'opposer utilement à la politique neutraliste du directeur-gérant, contre laquelle il protestait depuis la publication du premier article antiaméricain de M. Étienne Gilson, M. Courtin avait donné sa démission et M. Funck-Brentano l'avait accompagné dans sa retraite.

Réunis le 7 avril 1951, les associés, reconnaissant que la politique du journal devait être redressée, ont, à l'unanimité, décidé de reconstituer un comité de direction dont les modalités de fonctionnement n'étaient pas précisées. Il était composé de MM. Beuve-Méry, président; Courtin, Funck-Brentano et Joannès Dupraz, député MRP d'Indre-et-Loire, étranger à la société, mais secrétaire général du ministère de l'Information à l'époque de la fondation du journal.

Dès la réunion de ce comité, MM. Courtin et Funck-Brentano ont demandé que des pouvoirs effectifs lui soient attribués. Ils insistèrent notamment pour que les articles de politique étrangère lui soient soumis avant publication.

Cette demande fut repoussée, M. Dupraz ayant évité de s'y associer.

Le comité dut se borner à discuter *a posteriori* de l'orientation du journal, le redressement de sa politique étant laissé en fait à l'appréciation de M. Beuve-Méry.

A la réunion ultérieure des associés, le 12 juillet, MM. Courtin et Funck-Brentano se sont opposés à cette procédure. À la lumière de nombreux textes parus au cours des trois derniers mois, ils ont cru pouvoir montrer que sous une forme plus discrète, et, partant, plus dangereuse, la même politique neutraliste et démoralisante avait continué d'être servie.

Ils ont, en conséquence, présenté une résolution prévoyant un contrôle préalable des papiers les plus importants par le comité de direction. Cette proposition, combattue par M. Dupraz, a été repoussée par 5 associés représentant 140 parts contre 4 associés représentant 90 parts, la majorité ayant estimé qu'un redressement effectif avait été obtenu du directeur-gérant et pouvait être poursuivi dans les mêmes voies.

MM. Courtin et Funck-Brentano ont alors démissionné du comité directeur pour ne pas couvrir une politique qu'ils désapprouvaient, qu'ils avaient combattue et se voyaient impuissants à infléchir.

La même majorité de 5 associés porteurs de 110 parts a alors reconstitué dans les conditions antérieures de fonctionnement un comité de direction groupant autour de M. Beuve-Méry MM. Dupraz, Jean Schloesing et André Catrice, administrateur de *l'Aube*, suppléant.

Dans ces conditions, MM. Courtin et Funck-Brentano entendent dégager leur responsabilité à l'égard de la politique passée, présente et future du journal *le Monde*.

Ils estiment que le grand organe constitué à l'heure de la Libération par un accord conclu entre divers éléments de la Résistance avait pour objet et devoir, par-delà les intérêts soit de personnes, soit de partis, de servir une politique strictement nationale. Représentant 45 % des associés et les deux plus anciens fondateurs du journal *le Monde*, il leur apparaît que celui-ci, par l'orientation donnée à sa politique et par les décisions qui viennent d'être prises, a cessé d'être fidèle à sa vocation.

b) *Lettre de démission adressée le 27 juillet 1951 par Hubert Beuve-Méry à ses coassociés du Monde.*

Monsieur et Cher Associé,

Gérant statutaire et unique pour une durée illimitée d'une société à responsabilité limitée, seul détenteur de l'autorisation de faire paraître le journal *le Monde*, je ne dois de comptes à notre assemblée générale que sur ma gestion commerciale et financière. Celle-ci a jusqu'ici recueilli les plus vifs éloges de tous nos associés, alors qu'il n'en allait pas toujours de même sur le plan politique. Par esprit de conciliation j'ai accepté que des discussions fussent engagées sur ce plan et qu'on fît jouer, hors statuts, la règle majoritaire dont M. Courtin réclamait l'application.

Battu à la majorité absolue sur le terrain et dans les formes qu'il avait lui-même choisis, M. Courtin, approuvé par M. Funck-Brentano, a cru pouvoir rendre publiques nos décisions, en les faisant suivre de commentaires tendancieux, sinon calomnieux. En laissant clairement entendre dans une note remise à la presse que la politique du *Monde* est délibérément contraire à l'intérêt national, M. Courtin met en cause, en même temps que mes sentiments patriotiques, ceux des rédacteurs et des associés qui ne partagent pas ses propres vues politiques. Cette attitude me paraît d'autant plus inadmissible que M. Courtin se sait à peu près assuré de l'impunité. Je ne puis en effet étaler ces querelles intestines dans les colonnes du *Monde* sans nuire à mon tour aux intérêts moraux et matériels dont vous m'avez chargé, faciliter le jeu de nos adversaires communs, provoquer la déception et peut-être le découragement parmi ceux qui en France et hors de France ont accordé leur estime à un journal qu'ils croyaient sans histoires. J'ai en revanche le droit et le devoir d'élever dès aujourd'hui auprès de vous, tant en mon nom personnel qu'en celui des rédacteurs visés, la plus vive et la plus douloureuse protestation.

Les conséquences de ces accusations ne peuvent, dans les circonstances actuelles, être limitées au plan moral. De graves dommages en résultent inévitablement pour les intérêts matériels de notre société. Non qu'il y ait tellement à redouter l'abandon de nos lecteurs. Ils nous ont suffisamment montré leur fidélité, quelles qu'en soient les raisons, en résistant à toutes les campagnes et à toutes les sollicitations, y compris les plus déloyales. Mais l'espoir et les moyens d'action de ceux qui rêvent d'abattre le Monde parce qu'il gêne leur politique ou leurs intérêts s'en trouvent considérablement accrus. Ils ont des alliés dans la place. Ils n'ont plus qu'à poursuivre « les attaques conjuguées de l'intérieur et de l'extérieur », suivant un plan qu'exposait complaisamment l'hebdomadaire Rivarol le 8 mars dernier. Et cela au moment où la hausse simultanée du papier, des salaires et de tous les services pose des problèmes que la plupart des journaux sont de moins en moins capables de résoudre en parfaite indépendance par des moyens normaux.

Cette nouvelle bataille des prix eût été, comme tant d'autres qui l'ont précédée, difficile à gagner. Mais cette fois je ne crois pas qu'elle puisse l'être si une partie de nos associés combattent publiquement et violemment leur propre journal. *Dans ces conditions je ne puis que vous remettre ma démission de gérant, démission qui, aux termes de l'article 18 de nos statuts, doit prendre effet au plus tard le 1er novembre 1951.*

J'aimerais toutefois que cette démission puisse être effective avant l'expiration du terme prévu. Si la société doit continuer en effet à publier le Monde, il y a un intérêt évident à ce que la direction et les responsabilités du journal soient assumées sans retard par un gérant qui ne trahisse pas la « vocation » du Monde, telle du moins que M. Courtin peut la concevoir aujourd'hui, et soit assuré auprès des associés d'un plus large appui.

Au cas où une décision ne pourrait intervenir rapidement, je demande qu'un conseil de surveillance soit désigné pour assurer le contrôle de l'exploitation aussi longtemps que, dans les limites du délai prévu, j'en garderais la responsabilité légale.

A mon avis enfin la solution la plus sage et la plus digne serait d'adopter la suggestion que M. Funck-Brentano a présentée au cours de notre dernière réunion et de dissoudre nous-mêmes une entreprise dont notre accord a permis le succès et dont nos divisions peuvent consommer la ruine.

En tout état de cause je dois attirer instamment votre attention sur l'importance de la date du 15 décembre, après laquelle les obligations de notre société envers le personnel en cas de congédiement se trouveraient très sensiblement augmentées. Le délai requis étant généralement de trois mois, les congés éventuels devraient être lancés au plus tard dans la première quinzaine de septembre. Il est donc indispensable que nous réunissions de toute urgence une assemblée générale extraordinaire qui décidera des mesures à prendre.

Ce n'est pas sans une profonde tristesse que je me vois ainsi contraint de renoncer à la mission dont vous m'aviez chargé en 1944. Cette mission, j'en imaginais sans peine les difficultés et je ne l'ai finalement acceptée, après bien des hésitations et même des refus, que sur les instances conjuguées des ministres et du cabinet du général de Gaulle, ainsi que de la plupart des anciens rédacteurs du *Temps*. Quel que soit le jugement que l'on porte sur elle et sur la manière dont je l'ai remplie, je crois pouvoir affirmer que je lui ai voué pendant près de sept ans tout mon temps, toutes mes forces et le meilleur de moi-même.

Je vous prie d'agréer, Monsieur et Cher Associé, avec l'expression de tous mes regrets, l'assurance de mes meilleurs sentiments.

c) *Lettre adressée le 24 juillet 1951 à René Courtin par Robert Gauthier (Archives René Courtin). On trouvera dans le texte de larges extraits d'une lettre parallèle d'André Fontaine.*

Monsieur,

Démissionnaire du comité de direction du *Monde*, vous avez cru devoir rendre votre décision publique par l'intermédiaire d'une agence de presse rattachée à un parti dont vous nous avez souvent dit ne pas partager les idées. Vous ne pouviez ignorer que votre note serait exploitée, et que vous vous soyez mépris sur le sens des commentaires qu'elle a suscités dans les milieux mêmes que vous vouliez toucher ne change rien à l'affaire.

J'aurais cependant gardé pour moi le jugement que je porte sur votre geste si certaines expressions tombées de votre plume ne me paraissaient faire injure à des camarades dont les titres de résistance ou de guerre sont comparables à peu d'autres. Si également elles ne m'atteignaient dans ce qui me tient terriblement à cœur : le sentiment de collaborer à un journal où l'on porte au plus haut degré la bonne foi et l'honnêteté, morale ou intellectuelle.

Je passe sur la dérision qu'il y a à mêler M. Funck-Brentano à l'affaire : elle mérite à peine d'être relevée. Je puis en effet porter témoignage que, depuis le milieu de 1945, M. Funck-Brentano a limité sa collaboration au *Monde* à des visites de plus en plus brèves et de plus en plus espacées. Il y eut naguère un scandale : que M. Funck-Brentano acceptât si longtemps de percevoir des appointements pour un travail que non seulement il n'effectuait pas mais qu'il ne manifestait aucune intention d'effectuer. Il y en a un autre aujourd'hui : que M. Funck-Brentano se flatte de parler comme s'il avait jamais fait partie d'une équipe qu'il ne connaissait pas et qui ne pouvait le reconnaître comme sien.

Mais il est dans votre note des remarques qui, elles, appellent observation.

Un journal n'est pas, n'a jamais été une autorisation de paraître ou une attribution de papier. Un journal, c'est une création continue et, s'agissant du *Monde*, chaque matin renouvelée.

A cette création, je puis également témoigner que vous n'avez jamais participé de façon régulière. Pendant plusieurs années vous vous êtes efforcé de concilier votre collaboration intermittente au journal avec de multiples autres tâches professionnelles ou personnelles. De votre propre aveu vous n'y êtes pas toujours parvenu car vous ne pouviez consacrer à chacune le temps que vous auriez désiré. Bien que votre nom figurât sur la manchette du journal, il n'apparaissait pas que vous étiez en situation d'y prendre des responsabilités permanentes et générales.

Or, il est au *Monde* des rédacteurs qui, eux, se réservent exclusivement à la profession et même au journal qu'ils ont choisis. A ce quotidien, il leur advient de sacrifier une large part de leur vie familiale, sociale ou personnelle. Non seulement parce qu'il leur semble tout simple d'accomplir de leur mieux un travail librement accepté, mais également parce qu'ils ont conscience, dans un métier parfois décrié, de maintenir de saines traditions. L'honneur de leur profession, l'honneur de leur maison, leur semblent en jeu (je hausse un peu le ton mais ce sont les termes de votre note qui m'y invitent). Comme toute réalisation humaine, la leur est évidemment imparfaite ; tout au moins y apportent-ils un parti pris de bien faire. Leur récompense, c'est, quel que soit leur emploi, l'impression de participer chaque jour à la gestation d'une œuvre éphémère mais valable ; ils se tiennent pour responsables, à leur rang, de l'indéniable crédit accordé au journal.

Comment ces rédacteurs sauraient-ils accepter les griefs que vous leur adressez — au moins implicitement — de servir une politique démoralisante et contraire aux intérêts nationaux ?

Comment pourraient-ils tenir pour valable le reproche qui leur est fait d'être infidèles à la vocation du journal ? Nombre d'entre eux lui ont apporté dès sa création ou dans les mois qui suivirent immédiatement ce qu'il y avait de meilleur dans leur expérience passée. Les autres les ont rejoints parce qu'ils souhaitaient s'agréger à une équipe dont ils tenaient le travail en grande estime. Vocation personnelle et vocation de l'œuvre commune se confondent ; chacun s'efforce chaque jour de les maintenir au-delà des intérêts soit de personnes, soit de partis. Aucune note, même diffusée par des voies obliques, ne prévaudra contre ces faits.

Je vous prie de croire, Monsieur, en mes sentiments distingués.

d) *Lettre adressée le 10 septembre 1951 à MM. les associés de la société du journal* le Monde *par Joannès Dupraz.*

Messieurs,

Le 11 décembre 1944, vous avez signé les statuts de la société du journal *le Monde* qui devait paraître quelques jours plus tard. Vous aviez été réunis, animés d'un désintéressement égal qui ne s'est jamais démenti et qui fut aussi celui des rédacteurs. Votre désintéressement est écrit dans les statuts ; vous avez limité à 6 % la rémunération maximum de votre modeste capital et, en cas de dissolution de la société, 80 % de l'actif de liquidation reviendrait à la fondation d'une œuvre culturelle.

Et jamais aucune question d'intérêt n'a été soulevée par l'un de vous. Jamais aucun de vous n'a demandé un quelconque service au *Monde*. Sous la direction de M. Beuve-Méry, assisté de MM. Courtin et Funck-Brentano, un grand journal a été créé, indépendant et propre, abrité de toute influence, exempt de toute servitude. C'est à la qualité de sa rédaction et aussi à la rigueur de sa gestion que *le Monde* doit d'avoir franchi tant de passages difficiles dans lesquels d'autres journaux ont cessé de paraître ou infléchi leur destin. Ceux qui ont atteint ce résultat ont exactement rempli la mission qui leur avait été confiée.

Depuis près de deux ans un conflit est né entre M. Beuve-Méry, gérant statutaire et directeur du journal, et M. René Courtin, membre du comité de direction. Celui-ci, à la fin de l'année 1949, a protesté contre une orientation neutraliste et contre les méthodes de direction qui ne laissaient point au comité de direction la part d'initiative qui correspondait à sa part de responsabilité. C'est alors que je fus invité à arbitrer votre différend. J'ai estimé à cette époque que, pour assurer une bonne marche de l'entreprise, l'autorité du gérant, directeur du journal, devait rester entière mais s'exercer dans un sens moins personnel, et j'ai demandé à M. Courtin de persévérer dans sa tâche après que M. Beuve-Méry eut acquiescé à mon indication. M. Courtin, cependant, a quitté le comité de direction convaincu de l'inutilité de cette nouvelle expérience et le comité s'est trouvé dissous.

Au printemps de cette année, l'orientation « neutraliste » et, dans ce sens, l'option affirmée de son directeur ont provoqué des observations nombreuses, parfois véhémentes, et nous fûmes amenés à nous réunir et à demander à M. Beuve-Méry d'admettre que le comité de direction fût reconstitué. MM. Courtin et Funck-Brentano ont soulevé l'objection que ce comité purement consultatif serait inefficace et engagerait leur responsabilité sans leur permettre une action réelle. J'ai alors accepté d'entrer dans le comité de direction pour tenter une conciliation.

Un certain effort a été accompli par le directeur, contre ses propres sentiments et ses propres options. MM. Courtin et Funck-Brentano ont jugé cet effort insuffisant et décidé de quitter une seconde fois le comité de direction ; ils l'ont fait avec éclat. J'ai regretté leur départ, mais j'ai estimé qu'il était alors bien difficile d'envisager une direction collégiale entre M. Beuve-Méry, d'une part, et MM. Courtin et Funck-Brentano, d'autre part. M. Beuve-Méry d'ailleurs se refusait sans discussion à envisager cette hypothèse et n'a jamais jusque-là varié sur ce point.

J'ai accepté de demeurer dans le nouveau comité de direction que la majorité de l'assemblée des associés désirait maintenir afin d'assurer l'équilibre à vrai dire difficile des points de vue en présence. J'ai ainsi engagé une seconde fois dans ce que j'estimais être l'intérêt du journal ma qualité et mon crédit d'arbitre. Mon objectif était d'assurer l'autorité de M. Beuve-Méry que je jugeais toujours nécessaire à la bonne marche du journal et de protéger son indépendance professionnelle par le seul respect de celle-ci ; mon objectif était également d'arriver à faire admettre à M. Beuve-Méry les obligations que lui créaient cette autorité exclusive et cette indépendance assurée.

C'est alors qu'à la fin du mois de juillet M. Beuve-Méry a démissionné. J'ai tenté, sans y parvenir, d'éviter cette démission. J'ai suggéré qu'elle fût différée pour permettre à son signataire le recul de vacances et du repos ;

327

celui-ci finit par exiger qu'il en fût pris acte sans délai; il l'a longuement motivée dans la lettre que vous avez tous reçue.

Dans cette lettre, M. Beuve-Méry estimait que la division des associés publiquement exposée par MM. Courtin et Funck-Brentano, qu'il mettait à son tour très vivement en cause, avait affecté, à terme, les conditions d'une libre exploitation du journal. Cette vue était toute personnelle à son auteur car les comptes de la société sont positifs. Mais M. Beuve-Méry, mieux que personne, a l'expérience de cette gestion. La lettre de M. Beuve-Méry suggérait la suppression du journal. Bien que M. Beuve-Méry fût, dès l'origine, seul gérant et directeur, il est excessif de dire que cette mission a été confiée à lui seul. Si MM. Courtin et Funck-Brentano n'en ont pas partagé, contre leur gré, tous les pouvoirs, ils en ont, en effet, partagé l'initiative et ils ont longtemps figuré sur la manchette du *Monde*.

Vous avez alors pris acte de cette démission dont il était demandé qu'elle fût effective sans retard, et d'un commun accord, à l'exception de M. Beuve-Méry, vous avez décidé d'assurer la continuité.

M. Catrice a été nommé gérant et vous avez adopté une solution provisoire en attendant d'être en mesure de désigner un directeur. La direction du journal a été confiée à un comité sous ma présidence avec M. Courtin, Funck-Brentano et Catrice en sa qualité de gérant.

Quelques semaines plus tard, devant l'émotion suscitée par son départ, dans des sens variés, mais qui tous lui pouvaient créer des devoirs, M. Beuve-Méry a été amené à se poser de nouveau le problème de sa présence. Il a été remarqué d'autre part que la distinction faite par vous entre la gérance de la société et la direction du journal par une collégialité pouvait poser un problème juridique, ce qui est d'ailleurs discutable et aisément évitable. Tels sont les motifs de votre réunion d'aujourd'hui.

Tout ce qui a été dit d'inexact à propos des intérêts de partis et des intérêts tout court qui cerneraient le journal n'a nul besoin d'être réfuté devant vous. Les seuls différends, à vrai dire très graves, ont concerné le « neutralisme » dont M. Beuve-Méry apparaît comme un des apôtres, si l'on peut s'exprimer ainsi. Ils se sont envenimés, malgré mes efforts, au point de provoquer des ruptures. Ces différends ont gravement retenti, si je ne me trompe, parmi les rédacteurs du journal.

L'occasion — et probablement la dernière occasion — est offerte à l'assemblée du 13 septembre de rechercher une conciliation. J'estime toutefois que mon arbitrage a perdu un peu de son autorité dans de patients efforts tous orientés pour la pérennité du journal et que cette conciliation doit être recherchée en mon absence. Il ne peut être dit en effet que j'accepterais une succession, même provisoirement et sous une forme collégiale, dès l'instant que M. Beuve-Méry accepte désormais l'idée de rester parmi vous. Il ne peut être dit davantage que les efforts de l'arbitre ont conduit à sa promotion. Il ne peut être dit enfin qu'un parti met la main sur le journal, ce qui est entièrement inexact ; mais je suis un homme politique.

Vous vous retrouverez placés dans la situation où vous étiez il y a sept ans au moment de la création du journal. Vous êtes les mêmes personnes avec la même liberté. Mais vous avez des responsabilités plus grandes : vous êtes en présence d'un journal indépendant, vivant et prospère. Le fait et l'exemple sont assez rares aujourd'hui; ils valent d'être soulignés. La tâche de conciliation n'est pas aisée, je n'ai cessé de lui consacrer un effort continu et désintéressé qui ne peut se traduire aujourd'hui que dans les termes suivants : *le Monde* n'appartient ni à un parti, ni à plusieurs, ni à la personne de son directeur, quel qu'il soit; son directeur est le mandataire d'une équipe qui porte des noms propres puisqu'il en fallait, choisie dans la confiance et l'amitié et dont les devoirs ne sauraient cesser sous le prétexte des difficultés les plus grandes.

Plusieurs d'entre vous ont fait observer que de redonner un poste prééminent à M. Beuve-Méry revenait à marquer devant l'opinion française et internationale un succès du neutralisme et à proclamer une option neutraliste du journal. Mais si M. Beuve-Méry y consent, vous ne pouvez refuser, et vous n'y avez jamais songé, de lui faire sa part de présence au comité de direction. Il y sera témoin de votre probité égale à la sienne car, à mon sens personnel, il n'y a désormais d'autre solution unanime entre vous que dans un partage égal, loyal et effectif des responsabilités. Dans ces conditions, pour satisfaire à toutes les objections, votre assemblée d'aujourd'hui devrait décider simplement de ne pas appliquer la troisième décision de la précédente assemblée et de laisser au nouveau gérant, après sa prise de pouvoir, le soin de s'entourer d'un comité de direction où figureraient les personnalités d'entre vous qui accepteraient d'en être et où la rédaction serait représentée.

Si vous ne parveniez à aucun accord et si vous deviez être conduits à une nouvelle rupture et à des déchirements qui seraient ceux du journal, de sa rédaction et de ses lecteurs; si neuf Français propres ne réussissaient pas à s'entendre tous ou à trouver une majorité entre eux pour représenter le sentiment national dans le journal *le Monde*; si cela devait vous amener à compromettre son avenir, à ouvrir le champ de ses concurrences, mieux vaudrait que vous donniez un grand, propre et salutaire exemple; que vous demandiez audience à M. le ministre de l'Information pour remettre au gouvernement les titres que vous détenez de lui et dont vous n'avez jamais imaginé l'usage spéculatif. Il serait ainsi prouvé avec un éclat utile que les conditions de la presse sont dures aussi bien moralement que matériellement; que dans la grande maison où vous vous étiez trouvés placés, vous avez grâce à une rédaction de haute qualité contribué à honorer l'histoire de la presse; et que vous avez résigné vos responsabilités dès l'instant que vous ne pouviez plus les assumer telles que votre pacte social les avait établies.

J'espère profondément que *le Monde* échappera aux servitudes honorables de cette abdication et que vous trouverez le moyen d'assurer son libre et utile destin.

Veuillez agréer, Messieurs, l'assurance de mes sentiments distingués et dévoués.

e) *Lettre ouverte adressée au directeur du* Monde *par la Fédération des comités de lecteurs du journal* le Monde.

Monsieur le Directeur,

Dans quinze jours l'assemblée générale de la SARL *le Monde* réglera définitivement le sort du journal. Les 40 000 abonnés du *Monde* et ses 170 000 lecteurs ne seront à aucun moment consultés. On disposera d'eux comme d'un objet, comme d'une chose, comme d'une marchandise. Ils continueront toujours à ignorer jusqu'aux raisons mêmes de la crise ouverte au mois d'août, qui risque de changer non seulement l'orientation politique du *Monde*, mais sa nature même, et de lui ôter jusqu'à sa raison d'être.

Nous comprenons parfaitement la discrétion qui vous pousse à ne pas utiliser les colonnes de votre journal pour vous défendre du reproche proféré par un des « associés » au mois de juillet d'avoir « trahi la vocation nationale du *Monde* ». Il n'y a cependant qu'un tribunal qui soit compétent pour juger cette accusation : c'est celui des lecteurs. S'il s'agissait seulement de votre personne, vous auriez le droit de vous taire. Mais le débat est d'ordre général, et le problème en cause a une telle importance que le silence n'est pas possible.

Depuis sa fondation *le Monde* présente en effet aux yeux de ses lecteurs deux caractères essentiels. En premier lieu, les informations n'y font l'objet d'aucun « filtrage », qui conduirait à en rejeter certaines au profit d'autres, ni d'aucune manipulation qui en altère la signification ; en second lieu, on y voit coexister des opinions très diverses, aussi bien sur les problèmes internationaux que sur les problèmes intérieurs, chacune d'elles manifestant une grande indépendance à l'égard des conformismes partisans ou gouvernementaux. Aucun des lecteurs du *Monde* n'a jamais été pleinement d'accord avec tous les articles publiés dans son journal : mais chacun d'eux y trouvait précisément des thèmes de discussion qui l'obligeaient à réfléchir et à mettre à l'épreuve ses propres opinions.

En définitive, l'accusation de « trahir la vocation nationale du *Monde* » pose très exactement le problème : mais il s'agit de savoir quelle est la vocation du *Monde*. Vous avez pensé jusqu'ici avec vos collaborateurs actuels qu'elle consistait à dire toute vérité, même gênante, et à présenter des opinions très diverses, même audacieuses, estimant que l'élite d'une nation démocratique, à qui s'adressait votre journal, avait besoin de ces fortes nourritures. Votre accusateur pense que la conjoncture impose une prise de position nette et exclusive, particulièrement dans le domaine international, et que le devoir du *Monde* consiste en somme à rallier ses lecteurs à la politique de leur gouvernement au lieu de leur fournir des éléments de discussion : en temps de guerre froide cette position est compréhensible. Le problème est de choisir. Mais le choix appartient seulement aux lecteurs et aux abonnés du journal, et non pas à un petit conclave d'hommes dont la majorité est étrangère, en fait, à sa rédaction et à son financement.

Spontanément des « comités de lecteurs » se sont formés dans diverses villes pendant ces dernières semaines, notamment à Strasbourg, à Caen, à Bordeaux, sans parler de Paris. Un comité central est en voie de constitution, auquel ont adhéré déjà des professeurs et des doyens de facultés, des magistrats, des membres du Conseil d'État, des industriels, des membres de professions libérales, des syndicalistes, etc. Dans quelques jours une association sera établie dans les formes légales, sous le titre de « Fédération des comités de lecteurs et d'abonnés du journal *le Monde* ». Le but de ces comités et de cette association n'est pas de soutenir telle ou telle position particulière qui a pu être prise à un moment ou à un autre dans le journal par un de vos collaborateurs ou par vous-même. Les membres des comités déjà constitués viennent des horizons politiques et sociaux les plus divers, et sont en désaccord aussi bien sur les problèmes de politique extérieure que de politique intérieure, d'économie et de finances ; mais ils sont précisément unis par leur volonté commune de respecter ce désaccord et de maintenir dans *le Monde* cette coexistence d'opinions diverses et ce respect de l'information objective qui l'ont caractérisé depuis son origine.

Mais ces comités ne sont encore constitués que d'un petit nombre d'hommes qui ne peuvent prétendre valablement parler au nom de la grande masse des lecteurs et des abonnés. C'est pourquoi nous vous avions demandé de vouloir bien publier cette lettre dans les colonnes du *Monde* afin que tous ses lecteurs pussent connaître notre initiative et se trouver ainsi à même de l'approuver ou de la désapprouver. Vous n'avez pas cru pouvoir donner suite à cette demande, sans doute par fidélité à la règle de discrétion que vous vous êtes imposée dans ce domaine. L'enjeu est trop grave pour que nous ne soyons pas obligés de passer outre. Aussi croyons-nous devoir rendre cette lettre publique.

JACQUES NARBONNE
assistant à la Sorbonne
secrétaire général des comités de lecteurs du Monde
5, rue Antoine-Chantin, Paris 14ᵉ

Une réunion privée d'information organisée par la Fédération des comités de lecteurs du journal *le Monde* se tiendra *mardi 11 décembre à 20 h 45,* galerie Devèche, 11, rue Brey (avenue de Wagram). Métro Étoile, autobus 30, 31, 52, 73, 92.

avec le concours de :

MAURICE DUVERGER
professeur à la faculté de droit de Bordeaux
et à l'Institut d'études politiques de Paris

4. La préparation du « Temps de Paris » dès 1952 : une campagne au Maroc

a) *Lettre adressée de Casablanca le 17 mai 1952 à Hubert Beuve-Méry par son ami, Lorrain Cruse, homme d'affaires au Maroc (Archives H. B. M.).*

Mon cher Hubert,

C'est avec un sentiment de curiosité morbide que je me suis rendu récemment à la chambre de commerce pour entendre M. Poulaine exposer devant les principaux membres du patronat français les conditions dans lesquelles *le Temps* allait reparaître.

Vu l'audience donnée à ses déclarations, je ne pense pas trahir qui que ce soit en te commentant brièvement cette séance dans laquelle passait en bourrasque le vrai souffle républicain.

Il nous a été exposé qu'il était nécessaire de recueillir 500 millions de francs en attendant de toucher le produit de la restitution de l'instrument de travail volé par *le Monde*, soit en nature, soit en espèces. L'Afrique du Nord a été informée qu'elle avait le glorieux privilège de se voir réserver les 2/5 de la souscription. M. Poulaine nous a expliqué qu'il avait été quasi triomphalement reçu en Tunisie et en Algérie. Dans ce premier pays un de ses interlocuteurs lui avait décrété qu'avant-guerre et dans des « circonstances analogues » la répartition entre les trois pays de l'Afrique du Nord était à peu près la suivante, si mes souvenirs sont exacts :

Tunisie	17 %
Algérie	45 %
Maroc	38 %

Je ne garantis pas ces pourcentages.

Cet « en des circonstances analogues » est lourd d'évocations et de complots où l'on suppose tout un marchandage d'élections et de persuasions diverses.

Toujours est-il que l'essor actuel du Maroc lui permet de convoiter une augmentation du pourcentage fixé avant-guerre et M. Poulaine proposait donc à nos jeunes enthousiasmes le versement d'une somme de 82 millions.

Bien entendu, il nous a été particulièrement précieux de recevoir à ce sujet quelques indications sur les conditions dans lesquelles *le Monde* s'était édifié sur les ruines du *Temps.* Cette large fresque a amené notre conférencier à évoquer les récents entretiens au cours desquels son équipe avait tenté de s'entendre avec *le Monde,* sous la réserve, bien entendu, que certains de ses animateurs soient écartés de la direction. Nous avons été navrés d'apprendre que ces négociations avaient échoué, malgré l'heureuse entremise de M. Courtin, du fait de l'obstination d'un certain M. Beuve-Méry appuyé par son

332

« soviet d'entreprise ». Nous avons noté en même temps que ce M. Beuve-Méry était un individu néfaste, ce que nous savions déjà, en tant que promoteur du Nationalisme, du Pacifisme, d'autres mots en « isme » et de la propagation de cette idée de la « sale guerre » en Indochine. Les pourparlers étant rompus, l'équipe du *Temps* s'est sentie les mains libres pour poursuivre ses négociations « républicaines, libérales et nationales ».

Le Monde, de toute façon, et ceci t'intéressera peut-être, passe actuellement par une crise de trésorerie difficile du fait de la baisse de son tirage. Sur une demande d'éclaircissements de l'un des auditeurs, il a été répondu que celle-ci résultait d'une enquête Gallup. Celle-ci avait, en outre, permis de constater que seulement 8 % des lecteurs achetaient *le Monde* à cause de son opinion, ce qui laissait entendre que 92 % des lecteurs se rabattraient naturellement sur *le Temps* dès que celui-ci paraîtrait. Ce conflit aboutirait fatalement à mettre *le Monde* dans des difficultés suffisantes pour l'amener probablement à composer avec l'équipe du *Temps* au bout d'un an. *Le Temps* pourrait apporter ainsi un souffle d'air pur dans la politique intérieure et internationale, dosant les informations concourant au prestige français et s'abstenant de publier des informations qui même vraies servaient ensuite d'arguments au communisme et n'étaient pas de nature à être bien comprises par un public insuffisamment éduqué. C'est cette tâche d'informateurs éclairés et conscients de la déficience populaire que se propose d'atteindre la nouvelle équipe du *Temps.* Il nous a été démontré que dans cette œuvre de salubrité publique devait figurer l'Afrique du Nord qui, disposant de cinq sièges au conseil d'administration, pourrait faire valoir son point de vue qui, étant celui du patronat, ne pouvait que se confondre avec l'intérêt national des pays en cause.

Le président de la séance a félicité l'orateur et a conclu en termes vibrants « A vos poches ». Néanmoins, un silence de mort a accueilli cette péroraison. Le seul questionneur a été le Dr Eyraud, qui a posé quelques questions perfides sur la certitude que l'on pouvait avoir d'ouvrir les colonnes du *Temps* à des articles rédigés par des Français du Maroc, laissant sous-entendre qu'une minorité n'était pas certaine, dans un conseil d'administration, de faire prévaloir des opinions au moins économiques qui pourraient se heurter à celles des industriels français majoritaires audit conseil et qui pourraient parfois être en proie à de trop matériels soucis de concurrence.

Sans doute ce compte rendu ne t'apportera-t-il pas grand-chose, mais je me crois tenu par l'amitié de te rendre compte d'une séance au sujet de laquelle au surplus le secret n'a été demandé à personne.

Bien entendu, au cours de l'exposé, des allusions ont été faites à un certain « faux, vrai, pseudo-officiel rapport » publié dans *le Monde.* Je dois dire qu'à ce sujet, sans être soulevé par une indignation assez commune, du fait que ce rapport ne nous dévoilait pas grand-chose que nous ne savions déjà, je n'ai pas apprécié que ton journal se fasse l'écho d'un document dont la source impure n'était pas cachée. Mais ceci n'est qu'un mince épisode de l'histoire.

J'ai noté avec satisfaction que M. Aucouturier avait violemment encouragé l'initiative du *Temps,* ne cachant pas que son motif d'action résidait dans la façon dont *le Monde* l'avait traité. Cette attitude noble se concrétisera sans doute d'ailleurs dans un très ferme appui moral, car on le dit près de ses gros sous.

Au sortir de la séance, j'ai entendu quelques commentaires bien peu favorables à l'orateur. Il faut dire que j'avais proclamé dans ce cercle restreint, avec le courage qui me caractérise, que j'étais de tes amis. Ainsi le coq a pu chanter sans me mettre dans une grande tristesse. Mais il faut dire que ce cercle restreint était plutôt composé de Jeunes-Turcs que de Vieux-Patrons! [...]

Bien amicalement à toi.

b) *Note confidentielle remise à différentes personnalités du Maroc par M. Poulaine, chargé de recueillir une souscription de 80 millions pour le lancement du* Temps *de Paris, et transmise à Hubert Beuve-Méry par Louis Gravier, correspondant du* Monde *à Rabat (mai 1952).*

Depuis janvier 1950, divers projets pour faire revivre *le Temps* d'avant-guerre, c'est-à-dire le grand journal du soir républicain, national et libéral, ayant à l'intérieur et surtout à l'extérieur le rayonnement qu'eut pendant 75 ans l'organe des Hébrard, ont été esquissés. Deux ont échoué au cours de l'année 1950 pour des questions de personnes et des erreurs psychologiques. Un troisième est au point aujourd'hui.

Le 6 décembre dernier a été constituée une société à responsabilité limitée ayant pour objet la publication d'un journal du soir répondant point par point aux caractéristiques de l'ancien *Temps* dont *le Monde* a essayé de prendre la place en occupant les locaux et l'imprimerie au lendemain de la Libération. Cette société a reçu l'accord écrit de la majorité des actionnaires de la société *le Temps,* dont les biens à la suite de la loi du 11 mai 1946 ont été dévolus à la SNEP, malgré le non-lieu rendu en mars de la même année par la cour de justice de Lyon, non-lieu qui constitue, dans sa rédaction, une véritable citation à l'ordre de la nation. Un pourvoi en Conseil d'État a été déposé à l'époque par la société *le Temps* et n'a pas encore reçu de sanction.

Quoi qu'il en soit, la position prise par le journal *le Monde* dans tous les domaines : politique intérieure, politique extérieure à base de défaitisme et de neutralisme, politique coloniale à base de renoncement et d'abandon, fait que ce journal devenu par surcroît le père nourricier de toute la presse communiste de France (50 journaux à périodicité variable) représente indûment aux yeux du monde l'opinion de l'élite française et porte un tort considérable aux intérêts nationaux. Les Français de l'Afrique du Nord le savent bien. Faut-il ajouter que le rédacteur chargé de la rubrique coloniale du *Monde,* M. Guérif, a signé l'appel de Stockholm? C'est du *Monde* qu'est sortie l'expression « la sale guerre » en parlant des événements d'Indochine. C'est *le Monde* qui a publié l'appel à la guerre sainte du chef religieux d'Iran au moment des événements d'Abadan. C'est lui qui a fait le procès de l'administration algérienne après les élections du 17 juin dernier parce que ni

Messali Hadj ni Ferhat ˙Abbās n'avaient été élus, etc. Enfin, depuis quelques mois, la situation financière du *Monde* est des plus précaires, ce qui permet d'envisager avec succès la reparution du *Temps*.

Pour mener à bien celle-ci, il est nécessaire naturellement de rechercher des moyens financiers. Les promoteurs de la société créée le 6 décembre ont pensé que les grands groupements économiques d'Afrique du Nord pourraient se joindre à ceux de la métropole afin de constituer le capital indispensable pour réaliser un projet chiffré à 500 millions de francs au maximum. Outre l'accord formel de la majorité des actionnaires du *Temps* donné par leur président, la société a celui de toutes les organisations groupées au sein du Conseil national du patronat français (M. Georges Villiers).

Il est à noter que, dans un délai assez rapproché, le Parlement sera appelé à modifier la loi du 11 mai 1946. Deux hypothèses se présentent :

— ou bien les journaux indûment spoliés, comme *le Temps,* seront réintégrés dans leurs biens et, dans ces conditions, la société du *Temps* fusionnera avec celle que nous venons de créer, lui apportant ses biens chiffrés, valeur 1952, à 700 millions et qui comprennent les immeubles situés dans le quadrilatère rue des Italiens, rue Taitbout, boulevard Haussmann et rue Helder,

— ou bien les journaux spoliés seront indemnisés de la valeur de leurs biens et ce sera à ce moment en argent liquide que la société du *Temps,* dans sa fusion avec la société nouvelle, fera apport de sa participation.

De toute façon, les futurs actionnaires de la société du *Temps de Paris* que nous avons créée, et dont nous espérons que feront partie les Français d'Afrique du Nord, auront fait une bonne affaire.

Le Temps de Paris s'assurera la collaboration de tous ceux qui sont restés fidèles à l'ancienne maison et il est évident que son but final est de prendre la place du *Monde* soit par l'élimination totale de ce dernier mis en difficulté, soit par un compromis qui permettrait l'élimination des indésirables de sa rédaction.

La société du *Temps de Paris* sera au capital de 40 millions — divisé en 4 000 parts de 10 000 francs. C'est une SARL avec un gérant statutaire. Elle se transformera en société dès que le capital nominal aura été entièrement souscrit et que les avances pour 10 ans sans intérêt auront été consenties par engagement des souscripteurs. A ce moment seraient désignés le conseil d'administration et son président.

La métropole assure 3/5 de capital et des avances. Le reste, soit 200 millions environ, pourrait être souscrit par l'Afrique du Nord dans les proportions suivantes :

17 %, soit 34 millions, par la Tunisie, qui accepte,
83 % par l'Algérie et le Maroc,
soit : 80 millions environ pour chacun des deux pays.

La Tunisie aurait un siège d'administrateur, l'Algérie deux et le Maroc deux.

Ainsi, pour la première fois, l'Afrique du Nord pourrait devenir copropriétaire à Paris d'un grand organe de presse à caractère international. Cette occasion ne se représentera pas.

c) *Note anonyme adressée en mai 1952 à Hubert Beuve-Méry (Archives H. B. M.)*.

M. Robert Poulaine, qui fut rédacteur au *Temps* avant la guerre, a été chargé par le groupe visant à reconstituer l'ancien journal quotidien du soir d'une mission en Afrique du Nord en vue de réunir des concours et des sympathies autour de ce projet. Initiative qu'il a, pour sa part, accueillie avec l'optimisme que pouvait y mettre un homme à qui les promoteurs du projet auraient promis la rédaction en chef du journal en formation et à qui, d'autre part, on avait dit que l'Afrique du Nord se montrerait empressée et généreuse.

Au Maroc, M. Robert Poulaine a exposé tant à la chambre de commerce de Casablanca que dans des conversations avec des amis personnels que le capital à trouver serait de 600 millions et que l'on comptait en mobiliser une soixantaine au Maroc seul. Ces chiffres ont surpris. Les techniciens de la presse ont estimé qu'il était impossible de mener la renaissance du *Temps* à bien moyennant 600 millions et qu'il ne s'agirait que d'une première mise rapidement absorbée. Les éléments possédants ont montré très peu d'empressement puisque la collecte totale de Robert Poulaine au Maroc ne lui aurait pas permis de réunir plus de 2 millions, tout compris. On ignore à Casablanca le résultat de la quête opérée en Algérie mais l'on admet qu'à Alger-ville en tout cas les capitaux considérables absorbés par la « guerre des journaux » auront créé un climat peu favorable à une grande générosité envers un projet parisien.

Sur le plan des idées, les projets de M. Poulaine ont été examinés au Maroc avec une certaine sympathie, mais sans enthousiasme. Des gens de grand sens ont fait observer que la clientèle du *Temps* avant la guerre ne dépassait pas 35 000 numéros et que sur ce nombre il faudrait défalquer au moins 10 000 lecteurs décédés depuis et quelques milliers de lecteurs de pays devenus inaccessibles. La marge restante, une vingtaine de milliers de numéros, a certainement été absorbée, pour une part sensible, par *le Monde* et lui demeurera fidèle.

Il faudrait donc partir avec une clientèle ancienne ramenée à une dizaine de milliers d'éléments et grouper un à un les lecteurs complémentaires. Pour que le journal soit viable, il faudrait qu'il dispose au minimum de la plate-forme ancienne d'avant-guerre et encore apparaîtrait-elle bien ténue à côté de celle du *Monde* d'aujourd'hui et même de *Paris-Presse*.

Pour toutes ces raisons, le projet de M. Poulaine et de ses amis est apparu fort hasardeux, malgré l'intervention, dans la coulisse, du président Flandin et de quelques-uns de ses amis du Maroc, aujourd'hui fort dépités de ce qu'ils appellent « la monstrueuse incompréhension des Français possédants du Maroc ».

5. Le rapport Fechteler, « Le Monde », 10 mai 1952

La politique américaine en Méditerranée. Un rapport de l'amiral Fechteler au National Security Council

Le rapport dont on va lire en traduction une partie importante a été rédigé entre le 10 et le 17 janvier 1952 par le « chief of naval operations » de l'US Navy (l'amiral Fechteler) et transmis par estafette le 18 janvier 1952 au secrétaire exécutif du National Security Council (Mr. James Seldon Lay).

Une copie de ce document a été interceptée par les services de documentation militaire britannique aux États-Unis et transmis le 24 janvier 1952 au Premier lord de l'Amirauté.

C'est à partir de cette première « fuite » que le document nous a été communiqué et que nous avons pu en prendre copie à la condition expresse de ne pas reproduire *in extenso* certains paragraphes comprenant des renseignements purement techniques ou des « considérations, appréciations et recommandations de caractère exclusivement militaire ». Ce sont ces paragraphes que l'on trouvera résumés entre crochets à la place qui est la leur dans le développement du rapport.

A ces réserves près, c'est la traduction intégrale du document qui figure ci-dessous, à partir de la copie qui en a été faite en langue anglaise. Les sous-titres ont été ajoutés par la rédaction uniquement pour la clarté de la présentation. BLOCH-MORHANGE

La Méditerranée, théâtre principal d'opérations offensives

I

La mer Méditerranée a toujours eu à travers l'histoire une importance cyclique. Actuellement, elle a repris une importance considérable par rapport aux intérêts généraux des puissances mondiales.

En matière de commerce et de communications internationales la région méditerranéenne a ajouté à ses possibilités maritimes celles d'excellentes communications aériennes tant dans le secteur méditerranéen de l'Europe que sur le littoral nord-africain. Stratégiquement, la Méditerranée est redevenue une des régions dont se préoccupe la politique des puissances, car dans l'aire méditerranéenne résonnent encore les bouleversements politiques dont les effets s'étendent à travers le monde.

[Le CNO (chef des opérations navales) signale ici que le prolétariat organisé du monde entier a pris le parti des Iraniens, des Égyptiens, et des Nord-Africains, et qu'un tel courant de sympathie a entraîné par voie de conséquence un climat de haine contre le capitalisme américain.]

En Méditerranée les États-Unis ont tout d'abord observé la politique d'obstruction et de maintien des intérêts égoïstes pratiquée par l'Union soviétique. Cette politique ne fut cependant pas immédiatement décelée par les observateurs américains, mais les gouvernements militaires alliés en Méditerranée y étaient constamment soumis.

[Le CNO signale ici qu'il fut impossible d'orienter dans un sens meilleur les élections libérales en Italie après la libération de ce pays ; qu'il fut impossible de liquider Tito et Markos en 1945 parce qu'il était absolument nécessaire de ne pas contrarier ouvertement l'influence du Kremlin « grand vainqueur européen » sous peine de voir alors à cette époque l'Europe entière conquise par le communisme.]

Les faiblesses des nations méditerranéennes étaient une source constante de tentation pour l'agresseur possible, qui pouvait désirer étendre ses territoires ou développer ses idéologies soit en organisant « des coups d'État », soit encore par le moyen des armes. Les États-Unis et la Grande-Bretagne ont donc prévu qu'il n'était pas possible d'abandonner leurs positions de contrôle temporaire en Méditerranée sans laisser un vide dont quelque force agressive pourrait profiter au détriment de la sécurité internationale.

Les conflits politiques d'après-guerre se terminèrent de telle sorte que les belligérants d'une guerre future se trouvaient face à face sur un théâtre méditerranéen à possibilités explosives.

Les engagements militaires et économiques des États-Unis ont dû être maintenus indéfiniment dans la zone où la suprématie des démocraties ou du communisme continue de poser un problème lourd de conséquences.

[Le CNO estime ici que la guerre est inévitable avant 1960, et que celui qui tiendra Gibraltar, Suez et les Dardanelles remportera la victoire.]

La base britannique pourrait être intenable

En cas d'agression, le monde occidental entreprendrait immédiatement une action contre-offensive. Cependant dans le processus actuellement prévisible il est possible que l'Europe occidentale et les îles Britanniques soient submergées par la force, l'agression étant préparée par l'emploi d'éléments subversifs locaux...

A quel endroit les États-Unis devraient-ils préparer leur grande offensive ? Il serait alors nécessaire d'envisager différemment une action militaire sur le continent européen. La traditionnelle voie d'accès des îles Britanniques vers la France pourrait être interdite par l'agresseur dès le début des hostilités.

Dans la Seconde Guerre mondiale le Premier ministre Churchill préconisa une attaque du sud de l'Europe au lieu d'une attaque de la côte normande. Des considérations militaires comportant l'utilisation des îles Britanniques comme base avancée ont cependant permis le débarquement victorieux de Normandie. Mais, dans l'avenir, la base commode et bien protégée que constituent les îles Britanniques peut être interdite aux États-Unis.

[Le CNO signale ici que, selon une estimation du SHAPE datant d'octobre 1951, 150 000 parachutistes russes pourraient assez facilement couper l'Angleterre de l'Écosse.]

La même base britannique peut être également rendue inutilisable ou intenable par les explosions de bombes atomiques.

[Le CNO rappelle ici que les services de la CIA ont plusieurs fois signalé aux chefs d'état-major américains que la Russie possédait un plan immédiat de bombardement atomique de l'Angleterre.]

Combien de temps tiendraient les cinquante-deux divisions européennes?

L'agresseur peut avoir obtenu, au moins temporairement, la suprématie de l'air sur les voies d'accès de l'Ouest européen.

[Le CNO rappelle ici que, selon une étude très récente faite par les experts aériens de la CIA, l'aviation russe pourrait occuper les aérodromes danois, hollandais, belges et français le quatrième jour qui suivrait le déclenchement des hostilités; une armée européenne de 52 divisions ne pourrait tenir que trois jours devant 115 divisions russes.]

Risques d'une action combinée en Europe occidentale

Toute opération combinée à travers l'Atlantique en direction de l'Europe occidentale présenterait des risques énormes et des pertes très élevées en vies humaines, étant donné l'état de la flotte sous-marine soviétique.

[Le CNO rappelle ici le texte d'un rapport qu'il a lui-même fait parvenir au même destinataire en septembre dernier, rapport selon lequel la flotte actuelle russe pourrait durant les huit premiers mois de guerre empêcher presque totalement les convois d'approcher les côtes britanniques et européennes.]

La flotte soviétique éliminerait donc l'hypothèse d'une telle opération qui présenterait un risque trop considérable. Comme conséquence du contrôle de ces régions par un agresseur, les États-Unis devraient se tourner vers le théâtre méditerranéen comme théâtre principal d'opérations offensives.

II

Une offensive stratégique aérienne pourrait être entreprise au-dessus de l'océan Atlantique ou des routes polaires plus courtes.

[Le CNO signale ici que le général Vandenberg avait fait un rapport dans les quinze jours qui suivirent l'ouverture de la guerre en Corée, rapport selon lequel il n'était pas possible d'attaquer l'Europe par raids aériens directs depuis les

*États-Unis, et que les appareils actuellement en service ne peuvent technique-
ment exécuter encore des aller et retour successifs par les routes « polaires »
jalonnées.*]

Mais une concentration favorable de force offensive pourrait être établie
sur des bases méditerranéennes aussi rapprochées que possible du territoire
national de l'agresseur potentiel : bases en Syrie, en Irak, en Égypte...

La puissance combinée de l'alliance occidentale pourrait servir à combattre
la puissance aérienne de l'agresseur dans la zone méditerranéenne. Cette
dernière est bien située pour les opérations aériennes, maritimes et sous-
marines, car les communications aériennes et navales y sont de première
importance.

[*Le CNO fait ici état de plusieurs rapports de physiciens de la Commission de
l'énergie atomique qui affirment que l'usage de la bombe atomique doit encore
être, et cela pour longtemps, limité aux seules opérations stratégiques.*]

Les forces navales et terrestres utiliseraient dans la bataille des armes
relativement classiques, et leurs possibilités de liberté d'action en Méditerranée seraient suffisantes pour justifier leur utilisation en conjonction avec les
forces aériennes, car l'on doit se souvenir que la défense de l'Europe entière
serait une tâche considérable pour les forces armées de l'agresseur, spécialement si sa puissance navale se révélait insuffisante.

Le degré d'efficacité de cette liberté d'action dépendrait du résultat de
batailles aériennes au cours desquelles serait disputée la suprématie dans le
ciel méditerranéen. Une fois cette suprématie assurée, les opérations combinées qui suivraient permettraient de débarquer nos troupes pour la conquête
nécessaire et l'occupation du territoire occupé par l'agresseur, et si possible de
son territoire national.

[*Le CNO rappelle ici que dans toutes les discussions entre les membres du
NSC et les chefs d'état-major il a toujours été entendu que l'occupation des
territoires russes serait le but final de l'éventuelle guerre.*]

En Méditerranée les engins téléguidés et les fusées pourraient être utilisés en
toute liberté en conjonction avec l'aviation tactique pour appuyer les opérations combinées.

[*Le CNO expose ici que les opérations principales devraient être orientées sur
l'Albanie, la Bulgarie et la Roumanie, et il donne le thème des principales
manœuvres déjà étudiées dans cet esprit.*]

La Méditerranée offre pour ces raisons une perspective générale favorable à
la réussite d'opérations combinées.

[*Le CNO rappelle ici certaines études, tant de généraux allemands que de
l'état-major spécial américain, qui démontrent que par la Grèce, la Yougoslavie
et la Turquie il est possible et aisé de tourner les troupes russes engagées d'une
part en Europe occidentale, d'autre part en direction du golfe Persique.*]

III

Cette partie du rapport traite uniquement d'hypothèses stratégiques, de plans tactiques, d'études sur la coordination des trois armes et l'utilisation en appui d'engins divers.

L'Afrique du Nord, base principale d'opérations combinées

IV

Il paraît inévitable que la Méditerranée devienne la frontière maritime entre les belligérants d'une guerre future. En effet l'Europe continentale pourrait fort bien être immédiatement désorganisée par des éléments subversifs agissant à l'intérieur du pays.

[*Le CNO cite ici plusieurs rapports de ses services de documentation selon lesquels l'Europe serait incapable de résister à une poussée russe, du fait de l'incapacité de ses dirigeants politiques, de la « grande fatigue » de sa classe industrielle et financière, et du manque d'esprit combatif chez ses grands chefs militaires.*]

L'Afrique du Nord pourrait donc être utilisée comme base principale d'opérations combinées alors qu'elle fut seulement employée comme théâtre secondaire pendant la dernière guerre.

Si un large front est tenu en Grèce et en Turquie, la route Atlantique-Méditerranée-Afrique du Nord serait la voie principale de ravitaillement et de communication (logistique) pour les États-Unis.

L'étude de la position stratégique des États-Unis exige donc un examen approfondi des problèmes de la Méditerranée. La solution rationnelle de ces problèmes décidera de l'efficacité avec laquelle le théâtre méditerranéen pourrait être utilisé pour obtenir la décision dans une guerre future.

Les problèmes méditerranéens sont ceux du Maroc, de l'Algérie, de la Tunisie, de la Libye et de l'Égypte. Ce sont des problèmes purement politiques.

[*Ici le CNO rejette entièrement sur la France et l'Angleterre la responsabilité des troubles africains actuels.*]

En Méditerranée, les États-Unis ont une excellente occasion, en trouvant une solution aux problèmes méditerranéens, de préparer par des moyens maritimes un théâtre d'opérations destiné à être utilisé par un monde libre, et en même temps d'apporter les bienfaits pacifiques de l'assistance économique aux zones sous-développées de cette partie du monde.

V

Les caractéristiques physiques de la Méditerranée rendent cette zone susceptible de provoquer les ambitions puissantes d'États voisins. Le désir de l'Union soviétique d'obtenir un débouché sur la Méditerranée, ou le désir de la Grande-Bretagne d'obtenir l'usage exclusif de cette voie de communication, sont des exemples de ce type d'ambition.

La zone de la Méditerranée est petite si on la compare aux vastes étendues des océans Atlantique et Pacifique, qui représentent respectivement une surface maritime quarante et soixante-dix fois plus grande. Une zone compacte de cette nature se prête bien au principe de la concentration dans l'utilisation de la puissance combinée et au contrôle par des forces armées supérieures. Les distances en Méditerranée ne sont pas grandes, que ce soit par air ou par mer. La distance entre Gibraltar et la Syrie est d'environ 2 250 milles ; les distances entre les bases aériennes du Maroc et de Bucarest sont par air d'environ 1 850 milles ; les distances entre les bases aériennes de Libye et le Caucase sont par air d'environ 1 850 milles.

[*Ici le CNO fait observer que l'utilisation de porte-avions en Méditerranée :*
1° *réduirait les distances de 50 à 65 % ;*
2° *faciliterait la récupération des appareils à proximité des territoires ennemis ;*
3° *permettrait de frapper à partir de lieux géographiques divers susceptibles de se déplacer en cours d'opération.*]

En prenant pour base les armes susceptibles d'être utilisées dans un proche avenir, ces distances sont suffisamment courtes pour que toutes ces armes puissent être effectivement utilisées dans des opérations. Dans toute sa largeur la Méditerranée a seulement 470 milles entre l'Algérie et la France...

Les routes maritimes sont resserrées dans cette zone, et la guerre sous-marine devient un facteur important dans les opérations de surface.

[*Le CNO affirme ici que les Russes peuvent baser sur les côtes d'Albanie trente-cinq sous-marins apportés par avions en pièces détachées, à Valona par exemple, et que ces trente-cinq submersibles peuvent selon les statistiques de la dernière guerre opérer pendant six mois avant d'être totalement neutralisés.*]

L'utilisation de chasseurs puissants est possible sur ces courtes distances à la fois comme couverture pour les opérations maritimes de surface et comme escorte pour la navigation et les bombardiers stratégiques. Pour un même nombre de bombardiers stratégiques leur efficacité sur d'aussi courtes distances serait très fortement augmentée. De larges concentrations d'intercepteurs (de l'adversaire) pourraient être compensées avec succès par des avions à rayon d'action limité ayant des caractéristiques du même ordre ou supérieures.

[*Le CNO établit ici un parallèle technique entre les avions utilisés par l'US Navy et les types similaires utilisés par l'URSS.*]

Note du traducteur : Nous croyons utile de préciser que la marine américaine ne dispose directement que d'avions légers. Il semble donc ici qu'il soit nécessaire de relever une fois de plus un des épisodes de la « petite guerre » air-mer.

L'utilisation du nationalisme arabe

VI

Le développement du nationalisme arabe a fait naître en Méditerranée une influence qui peut se transformer soit en avantage tangible, soit en échec pour la politique militaire des États-Unis. Le nationalisme arabe au Maroc, en Algérie, en Tunisie, en Libye et en Égypte peut être entendu et compris par les dirigeants américains. La religion d'environ 40 millions de musulmans qui constituent le monde arabe du bassin méditerranéen ajoute sa force cohérente à l'unité des États arabes dispersés. Les croisades, avec leur importante influence sur l'histoire de la Méditerranée, ne doivent pas être oubliées. Les Arabes sont une race de combattants qui, s'ils étaient convenablement équipés et entraînés, représenteraient un renfort apprécié pour des forces armées dont le but est la défaite de l'agresseur.

Si les forces arabes étaient utilisées seulement temporairement pour « tenir » l'Afrique du Nord et le Proche-Orient, elles pourraient maintenir cette zone libre, permettant ainsi au « gros » des forces alliées de prendre pied stratégiquement.

Grâce à des bases établies en Afrique du Nord et dans le Proche-Orient avec l'appui amical des Arabes il y aurait quelque assurance que la Méditerranée puisse être utilisée comme théâtre d'opérations décisives peu de temps après l'action offensive par un agresseur sur le continent eurasien.

[*Le CNO estime que dans la guerre éventuelle il faudrait lancer la Turquie contre le Caucase et la Bulgarie, la Grèce contre la Bulgarie, la Yougoslavie contre la Bulgarie et la Hongrie. Grâce à la supériorité américaine en Méditerranée il serait extrêmement facile de ravitailler et de soutenir ces opérations.*]

VII

Heureusement les Arabes ne sont pas partisans de l'idéologie communiste. Les dirigeants arabes (ici l'énumération de ces dirigeants, à la tête desquels figure Azzam pacha) ont déclaré à MM. Jessup et Austin à Paris, le 15 novembre, que les États arabes « se joindraient à l'Amérique dans le combat pour la liberté, la démocratie et la paix, et pour maintenir la collaboration des Arabes avec les démocraties occidentales ». Aujourd'hui, avec une attitude typiquement orientale, les Arabes demandent l'impossible parce qu'ils se savent placés dans une situation stratégique très importante pour les grandes puissances. Cette action provoque une réaction hostile des puissances établies depuis de nombreuses années sur les territoires en question. Mais les États-Unis peuvent réconcilier les parties par une intervention diplomatique; la stratégie américaine en Méditerranée demande une réconciliation sincère, et si la France et la Grande-Bretagne acceptaient un compromis juste et généreux l'Occident atteindrait sûrement son but. Compte tenu d'une situation internationale constamment menaçante, une Confédération stable des États

343

arabes serait d'un grand poids dans toutes décisions portant sur le choix du théâtre d'opérations pour une action offensive contre un agresseur eurasien. Étant donné que la Ligue arabe a déjà conclu un accord de sécurité entre ses membres, sur le plan politique au moins, la Méditerranée serait toute désignée comme point de la contre-offensive principale si nous avions les Arabes comme alliés. Le State Department doit passer des accords spéciaux avec la Ligue arabe.

[Ici le CNO suggère les raisons pour lesquelles M. Mac Ghee lui paraît tout indiqué pour diriger les tractations avec la Ligue arabe. Le CNO estime que M. Mac Ghee est la personnalité américaine la mieux introduite dans le monde arabe.]

Le contrôle des pétroles d'Orient

Lorsque la question arabe sera réglée dans le problème méditerranéen, la question du pétrole du Moyen-Orient viendra au premier plan. Dans le proche avenir la nécessité de résoudre cette question au bénéfice des États-Unis deviendra l'un de nos problèmes importants en matière de stratégie politique.

Il a été établi une fois pour toutes qu'une machine de guerre sans pétrole est inexistante. Ainsi que le prouve l'exemple de l'Allemagne dans la dernière guerre, c'est le manque de pétrole qui a amené ses forces armées au point mort et la reddition sans condition qui s'ensuivit.

Le théâtre d'opérations méditerranéen aurait un ravitaillement en pétrole pratiquement inépuisable à courte distance des forces en opération. Le pétrole pourrait être transporté rapidement par bateaux-citernes et par pipe-lines du Moyen-Orient à la Méditerranée orientale. Si le pétrole était obtenu d'un allié ou d'un ami arabe une situation idéale existerait pour le ravitaillement en temps de guerre.

[Le CNO explique ici qu'il serait judicieux de réserver le pétrole américain au front d'Asie et d'utiliser le pétrole égyptien, iranien, irakien, pour les divisions blindées engagées au Moyen-Orient, la flotte basée sur l'Afrique du Nord, les bases aériennes du Maroc et de Libye.]

Avec une aide militaire des États-Unis la puissance arabe, trouvant son expression militaire, pourrait maintenir sa position après le début des hostilités.

Il existe une rivalité constante entre les intérêts pétroliers britanniques, américains et soviétiques dans le Moyen-Orient. Les États-Unis se trouveraient militairement dans une situation meilleure s'ils disposaient de la riche source de pétrole du Moyen-Orient. La Grande-Bretagne, dépourvue elle-même d'une riche source de pétrole, considère comme une nécessité le pétrole du Moyen-Orient. L'Union soviétique a d'importantes ressources qui lui sont propres, mais en raison de la valeur stratégique des champs pétrolifères du Moyen-Orient elle estime qu'ils doivent être soustraits à toute nation puissante, particulièrement aux États-Unis.

La guerre totale comprend toujours le contrôle des ressources rares. La proximité des riches sources de pétrole désigne particulièrement la Méditerranée comme théâtre dans lequel des opérations de contre-offensive commenceraient si les voies d'accès occidentales du continent européen (Scandinavie, îles Britanniques, France, Espagne) étaient interdites aux États-Unis même temporairement, comme cela serait possible.

Les Balkans, porte du continent européen

VIII

Aujourd'hui la Libye est indépendante. La nation qui contrôle la Libye ou qui a des relations amicales avec elle pourrait bien être en train de se placer dans la meilleure position pour contrôler la Méditerranée. Rappelons que la Libye est un État arabe, et ne perdons pas de vue sa situation entre la Tunisie et l'Égypte. La Libye est nécessaire aux États-Unis. De Libye l'aviation américaine peut attaquer les centres industriels de l'ouest de l'Union soviétique sans difficulté. A Tripoli et à Benghazi, les forces navales des États-Unis peuvent trouver d'excellentes bases faciles à ravitailler.

[*Le CNO explique ici que la Libye est trop peu peuplée pour pouvoir donner lieu à la constitution d'un front communiste derrière les bases navales américaines éventuelles et qu'en tout cas, dans la plus mauvaise hypothèse, il resterait toujours facile d'isoler respectivement Tripoli-d'Afrique et Benghazi avec quelques bataillons de marines.*]

Les Balkans constituent la forteresse soviétique de la Méditerranée. Si la Yougoslavie continue à défier la puissance de l'Union soviétique, la crainte de l'URSS, qui domine les Balkans, peut être éliminée, et des contacts libres et amicaux peuvent réunir ces nations. Cette possibilité représente des éléments de stratégie future qui pourront être exploités en cas d'hostilités. Il ne faut pas sous-estimer la forte attirance du patriotisme et de l'esprit national dans les États balkaniques.

[*Le CNO rappelle ici la structure des organisations clandestines en Albanie et explique comment, par sous-marins, l'US Navy a fait parvenir à ces organisations des armes et des explosifs.*]

Les organisations de résistance des États balkaniques seraient tentées de se placer aux côtés des États-Unis dans une guerre future si la Méditerranée est utilisée comme théâtre d'opérations militaires. Une zone ainsi « neutralisée » serait inestimable comme point faible pour l'entrée de forces armées sur le continent européen en partant de la Méditerranée.

[*Le CNO rappelle ici au NSC que le conseil des chefs d'état-major a prévu et mis en place les réseaux de mouvements insurrectionnels dans les Balkans et explique comment ont été arrêtées les dispositions qui pourraient être exécutées dès maintenant.*]

Les actions de guérillas seraient donc dans cette région d'un appui sérieux contre l'agresseur commun.

Les effets de la puissance air-mer sur une échelle réduite dans la mer Noire pendant la dernière guerre sont un puissant objet de réflexion pour ceux qui se battraient dans une guerre en Méditerranée. La petite flotte de la mer Noire de l'Union soviétique rendit coûteuse pour l'Allemagne la campagne de Crimée, malgré la suprématie aérienne des Allemands. L'entrée de la Grèce et de la Turquie dans l'alliance atlantique est donc une bonne assurance contre une campagne coûteuse de cette nature. L'importance du front méditerranéen du point de vue stratégique saute aux yeux. La force des États-Unis sera fondée sur sa prédominance visible dans les affaires méditerranéennes au moyen de l'assistance militaire et économique et de la médiation politique. Si l'Europe devient la forteresse de l'Eurasie, la Méditerranée sera le théâtre sur lequel le siège commencera. La vitalité et l'énergie dépensées dans les affaires arabes par les États-Unis n'auront pas été perdues si les interventions américaines sont favorables aux Arabes. Si la force doit être employée contre un agresseur, l'aide du monde arabe rendra son application moins coûteuse en vies et en argent.

Par la Méditerranée, et avec l'aide des peuples arabes et des bases avancées dans les États arabes, l'agresseur eurasien et ses idéologies seront vaincus d'une manière décisive.

Office of the Chief of Naval Operations, Navy Department

6. Points de vue sur Sirius

René Courtin

Ce récit serait incomplet si je ne tentais de donner le portrait du personnage principal du récit, portrait que, sûrement, je suis porté à noircir.

Il me faut rendre hommage au labeur acharné qu'a accompli Beuve-Méry à la tête du *Monde* : arrivé tôt le matin, écourtant ses repas, restant le dernier au journal, réduisant au maximum ses absences, s'imposant le devoir scrupuleux de relire tous les papiers, orientant directement et fermement la rédaction, surveillant l'administration et la comptabilité, négociant avec l'atelier. Soupçonneux, Beuve-Méry a flairé et combattu avec fermeté tous ceux qui de l'extérieur lui ont tendu des chausse-trapes. Ignorant l'esprit de camaraderie et de complaisance, insensible aux flatteries des grands et à la griserie du pouvoir, il a conféré au journal le maximum de tenue et de dignité ; personnellement désintéressé quoique sans fortune, vivant modestement, il a acquis peu à peu une autorité indiscutée et indiscutable.

Beuve-Méry n'est pas seulement un homme honnête, c'est aussi un homme sensible.

Pour lui la valeur de l'inspiration l'emporte de beaucoup sur la valeur des résultats. Catholique libéré de tout conformisme, et donc véritablement chrétien, il cherche avant tout la sauvegarde et la perfection de l'homme. La civilisation n'a de sens à ses yeux que lorsqu'elle est au service de la personne. Son idéal est celui d'une société communautaire et les solutions individualistes lui paraissent d'inspiration satanique.

Ces qualités peu communes sont malheureusement déparées par de terribles faiblesses. Beuve-Méry est d'origine obscure et il a eu une jeunesse difficile. Une telle ascension, justement parce qu'elle est exceptionnelle et méritoire, constitue pour tout homme une épreuve difficile à supporter. Les esprits vulgaires tirent de leur succès une vanité déplaisante et répudient leurs origines qu'ils s'efforcent de cacher, en prenant les défauts les plus voyants de la bourgeoisie. Le complexe de Beuve-Méry témoigne d'une qualité d'âme toute différente mais n'est pas moins redoutable. Il éprouve pour tous ceux qui occupent une place importante, qui ont réussi, un immense mépris, particulièrement à l'égard des « capitalistes » et plus encore des hommes politiques, sans doute parce qu'à ses yeux ils méconnaissent les vraies valeurs. Ce mépris couvre un autre complexe soigneusement caché, dont on ne peut savoir s'il est un complexe d'infériorité ou de supériorité, ces deux sentiments étant du reste ambivalents. Sa sensibilité est d'autant plus vive que sa santé est mauvaise, et qu'il remâche ses rancunes durant de longues nuits d'insomnie.

Extrait de Souvenirs inédits, *Combat inutile au journal « le Monde »*, *op. cit.*

« LE MONDE » DE BEUVE-MÉRY

Jean Daniel

Je rends visite à Hubert Beuve-Méry. Je me devais de l'informer que ma collaboration au *Monde,* encouragée par lui avec autant de chaleur qu'un homme aussi réservé peut en témoigner, allait prendre fin. D'autre part on ne fondait pas un journal sérieux à Paris sans aller voir le maître. Et puis, enfin, j'avais besoin de son avis, de ses réactions, de ses conseils. Mémorable visite. J'arrivai dans le grand bureau directorial tout plein d'une assurance qui alla décroissant au fur et à mesure que je parvenais à entendre le premier journaliste de France. Il se leva pour m'accueillir mais il resta debout. J'en conclus qu'il souhaitait que l'entretien fût bref et décidai plusieurs fois de prendre congé au point que je le forçai à regretter de me voir si pressé. Je ne sais pas dire à quelqu'un en face que je le respecte ; là j'aurais aimé qu'il le devinât. Debout il était encore plus difficile de le lui laisser entendre. La conversation se réduisit bien vite à un monologue chuchoté et apocalyptique. Le petit sourire un peu amer, un peu paternel aussi avait presque plus d'éclat que le timbre de ses propos. Il me murmura en substance que rien ne valait la peine de rien et que toute sa vie il avait fait comme si tout valait la peine de tout. Quoi que nous fassions, nous allions, selon lui, vers l'abîme et le seul souhait à formuler était que nous y allions lentement. Dans ce bureau, pendant vingt-cinq ans, il était venu tous les jours, parfois avec quelques illusions. Qu'en restait-il, sinon un journal pas trop mauvais sans doute. Quoi? Je n'étais pas de cet avis? Je n'avais rien dit? Il croyait m'avoir entendu formuler des critiques et m'assurait qu'il était tout prêt à en tenir compte. Je pris la décision de m'asseoir en lui disant que l'état de ma jambe m'interdisait une station immobile et verticale trop prolongée. Il me regarda avec sympathie : ainsi j'allais fonder un journal? J'avais mille fois raison. Il avait un mauvais souvenir d'une expérience malheureuse faite avec l'hebdomadaire *Une semaine dans le monde* et pourtant le vide laissé par *l'Express* le tentait. « Dépêchez-vous! », me dit-il, oubliant que tout est vanité. Soudain une sorte d'envie paraissait se dessiner chez cet homme qui déclarait ne plus rien attendre de la vie. Il m'a pris le bras pour me dire : « Si vous croyez que je peux vous aider, dites-le moi, j'y réfléchirai. »

Le temps qui reste, Paris, Stock, 1973, p. 188-189.

Françoise Giroud
[*On est à l'époque du* Temps de Paris.]

Hubert Beuve-Méry attend l'orage avec sang-froid. Il est seulement un peu plus désagréable qu'à l'accoutumée, un peu plus cassant avec tel ministre, tel ambassadeur qui sollicite un minimum « d'affectueuse compréhension », un peu plus laconique, un peu plus parcimonieux, un peu plus méprisant. Cinquante-quatre ans, le poil gris, l'œil jamais d'accord avec la bouche —

ce que l'un donne, amitié, sourire, l'autre le refuse —, de rude et haute allure, amoureux de l'humanité mais distant de tous les hommes, cet inamovible Breton est gracieux comme un cactus.

[...] Il faut bien le dire, dédaigner l'argent et les agréments qu'il procure est relativement aisé à l'homme d'orgueil qui croit à sa mission et qui, au-delà des plaisirs, ne poursuit qu'une seule joie : la joie amère d'être seul, seul à être lucide, seul à rester pur. Beuve-Méry a pour l'argent plus que du mépris : il le craint pour tout ce qu'il le soupçonne d'apporter de corrupteur et d'amollissant aux meilleurs. Et c'est presque une faiblesse, une peur.

L'Express, 13 avril 1956.

Maurice Ferro

L'homme derrière ce bureau « historique », qui se leva à mon entrée et m'invita à prendre place dans l'un des deux fauteuils placés de l'autre côté de la table, n'avait rien d'un Adrien Hébrard. Je ne m'attendais certes pas à trouver là un directeur du type « ancêtre ». Mais je ne pensais pas non plus me trouver face à un mélange français de Cary Grant et de Gary Cooper, la forme du visage un peu moins ovale cependant. Hubert Beuve-Méry, tel qu'il m'apparut pour la première fois, était la photogénie incarnée. Le masque, pourtant, était sévère, la physionomie glaciale, même, mais sans dureté aucune ; glacial, également, l'accueil malgré la courtoisie du ton, lorsqu'il me demanda : « Que puis-je pour vous ? » [...]

Beuve-Méry revoyait personnellement toute la copie, à mesure qu'elle « tombait », lisant même les épreuves des « petites annonces » et les textes publicitaires, accueillant aux environs de onze heures et demie l'éditorialiste du jour venu soumettre à son jugement le « Bulletin de l'étranger » ; déjeunant aussi vite que possible pour retourner au « canard » — comme nous disions — y travailler fort avant dans la soirée et rentrer chez lui le plus souvent à pied, tout à la fois pour libérer le chauffeur qui lui était affecté et parce qu'il aimait — et aime toujours — la marche.

Cette modestie, pour le directeur d'un journal aussi influent que *le Monde*, avait une contrepartie d'ordre négatif, la timidité. Longtemps, Beuve-Méry refusa de « sortir », d'aller à l'étranger, en ambassadeur de son journal et de la pensée française — ce qu'il fera quand même plus tard. Souvent, il semblait se rétracter au contact d'hommes politiques. Lui, que tout le monde connaissait, ne connaissait pas tous ceux qu'il aurait dû connaître. En septembre 1948, je l'avais accompagné à la Fondation Carnegie, à Paris, où Paul-Henri Spaak donnait une conférence. Après quoi toute l'assistance fut conviée à se rendre au premier étage prendre une coupe de champagne. J'entendis alors, stupéfait, Beuve-Méry me dire : « Présentez-moi à Spaak. » Et c'est le modeste collaborateur qui salua le ministre belge des Affaires étrangères, lui glissant : « Permettez-moi de vous présenter M. Beuve-Méry »... que Paul-Henri Spaak souhaitait d'ailleurs connaître depuis fort longtemps ! Deux ans après, le « patron » était aux États-Unis. De New York,

349

que nous avions quitté par le train du matin, nous nous rendîmes directement chez moi à Washington pour y déjeuner. Là, me rappelant que Maurice Petsche, alors ministre des Finances, se trouvait depuis la veille dans la capitale fédérale, je lui téléphonai. « Mais vous allez le déranger », observa Beuve-Méry. Je répondis simplement : « Et le boulot, monsieur le Directeur ? », appuyant sur le « monsieur », comme pour marquer que je plaisantais.

A l'ambassade, l'on me fit connaître que « le ministre ne déjeunait pas là ». J'appelai donc son hôtel, le Willard, célèbre depuis un siècle dans le Tout-Washington politique. Il s'y trouvait et me dit, très gentiment — car cet homme alliait à la courtoisie une grande bonté : « Beuve-Méry est avec vous ? Mais arrivez donc sans tarder ! » Nous venions à peine de finir le dessert, quand j'entraînai le « patron » qui, l'air faussement excédé, dit à ma femme : « Mais, il me viole ! Au fait, est-il toujours comme ça ? »

Dix minutes plus tard, nous sonnions à la porte de l'appartement occupé par le ministre. Il vint lui-même nous ouvrir, en robe de chambre, le visage enduit de savon à barbe. Je le saluai d'un simple « *bonjour,* monsieur le Ministre », cependant que Beuve-Méry, lui, d'une voix à peine audible, susurra plus qu'il ne dit : « *Mes respects,* monsieur le Ministre. » Tel était l'homme qui pouvait tenir à sa merci la vie des gouvernements de la IVᵉ République...

Mais sa modestie, peut-être empêchait-elle de mesurer sa puissance. Une modestie qui, selon Édouard Sablier — et d'après le fait qu'il me signala voici quelques années déjà —, serait à l'origine de toute son attitude envers le général. Dans les semaines qui suivirent la naissance du journal, Beuve-Méry aurait demandé à de Gaulle si, pour son information, il pouvait assister à son entretien du matin avec Géraud Jouve et Élizabeth de Miribel, chargés auprès de lui des affaires de presse. Toujours selon Sablier, le général aurait répondu, avec un certain dédain dans le ton : « Jouve ? De Miribel ? Peuh ! des fonctionnaires... »

Beuve-Méry aurait été choqué, profondément, de ce qu'il croyait être de la désinvolture, sinon du mépris, envers un homme et une femme qui l'avaient servi avec dévotion depuis le premier jour de son appel à la résistance. En réalité, de Gaulle avait voulu dire que, à Géraud Jouve et Élizabeth de Miribel, fonctionnaires, il donnait des directives. Avec le fondateur du *Monde,* que le général considérait un peu comme « son » journal, qui avait vu le jour dans les conditions de départ assez difficiles que nous connaissons, il en allait autrement. Le directeur de cet organe de presse était un personnage assez important, et de surcroît maître de ses mouvements puisque aucun lien fonctionnel ne le rattachait à l'administration, pour être reçu seul par le chef du Gouvernement provisoire, pour discuter à égalité avec lui des problèmes d'ordre interne et des relations extérieures.

Extrait de Souvenirs inédits.

Stanislas Fumet

Au « Petit Riche » nous continuons à échanger nos points de vue. Je dois dire que, sur les questions religieuses, c'est avec Beuve-Méry que je me suis trouvé le plus apparemment d'accord. Cela peut surprendre si l'on admet que cet illustre journaliste et professeur a retiré depuis trente ans environ l'enseigne de la foi sur le fronton vacant de sa philosophie. Mais il ne manque pas de souligner les positions essentielles du catholicisme avec une netteté et une pertinence dont je lui sais gré. [...]

Il n'y a pas (et c'est pour moi toute l'explication de son âme) qu'un pessimiste en lui, mais il y a toujours en Beuve-Méry (qu'il me pardonne si je me trompe) un sensitif qui aurait trop peur de croire en ce qu'il espère.

Histoire de Dieu dans ma vie, Paris, Fayard-Mame, 1978, p. 648 et 645.

Georges Hourdin

La tâche qui attendait Beuve était rude. Il n'était pas fâché, je crois, de prolonger notre amitié. Nous étions heureux de continuer à le voir régulièrement... Cet agnostique était, déjà, le plus chrétien parmi nous. Ce pessimiste apparent, aux avis volontiers blasés, espère tout de l'homme, puisqu'il croit qu'il ne peut plus rien espérer de Dieu. Le plus extraordinaire, c'est sa réussite sur le plan de la philosophie de la vie. Il a dit pendant dix ans à ses rédacteurs, alors qu'il ne pouvait pas les payer décemment . « C'est un grand honneur, messieurs, pour vous, de travailler au *Monde* », et la plupart d'entre eux l'ont cru ; ils ont accepté de courir, avec lui, le risque de rédiger, dans la pauvreté et la rigueur, un journal d'information honnête. Il disait à cette époque, en faisant, au fond, confiance aux lecteurs : « Je les forcerai à me lire. » Il était sous-entendu que ce serait en refusant toutes les méthodes à la mode qui consistent à flatter l'opinion publique. Admirable programme. Le plus admirable, sans doute, est que les lecteurs aient accepté, eux aussi, le jeu austère que leur proposait Beuve-Méry et qu'ils aient acheté *le Monde* au grand dam de ceux qui auraient aimé manipuler tranquillement l'opinion française désorientée. Beuve accomplissait le programme que Camus, dans ses premiers et admirables éditoriaux de *Combat*, proposait à la presse issue de la Résistance. Hélas!

Dieu en liberté, Paris, Stock, 1973, p. 234.

Jean Lacouture

— *Si on parlait un peu de Beuve-Méry...*
— Bien sûr. J'aime parler des gens que j'admire. Ma plus grande surprise,

à propos de Beuve-Méry, a été d'apprendre qu'il n'est pas protestant. Pour moi, depuis le premier regard que j'avais jeté sur son journal, depuis la première ligne que j'avais lue de lui, depuis la première fois que je l'avais abordé dans un couloir du *Monde,* il était l'amiral de Coligny. J'avais toujours envie de lui offrir une fraise bien empesée. Et je suis assez bordelais pour fondre de respect devant les grands « religionnaires ». Passons sur la fraise. Reste ce qui fait l'essentiel de Beuve (formé par les dominicains) aussi bien que des huguenots : l'esprit de libre examen, de type anglo-saxon, à partir d'une vision pessimiste du monde. Il n'y a rien que j'aime au monde mieux que l'esprit de libre examen. Moins le pessimisme.

Le fait est qu'Hubert Beuve-Méry, à force d'honnêteté, d'acharnement, de fermeté, de respect de la chose écrite et du lecteur, a créé le meilleur journal d'Europe — je dirais : le meilleur journal anglo-saxon d'Europe.

Je ne vais pas vous faire un discours sur l'objectivité, ne serait-ce que parce que je n'y crois pas, et notamment pas à celle du *Monde,* journal d'idées, très éclectique, mais ordonné autour d'une idéologie dominante, ou directrice, qui est la démocratie chrétienne corrigée par le moralisme aristocratique et progressiste, antiparlementaire et intellectualiste qui était celui de Mounier.

Le Monde sort à la fois de la réforme dominicaine, de l'affaire Dreyfus, du 6 Février et de la Résistance. Encore que son dreyfusisme congénital se soit nuancé, sur le fond, d'une vague arabophilie. L'avenir dira si ces deux courants sont incompatibles, ce qui n'est pas certain.

Bref, *le Monde* n'est pas objectif, même si la diversité des courants qui s'y expriment peut donner l'impression de la neutralité à force de neutralisation. Il n'est pas objectif parce qu'il est fait par des gens qui n'ont pas la naïveté d'y prétendre, ayant des idées et connaissant les limites de la soi-disant objectivité. Ensuite, parce que toute information est un choix et que choisir est orienter. Entre tel ou tel fragment d'un discours de Michel Debré ou de Khadafi, le journaliste fait un tri qui est un éclairage décisif. Avec le même texte de base, on fera de celui-ci un fasciste ou un progressiste, de celui-là un sectaire ou Voltaire.

Tout cela est connu. L'intéressant, avec *le Monde,* c'est que presque tout est fait pour que, dans l'éclairage donné, le lecteur puisse encore se forger une opinion, sinon son opinion. C'est un parcours balisé, pas un gymkhana... Et cela, c'est d'abord à Beuve-Méry et à Gauthier qu'on le doit. [...] Du premier « patron » du *Monde,* que dire qui n'ait cent fois été dit, ne serait-ce que par les trois confrères que vous avez interrogés avant moi, et qui l'ont bien connu? C'est un « point d'eau » de la société française d'aujourd'hui, un pivot. Comment peut-on « réussir » à Paris — car il n'est guère de « réussite » comparable à la sienne, dans la relative pauvreté — avec des moyens si peu phosphorescents, une si parfaite économie de comportement? Il y a eu aussi le cas de Robert Schuman, c'est vrai. Mais Schuman était inconnu à Paris, s'il était célèbre en Europe, alors que Beuve est un des vingt-cinq personnages de la France d'aujourd'hui.

Beuve-Méry est un homme qui sait écouter, c'est-à-dire ne pas entendre la rumeur indécise, et je crois que c'est la vertu essentielle d'un patron de presse — personnage assiégé par l'information, le reportage, le bobard, l' « intox ». C'est un homme qui s'est imposé une discipline : ne jamais se laisser inviter à dîner par les gens qui pouvaient lui en demander le prix. C'est une règle d'or, qu'aucun de nous n'a su tout à fait respecter. Comme il était aussi très avare pour le journal, il nous conseillait d'accepter ici ou là des invitations de gouvernements « ... à condition bien sûr de cracher dans les plats ! ». Ce qui n'est pas toujours possible. Qui sait le mal que fait, à la vraie liberté d'expression, la politique des banquets !

— *Comment se fait-il qu'on voit apparaître en France, au début de 1953, ce journal « de type anglo-saxon »? D'après vous, c'est dû à la personnalité de Beuve-Méry?*

— Que Beuve ait joué un rôle important, qui le nierait? Il est vrai que depuis son départ le journal ne s'est pas transformé radicalement, seulement modifié. Il a perdu quelque chose et gagné autre chose. Autrefois, *le Monde* exerçait la fonction critique. Maintenant il assume un rôle d'opposition.

Un sang d'encre, Paris, Stock, 1974, p. 106-108.

François Mauriac

Parmi les gens de notre profession, qui est plus estimé qu'Arcturus? Aux yeux de tous, il apparaît à la fois comme un cerveau et comme une conscience : assemblage peu commun chez ceux qui font métier d'écrire dans les feuilles publiques. S'il en est parmi nous qui ne trouvent guère d'agrément au commerce d'Arcturus (il est un « docteur tant pis » redoutable et croit toujours que le pire arrivera), même ceux-là, ce grand confrère les rassure. « Il existe pourtant des journalistes comme Arcturus ! » se disent-ils.

Il n'était pas besoin de porter Arcturus aux nues : le consentement général l'y avait placé une fois pour toutes, et il s'était donné lui-même le nom d'une étoile.

Ce rayon redoutable qu'un vieil homme projette en quelque sorte malgré lui sur les êtres, et qui lui fait voir les motifs cachés, ce triste privilège de la vieillesse de ne pouvoir plus être dupe de personne, je n'en ai jamais usé quand je considérais Arcturus. C'est que, journaliste, j'avais besoin de croire qu'une certaine vertu existe parmi nous, que la publicité n'est pas partout la reine, que le fin du fin de la profession ne consiste pas à coller le masque de la moralité sur des reportages immondes, que le dernier mot de notre métier n'est pas de flatter la paresse du public et sa lubricité, ni de lui fournir des images et des gros titres pour le dispenser de lire le reste, et même quand cela ne sert à personne et simplement parce que c'est la coutume, de ne rien écrire qui ne soit inexact, et d'avoir comme la phobie du vrai.

J'avais donné ma foi à Arcturus. Je me gardais, moi qui ai toujours jugé les gens sur la mine et qui ai rarement été trompé, de m'interroger sur cette figure fermée — oui, fermée à la lettre : rien n'y ouvre sur le dehors, et de la lumière du dedans qui doit être si belle, presque rien ne filtre à travers cette face close.

« Arcturus ne ressemble pas à l'idée que je me fais de lui », me disais-je, quand un doute naissait. Car nous n'étions pas toujours d'accord, lui et moi.

353

Non que je lui aie jamais tenu rigueur de son opposition à la politique du Prince : il m'arrivait souvent d'entrer dans ses raisons bien que je fisse moi-même confiance à cette politique, mais les yeux ouverts, et peu enclin par nature à beaucoup attendre de ce côté-là, persuadé surtout qu'il n'existe pas de commune mesure entre ce que peut le chef solitaire d'une petite nation divisée contre elle-même et les écroulements d'un monde qui se décompose. Pourtant je demeurais ferme dans ma foi, et je le demeure encore pour des raisons que je recommencerai bientôt de donner ici.

Ce n'était point l'opposition d'Arcturus qui me déplaisait, mais qu'elle fût aigre et feutrée. A aucun moment je n'ai douté pourtant que le bien public fût son souci unique, jusqu'à ce coup de tonnerre : l'attentat contre le Prince. A ce moment-là, la lividité de l'éclair a fait surgir le fond des êtres. Qui le croirait? Dans des hebdomadaires de la gauche, il y eut des clins d'œil aux centurions. Pour Arcturus, il condamna le crime, certes, et en termes clairs. Mais il prenait de haut avec celui qui venait d'échapper aux assassins, il lui faisait la leçon. Qu'il appartînt aux journalistes de tirer la morale d'un tel attentat, je l'admets et l'approuve; mais le ton ici m'irritait : l'horreur de ce qui avait failli être ne faisait pas trembler cette voix sèche ni n'en adoucissait l'aigreur.

Dès lors je ne vis plus Arcturus avec les mêmes yeux. « Hé quoi! me disais-je, il existe un homme pour avoir consenti à risquer plus que sa gloire : son honneur, pour assumer seul devant la Nation et devant l'Histoire ce que signifie le terme barbare de décolonisation, un homme offert, livré sans un mot d'amertume à l'hostilité de ses frères d'armes, à la haine de partisans aveugles, résolus à l'abattre, et qui dédaigne de recourir aux effets littéraires, au romantisme, au père de Foucauld, quand il parle du Sahara ; et le meilleur des journalistes de la gauche ne lui en sait aucun gré et même, au lendemain d'un attentat qui fut si près de réussir, il demeure sec et garde sa figure de juge. »

Le matin du 20 septembre, j'ouvris sans méfiance le journal d'Arcturus et n'en crus pas mes yeux. Un message du légionnaire révolté s'y étalait sur trois colonnes, adressé à Arcturus, mais à travers lui à tous les Français. Le chef des conjurés n'avait pas besoin de saboter les pylônes de la télévision pour s'adresser à nous. Et certes, dans sa lettre à Arcturus, il rejetait la responsabilité du crime et niait d'en avoir donné l'ordre. Je conviens aussi qu'Arcturus, à la première page, lui répondait sans ambiguïté, et comme il sait faire, en grand journaliste qu'il est.

Mais pourquoi ce jour-là, et dans le même numéro, occupant toute une page auprès de celle où s'étalait l'appel du chef rebelle, ce placard de publicité d'un hebdomadaire activiste [1]? Six titres y éclataient en lettre capitales, signés de noms qui peut-être eussent été ceux de nos maîtres, si les assassins avaient abattu leur victime. La rencontre dans le journal d'Arcturus de cette lettre et de cette publicité m'aura durant tout un jour livré à l'indignation, à la

---

[1] *L'hebdomadaire concerné était* Carrefour. *On trouvera dans le recueil d'articles de Beuve-Méry lui-même,* Onze ans de règne, op. cit., *le dossier de cette affaire, avec la correspondance privée Mauriac-Beuve-Méry qui a suivi cet article.*

honte, et presque au désespoir. Qu'Arcturus me pardonne si je m'en délivre aujourd'hui. Mais je ne peux plus me retenir de crier. Il est affreux d'appartenir à une nation où ceux qui condamnent le crime politique nous deviennent aussi étrangers que ceux qui le pratiquent, qui l'approuvent ou qui l'excusent. La solitude de De Gaulle devient celle de tous ceux qui ont cru en lui et qui continuent de croire que l'Histoire le justifiera.

Le Figaro littéraire, 30 septembre 1961 : « Le point de vue d'Arcturus »

Le général de Gaulle

La presse, à travers ces événements, est bien ce qu'on peut attendre d'elle. Celui qui détient le pompon, c'est évidemment *le Monde.* Quand j'ai parlé, cette fois, à la télévision, de Méphisto disant : « Je suis l'esprit qui nie tout », c'est, bien entendu, au *Monde* que je pensais. Et dire que c'est moi qui, à la Libération, ai voulu qu'il existe ! D'ailleurs j'ai trouvé un surnom à Beuve-Méry. Je l'appelle « Monsieur Faut-que-ça-rate ». Depuis que je suis au pouvoir, il n'a que cela en tête et doit commencer à se frotter les mains...

Extrait de Michel Droit, *les Feux du crépuscule,* Paris, Plon, 1977, p. 41, citant de Gaulle, mardi 21 mai 1968.

7. Tel qu'en lui-même...

Lettre adressée le 8 septembre 1972 à Jean Daniel, directeur de la rédaction du Nouvel Observateur, *par Hubert Beuve-Méry (Archives Jean Daniel).*

Cher Ami,

Comme je l'ai dit à votre aimable téléphoniste, ce n'est pas pour avoir l'honneur d'une publication dans les colonnes du *Nouvel Observateur* (je vous demande *expressément,* au contraire, de n'en rien faire) que je réponds à votre lettre du 30 août, mais seulement pour vous témoigner l'attention et l'intérêt que je porte à votre recherche et à votre effort.

Sans doute est-il permis de parler de « mutation » à propos de transformations sans cesse accélérées, mais ne serait-ce pas dans cette accélération incontrôlée que se trouve justement le principal danger? « Se réconcilier avec la nature », comme vous le demandez, n'est-ce pas d'abord tenir compte de ses exigences et de ses rythmes? Si personnellement j'ai pu conserver tant bien que mal quelque équilibre au cours de quarante années de bagarres en tous genres, je crois le devoir pour beaucoup à l'obstination que j'ai mise et mets toujours à limiter mes exigences et à vivre cinq ou six semaines par an dans des conditions de primitivisme que n'accepteraient plus les paysans sàvoyards du voisinage, qui ont la télévision et se chauffent au fuel. C'était pour moi, c'est toujours, si vous voulez, une sorte de « hippysme » avant la lettre.

Sur le plan social, le capitalisme n'a malheureusement pas le monopole de l'exploitation des hommes. Quel détenteur d'un pouvoir n'est pas, pour le moins, tenté d'en abuser? L'appel à un socialisme « à visage humain », conforme à un « modèle » théorique nulle part expérimenté et même pas esquissé, me paraît relever tantôt de l'illusion et tantôt de la simple démagogie. Pour assurer au plus grand nombre possible des conditions de vie décentes et le minimum de responsabilités qui permette dignité ou fierté, je serais tenté d'admettre — pour une fois — avec Edgar Faure qu'il vaut mieux s'appliquer à ne pas détruire « les facultés créatrices du capitalisme » tout en leur intégrant « les finalités généreuses du socialisme ». L'expérience vécue en Bohême-Moravie m'a paru convaincante.

Ayant eu l'occasion, fortuite, de lancer un quotidien propre, j'ai pris le risque, après vingt-cinq ans, d'en laisser la propriété — pour 60 % — aux rédacteurs, aux cadres, aux employés qui le font et — pour 40 % — à des hommes dépourvus d'ambition spéculatrice et pour la plupart universitaires. Est-ce du socialisme? de la participation? de la cogestion? de l'autogestion? Ce qui est sûr, c'est que les ouvriers imprimeurs, privilégiés, comme vous le savez, aussi bien pour le niveau des salaires que pour la durée du travail, préfèrent la revendication à outrance à tout partage de responsabilités.

L'avenir dira si ce pari pouvait être gagné. Question d'éducation (avec ses

356

lenteurs) plutôt que de révolution (avec les tyrannies qu'elle engendre généralement). Je sais bien qu'une hirondelle ne fait pas le printemps, mais qu'il ne manque pas non plus de responsables qui s'appliquent à résoudre le problème compte tenu des diverses données qui leur sont posées.

Dans cette lutte, si souvent ambiguë, outre le bien et le mal, le mieux et le pire, il est bien difficile d'établir une échelle de priorités. L'immédiat et le futur, l'individuel et le collectif peuvent être également pressants et les mesures à prendre relèvent d'une même attitude d'esprit.

Au niveau de l'histoire humaine, quand les pouvoirs démiurgiques du nouveau Prométhée lui permettent d'échapper à sa prison terrestre, d'exploiter les énergies enfouies au cœur de la matière, d'intervenir au plus profond des sources de la vie, il s'agit de savoir s'il n'est pas condamné à l'impuissance vis-à-vis de sa propre puissance ou jusqu'à quel point il peut rester le maître du jeu.

La mode est aujourd'hui de proclamer la mort de Dieu, mais tant de manifestations aberrantes ou monstrueuses ne traduisent-elles pas, en réalité, une quête plus ou moins désespérée du sens de la vie? « Comment » vivre, si l'on ignore le « pourquoi »? Ni la pure théorie de la connaissance de Monod, ni même l'impératif d'Hamburger pour la préservation de l'espèce ne paraissent fournir une réponse suffisante. Je pense plutôt à Berl avec son « dieu en creux » ressenti comme un « manque », à Malraux avec ses « valeurs suprêmes » qui ne disent pas leur nom, à Garaudy avec sa « croyance à l'impossible »...

Je n'ai guère répondu à vos questions en vous jetant en vrac ces réactions — peut-être... réactionnaires et à coup sûr assez banales — d'un septuagénaire qui a fait son temps et rendu sa copie. Je ne vous les aurais pas infligées si vous ne les aviez si gentiment et si instamment provoquées. Gardez-les pour vous en me les pardonnant aussi cordialement que je vous les adresse.

Évolution et répartition
des lecteurs du *Monde*

TIRAGE ET DIFFUSION DU « MONDE » DEPUIS SA CRÉATION

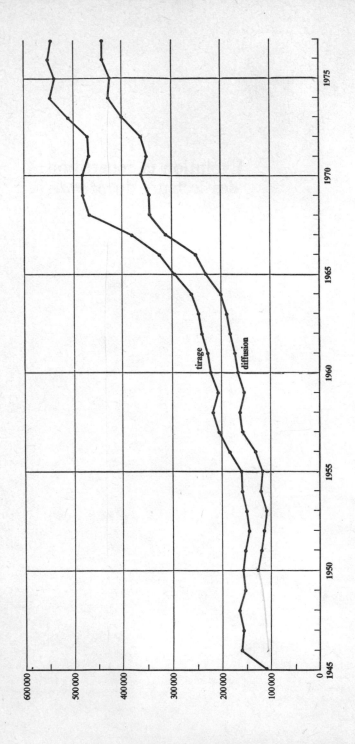

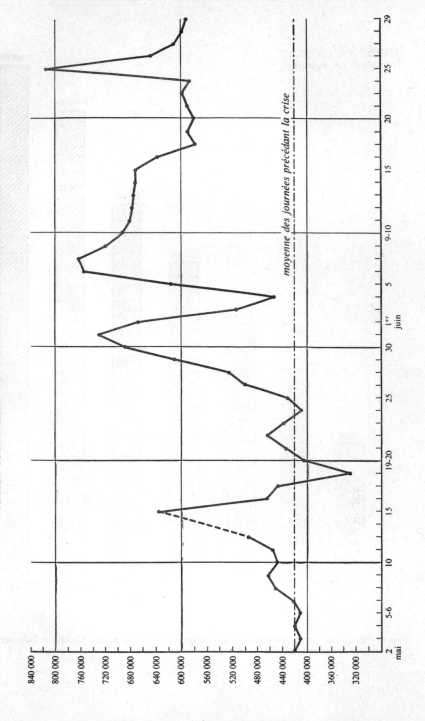

TIRAGE JOURNALIER DU « MONDE » EN MAI-JUIN 1968

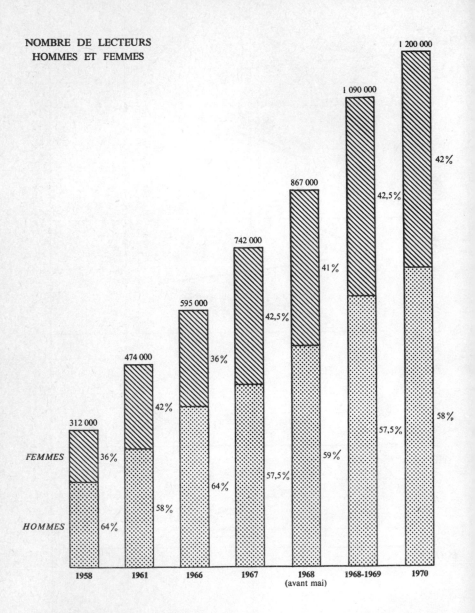

NOMBRE DE LECTEURS
HOMMES ET FEMMES

1 200 000

1 090 000

867 000

742 000

595 000

474 000

312 000

42%

42,5%

41%

42,5%

36%

42%

36%

FEMMES

HOMMES

64%

58%

64%

57,5%

59%

57,5%

58%

1958   1961   1966   1967   1968   1968-1969   1970
                             (avant mai)

Source : Enquêtes du Centre d'études des supports de publicité, *Le Monde,* « Informations publicitaires », novembre 1970, n° 67.

RÉPARTITION PAR ÂGE

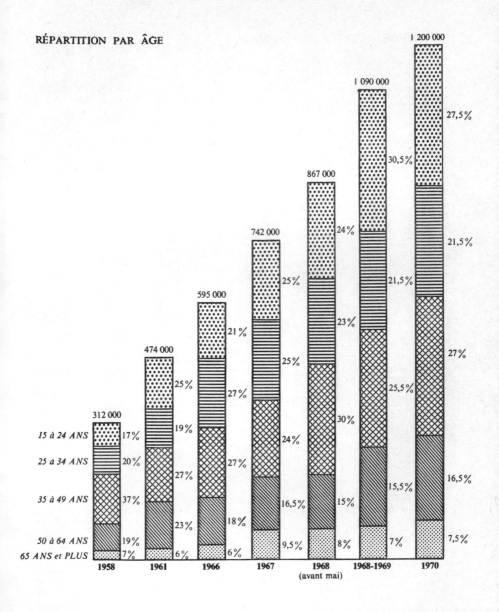

Source : Enquêtes du Centre d'études des supports de publicité. *Le Monde*, « Informations publicitaires », janvier 1971, n° 69.

CATÉGORIES SOCIOPROFESSIONNELLES

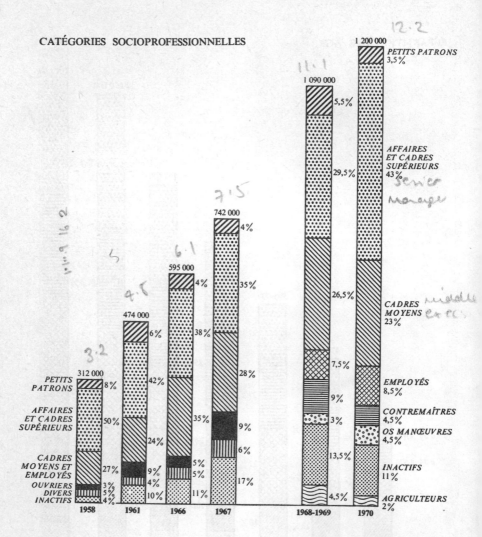

Ce tableau, comme ceux qui concernent la répartition par âge et par sexe des lecteurs du *Monde*, a été établi par les soins des services de publicité du journal à partir des enquêtes du CESP. On n'y cherchera pas une précision scientifique rigoureuse, notamment en ce qui concerne les frontières des catégories socioprofessionnelles, mais il montre bien que *le Monde* est lu principalement par les cadres et les milieux d'affaires. A noter que les étudiants sont classés parmi les inactifs.

Source : Enquêtes du Centre d'études des supports publicitaires, *Le Monde,* « Informations publicitaires », décembre 1970, n° 68.

Éléments de bibliographie

On trouvera dans les notes le détail des emprunts ponctuels que nous avons faits à des ouvrages divers, et, en annexe, des extraits de Mémoires et commentaires divers concernant *le Monde* et son fondateur.

Il faut faire une place à part aux ouvrages et aux recueils d'articles d'Hubert Beuve-Méry lui-même : *Vers la plus grande Allemagne*, Paris, Centre de politique étrangère, Section d'information, publication n° 14, 1939, 118 p. ; *Réflexions politiques, 1932-1952*, Paris, Le Monde et Éd. du Seuil, 1951, 256 p. ; (Sirius), *Le Suicide de la IVᵉ République*, Paris, Éd. du Cerf, 1958, 120 p. ; *Onze ans de règne, 1958-1969*, Paris, Flammarion, 1974, 414 p., et sa conférence du 24 mai 1956 au théâtre des Ambassadeurs, *Du « Temps » au « Monde » ou la presse et l'argent*, Paris, Les Conférences des Ambassadeurs, 1956, 20 p.

La seule étude « distanciée », non polémique, publiée jusqu'ici sur le journal est constituée par le petit livre, solide et sérieux, d'Abel Chatelain, « *Le Monde » et ses lecteurs sous la IVᵉ République*, Paris, Colin, coll. « Kiosque », 1962, 280 p. Sur la question des sociétés de rédacteurs, le livre de référence est celui de Jean Schwœbel, *la Presse, le Pouvoir et l'Argent*, Paris, Éd. du Seuil, 1968, 288 p. Il y a aussi, naturellement, beaucoup d'indications à glaner dans l'excellente *Histoire générale de la presse française* de Claude Bellanger, Jacques Godechot, Pierre Guiral et Fernand Terrou, t. IV, *De 1940 à 1958*, Paris, PUF, 1975, 486 p., et t. V, *De 1958 à nos jours*, 1976, 552 p.

On citera enfin, parmi les travaux universitaires inédits, le précieux mémoire de Bruno Rémond : *les Éditoriaux de Sirius dans « le Monde » : morale et politique*, Paris, Institut d'études politiques, 1970, 396 p. (mémoire dact.).

Du côté de la littérature polémique, on peut consulter : « *Le Monde » auxiliaire du communisme*, Paris, *Bulletin* de l'Association d'études et d'informations politiques internationales, supplément au numéro du 1ᵉʳ au 15 octobre 1952, 72 p., puis, pour la vague polémique des années soixante-dix :
– Guy Hostert, *Le Journal « le Monde » et le Marxisme*, Paris, La Pensée universelle, 1973, 124 p. (2 parties, qui indiquent bien le contenu : 1. « Sous l'étendard du gaullisme » ; 2. « Sous le charme du socialisme »);
– Michel Legris, « *Le Monde » tel qu'il est*, Paris, Plon, « Tribune libre », 1976, 214 p. ;
– Jean Cau, *Lettre ouverte à tout le Monde*, Paris, Albin Michel, 1976, 150 p. ;

– Philippe Simonnot, « *Le Monde* » *et le Pouvoir*, Paris, Les Presses d'aujourd'hui, 1977, 224 p. ;
– « *Le Monde* » *et ses méthodes*, avant-propos de Louis de Villefosse, Paris, Association pour une lecture critique de la presse, 1976, 96 p.

Le point de vue communiste a été exprimé par Aimé Guedj et Jacques Girault dans « *Le Monde* »... *humanisme, objectivité et politique*, Paris, Éditions sociales, 1970, 256 p.

– Jacques Fauvet a présenté la défense du journal dans une émission télévisée de Jean-Louis Servan-Schreiber, « Questionnaire » ; le texte en a paru dans l'ouvrage de ce dernier, *Questionnaire pour demain*, Paris, Ramsay, 1977, 332 p., p. 95-120.

Archives

Les Archives personnelles d'Hubert Beuve-Méry et la documentation du *Monde* ont constitué pour nous, naturellement, une source majeure et centrale. Les papiers de René Courtin ont été également importants, et ceux de Jean Vignal utiles. Nous avons glané des informations diverses dans les papiers de Martial Bonis-Charancle appartenant à sa fille Anne Béranger, dans ceux, très lacunaires malheureusement, d'André Chênebenoit que conservent son neveu et sa nièce, M. et Mme Gérard Casano, et, pour l'affaire du *Temps de Paris,* dans ceux de Philippe Boegner et d'Henry Dhavernas.

Comme il n'existe d'inventaire pour aucun de ces fonds, nous n'avons pas pu fournir, au fil des pages, de référence plus précise que la simple mention d'une provenance générale. On ne trouvera d'intitulé de dossiers que pour les Archives du ministère de l'Information qui concernent le journal dans les débuts, et que les autorités compétentes ont bien voulu nous laisser dépouiller.

Liste des personnes interrogées

Georges Bidault, Philippe Boegner, Michel de Boissieu, Amber Bousoglou, Gérard Casano, César, Simone Courtin, Jean Couvreur, Henry Dhavernas, Jean-Marie Dupont, Pierre Drouin, Joannès Dupraz, Jacques Fauvet, Paul Flamand, Charles Flory, André Fontaine, Jacques Guérif, Gérard Jaquet, Jean Lacouture, Bernard Lauzanne, Jean Letourneau, Claude Lévi-Strauss, Georges Mamy, Gilbert Mathieu, Olivier Merlin, Jean Morin, Gaston Palewski, Antoine Pinay, Jean Planchais, Bertrand Poirot-Delpech, Paul Reuter, Édouard Sablier, Jacques Sauvageot, Jean Schwœbel. Jean-Marc Théolleyre, Pierre Viansson-Ponté.

Index

On n'a pas relevé les noms de Beuve-Méry ou de Sirius, et, pour les publications, *le Temps* et *le Monde.*

374

INDEX

présence, 131. – Les beuve-mérystes contre-attaquent, 137. – La rédaction entre en scène (septembre), 143. – La mobilisation des lecteurs (octobre-novembre), 148. – De Gaulle sauve Beuve (décembre), 151.

79

IMP. SEPC A SAINT-AMAND (CHER)
D.L. 1ᵉʳ TR. 1979. N° 5100 (1943-939)